BREVE HISTÓRIA DE QUASE TUDO

BILL BRYSON

BREVE HISTÓRIA DE QUASE TUDO

Tradução de
Daniela Garcia

BERTRAND EDITORA
Lisboa 2024

Título original: *A Short History of Nearly Everything*
Autor: Bill Bryson

Rua Prof. Jorge da Silva Horta, 1
1500-499 Lisboa
Telefone: 21 762 60 00
Correio electrónico: editora@bertrand.pt
www.bertrandeditora.pt

Revisão científica: Vera Braga
Revisão ortográfica: André Cardoso

Execução gráfica: Bloco Gráfico
Unidade Industrial da Maia

1.ª edição: 2004
14.ª edição: Março de 2013
Reimpresso em Março de 2024
Depósito legal n.º 356 311/13
ISBN: 978-972-25-1920-5

A Meghan e Chris. Bem-vindos.

O físico Leo Szilard anunciou certa vez ao seu amigo Hans Bethe a sua intenção de começar a escrever um diário.

– Não tenho qualquer interesse em publicá-lo. Vou apenas registar os factos para informação de Deus.

– Não te parece que Deus já sabe quais são os factos? – respondeu Bethe.

– Sim – disse Szilard, e prosseguiu – Ele conhece os factos, o que Ele não conhece é esta versão dos factos.

Hans Christian von Baeyer, *Taming the Atom*

ÍNDICE

Agradecimentos 13
Introdução 15

I: Perdidos no Cosmos 23
1. Como contruir um universo 25
2. Bem-vindos ao sistema solar 34
3. O universo do reverendo Evans 43

II: O tamanho da Terra 53
4. A medida das coisas 55
5. Os partidores de pedra 74
6. Uma ciência com unhas e dentes 89
7. Matérias elementares 106

III: Alvorada de Uma Nova Era 123
8. O universo de Einstein 125
9. O poderoso átomo 142
10. Chumbo, o fiel inimigo 157
11. Os quarks de James Joyce 168
12. A Terra move-se 179

IV: Planeta Perigoso 191
13. Bang! 193
14. Entranhas em fogo 210
15. Beleza Perigosa 226

V: A Vida Propriamente Dita ... 239
16. Um planeta solitário ... 241
17. No interior da troposfera ... 256
18. A imensidão das águas ... 270
19. O nascimento da vida ... 287
20. O mundo é dos pequenos ... 302
21. A vida continua ... 320
22. Adeus a tudo isso ... 334
23. A riqueza de ser ... 349
24. As células ... 369
25. A noção singular de Darwin ... 379
26. A matéria da vida ... 393

VI: O Caminho até Nós ... 411
27. A idade do gelo ... 413
28. O misterioso bípede ... 428
29. O macaco irrequieto ... 446
30. Adeus ... 462

Bibliografia ... 473
Índice remissivo ... 487

AGRADECIMENTOS

Aqui sentado, no início de 2003, tenho diante de mim várias páginas do meu manuscrito que comporta majestosamente apontamentos encorajadores e ajuizados de Ian Tattersall do Museu de História Natural Americano sublinhando, entre outras coisas, que Périguex não é uma região vinícola, que é engenhoso e algo heterodoxo da minha parte colocar em itálico as divisões taxonómicas que ultrapassam o grau do género e da espécie, que eu nunca soube escrever Olorgesilie correctamente (um dos lugares que visitei recentemente), e por aí em diante no mesmo estilo e ao longo de dois capítulos de texto que abarcam a sua área de especialização: o humano primitivo.

Deus sabe quantas mais «gralhas» embaraçosas poderão manchar as páginas que escrevi, todavia, é graças ao doutor Tattersall, e a todos os outros que passo a mencionar, que o número de erros não excede as centenas.

Seria impossível agradecer adequadamente a todos os que me ajudaram na preparação deste livro. Tenho uma dívida especial para com as seguintes pessoas, todas elas de uma generosidade e delicadeza ímpar, demonstrando uma capacidade de paciência heróica ao responder a uma simples questão que eu colocava vezes sem fim: «Importa-se de me explicar outra vez?».

Em Inglaterra: David Caplin do Imperial College de Londres; Richard Fortey, Len Ellis e Kathy Way do Museu de História Natural; Martin Raff do University College de Londres; Rosalind Harding do Instituto de Antropologia Biológica de Oxford; Dr. Laurence Smaje, então do Instituto Wellcome; Keith Blackmore do *The Times*.

Nos Estados Unidos da América: Ian Tattersall do Museu Americano de História Natural em Nova Iorque; John Thorstensen, Mary K. Hudson e David Blanchflower do Dartmouth College em New Hampshire; Dr. William Abdu e Dr. Bryan Marsh do Dartmouth-Hitchcock Medical Centre em New

Hampshire; Ray Anderson e Brian Witzke do Departamento de Recursos Naturais do Iowa; Mike Voorhies da Universidade do Nebrasca e do Ashfall Fossil Beds State Park, perto de Orchard no Nebrasca; Chuck Offenburger da Universidade de Buena Vista, no Strom Lake, Iowa; Ken Rancourt, director de Pesquisa, Observatório de Mount Washington, em Gorham, New Hampshire; Paul Doss, geólogo do Parque Nacional de Yellowstone, e sua mulher, Heidi, também do Yellowstone; Frank Asaro da Universidade da Califórnia em Berkeley; Oliver Payne e Lynn Addison da Sociedade Nacional de Geografia; James O. Farlow da Universidade Indiana-Purdue; Roger L. Larson, professor de geofísica marinha na Universidade de Rhode Island, Jeff Guinn do jornal de Forth Worth *Star-Telegram*; Jerry kasten de Dallas, Texas; todo o pessoal da Iwoa Historical Society em Des Moines.

Na Austrália: ao Reverendo Robert Evans de Hazelbrook, New South Wales; Dr. Jill Cainey, do Gabinete Australiano de Metereologia; Alan Thorne e Victori Bennett da Universidade Nacional da Austrália em Canberra; Louise Burke e John Hawley de Canberra; Anne Milne do *Sydney Morning Herald*; Ian Nowak, então da Sociedade Geológica da Austrália Ocidental; Thomas H. Rich do Museu Victoria; Tim Flannery, director do Museu da Austrália do Sul em Adelaide; Natalie Papworth e Alan MacFayden do Jardim Botânico Royal Tasmanian em Hobart; proveitosos colaboradores da Biblioteca Nacional de Sydney.

De outros países: Sue Superville, directora do centro de informação do Museu de Nova Zelândia em Wellington: Dr.ª Emma Mbua, Dr. Koen Maes e Jillani Ngalla do Museu Nacional do Quénia em Nairobi.

Estou também profundamente em dívida para com Patrick Janson-Smith, Gerald Howard, Marianne Velmans, Alison Tulett, Gillian Somerscales; Larry Finlay, Steve Rubin, Jed Mattes, Carol Heaton, Charles Elliott, David Bryson, Felicity Bryson, Dan McLean, Nick Southern, Gerald Engelbresten, Patrick Gallagher, Larry Ashmead, e para com todo o pessoal da inigualável e alegre Howe Library, em Hanôver no New Hampshire.

Acima de tudo, e como sempre, o mais sincero agradecimento à minha querida e paciente mulher, Cynthia.

INTRODUÇÃO

Bem-vindo. E parabéns. Ainda bem que chegou até aqui. Não foi fácil, eu sei. Para dizer a verdade, suspeito mesmo que terá sido um pouco mais difícil do que pensa.

Em primeiro lugar, para que o leitor esteja aqui agora, foi preciso que biliões de átomos errantes tenham conseguido juntar-se, numa dança intrincada e misteriosamente coordenada, de forma a criá-lo a si. Trata-se de uma combinação tão única e especializada que nunca foi feita antes, e só vai existir desta vez. Durante muitos anos futuros (esperemos), estas partículas minúsculas irão dedicar-se sem qualquer queixume aos mil milhões de hábeis e articulados esforços necessários para o manter intacto e deixá-lo desfrutar da experiência supremamente agradável, mas geralmente subestimada, a que chamamos existência.

A razão pela qual os átomos se dão a este trabalho não é lá muito clara. A nível atómico, ser o leitor não é propriamente compensador. Ou seja, apesar da atenção que lhe dedicam, os átomos não se preocupam consigo – na verdade, nem sequer sabem que você existe. Nem mesmo que *eles próprios* existem. Nada mais são do que partículas sem consciência, e nem sequer têm vida própria. (Não deixa de ser ligeiramente impressionante pensar que, se você tentasse dissecar-se a si próprio com uma pinça, átomo a átomo, nada mais iria conseguir do que um monte de fina poeira atómica, da qual nem um grão alguma vez tivera vida, mas que, toda junta, era você.) E, no entanto, durante todo o período da sua existência, a única preocupação dessas partículas será a de responder a um único impulso incontrolável: fazer com que você seja quem é.

O lado menos bom da questão é que os átomos são inconstantes, e que o seu período de dedicação a uma causa é passageiro. Muito passageiro mesmo. Até uma longa vida humana não dura mais do que umas 650 mil horas.

E quando este modesto marco é ultrapassado, ou por volta dessa altura, por razões desconhecidas os seus átomos vão dispersar em silêncio, para se tornarem noutras coisas. E é o fim da história para si.

Apesar de tudo, já não é nada mau que assim seja. De um modo geral, o mesmo não acontece no universo, pelo menos que se saiba. O que não deixa de ser estranho, porque os átomos que com tão boa vontade e generosidade se agregam para formar os seres humanos aqui na Terra são exactamente os mesmos que se recusam a fazê-lo em todo e qualquer outro lugar. A vida pode ser muitas coisas, mas do ponto de vista químico, é curiosamente simples: carbono, hidrogénio, oxigénio e azoto, um pouco de cálcio, uma pitada de enxofre, uns pozinhos de outros elementos muito corriqueiros – nada que não possa encontrar numa farmácia normal – e pronto, não é preciso mais nada. A única característica especial dos átomos que o constituem a si, é o facto de o constituírem a si. E nisso consiste o milagre da vida.

Quer formem ou não vida em qualquer outro lugar do universo, é inegável que formam muitas outras coisas; melhor dizendo, formam tudo o resto que existe. Sem eles não haveria água, ar, rochas, estrelas ou planetas, nuvens gasosas distantes ou nebulosas a girar, ou qualquer outra das coisas que fazem do universo uma matéria tão rica. Os átomos são tão numerosos e necessários que temos a tentação de esquecer que, na realidade, nem sequer precisariam de existir. Não há nenhuma lei que exija que o universo se encha de inúmeras partículas de matéria ou que produza luz e gravidade ou as outras propriedades físicas com que se articula a nossa existência. Na verdade, não tem de haver universo nenhum. E não houve, durante a maior parte do tempo. Não houve átomos e não houve um universo onde eles pudessem flutuar. Não houve nada. Nada de nada, em lado nenhum.

Portanto, só temos de agradecer aos átomos. Mas o facto de sermos formados por átomos, e de eles se manterem juntos com tal boa vontade, só constitui parte do que o trouxe até aqui. Para estar aqui agora, no século XXI, vivo e com inteligência suficiente para o constatar, o leitor também teve de ser bafejado por uma extraordinária cadeia de felizes acontecimentos biológicos. A sobrevivência na Terra é um assunto complicadíssimo. Dos biliões e biliões de espécies de seres vivos que existiram desde o raiar dos tempos, a maior parte – 99,99 por cento – já não anda por cá. O facto é que a vida na Terra não só é breve como também de uma fragilidade deprimente. Uma característica curiosa da nossa existência é que vivemos num planeta exímio em promover a vida, mas ainda o é mais em acabar com ela.

A duração média de uma espécie na Terra é de cerca de quatro milhões de anos, portanto, se quiser ficar por cá durante uns biliões de anos, terá de ser tão versátil quanto os átomos que o constituem. Tem de estar preparado para mudar tudo aquilo que o caracteriza – forma, tamanho, cor, espécie a que pertence, enfim, tudo – e fazê-lo repetidamente. Coisa que é muito mais fácil de dizer do que de fazer, uma vez que o processo de mudança é feito ao acaso. Para ir de um "glóbulo atómico primordial protoplasmal" (como dizem Gilbert & Sullivan) até ao homem erecto moderno, foram precisas repetidas mutações de características, realizadas no momento exacto e durante um período longuíssimo. Portanto, e ao longo de vários períodos, durante os últimos 3,8 mil milhões de anos, o leitor não tolerou o oxigénio, depois ficou totalmente dependente dele, cresceram-lhe barbatanas, membros e curiosas velas, pôs ovos, cortou o ar com uma língua bífida, teve a pele lustrosa e depois coberta de pêlo, viveu debaixo de terra, em árvores, foi tão grande como um veado e tão pequeno como um rato, e mais um milhão de outras coisas. Se tivesse havido o mais minúsculo desvio desta linha evolucionária, você poderia estar agora a lamber algas nas paredes de uma gruta, ou a arrastar-se dengosamente como uma morsa nalguma praia pedregosa, ou a expelir ar através de um orifício no topo da cabeça antes de mergulhar a 20 metros de profundidade para uma copiosa refeição de deliciosas minhocas do mar.

O leitor não só teve a sorte de estar ligado desde tempos imemoriais a uma linha evolucionária beneficiada como também teve uma sorte extraordinária, diria mesmo milagrosa, com os antepassados que lhe calharam. Pense só que, durante um período de 3,8 mil milhões de anos, período anterior à formação das montanhas, dos rios e oceanos da Terra, cada um dos seus antepassados de ambos os lados foi suficientemente atraente para encontrar um companheiro, teve a saúde necessária para se reproduzir, e foi suficientemente bafejado pelo destino e pelas circunstâncias para viver o tempo necessário para o fazer. Nenhum dos antepassados necessários à sua existência foi esmagado, devorado, afogado, morreu de fome, foi atacado ferozmente, ferido mortalmente, ou de alguma outra forma desviado da missão vital de deixar uma minúscula carga de material genético ao parceiro certo no momento exacto, de forma a perpetuar a única sequência possível de combinações hereditárias que, eventualmente, espantosamente, e com uma rapidez incrível, resultariam na sua pessoa.

Este livro conta como isso aconteceu – em especial, como se passou de não haver absolutamente nada para haver qualquer coisa, e depois como é que uma pequena parte dessa qualquer coisa se transformou naquilo que somos, e também um pouco do que foi acontecendo entre essas fases e desde então. É uma matéria muito vasta, evidentemente, e é por isso que o livro se chama *Breve História de Quase Tudo*, apesar de na realidade não o ser. Seria impossível. Mas, com um pouco de sorte, quando chegarmos ao fim vamos ter a sensação de que é isso mesmo.

Para dizer a verdade, o meu ponto de partida foi um livro de ciências ilustrado que utilizei no meu 4.º ou 5.º ano de escolaridade. Era um compêndio escolar típico dos anos 1950 – maltratado, enfadonho, desesperantemente volumoso –, mas que tinha nas primeiras páginas uma ilustração que simplesmente me cativou: um diagrama do interior da Terra de recortar e puxar, que tentava mostrar o que aconteceria se cortássemos o planeta com uma faca e retirássemos uma fatia de aproximadamente um quarto do seu tamanho.

Custa a acreditar que eu ainda não tivesse visto uma ilustração daquelas, mas só pode ser verdade, porque me lembro de ter ficado completamente siderado. Suspeito que a minha fascinação tenha sido, na verdade, baseada numa imagem pessoal de filas de condutores confiantes dirigindo-se para leste e mergulhando a pique num penhasco com 6000 quilómetros de altura que ligava a América Central ao Pólo Norte, mas, a pouco e pouco, a minha atenção foi adquirindo um cunho mais sério, fazendo com que me apercebesse da importância científica do desenho e compreendesse que a Terra era formada por várias camadas discretas, que, no meio, acabavam numa esfera brilhante de ferro e níquel, tão quente como a superfície do Sol, segundo informava a legenda. E lembro-me de ter pensado com espanto: "Como é que eles sabem isto?"

Nem duvidei por um instante da verdade da informação – ainda hoje tenho tendência a acreditar nas sentenças dos cientistas, tal como nas dos cirurgiões, canalizadores e outros possuidores de conhecimentos obscuros e privilegiados –, mas nem à lei da bala conseguia entender como é que uma mente humana podia adivinhar o aspecto e a composição de espaços situados a milhares de quilómetros abaixo de nós, que nenhum olho humano ou raio X alguma vez penetrara. Para mim, era simplesmente um milagre. E desde então assumi essa atitude em relação à ciência.

Excitado, levei o livro para casa nessa tarde e abri-o antes do jantar – o que fez a minha mãe pensar que eu estava doente, pondo-me a mão na testa para ver se tinha febre – e, começando na primeira página, pus-me a ler.

Eis o ponto fulcral da questão: o livro não tinha nada de excitante. Nem sequer era compreensível. Acima de tudo, não respondia a nenhuma das pergun-

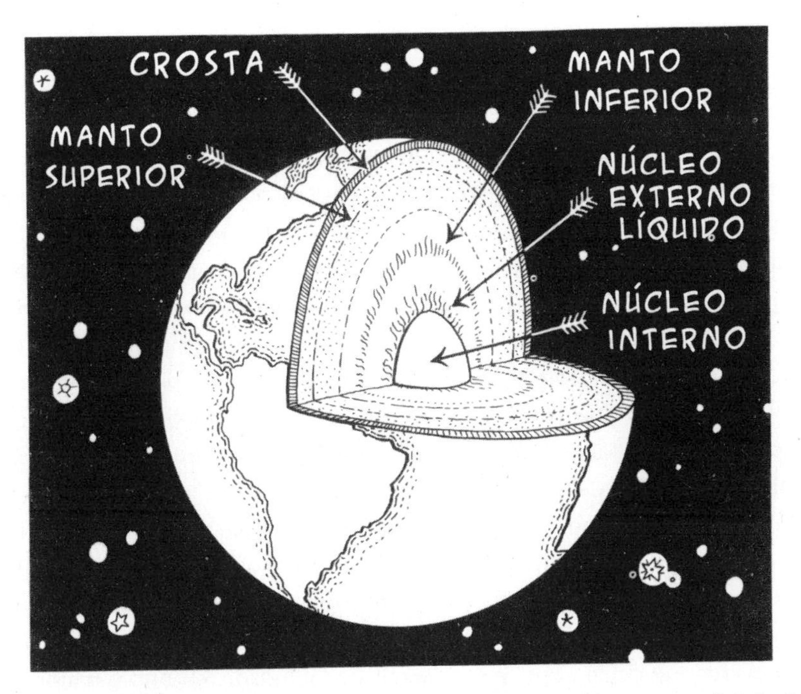

tas que a ilustração suscitava numa mente normal: como é que um sol tinha ido parar ao interior do nosso planeta e como é que eles sabiam a que temperatura estava? E se está sempre a arder lá em baixo, então como é que não sentimos o chão quente debaixo dos pés? E porque é que o resto do interior não derrete – ou será que derrete? E quando o centro finalmente se consumir, será que uma parte da Terra é sugada para dentro desse vazio, deixando uma cratera gigante à superfície? E como é que se *sabe* isto? *Como é que descobriram?*

Todavia, estranhamente, o autor não se pronunciava sobre estes detalhes – na verdade, não falava de nada que não fosse anticlinais, sinclinais, falhas axiais e coisas do género. Parecia que queria manter segredo sobre as partes mais interessantes, tornando-as impenetráveis. À medida que os anos iam passando, comecei a suspeitar de que não se tratava de um simples impulso pessoal da parte dele. Parecia haver uma conspiração universal entre os autores de livros de estudo no sentido de garantir que a matéria de que tratavam nunca chegasse demasiado perto de algo com um mínimo de interesse, e se mantivesse sempre a uma distância imensa do que fosse francamente interessante.

Hoje sei que há grande quantidade de escritores científicos a assinar a prosa mais lúcida e cativante – Timothy Ferris, Richard Fortey e Tim Flannery são três exemplos que me ocorrem de uma simples letra do alfabeto (para não falar no fantástico Richard Feynman, que já não se encontra entre nós) – mas, infelizmente, nenhum deles era autor dos livros de estudo que me passaram pelas mãos. Os meus foram todos escritos por homens (eram sempre homens) com a curiosa noção de que tudo se tornava claro desde que fosse expresso por uma fórmula, e a estranha crença de que os miúdos americanos achariam graça a um capítulo que terminasse com uma secção de perguntas para tentar resolver em casa, quando tivessem tempo. E, por isso, cresci com a convicção de que a ciência era uma matéria supremamente chata, embora sempre alimentasse a suspeita de que não tinha de ser assim, mas de preferência tentava não pensar no assunto. E assim fiz durante bastante tempo.

Depois, muito mais tarde – há cerca de quatro ou cinco anos – estava eu num avião sobrevoando o Pacífico, olhando distraidamente para um oceano banhado pelo luar, quando me ocorreu, com uma certa insistência desagradável, que não sabia absolutamente nada sobre o único planeta em que alguma vez ia viver. Não sabia, por exemplo, porque é que os oceanos eram salgados e os Grandes Lagos não. Não tinha a mais pequena ideia. Não sabia se os oceanos acumulavam sal ao longo dos tempos ou não, nem tão-pouco se me deveria preocupar com os seus níveis de salinidade. (Tenho o maior prazer em anunciar ao leitor que, até aos finais da década de 1970, os cientistas também não sabiam responder a estas questões. Portanto, nunca faziam muito alarido acerca delas.)

É claro que a salinidade dos oceanos representava apenas uma porção insignificante da minha imensa ignorância. Eu não sabia o que era um protão, ou uma proteína, não sabia a diferença entre um quark e um quasar, não sabia como é que os geólogos conseguiam olhar para um estrato rochoso numa parede de um desfiladeiro e determinar a respectiva idade, não sabia mesmo nada. Senti-me invadido por uma sub-reptícia e inesperada vontade de saber um pouco sobre estes assuntos, e sobretudo como se tinha chegado a tais conclusões. Isso, para mim, continuava a ser o mais espantoso – como é que os cientistas descobriam as coisas. Como é que alguém consegue *saber* quanto pesa a Terra, ou que idade têm as suas rochas, ou o que é que realmente existe no centro dela? Como é que podem saber como e quando é que nasceu o universo, e que aspecto tinha nessa altura? Como é que sabem o que se passa dentro de um átomo? E, já agora – ou talvez acima de tudo – como é possível que os cientistas pareçam tantas vezes saber praticamente tudo sem, todavia, conseguirem prever um terramoto, ou dizer-nos se devemos levar um guarda-chuva para o futebol no próximo domingo?

Foi assim que decidi dedicar uma parte da minha vida – mais precisamente três anos – a ler livros e revistas, e a procurar todo e qualquer especialista com paciência de santo que estivesse disposto a responder a um sem-número de perguntas extraordinariamente idiotas. A ideia era ver se seria possível entender e apreciar as maravilhas e os feitos da ciência – e, porque não, divertir-se com eles – a um nível que não fosse demasiado técnico ou exigente, mas que também não fosse inteiramente superficial.

Foram estas a ideia e a esperança que me animaram, e foi com essa intenção que nasceu este livro. De qualquer forma, temos muito com que nos ocupar e menos de 650 mil horas para o fazer, portanto, vamos a isso.

I

PERDIDO NO COSMOS

Estão todos no mesmo plano. Vão todos na mesma direcção...
É perfeito, não há dúvida. É espectacular. Quase sobrenatural.

Descrição do sistema solar pelo astrónomo Geoffrey Marcy

1.

COMO CONSTRUIR UM UNIVERSO

Por mais que tente nunca vai conseguir perceber o quão pequeno, quão espacialmente insignificante é um protão. É simplesmente de uma pequenez inimaginável.

Um protão é uma infinitésima parte de um átomo, que em si próprio já é também uma coisa insubstancial. Os protões são tão pequenos que a porção de tinta usada para pôr a pinta neste *i* pode conter qualquer coisa como 500 000 000 000 protões, mais do que o número de segundos em meio milhão de anos. Ou seja, os protões são extraordinariamente microscópicos, para dizer o mínimo.

Imagine agora, se conseguir (mas pode ter a certeza de que não consegue), que encolhe um desses protões até uma bilionésima parte do seu tamanho, até uma dimensão tão pequena que, em comparação, um protão daria a impressão de ser gigante. Agora ponha dentro desse espaço infinitamente diminuto cerca de 30 gramas de matéria. Óptimo. Está pronto para começar um universo.

Partindo do princípio, claro, de que você quer construir um universo inflaccionário. Mas se preferir construir um universo mais antiquado, do género *Big Bang*, vai precisar de mais material. Para dizer a verdade, vai precisar de reunir tudo o que existe – todo e cada grão e partícula de matéria surgidos desde o início da criação até agora – e enfiá-los num lugar tão infinitamente compacto que fica sem dimensão. Chama-se a isto uma singularidade.

Em qualquer dos casos, prepare-se para um verdadeiro *big bang*. É evidente que vai querer retirar-se para um lugar seguro, a fim de poder observar o espectáculo. Infelizmente, esse lugar não existe, porque, fora da singularidade, não existe *onde*. Quando o universo começa a expandir, não se vai espalhando para preencher um espaço vazio à sua volta. O único espaço que existe é o espaço que vai criando à medida que se expande.

Apesar de não ser assim, há a tentação de visualizar a singularidade como uma espécie de ponto inchado, suspenso num vácuo escuro e sem fronteiras. Mas não existe espaço, nem escuridão. A singularidade não tem "à volta" à sua volta. Não há espaço para ser ocupado, não há espaço para ela existir. Nem sequer podemos perguntar há quanto tempo está lá – ou se acabou de surgir, como uma boa ideia, ou se esteve ali desde todo o sempre, a aguardar o momento certo. O tempo não existe. Não existe passado de onde ela possa ter surgido.

E portanto, o nosso universo surge do nada.

Num único pulsar ofuscante, num momento de glória demasiado rápido e expansivo para se exprimir por palavras, a singularidade assume dimensões celestiais, um espaço para além de qualquer conceito. No primeiro segundo da história (um segundo a que muitos cosmólogos dedicam a sua carreira, reduzindo-o a camadas cada vez mais finas), produz-se a gravidade e as outras forças que governam a física. Em menos de um minuto, o universo passa a ocupar mil biliões de quilómetros em todas as direcções, e continua a crescer. Faz imenso calor neste momento, dez mil milhões de graus, o suficiente para iniciar as reacções nucleares que criam os elementos mais leves – principalmente o hidrogénio e o hélio, com uma pitada (cerca de um átomo em cem milhões) de lítio. Em três minutos, produz-se 98 por cento de toda a matéria que existe ou alguma vez existirá. Temos um universo. Um lugar de uma potencialidade espantosa e compensadora e de grande beleza. E tudo foi feito no mesmo tempo que levamos a fazer uma sanduíche.

O momento em que isto aconteceu é que já é assunto para um longo debate. Os cosmólogos há muito que discutem se terá sido há dez mil milhões de anos, ou o dobro, ou algures entre esses dois números. O consenso parece estar mais perto de um número como 13,7 mil milhões de anos, mas evidentemente tudo isto é incrivelmente difícil de medir, como teremos a oportunidade de ver mais adiante. Tudo o que se pode realmente dizer é que, a dado ponto indeterminado, num passado muito distante e por razões desconhecidas, surgiu uma ciência em que $t = 0$. Estávamos a caminho.

É claro que continua a haver muito que não sabemos, e muito do que achamos saber, na verdade não sabemos. Mesmo a noção do *Big Bang* é muito recente. Apesar de a ideia ter começado a manifestar-se nos anos 1920, foi Georges Lemaître, um padre e cientista belga, o primeiro a propô-la numa base experimental. Mas só por volta dos anos 1960 é que essa noção se tornou mais importante em cosmologia, quando Arno Penzias e Robert Wilson, ambos astrónomos, fizeram uma descoberta totalmente inesperada. Em 1965, quando estavam a tentar utilizar uma antena de comunicação gigante pertencente aos Bell Laboratories, em Holmdel, Nova Jérsia, foram confrontados com um barulho de fundo persistente – um silvo constante e agudo que tornava impossível qualquer experiência. Era um ruído persistente e de origem difícil de detectar. Vinha de todas as direcções do céu, noite e dia, em todas as estações do ano. Durante um ano, os dois jovens astrónomos fizeram tudo para identificar e eliminar aquele barulho. Testaram o sistema eléctrico todo, reconstruíram instrumentos, verificaram circuitos, ligaram fios, limparam tomadas. Subiram ao prato e colocaram fita isoladora em cada junta e rebite. Voltaram a subir ao prato com vassouras e escovas para limpar aquilo a que mais tarde se referiram num documento como "material dieléctrico branco", ou seja, aquilo a que vulgarmente chamamos cocó de pássaro. Tudo sem resultado.

Mal sabiam eles que na Universidade de Princeton, a apenas 50 quilómetros de distância, uma equipa de cientistas chefiada por Robert Dicke tentava encontrar justamente aquilo de que eles tão afanosamente se tentavam desembaraçar. Os investigadores de Princeton estavam a desenvolver a ideia do astrofísico de origem russa George Gamow, sugerida em 1940, segundo a qual, se perscrutássemos profundamente o espaço, encontraríamos uma radiação cósmica de fundo, um resquício deixado pelo *Big Bang*. Gamow calculou que, quando esta acabasse de atravessar a vastidão do cosmos, chegaria à Terra sob a forma de microondas. Num estudo posterior, chegou mesmo a sugerir um instrumento que poderia eventualmente comprovar isso: a antena Bell, em Holmdel. Infelizmente, nem Penzias, nem Wilson, nem qualquer dos membros da equipa de Princeton tinham lido o artigo de Gamow.

O ruído que Penzias e Wilson ouviam era evidentemente o ruído que Gamow havia postulado. Tinham encontrado a fronteira do universo, ou pelo menos a sua parte visível, à distância de 145 mil triliões de quilómetros. Estavam a "ver" os primeiros fotões – a luz mais antiga do universo –, apesar de o tempo e a distância os terem transformado em microondas, tal como Gamow tinha previsto. No seu livro *The Inflationary Universe*, Alan Guth fornece uma analogia que ajuda a perspectivar esta descoberta. Se resolver espreitar os confins do universo como se estivesse a olhar do centésimo andar do Empire State Building (sendo que o centésimo andar representa o momento actual e o nível da rua o momento do *Big Bang*) na altura da descoberta de Penzias e Wilson, as galáxias mais distantes que alguém já havia detectado situavam-se por volta do sexagésimo andar, e as coisas mais distantes – os quasares – cerca do vigésimo andar. A descoberta de Penzias e Wilson estendeu o nosso conhecimento do universo visível até pouco mais de um centímetro acima do piso térreo.

Sem saber ainda o que causava o ruído, Wilson e Penzias telefonaram a Dicke, em Princeton, e descreveram o problema, na esperança de que ele lhes sugerisse uma solução. Dicke percebeu imediatamente o que os dois jovens astrónomos tinham descoberto. Depois de desligar o telefone, voltou-se para a sua equipa e disse: "Malta, acabaram de nos passar a perna."

Pouco depois, o *Astrophysical Journal* publicava dois artigos: um de Wilson e Penzias, descrevendo a sua experiência com o silvo detectado, e outro da equipa de Dicke, a explicar a sua origem. Em 1978, Wilson e Penzias ganharam o Prémio Nobel da Física, apesar de não andarem à procura de qualquer radiação cósmica de fundo, não saberem o que tinham encontrado, nem terem descrito ou interpretado a sua natureza em nenhum artigo científico, enquanto os investigadores de Princeton se limitaram a ganhar o apreço e a compreensão do mundo científico. Segundo Dennis Overbye, autor de *Lonely Hearts of the Cosmos*, nem Penzias nem Wilson juntos compreenderam o significado do que tinham encontrado até lerem um artigo sobre o assunto no *New York Times*.

A propósito, já todos nós fomos confrontados com as perturbações causadas pela radiação cósmica de fundo. Se ligar a televisão num canal não sintonizado, cerca de um por cento da electricidade estática que vê é resultado do remanescente longínquo do *Big Bang*. Da próxima vez que se queixar de não haver nada para ver, lembre-se de que pode sempre assistir ao nascimento do universo.

Apesar de toda a gente lhe chamar *Big Bang*, muitos livros advertem-nos de que não devemos imaginá-lo como uma explosão no sentido convencional. Foi antes uma vasta e súbita expansão, a uma escala avassaladora. Mas o que é que a provocou?

Uma hipótese é que talvez a singularidade seja uma relíquia de um universo mais antigo já desaparecido, e nós sejamos apenas um universo num eterno ciclo de expansão e colapso de universos, como o balão de uma máquina de oxigénio. Outros atribuem o *Big Bang* àquilo que chamam "um falso vácuo" ou "um campo escalar" ou "a energia do vácuo" – uma propriedade ou algo que, de algum modo, introduziu uma dimensão de instabilidade no nada preexistente. Parece impossível conseguir obter seja o que for a partir do nada, mas o facto de o nada já ter existido e agora existir o universo é prova evidente de que isso é possível. Pode ainda ser que o nosso universo seja apenas uma parte de outros universos maiores, alguns deles em dimensões diferentes, e que haja *big bangs* a acontecer a toda a hora e em todo o lado. Ou ainda que o espaço e o tempo tenham tido outras formas completamente diferentes antes do *Big Bang* – formas demasiado diferentes para poderem caber na nossa imaginação –, e que o *Big Bang* represente apenas uma espécie de fase de transição, em que o universo passou de uma forma que não conseguimos compreender para uma que é quase perceptível. "Estas questões aproximam-se muito das questões religiosas", disse ao *New York Times,* em 2001, o Dr. Andrei Linde, cosmólogo em Stanford.

A teoria do *Big Bang* não trata propriamente da explosão (o *bang*), mas sim do que se passou a seguir. Logo a seguir, a propósito. À custa de muitos cálculos matemáticos e da observação cuidadosa do que se passa com os aceleradores de partículas, os cientistas acreditam que podem recuar até 10^{-43} segundos a seguir ao momento da criação, altura em que o universo era tão pequeno que seria necessário um microscópio para o ver. Não devemos ficar de queixo caído perante cada número extravagante que se nos apresenta, mas talvez valha a pena darmo-nos conta de um de tempos a tempos, só para nos lembrarmos até que ponto é imenso e inabarcável pela mente humana.

Na realidade, 10^{-43} pode também escrever-se de outra forma: 0,0000000000 000000000000000000000000000000001, isto é, um sobre dez milhões de biliões de biliões de biliões de segundo.*

A maioria daquilo em que acreditamos, ou pensamos acreditar, sobre os primeiros momentos do universo deve-se a uma ideia chamada teoria da inflação, sugerida em 1979 por um jovem físico de partículas, que na altura trabalhava em Stanford e hoje no MIT, chamado Alan Guth. Tinha então 32 anos,

---

* Uma palavra sobre a notação científica. Uma vez que alguns números são difíceis de escrever e quase impossíveis de ler, os cientistas usam uma simplificação que envolve expoentes (ou múltiplos) de dez, segundo a qual, por exemplo, 10 000 000 000 é escrito 10^{10} e 6 500 000 torna-se $6{,}5 \times 10^6$. O princípio baseia-se muito simplesmente nos múltiplos de dez: 10 x 10 (ou 100) torna-se 10^2; 10 x 10 x 10 (ou 1000) torna-se 10^3; e por aí fora, óbvia e indefinidamente. O pequeno expoente significa o número de zeros que se seguem ao número principal. Números negativos são representados como a imagem de um espelho, onde o expoente indica o número de dígitos à direita da vírgula (logo, 10^{-4} significa 0,0001). Apesar de achar este princípio bastante competente, continuo sem perceber como é que alguém que olhe para $1{,}4 \times 10^9$ km^3 consiga decifrar de imediato que se trata de 1,4 mil milhões de quilómetros cúbicos, e ainda que prefiram usar a primeira forma à segunda quando escrevem (especialmente num livro destinado ao comum dos mortais, onde este exemplo foi encontrado). Assumindo que a maioria dos leitores sabe tão pouco de matemática como eu, farei o possível para evitar esta notação, muito embora seja inevitável de vez em quando, sobretudo no capítulo que trata de assuntos à escala cósmica.

e era o primeiro a admitir que nada fizera de excepcional até então. Provavelmente também não teria pensado nesta teoria se não tivesse assistido a uma palestra sobre o *Big Bang*, dada pelo famoso Robert Dicke. A palestra inspirou Guth, que começou a interessar-se pela cosmologia e em especial pelo nascimento do universo.

O resultado final foi a teoria da inflação, que diz que na fracção de momento que se seguiu à aurora da criação, o universo sofreu uma expansão súbita e monumental. Insuflou – na verdade, perdeu o controlo de si mesmo, duplicando de tamanho a cada 10^{-34} segundos. Tudo isto não deve ter durado mais do que 10^{-30} segundos, ou seja, um sobre um milhão de milhão de milhão de milhão de milhão de segundos – mas o facto é que mudou o universo de algo que poderíamos segurar na mão para qualquer coisa pelo menos 10 000 000 000 000 000 000 000 000 vezes maior. A teoria da inflação explica as ondulações e redemoinhos que tornam possível o nosso universo. Sem ela não haveria agregados de matéria, ou seja, não haveria estrelas, apenas gases à deriva numa escuridão eterna.

Segundo a teoria de Guth, a gravidade emergiu a um sobre dez milhões de biliões de biliões de biliões de segundo. A que se juntou, após outro intervalo ridiculamente curto, o electromagnetismo, assim como as forças nucleares fortes e fracas – basicamente, a física. Um instante mais tarde, vieram juntar-se-lhes enxames de partículas elementares – basicamente, a matéria. Do nada absoluto surgiram de repente enxames de fotões, protões, electrões, neutrões, e muito mais – entre 10^{79} a 10^{89} de cada, segundo a teoria mais corrente do *Big Bang*. Sendo estas quantidades incompreensíveis, basta perceber que num simples instante fomos presenteados com um vasto universo – de acordo com a teoria, pelo menos cem mil milhões de anos-luz de uma ponta à outra, mas possivelmente de qualquer tamanho até ao infinito. É um vasto universo perfeitamente preparado para a criação de estrelas, galáxias e outros sistemas complexos.

O que, do nosso ponto de vista, parece extraordinário é a forma espantosa como tudo correu a nosso favor. Se tudo tivesse acontecido de uma forma ligeiramente diferente – se a gravidade fosse mais fraca ou mais forte, se a expansão se tivesse produzido mais depressa ou mais devagar –, então talvez nunca tivessem sido criados elementos suficientemente estáveis para nos formar, a si, e a mim e ao ambiente que nos rodeia. Se a gravidade fosse um nada mais forte, o universo poderia ter colapsado como uma tenda de campanha mal montada, não tendo exactamente os valores certos para lhe dar as dimensões, a densidade e os componentes certos. Se, por outro lado, a gravidade tivesse sido mais fraca, nada se teria unido e o universo teria permanecido para sempre um vácuo informe e sem vida.

Esta é uma das razões por que alguns especialistas acreditam que deve ter havido muitos outros *big bangs*, talvez biliões e biliões deles, espalhados pelo enorme período da eternidade, e que a razão pela qual existimos neste universo em particular é somente por ela ser possível neste universo, e neste apenas. "Em resposta à pergunta 'por que é que isto aconteceu', ponho a modesta hipótese de o nosso universo ser apenas uma dessas coisas que acontecem de tempos a tempos," disse Edward P. Tryon, da Universidade de Columbia. A que Guth acrescentou: "Apesar de a criação de um universo parecer muito pouco provável, Tryon sublinhou o facto de nunca ninguém ter contado as tentativas falhadas."

O astrónomo da Coroa inglesa, Martin Rees, acredita que há vários universos, possivelmente um número infinito deles, cada um com atributos e combinações diferentes, e que nós vivemos simplesmente naquele que combina as características que nos permitem existir. Ele faz uma analogia com uma grande loja de roupa: "Não é surpreendente que você encontre a roupa ideal quando a variedade de *stock* é grande. Se houver muitos universos, cada um governado por um conjunto diferente de números, vai haver necessariamente um conjunto adequado à vida. É nesse conjunto que nos encontramos."

Rees afirma que existem seis números que gerem o nosso universo, e que se algum desses valores fosse ligeiramente alterado sequer, as coisas poderiam não ser o que são. Por exemplo, para que o universo exista como tal, é necessário que o hidrogénio seja convertido em hélio de forma precisa – especificamente, de maneira a converter sete milésimos da sua massa em energia. Se esse valor baixasse ligeiramente – de 0,007 para 0,006 por cento, por exemplo –, não ocorreria qualquer transformação: o universo consistiria em hidrogénio e nada mais. Aumentando o valor ligeiramente – para 0,008 por cento – o processo de ligação teria sido de tal forma generalizado que o hidrogénio teria desaparecido há muito tempo. Em ambos os casos, bastaria uma ligeira alteração de valores para que o universo, tal como o conhecemos e necessitamos, não existisse.

Devo dizer que, *até agora*, tudo vai bem. A longo prazo, a gravidade pode tornar-se forte de mais, ao ponto de um dia travar a expansão do universo e fazer com que este colapse sobre si próprio até se esmagar e transformar noutra singularidade, talvez, quem sabe, para recomeçar tudo de novo. Por outro lado, pode passar a ser demasiado fraca, caso em que o universo continuará a expandir-se eternamente até que tudo esteja tão afastado que torne impossível a interacção de matéria; nessa hipótese, o universo tornar-se-ia muito espaçoso, mas inerte e morto. A terceira possibilidade é a gravidade manter-se nivelada – "densidade crítica" é o termo utilizado pelos cosmólogos –, mantendo assim o universo coeso e nas dimensões certas para permitir que continue indefinidamente. Nos seus momentos de humor, os cosmólogos costumam chamar-lhe o "efeito Goldilocks[NT]" – quando tudo está na medida certa. (Para que se saiba, estes três universos possíveis são conhecidos respectivamente por fechado, aberto e plano).

A questão que todos nos colocamos a dada altura é a seguinte: o que aconteceria se viajássemos até à beira do universo, e aí, por exemplo, espreitássemos para fora? Onde estaria a nossa cabeça, se não estivesse dentro do universo? Que encontraríamos para além dele? A resposta é que infelizmente nunca conseguiremos chegar até à fronteira do universo. Não por uma questão de tempo – apesar de também ser verdade –, mas porque se você viajasse cada vez mais longe, indefinida e obstinadamente, sempre em linha recta, nunca lá chegaria. Em vez disso, voltaria sempre ao ponto de partida (o que faria com que perdesse a coragem e, a longo prazo, desistisse). A razão para isto é que, de acordo com a teoria da relatividade de Einstein (assunto que trataremos na sua devida altura), o universo curva-se de uma forma que não conseguimos visualizar. Por agora, basta sabermos que não andamos à deriva numa bolha enorme em constante expansão, mas antes que o espaço se curva, de forma a ser ilimitado, mas finito. Nem sequer se pode dizer que o espaço se esteja a expandir porque, como diz o Prémio Nobel da Física, Steven Weinberg, "os sistemas solares e as galáxias não se expandem, e o próprio espaço não se expande". As galáxias afastam-se, simplesmente. Tudo isto são conceitos que desafiam a intuição, ou, como o famoso biólogo J. B. S. Haldane observou, "o universo não é só mais estranho do que supomos; é mais estranho do que conseguimos supor".

A analogia normalmente utilizada para explicar a curvatura do espaço é tentar imaginar alguém de um universo com superfícies planas, que nunca tivesse visto uma esfera, a ser trazido para a Terra. Por mais que calcorreasse a superfície do planeta, nunca encontraria uma ponta. Poderia eventualmente voltar ao ponto de partida, caso em que ficaria extraordinariamente confu-

---

[NT] Referência ao conto infantil *Goldilocks and the Three Bears*, em português: *Caracóis de Ouro e os Três Ursinhos*.

só se tentasse explicar o sucedido. Bem, estamos mais ou menos na mesma situação que o nosso amigo do planeta plano, só que completamente perplexos perante uma dimensão mais elevada.

Assim, tal como não há lugar onde encontrar a ponta do universo, também não há lugar onde encontrar o seu centro, de forma a podermos dizer: "Foi aqui que tudo começou. Este é o verdadeiro núcleo de tudo." *Todos nós* estamos no centro de tudo. Na verdade, não podemos ter essa certeza, pois não podemos prová-lo matematicamente. Os cientistas partem simplesmente do princípio de que não podemos ser o centro do universo – imaginem o que isso implicaria –, mas que o fenómeno deve ser o mesmo para qualquer observador em qualquer lugar. Mas, mesmo assim, não sabemos.

Para nós, o universo só chega até onde a luz tem viajado nos biliões de anos decorridos desde a sua formação. O universo visível – aquele que conhecemos e de que podemos falar – tem um milhão e meio de milhão de milhão de milhão (isto é, 1 500 000 000 000 000 000 000 000) de quilómetros de dimensão total. Mas, segundo a maior parte das teorias, o universo no sentido lato – o meta-universo, como lhe chamam por vezes – é muito mais espaçoso. Segundo Rees, o número de anos-luz até à ponta deste maior e invisível universo seria escrito "não com dez zeros, nem com cem zeros, mas com milhões de zeros". Resumindo, já há mais espaço do que se consegue imaginar, pelo que não vale a pena ter o trabalhão de tentar visualizar mais um espaço adicional para além dele.

Durante muito tempo, a teoria do *Big Bang* teve uma falha enorme que preocupava muita gente – nomeadamente, não conseguia explicar como tínhamos chegado até aqui. Apesar de 98 por cento de toda a matéria que existe ter sido criada com o *Big Bang*, essa era apenas constituída por gases leves: hélio, hidrogénio e lítio, como já atrás mencionámos. Nem uma única de todas as outras partículas pesadas de matéria vitais para o nosso ser, como o carbono, o azoto, o oxigénio e todos os outros, surgiu do grande caldo gasoso da criação. Mas – e isto é que é inquietante – para forjar estes elementos é necessário o tipo de calor e energia gerados por um *big bang*. Contudo, só houve um *Big Bang*, e esse não os produziu. Portanto, de onde vieram eles?

O mais interessante é que o homem que encontrou a resposta para essa pergunta foi um cosmólogo que desprezava completamente a teoria do *Big Bang*, e inventou o termo sarcasticamente, como forma de fazer troça. Já vamos falar dele, mas antes de nos concentrarmos na questão de como chegámos até aqui, talvez seja boa ideia perder alguns minutos para perceber onde exactamente é esse "aqui".

2.

BEM-VINDOS AO SISTEMA SOLAR

Hoje em dia, os astrónomos podem fazer coisas inacreditáveis. Por exemplo, se alguém acendesse um fósforo na Lua, eles seriam capazes de distinguir a chama. A partir da mais pequena pulsação ou oscilação de astros distantes conseguem deduzir o tamanho, a natureza e até a potencial habitabilidade de planetas demasiado longínquos para serem visíveis por nós. Planetas tão distantes, que precisaríamos de meio milhão de anos de viagem em nave espacial para lá chegar. Com os seus radiotelescópios conseguem capturar ondas de radiação tão incrivelmente ténues que o *total* de energia recolhida do exterior do sistema solar, desde que essa recolha foi iniciada (em 1951), é, nas palavras de Carl Sagan, "inferior à energia de um simples floco de neve a bater no solo".

Resumindo, não há quase nada no universo que os astrónomos não consigam detectar quando resolvem fazê-lo. Daí que pareça inacreditável que só em 1978 se tenha descoberto que Plutão tem uma lua. Quando, no Verão desse ano, um jovem astrónomo do Observatório Naval Americano, em Flagstaff, no Arizona, James Christy, procedia a um exame de rotina das imagens fotográficas de Plutão, apercebeu-se de que havia ali qualquer coisa – qualquer coisa nebulosa e incerta, mas, sem qualquer dúvida, distinta de Plutão. Depois de consultar um colega, de nome Robert Harrington, concluiu que o que via era uma lua. E não era uma lua qualquer. Em comparação com o planeta, era a maior lua do sistema solar.

Para dizer a verdade, isto foi um golpe relativo para o estatuto de Plutão enquanto planeta, que de qualquer forma nunca fora nada por aí além. Uma vez que, até aí, o espaço ocupado pela lua e pelo planeta juntos parecia ser o mesmo, a descoberta significava que Plutão era ainda mais pequeno do que se supunha – mais pequeno até do que Mercúrio. Na verdade, há sete luas do nosso sistema solar, incluindo a nossa, que são maiores do que ele.

Uma pergunta que surge naturalmente é: porque se demorou tanto tempo para descobrir uma lua no nosso próprio sistema solar? Por um lado, isso depende da direcção para onde os astrónomos apontam os seus instrumentos, por outro, daquilo que esses instrumentos foram concebidos para detectar, e, por outro, por se tratar de Plutão, um planeta difícil. Mas a razão principal é a direcção para onde eles apontam os instrumentos. Nas palavras do astrónomo Clark Chapman: "A maior parte das pessoas acha que os astrónomos vão lá para fora à noite e varrem o céu com os seus telescópios. Não é verdade. A grande maioria dos telescópios que existem são feitos para espreitar uma parte ínfima do céu, localizada a uma distância infinita, a fim de detectar um quasar, procurar buracos negros ou observar uma galáxia distante. A única rede de telescópios que varre os céus de uma ponta à outra foi concebida e construída pelos militares."

As reproduções artísticas têm-nos levado a imaginar uma clareza de resolução fotográfica que não existe na astronomia real. Na fotografia de Christy, Plutão aparece muito pouco nítido e desfocado – parece mais um borboto cósmico – e a sua lua não é aquele astro amigo, romanticamente iluminada por trás e rigorosamente delineada que poderíamos ver numa pintura da *National Geographic*, mas apenas uma minúscula e indistinta sugestão de qualquer coisa muito desfocada ali ao lado. De tal maneira desfocada que, na realidade, decorreram sete anos até que alguém voltasse a detectar a lua, sendo assim confirmada a sua existência por uma segunda entidade.

Um detalhe engraçado na descoberta de Christy foi ter acontecido em Flagstaff, já que fora também aí que, em 1930, Plutão foi detectado pela primeira vez. Essa descoberta deve-se em grande parte ao astrónomo Percival Lowell. Lowell, originário de uma família tradicional e abastada de Boston (a que consta da famosa piada que se diz de Boston: a cidade do feijão e do bacalhau, em que os Lowells só falam com os Cabots, enquanto os Cabots só falam com Deus), legou o famoso observatório com o seu nome, mas ficou para sempre conhecido pela sua crença de que Marte estava coberto de canais construídos por diligentes marcianos com o objectivo de escoar água das regiões polares para as terras secas mas produtivas mais próximas do equador.

Outra das convicções de Lowell era que existia, algures para lá de Neptuno, um nono planeta por descobrir, a que chamou planeta X. Baseou essa crença em irregularidades que detectou nas órbitas de Urano e Neptuno, e dedicou os últimos anos da sua vida a tentar encontrar o gigante gasoso que tinha a certeza de lá se encontrar. Infelizmente, morreu subitamente em 1916, parcialmente esgotado pela sua procura, e a investigação caiu no esquecimento, enquanto os seus herdeiros lutavam pela herança. No entanto, em 1929, em parte para desviar a atenção da saga dos canais de Marte (que agora se tinha tornado numa fonte de grande embaraço), o director do observatório de Lowell decidiu retomar a pesquisa, contratando para tal um jovem do Kansas chamado Clyde Tombaugh.

O jovem Tombaugh não tinha formação como astrónomo, mas era trabalhador e arguto. Passado um ano de observação paciente, conseguiu encontrar Plutão, um ténue ponto de luz num firmamento cintilante. Foi uma descoberta miraculosa, mas o mais impressionante é que as observações em que Lowell se tinha baseado para prever a existência de um planeta para além de Neptuno eram quase todas erróneas. Tombaugh percebeu imediatamente que o novo planeta não era de forma alguma semelhante à maciça bola de gás que Lowell tinha postulado, mas quaisquer reservas que ele ou qualquer outra pessoa tenha tido quanto à natureza do planeta foram imediatamente postas de lado, dissolvidas no delírio que envolvia imediatamente qualquer notícia espectacular naquela época de entusiasmos fáceis. Este era o primeiro planeta descoberto por americanos, e ninguém estava disposto a deixar que a atenção fosse desviada para o facto de ser apenas um gelado e distante pontinho no universo. O nome de Plutão foi em parte atribuído por as duas primeiras letras corresponderem às iniciais de Percival Lowell. Este foi posteriormente aclamado em toda a parte como um génio de primeira água, enquanto Tombaugh foi rapidamente esquecido por quase todos, à excepção dos astrónomos planetários, que tendem a reconhecer o seu mérito.

Alguns astrónomos continuam a pensar que talvez exista um planeta X algures no universo – uma coisa grandiosa, possivelmente dez vezes maior do que Júpiter, mas situado tão longe que seja invisível para nós. (Caso em que receberia tão pouca luz solar que quase nenhuma lhe restaria para reflectir.) Pensa-se que talvez não seja um planeta convencional como Júpiter ou Saturno – estaria longe de mais para tal, a qualquer coisa como sete biliões de quilómetros – mas mais como um sol que não chegou a vingar. A maioria dos sistemas solares no cosmos é binária (tem dois sóis), o que faz do nosso único sol uma raridade relativa.

Ninguém tem bem a certeza de que tamanho será Plutão, de que é feito, que tipo de atmosfera tem, ou mesmo de que tipo de astro se trata. Muitos astrónomos acreditam que nem sequer é um planeta, mas apenas o maior objecto jamais encontrado numa zona de detritos galácticos conhecida como cintura de Kuiper. Apesar de a cintura de Kuiper ter sido teorizada por F. C. Leonard, em 1930, o nome foi dado em honra de Gerard Kuiper, cidadão holandês que trabalhou na América e desenvolveu a ideia. A cintura de Kuiper é a fonte do que se costuma designar por cometas de periodicidade curta – os que reaparecem com bastante regularidade –, dos quais o mais famoso exemplo é o cometa *Halley*. Os cometas de periodicidade longa, mais ariscos (entre os quais os que nos visitaram recentemente, como o *Hale-Bopp* e o *Hyakutake*), vêm da nuvem Oort, muito mais distante.

Não há dúvida de que Plutão não tem um comportamento parecido com o dos outros planetas. Não só é pequeno e obscuro como apresenta movimentos tão variáveis que ninguém pode prever onde estará daqui a um século. Enquanto os outros planetas apresentam uma órbita mais ou menos no mesmo plano, a órbita de Plutão arrebita, por assim dizer, para fora do alinhamento a um ângulo de 17 graus, como a aba de um chapéu atrevidamente levantada. Tem uma órbita tão irregular que, nalguns dos seus trajectos solitários em torno do Sol, acaba por ficar mais perto de nós do que o próprio Neptuno. De facto, durante a maior parte dos anos 1980 e 1990, Neptuno foi o planeta mais distante do sistema solar. Só em 11 de Fevereiro de 1999 é que Plutão voltou à faixa exterior, para aí permanecer nos próximos 228 anos.

Portanto, se Plutão for de facto um planeta, não há dúvida de que é muito estranho. É minúsculo: tem apenas 0,25 por cento da massa da Terra. Se o colocarmos em cima dos Estados Unidos, não cobre nem metade dos 48 estados da parte inferior. Só isto já o torna bastante anómalo; significa que o nosso sistema planetário consiste em quatro planetas rochosos interiores, mais quatro gigantes gasosos exteriores, e uma bola de gelo diminuta e solitária. Além disso, temos todas as razões para supor que muito em breve descobriremos outras esferas geladas ainda maiores no mesmo espaço. E *então* é que vamos ter problemas. Depois de Christy ter detectado a lua de Plutão, os astrónomos começaram a observar com mais atenção essa secção do cosmos, e, em Dezembro de 2002, já tinham encontrado 600 novos Objectos Transneptunianos, ou Plutinos. Um deles, a que chamaram Varuna, é quase tão grande como a lua de Plutão, e agora os astrónomos acham que pode haver biliões desses objectos. O problema é que, como são muito escuros, são difíceis de detectar. Em geral, têm um albedo, ou taxa de reflexão de luz, de apenas quatro por cento, o mesmo que o de um pedaço de carvão – sendo que estes "pedaços de carvão" estão a mais de seis mil milhões de quilómetros de distância.

E que distância é essa exactamente? É praticamente inimaginável. O espaço é enorme – absolutamente imenso. Imaginemos, a título de exemplo e por brincadeira, que vamos fazer uma viagem de foguetão. Não vamos muito longe, só até ao limite do nosso próprio sistema solar. Mas vamos sempre precisar de ter uma ideia das dimensões do espaço, e da pequenez da parte que dele ocupamos.

Ora bem, as más notícias são que não vamos chegar a casa a tempo para o jantar. Mesmo à velocidade da luz (300 mil quilómetros por segundo), levaríamos sete horas para chegar até Plutão. Mas é claro que não é possível viajar a essa velocidade, nem nada que se pareça. Teremos de ir à velocidade das naves espaciais, que são um pouco mais ronceiras. As maiores velocidades conseguidas até agora por meios humanos foram as das *Voyager 1* e *2,* que neste momento se afastam de nós a 56 mil quilómetros por hora.

A razão de as naves *Voyager* terem sido lançadas na altura em que foram (Agosto e Setembro de 1977), foi o facto de Júpiter, Saturno, Urano e Neptuno estarem alinhados nessa altura de uma forma que só acontece uma vez em cada 175 anos. Isto tornou possível as duas *Voyager* utilizarem a técnica da "gravidade assistida", segundo a qual a nave é sucessivamente atirada de uma gigante gasosa para a seguinte, numa espécie de chicotada cósmica. Mesmo assim, levaram nove anos a alcançar Urano, e doze para atravessar a órbita de Plutão. Contudo, se esperarmos até Janeiro de 2006 (quando se calcula que a nave espacial *New Horizons*, da NASA, deverá partir para Plutão), poderemos então tirar partido do posicionamento favorável de Júpiter, além dos avanços tecnológicos, e talvez lá cheguemos numa década – embora o regresso a casa leve mais tempo, infelizmente. De qualquer maneira, será sempre uma longa viagem.

Bom, a primeira coisa de que provavelmente se vai aperceber é que, para o nome extremamente pretencioso que tem, o espaço é extraordinariamente desprovido de acontecimentos. O nosso sistema solar pode ser a coisa mais animada que existe em triliões de quilómetros, mas tudo o que é visível dentro dele – o Sol, os planetas e as suas luas, os biliões ou mais de rochas cadentes da cintura de asteróides, cometas e vários outros tipos de detritos à deriva – preenche menos de um trilionésimo de todo o espaço que existe. Também nos apercebemos rapidamente de que nenhum dos esquemas do sistema solar que o leitor viu até agora está minimamente desenhado à escala. A maior parte dos mapas escolares mostra os planetas uns a seguir aos outros, como bons vizinhos – em muitas imagens, os gigantes exteriores chegam a projectar as respectivas sombras no próximo –, mas trata-se de um erro necessário, quando os queremos ilustrar todos na mesma página. Neptuno, por exemplo, não está ligeiramente afastado de Júpiter, está muito para além de Júpiter – cinco vezes mais longe de Júpiter do que Júpiter está de nós, tão longe que só recebe três por cento da luz solar em comparação com Júpiter.

Tão grandes são as distâncias que, na prática, se torna impossível representar o sistema solar à escala real. Mesmo que juntássemos muitas páginas desdobráveis aos livros escolares, ou usássemos uma longuíssima folha de papel para fazer os mapas, nunca chegaríamos nem perto. Num diagrama do sistema solar à escala, com a Terra reduzida ao tamanho de uma ervilha, Júpiter estaria a mais de 300 metros de distância, e Plutão estaria a 2,5 quilómetros (e teria o tamanho de uma bactéria, de forma que não o conseguiríamos ver). Na mesma escala, a Próxima de Centauro, a estrela mais próxima de nós, estaria a 16 mil quilómetros de distância. Mesmo que encolhêssemos tudo de forma a Júpiter ficar tão pequeno como o ponto final no fim desta frase, e Plutão não fosse maior do que uma molécula, Plutão estaria ainda a mais de dez metros de distância.

Portanto, o sistema solar é mesmo muito grande. Quando chegarmos a Plutão, estaremos tão longe que o Sol – o nosso precioso Sol, que nos bronzeia, nos aquece, nos dá vida – estará reduzido a uma cabeça de alfinete. Pouco mais será do que uma estrela brilhante. E, neste imenso vazio solitário, começaremos a entender como até o mais importante dos objectos – como a lua de Plutão – passou despercebida. Até às expedições da *Voyager*, pensava-se que Neptuno tinha duas luas; a *Voyager* encontrou mais seis. Quando eu era miúdo, pensava-se que havia 30 luas no nosso sistema solar. O total, agora, é de pelo menos 90, das quais um terço foi encontrado apenas na última década.

Claro que a lição a tirar disto é a de que, quando consideramos o universo no sentido lato, nem sequer sabemos realmente o que se encontra no nosso próprio sistema solar.

A outra coisa de que nos aperceberemos, ao ultrapassar Plutão a toda a velocidade, é de que estamos a ultrapassar Plutão. Se verificarmos o nosso itinerário, recordaremos que estamos a fazer uma viagem aos confins do nosso sistema solar, e receio que ainda não tenhamos lá chegado. Ainda que Plutão seja o último objecto representado nos mapas escolares, o sistema não acaba aí. Para dizer a verdade, nem nada que se pareça. Só chegaremos ao fim do sistema solar depois de atravessarmos a nuvem Oort, um vasto reino celestial de cometas à deriva. E, tenho muita pena de dizer isto, mas só conseguiremos lá chegar daqui a dez mil anos. Longe de marcar a fronteira do sistema solar, Plutão está a um quinquagésimo milésimo (1/50 000) do percurso.

É evidente que não podemos contar com tal viagem. Uma viagem de 386 mil quilómetros até à Lua é ainda um grande empreendimento para nós. O projecto de uma missão tripulada a Marte, repto lançado pelo primeiro presidente Bush num momento de ligeireza de ânimo, foi discretamente abandonado quando alguém calculou que viria a custar 450 mil milhões de dólares e ainda, possivelmente, a vida de toda a tripulação (o ADN dos astronautas seria reduzido a pó por partículas solares de alta energia, das quais seria impossível protegê-los).

Com base naquilo que se sabe hoje em dia e se consegue imaginar, não há hipótese de qualquer ser humano poder visitar a fronteira do nosso sistema solar – nunca. Está simplesmente demasiado longe. O facto é que, mesmo com o telescópio *Hubble*, nem sequer conseguimos ver a nuvem Oort, pelo que não podemos afirmar que ela lá esteja. A sua existência é provável, mas totalmente hipotética.*

A única certeza que se pode ter em relação à nuvem Oort é que começa algures depois de Plutão e se estende por dois anos-luz através do cosmos. Sabendo que a unidade básica de medida no sistema solar é a unidade astronómica, ou UA, que representa a distância do Sol à Terra, deduz-se que Plutão está a cerca de 40 UA de nós e o núcleo da nuvem Oort a 50 mil. Ou seja, longíssimo.

Mas vamos outra vez fingir que conseguimos chegar à nuvem Oort. A primeira coisa que poderíamos notar é que se trata de um lugar muitíssimo tranquilo. Estamos agora muito longe de tudo – tão longe do nosso próprio Sol que este nem sequer é a estrela mais brilhante do firmamento. Aliás, é espantoso pensar como é que aquele minúsculo ponto brilhante tem gravidade suficiente para manter todos estes cometas em órbita. A ligação não é muito forte, e por isso os cometas deslocam-se a uma velocidade majestosa, apenas a 350 quilómetros por hora. De tempos a tempos, estes cometas solitários são empurrados para fora da sua órbita habitual por alguma ligeira perturbação da gravidade – talvez uma estrela que vá a passar. Umas vezes são ejectados para o vazio do espaço para nunca mais aparecerem, mas outras são puxados para uma longa órbita em torno do Sol. Destes últimos, há três ou quatro, conhecidos por cometas de periodicidade longa, que passam através do sistema solar interior. Só muito ocasionalmente é que estes visitantes desgarrados chocam

* A nuvem Oort, ou melhor, Öpik-Oort, tem o nome do astrónomo estónio Ernst Öpik, que lançou a hipótese da sua existência em 1932, e do astrónomo holandês Jan Oort, que aperfeiçoou os respectivos cálculos 18 anos mais tarde.

com qualquer coisa sólida, como a Terra. E é justamente por isso que estamos agora aqui – porque o cometa que viemos observar acabou de iniciar uma longa queda em direcção ao centro do sistema solar. De todos os sítios que podia escolher, imaginem, avança na direcção de Manson, no Iowa. Vai levar muito tempo a chegar – três ou quatro milhões de anos, pelo menos –, portanto, vamos deixá-lo por agora. Voltaremos a ele muito mais à frente nesta história.

Aí têm, pois, o vosso sistema solar. E que mais haverá por aí fora, além do sistema solar? Bom, nada e muito, dependendo da forma como o encararmos.

A curto prazo, não há nada. O vácuo mais perfeito alguma vez criado pelo ser humano não é tão vazio como o vazio do espaço interestelar. E continua a haver muito deste nada até conseguir chegar ao próximo bocado de alguma coisa. O nosso vizinho mais próximo no cosmos, a Próxima de Centauro, que faz parte da constelação tripla conhecida como Alfa de Centauro, está a uma distância de 4,3 anos-luz, um saltinho de nada em termos galácticos, mas que não deixa de ser cem milhões de vezes maior do que uma viagem à Lua. Para lá chegarmos numa nave levaríamos pelo menos 25 mil anos, e mesmo que fizéssemos a viagem chegaríamos apenas a um solitário amontoado de estrelas no meio do nada. Para alcançar o próximo marco significativo, Sírius, seriam precisos mais 4,6 anos-luz de viagem. E assim sucessivamente, se decidíssemos saltitar de estrela em estrela através do cosmos. Uma simples viagem ao centro da nossa galáxia levaria muito mais tempo do que aquele em que existimos enquanto seres.

Permitam-me que repita isto: o espaço é enorme. A distância média entre as estrelas é de mais de 30 biliões de quilómetros. Mesmo a velocidades próximas da luz, são distâncias impensáveis para qualquer viajante. Claro, é possível que haja alienígenas que viajem biliões de quilómetros para se divertirem a fazer círculos nos campos de trigo de Wiltshire, ou para pregarem um susto dos diabos a um pobre camionista que siga por uma estrada isolada do Arizona (ao fim e ao cabo, eles também devem ter adolescentes), mas nada disto parece provável.

Ainda assim, existe uma forte probabilidade estatística de haver outros seres pensantes algures no espaço. Ninguém sabe quantas estrelas há na Via Láctea – as estimativas variam entre os 100 e os 400 mil milhões – e a Via Láctea é apenas uma entre 140 mil milhões de galáxias, muitas delas maiores do que a nossa. Em 1960, um professor da Universidade de Cornell, Frank Drake, entusiasmado com números tão vertiginosos, criou uma famosa equação destinada a calcular as hipóteses de haver vida superior no cosmos, baseada numa série de probabilidades.

Segundo a equação de Drake, divide-se o número de estrelas de uma determinada parte do universo pelo número de estrelas que possam eventualmente ter sistemas planetários; divide-se o resultado pelo número de sistemas planetários que teoricamente tenham condições para suportar vida; divide-se esse resultado pelo número de planetas em que a vida, depois de surgir, avança para um estado de inteligência; e assim por diante. A cada divisão, o número fica colossalmente reduzido – contudo, mesmo utilizando os números mais cautelosos, o número de civilizações avançadas só na Via Láctea acaba por se situar sempre na casa dos milhões.

O que é uma ideia interessante e arrebatadora. Podemos muito bem ser apenas uma entre milhões de civilizações avançadas. Infelizmente, como o espaço é tão espaçoso, a distância média entre quaisquer duas dessas civilizações deve ser de pelo menos 200 anos-luz, o que é muito mais do que parece à primeira vista. Para começar significa que, se esses seres sabem que aqui estamos e nos conseguem ver com os seus telescópios, estão na realidade a observar luz que já deixou a Terra há 200 anos. Ou seja, não estão a ver-nos, a si nem a mim. Estão a ver a Revolução Francesa, Thomas Jefferson, pessoas com meias de seda e cabeleiras postiças – pessoas que não sabem o que é um átomo, ou um gene, e que produzem a sua electricidade esfregando uma vara de âmbar num pedaço de pele de animal e acham que conseguiram uma coisa fantástica. As mensagens que possamos receber deles começarão provavelmente com "Mui Digno Senhor", e felicitar-nos-ão pela beleza dos nossos cavalos, ou pela forma eficaz como utilizamos o óleo de baleia. Duzentos anos-luz é uma distância que nos ultrapassa tanto, que pura e simplesmente se torna... inultrapassável.

Portanto, mesmo que não estejamos realmente sós, em termos práticos acabamos por estar de facto sós. Carl Sagan calculou que o número provável de planetas no universo em geral fosse de dez mil milhões de biliões – um número muito para além da nossa capacidade de imaginação. Mas o que também está para além da nossa imaginação é a quantidade de espaço pela qual estão espalhados. "Se fôssemos colocados ao calhas dentro do universo", escreveu Sagan, "a probabilidade de ficar num planeta, ou perto de um, seria inferior a um em mil milhões de biliões de biliões." (isto é, 10^{33}, ou um 1 seguido de 33 zeros). "Os mundos são preciosos."

Razão pela qual talvez tenha sido boa ideia a International Astronomical Union ter estipulado oficialmente, em Fevereiro de 1999, que Plutão é um planeta. O universo é um lugar grande e solitário. Quantos mais vizinhos tivermos, melhor.

3.

O UNIVERSO DO REVERENDO EVANS

Quando os céus estão limpos e a Lua não brilha muito, o reverendo Robert Evans, um homem sossegado e bem disposto, coloca um velho telescópio no terraço traseiro da sua casa nas Blue Mountains, na Austrália, e põe-se a fazer uma coisa extraordinária. Põe-se a perscrutar o passado, e encontra estrelas mortas.

Olhar para o passado é a parte mais fácil. Dê uma espreitadela no céu nocturno, e o que vir já passou à história, e há muito – verá as estrelas, não como elas são agora, mas como quando a luz as deixou. A verdade é que a Estrela Polar, nossa fiel companheira, pode muito bem ter-se extinguido no passado mês de Janeiro, ou em 1854, ou em qualquer outra data desde o século XIV, e nós simplesmente ainda não sabermos. O máximo que podemos dizer é que ainda estava a arder há 680 anos. As estrelas morrem a toda a hora. O que Bob Evans faz melhor do que qualquer outra pessoa, que alguma vez tentou fazer o mesmo, é detectar esses momentos de despedida celestial.

Durante o dia, Evans é um simpático sacerdote já semi-reformado da Uniting Church da Austrália, que faz alguns trabalhos por conta própria e investiga os movimentos religiosos do século XIX. Mas à noite é, à sua modesta maneira, o titã dos céus. Anda à procura de supernovas.

As supernovas surgem quando uma estrela gigante, muito maior do que o nosso Sol, cai e explode de forma espectacular, libertando num instante a energia de cem mil milhões de sóis, que, durante algum tempo, ardem com mais intensidade e luz do que todas as estrelas da galáxia. "É como um bilião de bombas de hidrogénio a explodir ao mesmo tempo", diz Evans. Se uma explosão de supernovas acontecesse num raio de 500 anos-luz de nós, seríamos destruídos – "era o fim do espectáculo", diz Evans com humor. Mas o universo é muito vasto, e as supernovas estão demasiado longe para nos poderem causar qualquer dano. Na realidade, a maior parte está a distâncias tão inimagináveis que a sua luz só nos chega sob a forma de uma tenuíssima cintilação. Durante o mês em que se conseguem ver, a única coisa que as distingue das outras estrelas é o facto de antes não haver nada naquela porção de espaço que estão a ocupar. E é dessas raríssimas e anómalas alfinetadas brilhantes que o reverendo Evans anda à procura na superpovoada cúpula do céu nocturno.

Para perceber a importância deste feito, imagine uma mesa de casa de jantar coberta por uma toalha preta, onde alguém deixa cair uma mão cheia de sal. Suponhamos que os grãos de sal são uma galáxia. Agora imagine mais 1500 mesas iguais, suficientes para encherem o parque de estacionamento de um hipermercado, ou para preencher uma linha de três quilómetros de comprimento – todas com sal espalhado aleatoriamente. Agora acrescente um grão de sal a qualquer uma das mesas, e deixe Robert Evans andar por entre elas. Ele vai descobri-lo logo. Esse grão de sal é a supernova.

O dom de Evans é tão excepcional, que Oliver Sacks, em *Um Antropólogo em Marte*, lhe dedica uma passagem de um capítulo sobre sábios autistas – acrescentando rapidamente que "não está a sugerir que ele seja autista". Evans, que nunca conheceu Sacks, ri-se de poder ser considerado autista ou sábio, mas não consegue explicar bem de onde vem o seu talento.

"Parece que tenho uma queda especial para memorizar campos de estrelas", disse-me com ar de quem pede desculpa, quando o fui visitar, a ele e à mulher, Elaine, na casinha digna de um postal ilustrado que habitam num recanto tranquilo da vila de Hazelbrook, onde finalmente acaba a enorme cidade de Sydney e começa a infindável floresta australiana. "Não tenho grande jeito para outras coisas", acrescentou. "Não consigo lembrar-me dos nomes das pessoas..."

"Nem de onde deixa as coisas", gritou Elaine da cozinha.

Fez que sim com a cabeça, sorrindo abertamente, e a seguir perguntou-me se gostaria de ver o seu telescópio. Imaginei que teria um bom observatório nas traseiras – uma versão mais pequena de Mount Wilson ou de Palomar, com uma cúpula de correr e uma cadeira mecânica que fosse um prazer manobrar. Mas não: levou-me foi para um quarto de arrumos logo à saída da cozinha, onde guarda os livros e papéis, além do telescópio – um tubo cilíndrico branco, com o tamanho e o feitio de um cilindro de aquecimento de água, montado sobre uma base giratória em contraplacado. Quando quer fazer observações, carrega-o em duas idas para um pequeno terraço à saída da cozinha. Entre a projecção do telhado e os topos ramalhudos dos eucaliptos que crescem na encosta abaixo da casa, só fica uma pequena abertura do tamanho de uma caixa de correio, mas que, diz ele, é mais do que o suficiente para o efeito. E é aí que, quando o céu está limpo e a Lua não brilha muito, ele encontra as suas supernovas.

O termo supernova foi proposto em 1930 por um astrofísico de excentricidade memorável, de nome Fritz Zwicky, nascido na Bulgária e educado na Suíça. Zwicky foi para o Instituto de Tecnologia da Califórnia em 1920, onde se tornou conhecido pela sua personalidade contundente e talentos dispersos. Não parecia ser especialmente inteligente, e a maior parte dos seus colegas consideravam-no pouco mais do que um "palhaço irritante". Fã incondicional do exercício físico, era frequente atirar-se para o chão da sala de jantar do instituto e fazer flexões só com uma mão, a fim de provar a sua virilidade a alguém que duvidasse dela. Era tão declaradamente agressivo, que o seu colaborador mais próximo, um homem de temperamento calmo chamado Walter Baade, se recusava a ficar sozinho com ele. Entre outras coisas, Zwicky acusou Baade, que era alemão, de ser nazi, o que não era verdade. E, pelo menos numa ocasião, ameaçou-o de morte. O pobre Baade desatava a correr pela colina do Observatório de Mount Wilson acima, se o via no *campus* do Caltech.

Mas Zwicky também era capaz de análises simplesmente brilhantes. No início dos anos 1930, começou a interessar-se por algo que há muito preocupava os astrónomos: o aparecimento inexplicável e ocasional de pontos de luz no céu, por outras palavras, de novas estrelas. E teve a ideia improvável de que talvez o neutrão – a partícula subatómica recentemente descoberta em Inglaterra por James Chadwick, que era a grande e badalada novidade da altura – estivesse no centro da questão. Ocorreu-lhe que, se uma estrela colapsasse para uma densidade semelhante à do centro dos átomos, acabaria por formar um núcleo extremamente compactado. Os átomos seriam literalmente esmagados uns contra os outros, e os seus electrões seriam forçados para dentro do núcleo, formando neutrões. Ter-se-ia assim uma estrela de neutrões. Imagine-se um milhão de bolas de canhão realmente pesadas, espremidas até chegarem ao tamanho de um berlinde, e... bem, nem sequer chegámos lá perto ainda. O núcleo de uma estrela de neutrões é tão denso que uma colher cheia da sua massa pesaria 90 mil milhões de quilos. Uma colher! Mas ainda não era tudo. Zwicky percebeu que, após o colapso de uma estrela, ainda sobraria uma enorme quantidade de energia libertada, o suficiente para provocar o maior *big bang* do universo. Chamou a essas explosões supernovas. E elas viriam a ser consideradas os maiores acontecimentos na história da criação.

A 15 de Janeiro de 1934, a *Physical Review* publicou um resumo muito conciso de uma apresentação feita por Zwicky e Baade na Universidade de Stanford no mês anterior. Apesar de extremamente breve – um parágrafo de 24 linhas –, esse resumo continha uma enorme quantidade de novas revelações científicas: fornecia a primeira referência às supernovas e às estrelas de neutrões; dava uma explicação convincente sobre a sua formação; calculava correctamente a escala da respectiva capacidade explosiva; e ainda, à laia de remate, relacionava as explosões das supernovas com a produção de um novo e misterioso fenómeno chamado raios cósmicos, que tinham sido recentemente encontrados em grande profusão através do universo. Estas ideias eram, no mínimo, revolucionárias. Só se confirmaria a existência de estrelas de neutrões 34 anos mais tarde. A noção de raios cósmicos, apesar de ser considerada plausível, ainda não foi confirmada. No seu conjunto, o resumo era, nas palavras do astrofísico do Caltech Kip S. Thorne, "um dos documentos mais prescientes na história da física e da astronomia".

O mais curioso é que Zwicky quase não conseguia compreender as razões que estavam por detrás de todos estes fenómenos. Segundo Thorne, "ele não tinha conhecimento suficiente das leis da física para substanciar as suas ideias." Zwicky tinha antes o dom de descobrir as grandes ideias, enquanto os outros, especialmente Baade, ficavam com a tarefa de fazer os cálculos matemáticos.

Zwicky foi também o primeiro a reconhecer que não havia no universo massa visível que chegasse, nem de longe, para manter as galáxias juntas, e que deveria haver outra influência gravitacional – aquilo a que agora chamamos matéria negra. Mas houve uma coisa que ele não viu: que se uma estrela de neutrões encolhesse muito, tornar-se-ia tão densa que nem a luz conseguiria escapar à sua enorme atracção gravitacional. E que isso seria um buraco negro. Infelizmente, Zwicky era olhado com tal desdém pela maioria dos seus colegas que não conseguiu fazer valer as suas ideias. Quando, cinco anos mais tarde, o grande Robert Oppenheimer dissertou sobre as estrelas de neutrões num documento histórico, não fez qualquer referência ao trabalho desenvolvido por Zwicky durante anos sobre o mesmo problema, num gabinete muito perto do seu, logo ao fundo do corredor. As deduções de Zwicky sobre matéria negra só viriam a ser seriamente consideradas quase quatro décadas mais tarde. Calculo que, durante esse período, terá feito muitas flexões.

Quando olhamos para o céu, apenas uma pequena parte do universo é visível para nós, o que não deixa de ser surpreendente. Só 6000 estrelas são visíveis a olho nu a partir da Terra, e dessas apenas 2000 se conseguem distinguir de qualquer ponto do nosso planeta. Com binóculos, o número de estrelas que conseguimos ver aumenta para 50 mil, e com um pequeno telescópio de cinco centímetros esse número salta para 300 mil. Se usarmos um telescópio de 40 centímetros, como o de Evans, começamos a contar galáxias em vez de estrelas. Evans pensa que consegue ver, do seu observatório, entre 50 mil a 100 mil galáxias, cada uma com dezenas de biliões de estrelas. Embora estes números já sejam consideráveis, incluem muito poucas supernovas. Uma estrela pode arder durante biliões de anos, mas morre de uma só vez e depressa; e, de entre estas, só algumas explodem. A maior parte morre suavemente, como uma fogueira num acampamento, ao amanhecer. Normalmente, entre as centenas de biliões de estrelas contidas numa galáxia, só surgirá uma supernova, em média, cada 200 ou 300 anos. Ou seja, encontrar uma supernova é quase como montar um telescópio no topo do Empire State Building e procurar em todas as janelas de Manhattan à espera de encontrar, digamos, alguém a apagar 21 velas num bolo de anos.

Por isso, quando a comunidade de astrónomos recebeu uma chamada de um sacerdote afável e simpático, a perguntar em tom esperançoso se alguém tinha mapas astronómicos que pudessem ser úteis na busca de supernovas, todos pensaram que o homem estava louco. Nessa altura, Evans tinha um telescópio de 25 centímetros – tamanho muito respeitável para um telescópio de amador, mas não propriamente o instrumento adequado para uma actividade cosmológica séria – e, contudo, propunha-se encontrar um dos fenómenos mais raros do universo. Antes de Evans iniciar as suas observações em 1980, tinham sido detectadas menos de 60 supernovas em toda a história da astronomia. (Quando o visitei, em Agosto de 2001, acabava de registar a sua 34.ª descoberta visual; seguiu-se a 35.ª passados três meses e a 36.ª, no princípio de 2003.)

Mas Evans tinha alguns factores a seu favor. A maior parte dos observadores, tal como a maior parte das pessoas, está situada no hemisfério norte, o que significa que ele tinha grande parte do céu só para ele, pelo menos no princípio. Tinha também facilidade de manobra, e a sua espantosa memória. Os grandes telescópios têm dimensões enormes, o que faz com que tenha de se perder muito tempo a colocá-los na posição certa. Evans podia rodar o seu telescópio de 40 centímetros com a mesma facilidade com que o atirador de cauda de um "caça" manobra a sua metralhadora numa luta individual, ou seja, demorando menos de dois segundos em qualquer ponto do céu. Portanto, conseguia numa única noite observar umas 400 galáxias, enquanto um grande telescópio profissional teria sorte se conseguisse percorrer 50 ou 60.

Procurar supernovas é quase sempre sinónimo de procurar em vão. Pode dizer-se que, entre 1980 e 1996, a média de Evans foi de duas por ano – o que é pouco compensador, quando se passa centenas e centenas de noites a perscrutar o céu. De uma vez, descobriu três em apenas 15 dias, mas de outra passou três anos sem descobrir nenhuma.

"Também há um certo valor em não descobrir nada", disse-me. "Ajuda os cosmólogos a calcular o ritmo de evolução das galáxias. É uma das raras áreas onde a ausência de provas constitui uma prova em si".

Mostrou-me alguns dos papéis e fotografias amontoados na mesa ao lado do telescópio, todos relacionados com a sua investigação. Se o leitor alguma vez olhou para essas revistas de astronomia que se vêem por aí, e é muito provável que sim, então deve saber que, geralmente, se encontram cheias de fantásticas e luminosas fotografias a cores de nebulosas distantes e coisas do género – nuvens de luz feérica, de um esplendor celestial, delicado e comovente. As imagens de Evans não são nada que se pareça. São apenas fotografias pouco definidas a preto e branco, com pequenos pontos brilhantes circundados por uma auréola. Uma das que me deu a ver mostrava um aglomerado de estrelas com um brilho tão insignificante que só aproximando-o dos olhos o consegui ver. Era, segundo Evans, uma estrela de uma constelação chamada Fornax, pertencente a uma galáxia conhecida pelos astrónomos como NGC1365. (NGC significa *New General Catalogue*, Novo Catálogo Geral, onde todas estas informações são registadas. Começou por ser um pesado livro pousado sobre uma secretária em Dublin; hoje em dia é, evidentemente, uma base de dados.) Durante 60 milhões de anos, a luz emitida pela morte espectacular dessa estrela viajou sem parar através do espaço até que, numa noite de Agosto de 2001, chegou à Terra, sob a forma de um suspiro luminoso, um minúsculo pirilampo no céu nocturno. E, obviamente, foi Robert Evans quem, na sua colina rescendente a eucalipto, a detectou.

"Há qualquer coisa de gratificante, penso eu", disse Evans, "na ideia de uma luz viajar durante milhões de anos através do espaço, e *justamente* no momento em que chega à Terra haver alguém que olha para o ponto certo do céu, e a vê. Acho simplesmente justo que um acontecimento deste calibre seja testemunhado."

As supernovas não se limitam a transmitir uma sensação de maravilha. Há vários tipos de supernovas (um deles foi descoberto por Evans), e destes há um em particular, conhecido como supernova Ia, que é importante para a astronomia, porque explode sempre da mesma maneira, com a mesma massa crítica. Por essa razão, pode ser usada como estrela-padrão – a partir da qual se pode medir o brilho (e consequentemente a distância relativa) de outras estrelas, permitindo calcular a taxa de expansão do universo.

Em 1987, Saul Perlmutter, do Laboratório Lawrence Berkeley, na Califórnia, precisando de encontrar mais supernovas Ia do que era possível detectar visualmente, tentou encontrar um método mais sistemático para o fazer. Inventou um sistema engenhoso que se servia de computadores sofisticados ligados a dispositivos electrónicos – essencialmente, câmaras digitais topo de gama – e automatizou a busca de supernovas. Os telescópios passaram assim a tirar milhões de fotografias, enquanto um computador detectava os pontos brilhantes que denunciavam a explosão de uma supernovas. Com esta nova técnica, Perlmutter e os seus colegas de laboratório conseguiram encontrar 42 supernovas em cinco anos. Agora até os amadores conseguem encontrar supernovas com dispositivos electrónicos. "Com estas engenhocas, pode apontar-se um telescópio para o céu e ir tranquilamente ver televisão", comentou Evans com um toque de tristeza. "Tirou-lhe todo o romantismo."

Perguntei-lhe se se sentia tentado a adoptar a nova tecnologia. "Oh, não, gosto muito mais da minha maneira. Além disso", indicou com o olhar uma fotografia da sua mais recente supernova, e sorriu, "de vez em quando ainda lhes ganho."

A questão que naturalmente se põe é: "O que aconteceria se uma estrela explodisse perto de nós?" A nossa vizinha celestial mais próxima é, como já vimos, a Alfa de Centauro, que dista de nós 4,3 anos-luz. Eu imaginara que, se houvesse uma explosão, teríamos 4,3 anos para ver a luz desse magnífico espectáculo espalhar-se pelo céu fora, como se entornada por uma lata gigante. O que seria se tivéssemos quatro anos e quatro meses para ver uma catástrofe inevitável avançar na nossa direcção, sabendo que, quando finalmente chegasse, nos deixaria reduzidos a cinzas? Será que as pessoas continuariam a ir trabalhar? Os agricultores a cultivar os campos? Ou alguém a entregar o produto nas lojas?

Semanas mais tarde, de volta à cidadezinha de New Hampshire onde moro, fiz estas perguntas a John Thorstensen, um astrónomo da Faculdade de Dartmouth. "Não, não", disse ele, rindo. "Notícias desse género espalham-se à velocidade da luz, tal como a destruição, portanto acabaria por saber delas e morrer ao mesmo tempo. Mas não se preocupe, porque não vai acontecer."

Para a explosão de uma supernova nos matar, explicou, era preciso estarmos "ridiculamente perto" – talvez à distância de dez anos-luz, ou coisa parecida. "O perigo seriam os vários tipos de radiação – raios cósmicos e outras coisas do género." Estes produziriam auroras fabulosas, cortinas iridiscentes de uma luz assustadora que encheriam o céu todo – o que não seria nada bom. Qualquer coisa com potência suficiente para produzir tal espectáculo poderia muito bem fazer rebentar a magnetosfera, a zona magnética situada muito acima da Terra que nos protege dos raios ultravioleta e outras ameaças cósmicas. Sem a magnetosfera, alguém que tivesse a infelicidade de se expor à luz do Sol ficaria rapidamente com a aparência de, digamos, uma *pizza* demasiado cozida.

A razão pela qual podemos ter praticamente a certeza de que um evento desses não acontecerá no nosso recanto da galáxia, disse Thorntensen, é que, para começar, é preciso um tipo específico de estrela para produzir uma supernova. Terá de ter dez a 20 vezes a massa do nosso Sol, e "não temos por perto nada desse tamanho. Graças a Deus, o universo é grande". A única estrela que poderia candidatar-se a esse tipo de acontecimento, acrescentou, é Betelgeuse, cujas projecções intermitentes parecem indicar que se passa qualquer coisa de instável e, consequentemente, interessante. Simplesmente, Betelgeuse está a 50 mil anos-luz de nós.

Em toda a história registada até hoje, houve apenas meia dúzia de vezes em que supernovas suficientemente próximas puderam ser vistas a olho nu. Uma foi em 1054, quando uma explosão deu origem à Nebulosa Caranguejo. Outra, em 1604, produziu uma estrela tão brilhante que pôde ser vista em pleno dia durante mais de três semanas. A mais recente foi em 1987, quando uma supernova brilhou numa zona do cosmos, conhecida como Grande Nuvem de Magalhães, mas o fenómeno quase não foi visível da Terra, e o pouco que se viu foi apenas no hemisfério sul. Mesmo assim, tudo se passou à confortável distância de 169 mil anos-luz.

As supernovas têm ainda um outro tipo de interesse para nós, definitivamente fulcral: sem elas, não estaríamos aqui. Recordam-se com certeza da charada cósmica com que encerrámos o primeiro capítulo: o *Big Bang* criou muitos gases leves, mas nenhum elemento pesado. Esses apareceram mais tarde, mas durante muito tempo ninguém conseguiu descobrir *como* é que apareceram. O problema é que era necessário haver qualquer coisa muito quente – mais quente ainda do que o centro das estrelas mais quentes – para forjar o carbono, o ferro e os outros elementos sem os quais não teríamos matéria. Foram as supernovas que nos deram a explicação, e foi um cosmólogo inglês, quase tão excêntrico como Fritz Zwicky, que a descobriu.

O seu nome era Fred Hoyle, e nasceu em Yorkshire. Quando morreu, em 2001, o seu obituário na revista *Nature* descreveu-o como "cosmólogo e controversólogo", e não há dúvida de que era ambas as coisas. Segundo o referido obituário, viu-se "envolvido em controvérsia durante a maior parte da sua vida" e "assinou muitos disparates". Por exemplo, afirmava, sem qualquer prova, que o precioso fóssil de um arqueoptérix existente no Museu de História Natural, era uma falsificação do mesmo género da do Homem de Piltdown, coisa que causou enorme exaspero aos paleontólogos do museu, que tiveram de perder dias e dias a responder aos telefonemas de jornalistas do mundo inteiro. Também acreditava que a Terra não era apenas fecundada por vida vinda do espaço mas também por muitas das suas doenças, como a gripe e a peste bubónica, chegando a sugerir que, na linha de evolução, o nariz humano se tornou protuberante e as narinas passaram para a parte inferior com o objectivo de evitar que essas patogenias cósmicas entrassem por ele dentro.

Foi ele quem, num momento de humor brincalhão, criou o termo *Big Bang*, durante um programa de rádio, em 1952. Sublinhou que não havia nada no nosso conhecimento da física que conseguisse explicar a razão pela qual todas as coisas, coesas até certo ponto, começavam subitamente a expandir-se de forma espectacular. Hoyle defendia a teoria do estado estável, segundo a qual o universo estaria constantemente em expansão, criando matéria à medida que evolui. Chegou também à conclusão de que se as estrelas implodissem, libertariam uma enorme quantidade de calor – cem milhões de graus ou mais, o suficiente para iniciar a criação dos elementos mais pesados, segundo um processo conhecido como nucleossíntese. E em 1957, num trabalho de equipa com alguns colegas, demonstrou como se formaram os elementos pesados nas explosões das supernovas. Mas foi W. A. Fowler, um dos seus colaboradores, quem ganhou o Prémio Nobel com o feito, e não Hoyle, infelizmente.

Segundo a teoria de Hoyle, a explosão de uma estrela geraria calor suficiente para criar todos os novos elementos, espalhando-os através do cosmos, onde formariam nuvens gasosas – o interestelar médio, como é conhecido – que poderiam eventualmente aderir a novos sistemas solares. A nova teoria deu finalmente a possibilidade de formular novas hipóteses sobre a forma como chegámos até aqui. Eis a conclusão a que se chegou:

Há cerca de 4,6 mil milhões de anos, acumulou-se no espaço onde estamos agora um enorme redemoinho de gases e poeiras com cerca de 24 mil milhões de quilómetros de diâmetro. Esse redemoinho começou em seguida a agregar-se. Praticamente todo ele, ou seja, 99,9 por cento da massa do sistema solar, passou a constituir o Sol. Do restante material que ficou a flutuar, houve dois grãos microscópicos que ficaram a pairar suficientemente perto um do outro para serem agregados por forças electrostáticas. Foi esse o momento da concepção do nosso planeta. E o mesmo se passava por todo o sistema solar em formação. Colisões de grãos de poeira iam gerando aglomerados cada vez maiores. Eventualmente, esses aglomerados cresceram, passando a chamar-se então planetésimos. À medida que estes iam colidindo, partiam-se, dividiam-se ou recombinavam-se ao acaso, em permutações sem fim, mas de cada vez havia um vencedor; e alguns destes vencedores cresceram tanto que passaram a dominar a órbita em que viajavam.

Tudo aconteceu de forma extremamente rápida. Pensa-se que passar de um minúsculo aglomerado de grãos a um planeta bebé com várias centenas de quilómetros de diâmetro pode ter levado apenas algumas dezenas de milhares de anos. A Terra formou-se essencialmente em apenas 200 milhões de anos, talvez menos, embora ainda estivesse em estado de fusão e se encontrasse sujeita a constantes bombardeamentos de todos os detritos que ainda flutuavam à sua volta.

Nessa altura, há cerca de 4,4 mil milhões de anos, um objecto do tamanho de Marte chocou contra a Terra, fazendo saltar matéria suficiente para formar uma esfera vizinha, a Lua. Pensa-se que após algumas semanas esse material projectado se tenha reagrupado num só volume para formar, ao fim de um ano, a rocha esférica que ainda hoje nos acompanha. Pensa-se que a maior parte da matéria lunar terá vindo da crosta terrestre e não do seu núcleo, razão pela qual a Lua terá tão pouco ferro, enquanto nós temos muito. A propósito, esta teoria é quase sempre apresentada como recente, quando na realidade foi proposta nos anos 1940 por Reginald Daly, da Universidade de Harvard. A única coisa que tem de recente é a atenção que suscita nas pessoas.

Quando a Terra tinha apenas um terço do seu tamanho actual, já estava provavelmente a criar uma atmosfera, constituída essencialmente por dióxido de carbono, azoto, metano e enxofre. Não é exactamente a mistura que associamos à ideia de vida, e no entanto foi desta sopa insalubre que ela surgiu. O dióxido de carbono é um potente gás de estufa, o que ajudou bastante no processo de criação da vida, pois naquela altura o Sol era bastante mais fraco do que é hoje. Se não tivéssemos tido a vantagem de um efeito de estufa, a Terra podia muito bem ter congelado para sempre, o que anularia qualquer hipótese de vida. Mas o facto é que ela conseguiu surgir.

Nos 500 milhões de anos que se seguiram, a jovem Terra continuou a ser impiedosamente bombardeada por cometas, meteoritos e outros detritos galácticos, que encheram os oceanos de água e dos componentes necessários à formação de vida. Era um ambiente estranhamente hostil, mas o facto é que a vida conseguiu surgir. Estávamos a caminho.

Quatro mil milhões de anos mais tarde, as pessoas começaram a ter curiosidade em saber como tudo acontecera. E é aí que a nossa história nos leva em seguida.

II

O TAMANHO DA TERRA

A natureza e as leis da natureza jaziam escondidas na noite;
Deus disse: Haja Newton! E fez-se luz.

Alexander Pope, Epitáfio para Sir Isaac Newton

4.

A MEDIDA DAS COISAS

Se tivesse de escolher a viagem científica menos agradável de todas as viagens possíveis, de certeza que não arranjava pior do que a expedição que a Real Academia de Ciências Francesa organizou ao Peru em 1735. Chefiada por um hidrólogo chamado Pierre Bouguer e por um militar matemático, Charles Marie de La Condamine, a expedição era constituída por um grupo de cientistas e aventureiros que partiu para o Peru para efectuar triangulações através dos Andes.

Havia na altura um desejo ardente de compreensão da Terra – quantos anos tinha, qual a sua massa, em que ponto do espaço se encontrava suspensa, e como é que tinha aparecido. O objectivo do grupo francês era esclarecer a questão da circunferência do planeta através da medição do comprimento de um grau do meridiano (ou 1/360 da distância à volta do planeta) ao longo da linha que vai de Yarouqui, perto de Quito, até logo a seguir a Cuenca, no actual Equador, e que cobre uma distância de cerca de 320 quilómetros.*

Logo de início as coisas começaram a correr mal, e por vezes em proporções desastrosas. Em Quito, os visitantes provocaram os habitantes, não

---

* O método de triangulação era uma técnica muito utilizada, baseada na regra geométrica segundo a qual, se soubermos o comprimento de um dos lados do triângulo e o valor de dois dos seus ângulos, poderemos calcular todas as outras dimensões sem sair da nossa mesa de trabalho.

Suponha, à laia de exemplo, que você e eu decidimos calcular a distância da Terra à Lua. Pelo método da triangulação, a primeira coisa a fazer é marcar uma distância entre nós, portanto imaginemos por exemplo que você está em Paris e eu em Moscovo, e ambos olhamos para a Lua ao mesmo tempo. Agora imagine o triângulo a ligar estes três lugares, você, eu e a Lua. Meça o comprimento da base, entre si e mim, e os nossos dois ângulos em relação à Lua, e é muito simples calcular o resto. (Como os ângulos internos de um triângulo somam sempre 180 graus, se souber a medida de dois ângulos saberá a medida do terceiro; e, sabendo a forma se sabe bem como, sendo escorraçados da cidade por uma multidão exaltada armada de pedras. Pouco depois, o médico da expedição foi morto, num mal-entendido qualquer, que surgiu por causa de uma mulher. O botânico enlouqueceu; outros morreram, uns com febres, outros em quedas que deram. O terceiro membro mais velho do grupo, um homem chamado Pierre Godin, fugiu com uma rapariga de 13 anos; ninguém conseguiu convencê-lo a voltar.

A dada altura, o grupo viu-se obrigado a suspender o trabalho durante oito meses, enquanto La Condamine se deslocava a Lima para resolver um problema que surgira com os vistos. Depois, ele e Bouguer acabaram por recusar-se a falar um com o outro, o que fez com que não pudessem continuar a trabalhar juntos. Por todo o lado onde passava, o azarado grupo era olhado com a maior desconfiança por funcionários locais que achavam difícil de acreditar que um grupo de cientistas franceses se fosse deslocar para tão longe só para descobrir a medida do mundo. Era uma coisa que não fazia sentido. Confessemos que, mesmo meio século mais tarde, ainda parece ser uma dúvida razoável. Porque é que os franceses não fizeram as suas medições em França, poupando assim a trabalheira e o desconforto de uma aventura nos Andes?

A resposta reside em parte no facto de os cientistas do século XVIII, sobretudo os franceses, raras vezes fazerem as coisas de forma simples se houvesse a alternativa de as complicar até aos limites do absurdo, e em parte devido a um problema de ordem prática que surgira muitos anos antes com o astrónomo inglês Edmond Halley – muito antes de Bouguer e La Condamine sonharem sequer que iriam um dia à América do Sul, e muito menos por uma razão específica.

Halley era um personagem extraordinário. Ao longo da sua produtiva carreira foi comandante da marinha, cartógrafo, professor de geometria na Universidade de Oxford, controlador delegado da Real Casa da Moeda, astrónomo real, e inventor da campânula de mergulho a grande profundidade. Foi uma autoridade em livros sobre magnetismo, marés, movimento dos planetas, tendo ainda escrito com grande entusiasmo vários artigos sobre os efeitos do ópio.

---

exacta do triângulo e o comprimento de um dos lados, saberá o comprimento dos outros dois lados.) Este método foi utilizado pelo astrónomo grego Hiparco de Niceia, no ano 150 a. C., para calcular a distância da Terra à Lua. Os princípios da triangulação no solo são os mesmos, com a única diferença de que, nesse caso, em vez de serem alçados na vertical, em direcção ao espaço, os triângulos são desenhados na horizontal, lado a lado, num mapa. Para medir o grau de um meridiano, os investigadores iam criando uma espécie de cadeia de triângulos à medida que andavam ao longo do terreno.

Inventou os mapas meteorológicos e as tabelas de risco, propôs métodos para encontrar a idade da Terra e a sua distância do Sol, e até descobriu uma forma de manter fresco o peixe fora de estação. A única coisa que não fez foi, curiosamente, descobrir o cometa que tem o seu nome. Limitou-se a reconhecer que o cometa que viu em 1682 era o mesmo que outros tinham visto em 1456, 1531 e 1607. Só passou a ser o cometa *Halley* em 1758, 16 anos após a sua morte.

De todos os seus feitos, talvez a maior contribuição de Halley para o conhecimento humano tenha sido a de ter tomado parte numa modesta aposta científica com dois outros grandes nomes do seu tempo: Robert Hooke, hoje lembrado como o primeiro cientista a fazer a descrição de uma célula, e o grande e imponente Christopher Wren, que antes de ser arquitecto era astrónomo, embora a maior parte das pessoas não o saiba. Numa noite de 1683, Halley, Hooke e Wren estavam a jantar juntos em Londres, e a certa altura a conversa recaiu sobre os movimentos dos corpos celestiais. Sabia-se que os planetas giravam normalmente ao longo de uma órbita elíptica – "uma curva muito precisa e específica", parafraseando Richard Feynman –, mas não se sabia porquê. Wren propôs um generoso prémio de 40 xelins (equivalente a duas semanas de ordenado) ao primeiro de entre eles que encontrasse a resposta.

Hooke, que tinha a fama de se gabar de ideias que nem sempre eram suas, afirmou que já encontrara a solução, mas recusou-se a revelá-la naquele momento com o original e criativo pretexto de não querer tirar aos outros a satisfação de encontrar a resposta. Em vez disso, propunha-se "escondê-la durante algum tempo, para que se lhe desse o devido valor". Se voltou a debruçar-se sobre o assunto, não deixou quaisquer provas disso. Pelo contrário, Halley ficou obcecado com a ideia de encontrar a resposta, ao ponto de viajar até Cambridge no ano seguinte e, com o maior desplante, perguntar ao Catedrático de Matemática, Isaac Newton, se o podia ajudar.

Newton era decididamente uma figura estranha – extraordinariamente brilhante, mas solitário, sem alegria, quezilento até ao limite da paranóia e muito distraído (era pessoa para acordar, sentar-se na cama e ficar a pensar durante horas seguidas, sem sequer se aperceber disso), e capaz das extravagâncias mais fascinantes. Criou o seu próprio laboratório, o primeiro de Cambridge, mas depois lançou-se nas mais estranhas experiências. Uma vez espetou uma sovela – uma agulha para coser couro – numa das órbitas e pôs-se a esfregá-la, fazendo-a rodar "entre o olho e o osso, o mais próximo possível da parte detrás do olho", só para ver o que aconteceria. Miraculosamente não aconteceu nada – pelo menos nada com consequências duradouras. Noutra ocasão, olhou para o Sol o máximo de tempo que conseguiu aguentar, a fim de determinar o efeito que teria na sua visão. Também aqui escapou a danos irreversíveis, apesar de ter passado alguns dias num quarto escuro até os seus olhos lhe perdoarem.

A coroar estas originais ideias e estranhos tiques, contudo, havia a mente de um supremo génio – o que não significa que, mesmo ao trabalhar em áreas convencionais, não demonstrasse uma tendência para a excentricidade. Em estudante, frustrado pelas limitações da matemática convencional, inventou o cálculo, uma forma matemática inteiramente nova, mas não contou nada a ninguém durante 27 anos. Da mesma forma, efectuou trabalhos no domínio da óptica que transformaram os nossos conhecimentos sobre a luz e estabeleceram a base para a ciência da espectroscopia; e, mais uma vez, resolveu não dizer nada durante três décadas.

Apesar de todos estes golpes de génio, as ciências da natureza constituíram apenas uma parte do seu vasto campo de interesses. Pelo menos metade da sua vida de trabalho foi dedicada à alquimia e à persistente investigação de questões religiosas. Não eram simples caprichos, eram buscas que empreendia com paixão. Era membro secreto de uma seita herética chamada Arianismo, cuja principal doutrina consistia em negar a existência de uma Santíssima Trindade (ligeiramente irónico, se pensarmos que a Faculdade de Newton, em Cambridge, se chamava Trinity College). Passou horas a fio a estudar a planta do Templo do Rei Salomão, em Jerusalém (aprendendo hebraico ao mesmo tempo, para melhor poder decifrar os textos originais), na esperança de nela encontrar pistas matemáticas que indicassem a segunda vinda de Cristo e o fim do mundo. O seu apego à alquimia era igualmente apaixonado. Em 1936, o economista John Maynard Keynes comprou uma mala cheia de papéis de Newton num leilão, e descobriu que, na sua esmagadora maioria, tratavam, não de óptica e de movimentos dos planetas, mas sim do processo de transformação dos metais básicos em metais preciosos. Uma análise a um fio de cabelo de Newton revelou a presença de mercúrio – um dado de grande interesse para alquimistas, chapeleiros e fabricantes de termómetros, mas praticamente para mais ninguém – numa concentração 40 vezes superior ao normal. Não admira que tivesse dificuldade em lembrar-se de se levantar de manhã.

O que Halley esperava exactamente dele, ao fazer aquela visita surpresa em Agosto de 1684, só podemos tentar adivinhar. Mas graças a um relato posterior feito por um dos confidentes de Newton, Abraham DeMoivre, ficámos com o registo de um dos encontros mais importantes na história da ciência:

Em 1684 o Dr. Halley veio de visita a Cambridge, (e) depois de algum tempo juntos, o Dr. perguntou-lhe como pensava que seria a curva descrita pelos planetas, partindo do princípio de que a força de atracção em relação ao Sol era inversamente proporcional ao quadrado da distância entre este e cada planeta.

Esta era uma referência a uma regra de matemática conhecida como lei do inverso do quadrado da distância, que Halley pensava estar na base da explicação, embora não soubesse exactamente como.

Sir Isaac respondeu imediatamente que seria uma [elipse]. O Doutor, espantado e contente ao mesmo tempo, perguntou-lhe como é que sabia. "Ora", disse, "fiz o cálculo", pelo que o Dr. Halley pediu para ver os cálculos sem mais delongas, e Sir Isaac procurou nos seus papéis, mas não os conseguiu encontrar.

Isto era espantoso – como se alguém dissesse que tinha encontrado a cura para o cancro, mas não soubesse onde tinha posto a fórmula. Pressionado por Halley, Newton concordou em voltar a fazer os cálculos e apresentar um estudo sobre isso. Cumpriu o prometido, mas fez ainda muito mais. Retirou-se durante dois anos e, ao fim de intensas reflexões e rabiscos frenéticos, acabou por apresentar a sua obra prima: *Philosophiae Naturalis Principia Mathematica,* ou *Os Princípios Matemáticos da Filosofia Natural*, mais conhecido por *Principia.*

Raras são as vezes na história em que a mente humana é capaz de chegar a conclusões tão argutas e inesperadas que se fica sem saber o que é mais espantoso – o facto em si, ou a ideia de alguém ter conseguido descobri-lo. O *Principia* foi um desses momentos. Newton tornou-se famoso de um dia para o outro. Passou a ser alvo de honras e aplausos para o resto da vida, e, entre muitas outras coisas, tornou-se no primeiro inglês a receber o título de cavaleiro por se ter distinguido num ramo científico. Até o grande matemático alemão Gottfried von Leibniz, com quem Newton disputou arduamente a primazia da invenção do cálculo, considerou que as suas descobertas no domínio da matemática igualam todos os trabalhos anteriormente desenvolvidos nesse domínio. "Nenhum mortal se pode aproximar mais dos deuses", escreveu Halley, transmitindo assim a opinião partilhada pelos seus contemporâneos e por muitos outros desde então.

Apesar de o *Principia* ter sido considerado "um dos livros mais inacessíveis que alguma vez foi escrito" (Newton fez de propósito, a fim de não ser incomodado por "diletantes" da matemática, como lhes chamava), passou a ser um farol para quem o conseguia seguir. Não só explicava matematicamente as órbitas dos corpos celestes, como também identificava a força de atracção que os mantinha em movimento – a gravidade. De repente, todo e qualquer movimento do universo passava a ter sentido.

O *Principia* baseava-se nas três leis newtonianas do movimento (que determinam, em termos muito gerais, que um objecto se move na direcção em que é empurrado; que continuará a mover-se em linha recta até que outra força vá agir sobre ele, de forma a reduzir ou a parar esse movimento, e que toda a acção tem uma reacção oposta e equivalente), bem como na sua lei universal da gravitação. Isto veio demonstrar que todo o objecto no universo "dá um puxão" em todos os outros. Pode não parecer mas, enquanto está aí sentado, está simultaneamente a puxar tudo à sua volta – paredes, tecto, candeeiro, cão – para si, para o seu pequeno (melhor, pequeníssimo) campo gravitacional. E essas coisas também o estão a puxar a si. Foi Newton quem percebeu que a atracção entre dois objectos é, para citar Feynman outra vez, "proporcional à massa de cada um, e inversamente proporcional ao quadrado da distância entre eles". Dito de outra maneira, se duplicar a distância entre dois objectos, a atracção entre eles passa a ser quatro vezes mais fraca, o que se pode traduzir pela fórmula seguinte:

$$F = G\frac{mm'}{r^2}$$

fórmula que, evidentemente, será muito difícil para qualquer um de nós, pobres mortais, utilizar na sua vida prática, mas sempre dá para lhe admirarmos a sucinta elegância. Duas breves multiplicações, uma simples divisão e... zás, ficamos a saber a nossa posição gravitacional onde quer que vamos. Foi a primeira lei da natureza de carácter realmente universal a ser produzida pela mente humana, razão pela qual Newton passou a ser tão universalmente admirado.

A elaboração do *Principia* não foi exactamente uma tarefa simples. Para terror de Halley, Newton e Hooke entraram em conflito pela reivindicação da lei do inverso do quadrado das distâncias, pelo que Newton se recusou a entregar o crucial terceiro volume, sem o qual os dois primeiros pouco sentido teriam. Foi preciso que Halley utilizasse todos os seus talentos diplomáticos, correndo esbaforido entre um e outro enquanto dispensava rios de lisonjas, para conseguir finalmente arrancar o volume final ao caprichoso professor.

Mas os traumas de Halley não iam ficar por aqui. A Royal Society tinha prometido publicar o trabalho, mas resolveu desistir nesse momento, alegando problemas financeiros. No ano anterior tinha financiado um dispendioso fracasso, *The History of Fishes*, e começava a suspeitar que um tratado sobre princípios matemáticos não seria propriamente acolhido com um entusiasmo desenfreado. Halley, que não dispunha de grandes meios, acabou por pagar a publicação do livro do seu próprio bolso. Como de costume, Newton não deu qualquer contributo. Para piorar ainda mais a situação, Halley, que acabara de aceitar um lugar como secretário da Sociedade, foi informado que esta deixara de poder pagar-lhe o prometido salário de 50 libras anuais. Em vez disso, ia ser pago em exemplares da *History of Fishes*...

As leis de Newton explicavam tantas coisas – o ir e vir das marés, os movimentos dos planetas, a trajectória das balas de canhão antes de voltarem a cair na Terra, por que é que não somos projectados no espaço quando o planeta em que assentamos os pés gira a uma velocidade de centenas de quilómetros por hora* – que foi preciso algum tempo até as pessoas se aperceberem de todas as suas implicações.

Mas houve uma revelação que se tornou controversa quase de imediato: a de que a Terra não era completamente redonda. De acordo com a teoria de Newton, a força centrífuga da Terra resultaria num ligeiro achatamento nos pólos e um alargamento no equador, o que tornaria o planeta ligeiramente oblato; isto, por sua vez, significaria que a distância correspondente a um grau seria diferente em Itália e na Escócia, porque essa distância encurtaria à medida que nos afastássemos dos pólos. Esta descoberta passava a ser um problema para todos aqueles que, quando queriam medir a Terra, partiam do princípio de que era uma esfera perfeita. E este conceito era universal.

Havia mais de meio século que se tentava saber o tamanho da Terra, fazendo sempre medições muito precisas. Uma das primeiras tentativas foi feita por um matemático inglês chamado Richard Norwood. Ainda jovem, Norwood fora até às Bermudas com uma campânula de mergulho baseada no modelo de Halley, com a intenção de ganhar uma fortuna a apanhar pérolas do fundo do mar. O esquema falhou porque não havia pérolas, e de qualquer

* A velocidade da Terra depende do ponto onde nos encontramos. Varia entre pouco mais de 1600 quilómetros por hora no equador e zero nos pólos. Em Londres, a velocidade é de 998 quilómetros por hora.

forma a campânula de Norwood não funcionou, mas ele não era homem para desperdiçar tal experiência. No início do século XVII, as Bermudas eram consideradas difíceis de localizar pelos comandantes dos navios. O problema é que os oceanos eram grandes, as Bermudas pequenas, e os instrumentos de navegação inadequados para lidar com esta desproporção. Nem sequer havia acordo quanto ao comprimento de uma milha náutica. Traduzido na largura de um oceano inteiro, o mais pequeno erro de cálculo aumentava de tal forma que os navios muitas vezes falhavam alvos do tamanho das Bermudas por margens de erro verdadeiramente desencorajadoras. Norwood, que começara por ser um apaixonado da trigonometria e consequentemente de tudo o que fosse ângulos, decidiu contribuir com algum rigor matemático para a navegação; para tal, resolveu calcular o comprimento de um grau.

Começando virado de costas para a Torre de Londres, Norwood passou dois esforçados anos a percorrer 335 quilómetros para norte, em direcção a York. À medida que caminhava, esticava e media repetidamente um pedaço de corrente que levara consigo, calculando sempre meticulosamente os altos e baixos do terreno e os desvios das estradas. A última etapa consistiu em medir o ângulo do Sol em York, à mesma hora do dia e no mesmo dia do ano em que fizera a primeira medição em Londres. A partir daqui, calculou que podia determinar o comprimento de um grau de meridiano da Terra, podendo assim calcular a distância total da circunferência. Era uma tarefa quase ridiculamente ambiciosa – um engano na mais pequena fracção de grau implicaria um erro de muitos quilómetros –, mas o facto é que, tal como Norwood afirmou cheio de orgulho, o cálculo estava certo "com uma margem de erro de alguns palmos" – ou, mais precisamente, de cerca de 550 metros. Em termos métricos, o número por ele encontrado foi de 110,72 quilómetros por grau de arco.

A obra de arte da navegação de Norwood, *The Seaman's Practice,* foi publicada em 1637, tendo tido sucesso imediato. Foi reeditada 17 vezes, e 25 anos após a sua morte continuava a ser impressa. Norwood voltou para as Bermudas, desta vez com a família, dedicando-se à agricultura e utilizando o seu tempo livre para trabalhar na sua antiga paixão, a trigonometria. Aí viveu os restantes 38 anos da sua vida, e muito gostaríamos de poder dizer que os passou feliz e contente, mas infelizmente não foi assim. Durante a viagem de Inglaterra até lá, os seus dois filhos ficaram numa cabina com o reverendo Nathaniel White, tendo conseguido, sabe-se lá como, traumatizar de tal forma o jovem vigário que este passou o resto da sua vida a perseguir Norwood pelas coisas mais insignificantes que conseguisse arranjar.

As duas filhas de Norwood trouxeram ainda mais problemas ao pai com os maus casamentos que fizeram. O marido de uma delas, possivelmente instigado pelo tal padre, passou a vida a apresentar queixa contra ele em tribunal por tudo e por nada, causando-lhe constante exaspero e obrigando-o permanentemente a viajar pelas Bermudas para se defender. Finalmente, na década de 1650, apareceram os julgamentos por bruxaria nas Bermudas, e Norwood passou os últimos anos da sua vida aterrorizado com a ideia de que os símbolos de trigonometria que usava fossem considerados comunicações com o diabo, coisa que o levaria certamente a uma medonha execução. Sabemos tão pouco sobre Norwood que até pode ser que tenha merecido um fim de vida tão conturbado. O certo é que o teve.

Entretanto, a febre de determinar a circunferência da Terra passou para França. O astrónomo Jean Picard encontrou um método de triangulação extremamente complicado, que envolvia quadrantes, relógios de pêndulo, mapas do céu e telescópios (para observar os movimentos das luas de Júpiter). Passados dois anos de expedições e triangulações pela França fora, anunciou, em 1669, o valor mais preciso de 110,46 quilómetros por grau de arco. Foi um motivo de grande orgulho para os franceses, mas partia do princípio de que a Terra era uma esfera perfeita – e, agora, Newton dizia que não era.

Para complicar as coisas, depois da morte de Picard, Giovanni e Jacques Cassini, uma equipa constituída por pai e filho, repetiram a experiência numa área maior e chegaram à conclusão de que a Terra era mais larga nos pólos do que no equador – ou seja, que Newton estava completamente errado. Foi por esta razão que a Academia de Ciências enviou Bouguer e La Condamine à América do Sul, a fim de efectuar mais medições.

Escolheram os Andes porque precisavam de medir perto do equador para poder determinar se ali havia de facto uma alteração na esfericidade da Terra, e porque calcularam que as montanhas lhes dariam bons pontos de visão. O problema é que as montanhas do Peru estavam quase sempre envoltas em nuvens, e por várias vezes tinham de esperar semanas para conseguir uma hora de visão clara. Além disso, tinham seleccionado um dos tipos de terreno mais difíceis da Terra. Os peruanos referem-se normalmente à sua paisagem como *muy accidentado* – muito acidentada – e não exageram nada. Os franceses não só tinham de escalar as montanhas mais acidentadas – montanhas que até derrotavam as mulas – como ainda, para lá chegarem, tinham de atravessar a vau rios de torrentes fortíssimas, desbravar selvas e atravessar quilómetros de planaltos desérticos cobertos de pedra, quase tudo sem mapas e longe de qualquer fonte de provisões. Mas a tenacidade era a grande virtude de Bouguer e La Condamine, pelo que se mantiveram fiéis à sua missão durante uns longos, sujos e escaldantes nove anos e meio. Pouco tempo antes de concluírem o projecto receberam a informação de que uma outra equipa francesa estava a tirar medidas no Norte da Escandinávia (enfrentando outro tipo de dificuldades, pântanos borbulhantes e rios de gelo flutuante), tendo descoberto que um grau era realmente maior perto dos pólos, tal como Newton previra. A Terra era 43 quilómetros mais curta quando medida no equador do que no sentido longitudinal, passando pelos pólos.

Bouguer e La Condamine tinham, portanto, passado quase uma década à procura de um resultado ao qual nem queriam chegar, para vir a descobrir no fim que nem sequer eram os primeiros a encontrá-lo. Já desinteressados, completaram o seu estudo, que apenas veio confirmar a descoberta da outra equipa francesa. Depois, sempre sem se falarem, voltaram para a costa e apanharam barcos diferentes para voltar para casa.

Outra conjectura de Newton constante do *Principia* dizia que uma esfera de chumbo pendurada perto de uma montanha se inclinaria ligeiramente em direcção a esta, afectada pela massa gravitacional da montanha e da Terra. Era um facto mais do que curioso. Se se medisse o desvio com precisão e se calculasse a massa da montanha, era possível calcular a constante gravitacional universal – isto é, o valor básico da gravidade, conhecido por G – e, no mesmo processo, a massa da Terra.

Bouguer e La Condamine tinham tentado fazer isso no monte Chimborazo, no Peru, mas foram derrotados por dificuldades técnicas e pelas suas próprias discussões, pelo que a noção ficou no limbo mais 30 anos, até ser ressuscitada na Grã-Bretanha por Nevil Maskelyne, o astrónomo real. No conhecido livro *Longitude,* de Dava Sobel, Maskelyne é apresentado como um pateta e um bandido, por não ter apreciado o brilhantismo do relojoeiro John Harrison, e talvez haja razão para tal, mas o facto é que estamos em dívida para com ele por outros motivos que não constam do livro e principalmente pelo arguto esquema que criou para calcular o peso da Terra. Maskelyne percebeu que a chave do problema era descobrir uma montanha de forma suficientemente regular para se conseguir achar a sua massa.

A seu pedido, a Royal Society concordou em arranjar alguém de confiança para dar a volta às Ilhas Britânicas à procura dessa montanha. Maskelyne sabia da pessoa exacta – o astrónomo e investigador Charles Mason. Os dois tinham ficado amigos 11 anos antes, ao trabalharem juntos num projecto de medição de um evento astronómico de enorme importância: a passagem do planeta Vénus à frente do Sol. O incansável Edmund Halley sugerira, anos antes, que, se se medisse uma passagem desse tipo a partir de determinados pontos da Terra, poder-se-iam usar em seguida os princípios da triangulação para descobrir a distância da Terra ao Sol, e a partir daí calibrar as distâncias a todos os outros corpos do sistema solar.

Infelizmente, os trânsitos de Vénus, como se lhes chama, são irregulares. Ocorrem em pares com oito anos de intervalo, mas depois param durante um século ou mais, e não havia nenhum no período de vida de Halley*. Mas a ideia ficou latente, e no trânsito seguinte, que devia verificar-se em 1761, mais de duas décadas após a morte de Halley, o mundo científico estava pronto – mais pronto do que alguma vez estivera para um acontecimento astronómico.

Com aquela tendência para complicar as coisas que caracterizava a época, cientistas de todo o mundo partiram para mais de uma centena de locais de um lado ao outro do globo – Sibéria, China, África do Sul, Indonésia, e as florestas do Wisconsin, entre muitas outras. Só a França enviou 32 observadores e a Grã-Bretanha 18, enquanto outros partiam da Suécia, Rússia, Itália, Alemanha, Irlanda, etc.

Era o primeiro empreendimento científico de sempre a envolver uma cooperação internacional, e houve problemas em quase todos os lugares. Muitos observadores ficaram pelo caminho devido a guerras, doenças ou naufrágios. Outros conseguiram chegar ao seu destino, mas ao abrir as bagagens encontravam os equipamentos partidos ou empenados pelo calor tropical. Mais uma vez a França parecia destinada a fornecer os participantes mais azarentos. Jean Chappe levou meses para chegar à Sibéria, viajando de carruagem, barco e trenó, e protegendo amorosamente os seus instrumentos a cada solavanco, para, na última etapa vital, dar consigo bloqueado pelas enchentes dos rios causadas por uma Primavera excepcionalmente chuvosa, pela qual os habitantes locais se apressaram a culpá-lo, ao vê-lo apontar estranhos instrumentos para o céu. Chappe ainda conseguiu escapar com vida, mas sem quaisquer medições úteis.

Mais azarado ainda foi Guillaume Le Gentil, cujas experiências se encontram brilhantemente resumidas por Timothy Ferris no seu livro *Coming of Age in the Milky Way*. Le Gentil partiu para a Índia com um ano de antecedência

---

* O próximo trânsito será no dia 8 de Junho de 2004, seguido por outro em 2012. Não houve nenhum no século XX.

para observar o fenómeno, mas acabou por estar ainda retido no mar no próprio dia do trânsito devido a vários contratempos – o pior sítio onde poderia estar, já que é impossível medir seja o que for com mão firme dentro de um barco que não pára de balouçar.

Sem se deixar abater, continuou a viagem em direcção à Índia, a fim de observar o trânsito seguinte em 1769. Com oito anos pela frente para se preparar, construiu um posto de observação de primeira categoria, testou e voltou a testar os instrumentos e aguardou, perfeitamente pronto para observar o fenómeno. Na manhã do segundo trânsito, 4 de Junho de 1769, acordou para descobrir que estava um lindo dia; só que, exactamente quando Vénus começava a passar, interpôs-se uma nuvem à frente do Sol e aí ficou durante quase todo o tempo do trânsito: três horas, catorze minutos e sete segundos.

Estoicamente, Le Gentil encaixotou todos os instrumentos e dirigiu-se para o próximo porto, mas acabou por ficar quase um ano inteiro de cama devido a um ataque de disenteria que apanhou no caminho. Ainda fraco, conseguiu finalmente embarcar. O seu navio quase naufragou ao apanhar um furacão ao largo da costa africana. Quando finalmente chegou a casa, onze anos e meio depois de ter partido e sem ter conseguido absolutamente nada, descobriu que, durante a sua ausência, os seus familiares o tinham dado como morto, apoderando-se entusiasticamente de todos os seus haveres.

Em comparação, as desilusões por que passaram os 18 observadores ingleses foram ligeiras. Mason ficou a trabalhar com um jovem investigador chamado Jeremiah Dixon, com quem aparentemente se deu bem, pois acabaram por formar uma equipa duradoura. Tinham instruções de ir até Samatra e fazer aí o registo do trânsito, mas, ao fim de uma única noite no mar, foram atacados por uma fragata francesa. (Os cientistas estavam cheios de espírito de colaboração, mas o mesmo não se passava com as respectivas nações.) Mason e Dixon mandaram uma nota à Royal Society, dizendo que, pelos vistos, os mares estavam recheados de perigos e perguntando se não seria melhor cancelarem tudo. A resposta veio rápida e fria, sublinhando que já tinham sido pagos, que tanto a nação como a comunidade científica contavam com eles, e que se acaso desistissem as suas reputações ficariam manchadas para sempre. Sem alternativa, continuaram viagem, até lhes chegar a notícia de que Samatra caíra em poder dos franceses, pelo que acabaram por ter de observar o trânsito a partir do cabo da Boa Esperança, sem resultados conclusivos. No regresso a casa pararam no rochedo solitário de Santa Helena, onde se encontraram com Maskelyne, cujas observações tinham sido prejudicadas pela nebulosidade do céu. Mason e Maskelyne iniciaram ali uma sólida amizade, tendo passado várias agradáveis semanas a registar as marés, o que talvez até tenha tido a sua utilidade.

Pouco tempo depois, Maskelyne regressou a Inglaterra, onde foi nomeado astrónomo real. Mason e Dixon, agora mais afoitos a essas coisas, encetaram uma missão de quatro anos, por vezes perigosa, fiscalizando 393 quilómetros de terras americanas com o objectivo de resolver uma disputa de fronteiras entre as propriedades de William Penn e de Lord Baltimore, e as respectivas colónias da Pensilvânia e Maryland. O resultado foi a famosa linha Mason-Dixon, que mais tarde viria a adquirir importância simbólica na divisão entre os estados livres e os que ainda não tinham abolido a escravatura. (Apesar de a linha divisória ser a sua tarefa principal, também fizeram algumas investigações astronómicas, entre elas uma das mais precisas medições do século de um grau de meridiano – feito que lhes trouxe muito mais renome em Inglaterra do que a resolução de uma briga de fronteiras entre dois aristocratas mimados.)

De volta à Europa, Maskelyne, bem como os seus colegas alemães e franceses, foi forçado a concluir que as medições dos trânsitos de 1761 tinham sido essencialmente um fracasso. Ironicamente, um dos problemas foi o excesso de observações, que, quando confrontadas, muitas vezes se tornavam contraditórias e impossíveis de resolver. O registo correcto do trânsito de Vénus acabou por caber a um quase desconhecido capitão de navio, nascido em Yorkshire, chamado James Cook, que observou o trânsito do cimo de uma colina soalheira no Taiti, de onde seguiu para um território hoje chamado Austrália, cujo mapa levantou, tendo em seguida reclamado as novas terras para a Coroa Inglesa. Com o seu regresso, passou a haver informações suficientes para o astrónomo francês Joseph Lalande calcular que a distância média da Terra ao Sol era de um pouco mais de 150 milhões de quilómetros. (Os dois trânsitos verificados no século XIX permitiram que os astrónomos chegassem ao número de 149,59 milhões de quilómetros, que se mantém até aos dias de hoje. A distância exacta, sabe-se agora, é de 149,597870691 milhões de quilómetros.) A Terra tinha, por fim, uma posição no espaço.

Mason e Dixon regressaram a Inglaterra no papel de heróis e, sem se saber porquê, dissolveram a sua sociedade. Se considerarmos a grande frequência com que surgem associados a grandes acontecimentos científicos do século

XVIII, é de estranhar que se saiba tão pouco sobre qualquer um deles. Não existem retratos, e são raras as referências escritas. O *Dictionary of National Biography* diz de Dixon que "ao que parece, terá nascido numa mina de carvão", mas depois deixa à imaginação do leitor arranjar para isso uma explicação plausível, e acrescenta que morreu em Durham, em 1777. Para além do seu nome, e do facto de ter estado associado a Mason, nada mais se sabe.

Mason é ligeiramente menos misterioso. Sabemos que em 1772, a pedido de Maskelyne, aceitou a incumbência de partir à procura de uma montanha adequada para fazer a experiência do desvio gravitacional, acabando por regressar com a informação de que essa montanha se encontrava na zona central das Terras Altas escocesas, logo acima do Loch Tay, e se chamava Schiehallion. Mas não houve nada que o convencesse a passar o Verão a fazer o seu levantamento. Na verdade, nunca mais lá voltou. Só voltamos a saber dele em 1786, quando, abrupta e misteriosamente, aparece em Filadélfia com a mulher e os oito filhos, aparentemente à beira da ruína. Nunca mais regressara à América desde que aí completara a sua pesquisa 18 anos antes; aparentemente, não havia razões para o ter feito, nem amigos ou patronos a recebê-lo. Morreu poucas semanas mais tarde.

Quando Mason se recusou fazer o levantamento da montanha, o trabalho passou para Maskelyne. E assim, durante quatro meses do Verão de 1774, Maskelyne viveu numa tenda montada num remoto desfiladeiro escocês, passando os dias a orientar uma equipa de observadores que tiraram centenas de medições a partir de todas as posições possíveis. Para encontrar a massa da montanha com base em todos aqueles números, eram precisos muitos cálculos entediantes, pelo que contrataram um matemático, de nome Charles Hutton, para o fazer. Os observadores tinham coberto os mapas com números, em que cada um significava uma elevação a dado ponto na montanha ou à volta dela. Os investigadores tinham enchido um mapa com um emaranhado de números, correspondendo cada um deles à altitude num determinado ponto da montanha, ou à sua volta. Essencialmente, era uma enorme confusão de algarismos dispersos, mas Hutton reparou que, se unisse com um lápis os pontos de igual altitude, tudo ficava muito mais ordenado. Na verdade, com esse método, era possível apreender num instante a forma geral da montanha, bem como a sua inclinação. Acabava de inventar as curvas de nível.

Extrapolando a partir das medições de Schiehallion, Hutton calculou a massa da Terra em cinco mil biliões de toneladas, número a partir do qual era relativamente fácil deduzir as massas de todos os outros corpos principais do sistema solar, incluindo o Sol. E assim, só a partir desta única experiência, ficámos a saber a massa da Terra, do Sol, da Lua, dos outros planetas e das suas luas, e ainda ganhámos o bónus das curvas de nível – nada mau, para o trabalho de um Verão.

Contudo, nem todos ficaram contentes com os resultados. A única desvantagem da experiência de Schiehallion era a impossibilidade de conseguir um número totalmente correcto sem se saber a densidade real da montanha. Para facilitar os cálculos, Hutton partiu do princípio de que a densidade da montanha seria igual à densidade da pedra comum, ou seja, mais ou menos 2,5 vezes a da água, mas isso não passava de uma suposição.

Inesperadamente, foi John Michell, um vigário de aldeia que vivia em Thornhill, lugarejo isolado do condado de Yorkshire, quem resolveu concentrar-se na questão. Não obstante o seu posto longínquo e relativamente humilde, Michell foi um dos grandes pensadores científicos do século XVIII, e reconhecido e apreciado como tal.

Entre muitas outras coisas, detectou o carácter ondulatório dos terramotos, efectuou pela primeira vez muitas investigações sobre o magnetismo e a gravidade, e, o que é espantoso, especulou sobre a existência de buracos negros 200 anos antes de qualquer outra pessoa – uma associação intuitivo-dedutiva que nem Newton conseguiu fazer. Quando o músico alemão William Herschel decidiu dedicar a sua vida à astronomia, foi a Michell que se dirigiu para saber como se construíam telescópios, e é graças a essa deferência que a ciência planetária está em dívida para com ele desde então.*

Mas, de todos os feitos de Michell, o mais engenhoso e que maior impacte teve foi uma máquina por ele concebida e construída para calcular a massa da Terra. Infelizmente, morreu antes de poder iniciar as experiências, mas não sem deixar a ideia e o equipamento nas mãos de um cientista londrino com um espírito brilhante mas extremamente misantropo, Henry Cavendish.

A vida de Cavendish dava um romance. Nascido numa família privilegiada – ambos os avós eram duques, respectivamente de Devonshire e Kent –,

---

* Em 1781, Herschel foi o primeiro homem da era moderna a descobrir um planeta. Era de sua vontade que se chamasse George, em honra ao monarca britânico, mas acabou por se chamar Urano.

foi o mais talentoso cientista da sua época, embora também o mais estranho. Sofria de uma timidez tal que, nas palavras de um biógrafo, "tocava as raias da doença". Qualquer contacto humano era para ele fonte de profundo mal-estar.

Uma vez, abriu a porta de casa para se deparar com um admirador austríaco, acabado de chegar de Viena, parado na ombreira. Entusiasmado, o austríaco deixou escapar uma catadupa de elogios. Cavendish ficou a escutá-lo por alguns momentos, como se os elogios fossem socos no estômago, até que não aguentou mais e desatou a correr pelo jardim fora e desapareceu pelo portão da propriedade, deixando aberta a porta da frente. Ainda foram necessárias algumas horas de persuasão para o fazer voltar para casa. Até o seu mordomo comunicava com ele por carta.

Embora por vezes se aventurasse em sociedade – era grande apreciador dos serões científicos semanais organizados pelo famoso naturalista Sir Joseph Banks –, os outros convidados eram sempre instruídos no sentido de não o abordarem de modo algum, nem mesmo olharem para ele. Aqueles que se interessavam pelas suas ideias eram aconselhados a aproximarem-se dele como se fossem a passar por acaso e a abordá-lo "como se falassem para o vazio". Se os seus comentários tivessem algum valor científico, talvez tivessem a sorte de receber uma resposta balbuciada, mas, ao que parece, a maior parte das vezes ouviam simplesmente um guincho agudo (parece que tinha uma voz esganiçada), virando-se para encontrar de facto o tal vazio, e a figura de Cavendish a afastar-se em pânico, à procura de um recanto mais tranquilo.

A abundância dos seus meios e o gosto pela solidão levaram-no a transformar a sua casa em Clapham num enorme laboratório, onde podia sossegadamente passear-se de um ramo das ciências físicas para o outro – electricidade, aquecimento, gravidade, gases, tudo o que se relacionasse com a composição da matéria. Na segunda metade do século XVIII, os cientistas começavam a interessar-se profundamente pelas propriedades físicas das coisas fundamentais – gases e electricidade em particular –, e começavam a perceber até onde poderiam chegar com elas, muitas vezes com mais entusiasmo do que senso comum. Na América, Benjamim Franklin ficou célebre por arriscar a vida ao pôr um papagaio a voar em plena tempestade. Em França, um químico de nome Pilatre de Rozier resolveu testar as propriedades inflamáveis do hidrogénio de um modo bastante original: encheu a boca com o referido gás e soprou para cima de uma vela acesa, provando imediatamente que o hidrogénio é de facto um combustível explosivo, e que as sobrancelhas não são acessório permanente no rosto humano. O próprio Cavendish efectuou experiências em que se submetia a choques eléctricos, cuja voltagem ia aumentando gradualmente enquanto anotava diligentemente os sucessivos níveis de dor até a pluma lhe cair da mão, ou perder simplesmente a consciência.

No decorrer da sua longa vida, Cavendish fez uma série de descobertas-chave. Entre muitas outras coisas, foi o primeiro a isolar o hidrogénio, e também a combinar hidrogénio com oxigénio para formar água – mas tudo o que fazia tinha o seu toque de estranheza. Para constante exaspero dos seus colegas cientistas, muitas vezes aludia, nos trabalhos que publicava, a experiências ocasionais que nunca se dera ao trabalho de anunciar a ninguém. O seu secretismo não se limitava a lembrar o de Newton – ultrapassava-o à vontade. As suas experiências sobre a condutibilidade eléctrica tinham um século de avanço em relação ao seu tempo, mas infelizmente só foram descobertas no século seguinte. Na realidade, grande parte dos seus feitos ficaram por conhecer até finais do século XIX, quando James Clerk Maxwell, um físico de Cambridge, resolveu rever os papéis de Cavendish. E, por essa altura, os créditos de quase todas as suas descobertas já tinham sido atribuídos a outros.

Para além de muitas outras coisas, e sem contar a ninguém, Cavendish descobriu, ou pelo menos previu, a lei da conservação de energia, a Lei de Ohm, a lei das pressões parciais de Dalton, a lei das proporções recíprocas de Richter, a lei dos gases de Charles, e os princípios da condutibilidade eléctrica. E estes são apenas alguns exemplos. Segundo o historiador científico J. G. Crowther, Cavendish foi também o precursor do "trabalho de Kelvin e G. H. Darwin relativo ao efeito desacelerador da rotação da Terra provocado pela fricção da marés, da descoberta de Larmor sobre o efeito do arrefecimento local da atmosfera, publicado em 1915 no trabalho de Pickering sobre as misturas congelantes, e parte do trabalho de Rooseboom sobre os equilíbrios heterogéneos." Deixou ainda pistas que levaram directamente à descoberta do grupo de elementos conhecido como gases nobres, alguns deles tão difíceis de identificar que o último só foi descoberto em 1962. Mas o que nos interessa neste contexto é a última experiência conhecida de Cavendish, no Verão de 1797, quando tinha já 67 anos. Por mero respeito científico, Cavendish resolveu dedicar a sua atenção aos caixotes de equipamento que John Michell lhe tinha deixado.

Depois de montado, o aparelho de Michell parecia uma versão setecentista de uma máquina *Nautilus* de exercício físico, com pesos, contrapesos, pêndulos, eixos e fios de torção. No interior da máquina havia duas bolas de chumbo com 160 quilos, suspensas ao lado de duas esferas mais pequenas. O objectivo era medir o desvio gravitacional das duas esferas provocado pela proximidade das duas bolas maiores, o que permitiria fazer a primeira medição da força difícil de detectar, conhecida por constante gravitacional, a partir da qual seria possível deduzir o peso da Terra (ou a sua massa, para ser mais correcto)*.

Só porque a gravidade mantém os planetas em órbita e faz com que os objectos caiam com estrondo, pensamos que se trata de uma força muito potente, mas não é verdade. A gravidade só é potente num sentido colectivo, quando um corpo maciço como o Sol segura outro corpo maciço como a Terra. A um nível elementar, a gravidade é extraordinariamente fraca. Quando apanhamos um livro de uma mesa, ou uma moeda do chão, estamos a ultrapassar sem qualquer esforço a força combinada da gravidade exercida pelo planeta inteiro. O que Cavendish estava a tentar fazer era medir a gravidade a este nível extremamente leve, de peso-pluma.

A palavra-chave era delicadeza. Não se podia exalar um suspiro sequer na sala que continha o aparelho; assim, Cavendish colocou-se numa sala contígua, fazendo as suas observações através de um telescópio inserido num buraco na porta. O trabalho tinha de ser extraordinariamente preciso, passando por 17 delicadas medições interligadas que levaram quase um ano a completar. Quando finalmente acabou os seus cálculos, Cavendish anunciou que a Terra pesava pouco mais do que 13 000 000 000 000 000 000 000 libras, ou seis mil milhões de biliões de toneladas, para usar uma medida mais actual.

Hoje em dia, os cientistas têm à sua disposição máquinas tão precisas que conseguem detectar o peso de uma simples bactéria, e tão sensíveis que um simples bocejo a 20 metros de distância pode alterar os resultados, mas o facto é que não conseguiram melhorar significativamente os cálculos que Cavendish fez em 1797. A estimativa actual mais precisa do peso da Terra é de 5,9725 mil milhões de biliões de toneladas métricas, isto é, apenas uma diferença de cerca de um por cento em relação ao cálculo de Cavendish. Curiosamente, todos estes números se limitaram a confirmar as estimativas feitas por Newton 110 anos antes de Cavendish, e que nem sequer tinham tido qualquer experiência a apoiá-las.

---

* Para um físico, massa e peso são duas coisas completamente diferentes. A nossa massa permanece igual onde quer que nos encontremos, mas o nosso peso varia em função da distância a que nos encontramos do centro de qualquer outro objecto maciço, como um planeta. Se viajarmos até à Lua, o nosso peso será muito menor, mas a nossa massa será a mesma. Na Terra, por uma questão de simplificação, a massa e o peso são considerados a mesma coisa, pelo que os dois termos podem ser considerados sinónimos, pelo menos em meios não académicos.

Isto significa que, nos finais do século XVIII, os cientistas já conheciam com toda a precisão a forma e as dimensões da Terra, bem como a sua distância até ao Sol e aos planetas; e agora, sem sair de casa, Cavendish tinha determinado o seu peso. Assim, poderíamos pensar que determinar a idade da Terra seria um processo relativamente fácil. Ao fim e ao cabo, já tinham todos os elementos necessários a seus pés. Mas não. Os seres humanos iam dividir o átomo, inventar a televisão, o *nylon* e o café instantâneo antes de conseguirem descobrir a idade do seu planeta.

Para percebermos porquê, vamos viajar até à Escócia e começar por um génio brilhante de quem poucos ouviram falar, e que acabara de inventar uma nova ciência chamada geologia.

5.

OS PARTIDORES DE PEDRA

No mesmo momento em que Henry Cavendish completava as suas experiências em Londres, a 650 quilómetros de distância, em Edimburgo, registava-se outro momento decisivo com a morte de James Hutton. Foi sem dúvida um momento mau para Hutton, mas óptimo para a ciência, visto ter dado a um homem chamado John Playfair a oportunidade de rescrever o trabalho de Hutton sem prurido algum.

Hutton, conhecido por todos como um homem de inteligência arguta e um conversador brilhante cuja companhia era sempre um prazer, não tinha rival no que tocava à compreensão dos lentos e misteriosos processos que intervieram na formação da Terra. Contudo, era incapaz de formular as suas ideias de forma a serem minimamente compreensíveis. Como observou um dos seus biógrafos com um quase imperceptível suspiro, "não fora bafejado com o dom da retórica. Cada linha que escrevia tinha notórios efeitos sedativos. Eis um exemplo, tirado da sua obra-prima escrita em 1795, *A Theory of the Earth with Proofs and Illustrations,* numa passagem dedicada a... não se sabe bem o quê:

> O mundo em que vivemos é composto por materiais, não da terra que foi a predecessora imediata da presente, mas da terra que, ascendendo da presente, consideramos como terceira, e a qual precedeu a terra que estava acima da superfície do mar quando a nossa terra ainda estava debaixo da água do oceano.

O facto é que, praticamente sozinho e de forma brilhante, criou a ciência da geologia e transformou a nossa compreensão da Terra. Hutton nasceu em 1726 numa abastada família escocesa, tendo beneficiado de um conforto material que lhe permitiu dedicar a maior parte da sua vida a um trabalho agradável, ligeiro, e que lhe trazia grande satisfação intelectual. Estudou medicina, mas decidiu que não gostava e passou para a agricultura, que foi praticando com toda a calma e metodologia nas propriedades da família, em Berwickshire. Em 1768, cansado de couves e vacas, mudou-se para Edimburgo, onde se estabeleceu num excelente negócio de sal amoníaco extraído da fuligem do carvão, para além de se entreter com variados assuntos de natureza científica. Hutton aproveitou ao máximo o facto de nessa época Edimburgo ser um centro de grande actividade intelectual. Tornou-se um dos membros dirigentes do Oyster Club, uma associação onde passava as noites na companhia de homens como o economista Adam Smith, o químico Joseph Black e o filósofo David Hume, bem como alguns génios de passagem como Benjamim Franklin e James Watt.

Como era costume na altura, Hutton interessava-se por todos os assuntos, da mineralogia à metafísica. Realizou experiências com substâncias químicas, investigou métodos para a extracção de carvão e construção de canais, visitou minas de sal, especulou sobre os mecanismos da hereditariedade, coleccionou fósseis e propôs teorias sobre a chuva, a composição do ar e as leis do movimento, entre muitas outras coisas. Mas o seu maior interesse era a geologia.

Entre as questões que atraíam grande interesse naquela época de quase fanatismo científico encontrava-se uma que há muito intrigava toda a gente, nomeadamente o facto de tantas vezes se encontrarem conchas velhas e fósseis marinhos no alto das montanhas. Como é que lá tinham ido parar? Os que achavam que tinham uma solução para o mistério dividiam-se em dois campos de opinião opostos. Um grupo, conhecido como os neptunistas, estava convencido de que tudo na Terra, incluindo as conchas marinhas em locais inesperadamente altos, podia ser explicado pela subida e descida dos níveis do mar. Acreditavam que os montes, as montanhas e outras características geológicas eram tão velhas como a própria Terra, e só mudavam quando ficavam debaixo de água em ocasiões de inundação a nível global.

Em oposição a estes estavam os plutonistas, que diziam que os vulcões, terramotos e outros acontecimentos do género eram os responsáveis pela contínua mudança do planeta, e que nada se devia aos caprichos dos mares. Também eles se interrogavam sobre o destino que conduzia as águas quando terminavam as inundações; ou seja, se num certo momento havia água suficiente para cobrir os Alpes, então para onde diabo ia ela em tempos de acalmia? Achavam que a Terra estava sujeita a forças internas tão fortes como as da superfície. Mas o facto é que não tinham uma explicação convincente para o estranho fenómeno das conchas no alto das montanhas.

Foi enquanto se debruçava sobre todas estas questões que Hutton teve uma série de intuições brilhantes. Ao observar o solo das suas terras, percebeu que era criado pela erosão das rochas, e que as partículas desse solo eram continuamente arrastadas por rios e riachos, voltando a ser depositadas noutro lugar. Chegou à conclusão de que, se o processo continuasse naturalmente, a Terra acabaria por se desgastar até ficar lisa à superfície. No entanto, à sua volta ele via montes e elevações. Era óbvio que devia haver mais qualquer coisa para explicar a formação de montanhas, uma forma qualquer de renovação e elevação, responsável pela criação de novos montes e serras, e que mantivesse o ciclo em perpétuo movimento. Deduziu que os fósseis marinhos que se encontravam no cume das montanhas não tinham sido arrastados por inundações marinhas; em vez disso, tinham chegado aí arrastados pelas próprias montanhas. Deduziu também que era o calor proveniente do interior da Terra que criava novas rochas e continentes, formando assim cordilheiras de montanhas. Pode dizer-se que os geólogos só conseguiram perceber totalmente as implicações desta teoria 200 anos mais tarde, quando finalmente adoptaram a tectónica de placas. Acima de tudo, o que as teorias de Hutton pareciam sugerir era que os processos geológicos requeriam muitíssimo tempo, muito mais do que alguma vez se pudera imaginar. Havia nelas revelações suficientes para transformar completamente a nossa maneira de ver a Terra.

Em 1785, Hutton pôs as suas ideias por escrito num longo trabalho, lido em reuniões consecutivas da Royal Society, de Edimburgo. Quase ninguém deu por ele, o que não é difícil de entender. Foi assim que ele apresentou parte do trabalho aos seus ouvintes:

> No caso em análise, a causa da formação está no corpo que está separado; pois que, depois de o corpo ter sido actuado pelo calor, é pela reacção da própria matéria do corpo que se forma a falha que constitui o veio. No outro caso, mais uma vez, a causa é extrínseca ao corpo no qual se forma a falha. Deu-se uma fractura e uma separação violentíssimas; mas a causa ainda está por descobrir; e não aparece no veio; porque não é em toda a fractura e deslocamento do corpo sólido da nossa Terra que se encontram os minerais, ou as substâncias próprias dos veios minerais.

Escusado será dizer que quase ninguém do público fazia a mínima ideia do que ele estava a falar. Os amigos encorajaram-no a desenvolver a teoria, na simpática esperança de que ele conseguisse encontrar uma forma clara de se explicar; daí que tenha passado os dez anos seguintes a preparar a sua grande obra em dois volumes, publicada em 1795.

Os dois livros totalizavam cerca de mil páginas, e conseguiam ser ainda piores do que os seus amigos mais pessimistas tinham receado. Para além de tudo o resto, quase metade da obra consistia em citações de fontes francesas, no francês original. O terceiro volume era tão desprovido de interesse que só foi publicado em 1899, mais de um século depois da morte de Hutton, e o quarto volume nem sequer chegou a ser publicado. O seu *Theory of the Earth* é um forte candidato ao título de livro científico importante com menor índice de leitura (ou seria, se não houvesse muitos outros candidatos). Até Charles Lyell, o maior geólogo do século seguinte e homem que lia tudo o que apanhava, confessou não ter conseguido passar das primeiras páginas.

Felizmente, Hutton tinha na pessoa de John Playfair, professor na Universidade de Edimburgo, um amigo íntimo e um génio matemático, que não só escrevia óptima prosa como, graças aos muitos anos em que acompanhou Hutton, percebia quase sempre o que este tentava dizer. Em 1802, cinco anos depois da morte de Hutton, Playfair publicou uma exposição simplificada dos princípios huttonianos, a que chamou *Illustrations of the Huttonian Theory of the Earth*. O livro foi muito bem recebido por todos aqueles que se interessavam activamente por geologia, e que, em 1802, não eram assim tantos. Mas isso estava prestes a mudar, e muito...

No Inverno de 1807, reuniram-se 13 almas gémeas em Londres, na Freemasons Tavern em Long Acre, Covent Garden, e formaram um clube a que chamaram *Geological Society*. A ideia era reunirem-se uma vez por mês para trocarem noções de geologia enquanto desfrutavam de um belo jantar coroado por um ou dois cálices de *Madeira*. Decidiram que o preço da refeição seria de uns valentes 15 xelins, a fim de desencorajar qualquer indivíduo com habilitações meramente cerebrais. Rapidamente se tornou claro que era preciso algo mais institucional, com sede própria, onde se pudessem reunir para partilhar e discutir novas descobertas. Numa simples década, o número de membros subiu para 400 – continuavam a ser todos fidalgos, claro – e a Geological Society quase chegou a eclipsar a Royal Society como primeira sociedade científica do país.

Os seus membros reuniam-se duas vezes por mês, desde Novembro até Junho, altura em que quase todos partiam para passar o Verão em trabalho de campo. Não se tratava de pessoas com um interesse financeiro em minerais, nem tão-pouco de académicos, na grande maioria eram apenas cavalheiros abastados, com tempo suficiente para se dedicarem a um passatempo a nível mais ou menos profissional. Em 1830 já eram 745, e o mundo nunca voltaria a ver um fenómeno idêntico.

Agora talvez seja difícil de imaginar, mas no século XIX a geologia era absolutamente excitante – quase viciante – como nenhuma ciência fora até aí, nem voltaria a ser. Em 1839, quando Roderick Murchison publicou *The Silurian System*, um estudo volumoso e ponderado sobre um tipo de rocha chamada grauvaque, foi um *best-seller* imediato com quatro reedições seguidas, embora custasse oito guinéus o exemplar e fosse, bem ao estilo de Hutton, ilegível. (Como até um adepto de Murchison admitiu, "tinha uma total ausência de atractivo literário"). E em 1841, quando o grande Charles Lyell foi à América dar uma série de conferências em Boston, teve de o fazer perante salas do Instituto Lowell com lotações esgotadas, onde três mil pessoas se apinhavam para ouvir as suas descrições sedativas de zeólitos marinhos e perturbações sísmicas na Campânia.

Até aos dias de hoje, do nosso mundo racional e moderno, mas especialmente em Inglaterra, houve amantes da ciência que se lançaram pelos campos fora para, como eles diziam, se dedicarem um pouco a "partir pedra". Era uma missão que levavam muito a sério, e gostavam de se vestir para tal com a solenidade adequada, com chapéus altos e fatos escuros, à excepção do reverendo William Buckland, de Oxford, que tinha por hábito fazer as suas experiências no terreno vestido com uma bata de estudante.

A pesquisa atraía muitas figuras extraordinárias, como por exemplo o já citado Murchison, que passou pelo menos 30 anos da sua vida a galopar atrás de raposas e a transformar pássaros em nuvens de penas flutuantes com a sua caçadeira, não mostrando qualquer destreza mental para além da necessária à leitura do *The Times*, ou a um breve jogo de cartas. Mas de repente descobriu que gostava de rochas e, com uma rapidez prodigiosa, transformou-se num titã do pensamento geológico.

Depois, havia o Dr. James Parkinson, um dos primeiros socialistas e autor de vários panfletos provocatórios com títulos como "Revolução sem Sangue". Em 1794 viu-se implicado numa conspiração chamada "O Conluio da Pistola de Vento", que visava matar o rei Jorge III com uma seta venenosa no pescoço, no seu camarote do teatro. Parkinson foi levado ao Conselho Real para ser interrogado, e escapou por um triz a ser mandado a ferros para a Austrália, porque as queixas foram discretamente retiradas. Tendo adoptado em seguida um estilo de vida mais conservador, interessou-se por geologia, tendo sido um dos membros fundadores da *Geological Society* e autor de um texto importante chamado *Organic Remains of a Former World*, que continuou a ser publicado durante meio século. Nunca mais criou problemas. Nos dias de hoje é lembrado pelo importante estudo que fez da doença a que então se chamava "paralisia trémula", e que desde então é conhecida por doença de Parkinson. (Parkinson teve ainda outra modesta razão para reclamar a fama. Em 1785, passou a ser provavelmente a única pessoa em toda a História que se poderá gabar de ter ganho um museu de história natural numa rifa. O museu, situado no Leicester Square, em Londres, fora fundado por Sir Ashton Lever, e fora à falência graças ao seu incontrolável apetite por coleccionar maravilhas naturais. Parkinson ficou com o museu até 1805, altura em que não conseguiu continuar a mantê-lo e o desmantelou, vendendo toda a sua colecção.)

Charles Lyell, embora senhor de um carácter menos extraordinário, teve muito mais influência do que todos os outros juntos. Lyell nasceu no ano em que Hutton morreu, e apenas a 110 quilómetros de distância, na vila de Kinnordy. Apesar de ser escocês de nascimento, cresceu no Sul de Inglaterra, na região de New Forest, no Hampshire, porque a mãe tinha a mania de que os escoceses eram todos uns bêbedos incorrigíveis. Como era costume entre os fidalgos cientistas do século XIX, Lyell também provinha de uma família abastada e de grande capacidade intelectual. O pai, que também se chamava Charles, tinha a qualidade pouco habitual de ser uma autoridade tanto em Dante como em fungos. (O *Orthotricium lyelli,* um dos fungos sobre o qual qualquer apreciador do campo inglês já terá tido a oportunidade de se sentar, foi assim chamado em sua honra.) Lyell herdou do pai o interesse pelas ciências naturais, mas foi em Oxford que se deixou apanhar pela magia das aulas do reverendo William Buckland – o tal dos balandraus ao vento – que decidiu dedicar toda a sua vida à geologia.

Buckland possuía uma cativante excentricidade. Não há dúvida que fez descobertas importantes, mas as suas excentricidades granjearam-lhe igual fama, senão superior. Era particularmente conhecido pela sua colecção de animais selvagens, alguns bem grandes e perigosos, que deixava andar à solta pela casa e pelo jardim, e por gostar de comer todo e qualquer ser deste mundo. Dependendo do capricho de Buckland e da disponibilidade da espécie, os seus convidados eram presenteados com porquinho-da-índia no forno, rato panado, porco-espinho assado ou lesmas marinhas do Sudoeste asiático. Buckland achava sempre que cada uma tinha o seu encanto culinário, excepto a toupeira comum dos jardins, que achava nojenta. Tornou-se o maior especialista da época em coprólitos – fezes fossilizadas – e mandou fazer uma mesa inteira exclusivamente com elementos da sua colecção.

Mesmo quando dirigia trabalhos científicos sérios, a sua metodologia era sempre original. Uma vez, a sua mulher foi acordada no meio da noite pela gritaria do marido: "Querida, tenho a certeza de que as pegadas do *Cheirotherium* são sem dúvida de uma tartaruga." Correram os dois para a cozinha em camisa de noite. A senhora Buckland amassou farinha e água e estendeu-a em cima da mesa, enquanto o reverendo ia buscar a tartaruga de família e a largava em cima da massa. Depois de a fazerem caminhar para a frente e para trás, descobriram, encantados, que as pegadas correspondiam mesmo às do fóssil que Buckland andava a estudar. Charles Darwin achava que Buckland era um palhaço – foi mesmo essa a palavra que utilizou –, mas Lyell, pelos vistos, achava-o interessante, e simpatizou com ele o suficiente para fazerem juntos uma viagem pela Escócia em 1824. E foi pouco depois desta viagem que Lyell decidiu abandonar a carreira de advocacia e dedicar-se inteiramente à geologia.

Lyell era extremamente míope e passava a vida a franzir os olhos, o que lhe dava um ar de preocupação intensa. (No fim, acabou mesmo por cegar.) A sua outra peculiaridade era o hábito de, quando ficava absorto nos seus pensamentos, assumir posições esquisitas – deitar-se, por exemplo, em duas cadeiras juntas, ou "apoiar a cabeça no assento de uma cadeira, estando de pé" (para citar o seu amigo Darwin). Ainda quando se concentrava nalguma ideia, era frequente deixar-se escorregar pela cadeira abaixo, ao ponto de quase ficar sentado no chão. O único verdadeiro trabalho que teve na vida foi como professor de geologia no King's College, de Londres, de 1831 a 1833. Foi por essa altura que escreveu o *Principles of Geology*, publicado em três volumes entre 1830 e 1833, estudo que, de várias formas, consolidava e desenvolvia as ideias que Hutton expressara pela primeira vez uma geração atrás. (Apesar de Lyell nunca ter lido os originais de Hutton, estudara cuidadosamente a versão revista por Playfair.)

Entre a época de Hutton e a de Lyell surgiu outra controvérsia geológica, muitas vezes confundida com a velha disputa entre neptunianos e plutonianos, embora a tenha suplantado largamente. A nova luta transformou-se numa discussão entre catastrofismo e uniformismo – termos pouco atraentes para uma importante e longa disputa. Catastrofistas, como é de supor pelo nome, acreditavam que a Terra se tinha formado na sequência de cataclismos abruptos – principalmente inundações, razão pela qual se confundem às vezes os catastrofistas com os neptunianos. Catastrofismo era uma teoria particularmente conveniente para membros do clero como Buckland, porque lhe permitia incorporar o Dilúvio de Noé nas discussões científicas. Os uniformistas, por seu turno, acreditavam que as mudanças da Terra eram graduais, e que quase todos os processos geológicos eram lentos, abrangendo períodos de uma duração imensa. Hutton era muito mais o pai desta noção do que Lyell, mas era Lyell que as pessoas liam, pelo que, ainda hoje, é ele que é considerado o pai da geologia moderna.

Lyell acreditava que as alterações da Terra eram uniformes e fixas – que tudo o que tinha acontecido no passado podia ser explicado através de acontecimentos que ainda estão a ocorrer hoje. Lyell e os seus seguidores não se limitavam a desdenhar o catastrofismo – detestavam-no, simplesmente. Os catastrofistas acreditavam que as extinções se processavam em série, num processo tal que os animais desapareciam repetidamente, sendo substituídos por novos conjuntos – crença que o naturalista T. H. Huxley jocosamente comparava com "uma sucessão de *rubbers* de *bridge*, no fim dos quais os jogadores viravam a mesa ao contrário e exigiam um novo baralho de cartas". Era uma forma demasiado fácil de explicar o desconhecido. "Nunca se criou um dogma tão vocacionado para encorajar a indolência e tornar romba a fina lâmina da curiosidade", comentou Lyell em tom rezingão.

Lyell teve falhas consideráveis. Não conseguiu explicar de forma convincente a formação das montanhas, e desdenhou o papel dos glaciares enquanto agentes de mudança. Recusou-se a aceitar a ideia de Louis Agassiz sobre as idades do gelo – a "refrigeração do globo", como lhe chamava com desprezo – e tinha a certeza de que "seriam encontrados mamíferos nas camadas fósseis mais antigas". Rejeitou a ideia de que os animais e plantas sofriam processos súbitos de erradicação, e acreditava que os principais grupos de animais – mamíferos, répteis, peixes e aves – tinham coexistido desde o princípio dos tempos. Em tudo isto acabaria por se provar que estava enganado.

E, no entanto, é praticamente impossível sobrestimar a influência exercida por Lyell. O *Principles of Geology* foi reeditado 12 vezes ainda durante a sua vida, contendo noções que orientaram o pensamento geológico durante largos anos, mesmo até às últimas décadas do século XX. O próprio Darwin levou um exemplar da primeira edição na sua viagem do *Beagle*, escrevendo mais tarde que "o grande mérito dos *Princípios* é que alterava toda a visão da nossa mente, pelo que, mesmo quando víamos algo que Lyell nunca contemplara, mesmo assim estávamos a vê-lo parcialmente pelos seus olhos". Em resumo, Darwin, à semelhança de muitos da sua geração, considerava-o quase um deus. A grande prova do génio de Lyell surgiu quando, na década de 80 do século XX, os geólogos tiveram de abandonar parte da sua teoria para poderem integrar a popular teoria das extinções, e viram-se gregos para o conseguir. Mas isso é matéria para outro capítulo.

Entretanto, a geologia ainda era uma criança, e nem tudo corria sempre bem. Desde o início que os geólogos tentaram classificar as rochas segundo os períodos em que tinham sido formadas, mas havia muitas vezes grandes desentendimentos sobre os limites desses períodos – e nenhum foi pior do que o interminável debate que ficou conhecido como a Grande Controvérsia de Devon. A questão começou quando o reverendo Adam Sedgwick, de Cambridge, integrou no período câmbrico um estrato de rocha que Roderick Murchison insistia, e com razão, pertencer ao período silúrico. A discussão prolongou-se durante anos e chegou a tomar proporções violentas. "O De la Beche é um aldrabão", desabafou Murchison uma vez a um amigo, numa das suas muitas explosões de fúria.

Podemos ter uma ideia da intensidade das emoções em jogo se passarmos os olhos pelos títulos dos capítulos de *The Great Devonian Controversy,* de Martin J. S. Rudwick, que descreve a questão de forma excelente e sombria. Começa com títulos inócuos, do género "Arenas de Debate entre Cavalheiros" e "Desvendando o Mistério do Grauvaque", mas depois passa para "Grauvaque: Defesa e Ataque", "Censuras e Recriminações", "Difundem-se Boatos Horríveis", "Weaver Retracta a Sua Heresia", "Pondo um Provinciano no Seu Lugar", e (em caso de ainda haver dúvidas que se tratava de uma guerra) "Murchison Abre a Campanha da Renânia". A luta ficou finalmente resolvida em 1879 com o simples expediente da criação de um novo período, o Ordovícico, que foi colocado entre os outros dois.

Os nomes ingleses predominam no léxico geológico, porque os ingleses foram os mais activos nos primeiros anos desta ciência. Devónico vem evidentemente do condado inglês de Devon, Câmbrico vem do nome romano correspondente a Gales, enquanto Ordovícico e Silúrico invocam antigas tribos galesas, os Ordovices e os Silures. Mas quando a prospecção geológica se alargou a outros lugares, começaram a surgir nomes de outros lugares. Jurássico diz respeito às montanhas do Jura, na fronteira da Suíça com a França. Pérmico invoca a antiga província russa de Perm, nos Urais. Cretácico (do latim *cré/gesso*) foi um termo encontrado por um geólogo belga com o floreado nome de J. J. d'Omalius d'Halloy.

No início, a história da geologia foi dividida em quatro períodos: Primário, Secundário, Terciário e Quaternário. Era um sistema demasiado linear para poder durar muito, pelo que em breve os geólogos se encarregaram de acrescentar alguns períodos e eliminar outros. Os termos Primário e Secundário caíram em desuso, enquanto Quaternário continuou a ser adoptado por uns, passando a ser rejeitado por outros. Hoje em dia só o Terciário continua a ser a designação oficial em todo o lado, apesar de já não representar o terceiro período de coisa nenhuma.

No seu *Principles*, Lyell introduziu unidades adicionais conhecidas como "épocas" ou "séries" que abrangessem o período que vai desde a idade dos dinossauros, nomeadamente o Pleistoceno ("muito recente"), o Plioceno ("mais recente"), o Mioceno (moderadamente recente) e o vago Oligoceno ("só um pouco recente"). Ao princípio, Lyell tencionava empregar o sufixo "síncrono", o que se traduziria em designações pomposas como "Miossíncrono" e "Pliossíncrono". Mas o reverendo William Whewell, homem influente, objectou por razões etimológicas e sugeriu "nio" como sufixo-padrão , o que daria "Miónio", "Pliónio", etc. Assim, o sufixo "ceno" surgiu como uma espécie de compromisso.

Hoje em dia, e em termos muitos gerais, o tempo geológico é dividido antes de mais em quatro grandes eras: o Pré-câmbrico, o Paleozóico (do grego "vida antiga"), o Mesozóico ("vida do meio"), e o Cenozóico ("vida recente"). Estas quatro eras são depois subdivididas em qualquer coisa como 12 a 20 subgrupos chamados períodos, ou por vezes, sistemas, razoavelmente conhecidos na sua maior parte: o Cretácico, o Jurássico, o Triássico, o Silúrico, etc.*

Depois temos as eras de Lyell – o Pleistoceno, o Mioceno, etc. –, que apenas se referem aos anos mais recentes (mas paleontologicamente ricos), ou seja, 65 milhões de anos, e, finalmente, uma quantidade de subdivisões conhecidas por idades. A maioria tem, quase sempre, nomes derivados de lugares: "Ilinoiano", "Desmoinesiano", "Croixiano", "Kimmeridgiano" e por aí fora. Ao todo, são cerca de "dezenas de dúzias", segundo John McPhee. Felizmente, a não ser que o leitor siga a carreira de geólogo, não será fácil voltar a ouvir falar nestes nomes.

A confusão ainda se torna maior pelo facto de os períodos e eras da América do Norte terem nomes diferentes dos da Europa. Por exemplo, o período Cincinatiano da América do Norte corresponde essencialmente ao período Ashgilliano na Europa, sobreposto a uma pequena fatia do Caradociano, ligeiramente mais antigo.

---

* Embora não se trate de nenhum exame, se alguma vez quiser decorá-los não será má ideia seguir o conselho de John Wilford: considerar as eras (Pré-câmbrico, Paleozóico, Mezozóico e Cenozóico) como estações do ano (já que são quatro) e os períodos (Pérmico, Triássico, Jurássico, etc.) como meses do ano.

Além disso, a terminologia muda ainda de livro para livro e de pessoa para pessoa, o que faz com que uns identifiquem sete épocas recentes, enquanto outros se contentem com apenas quatro. Noutros livros, poderá ainda não encontrar o Terciário e Quaternário por terem sido substituídos por outros períodos de duração diferente, o Paleogeno e o Neogeno. Outros ainda dividem o Pré-câmbrico em duas eras, a mais antiga, o Arcaico, e a mais recente, o Proterozóico. Poderá também encontrar o termo Fanerozóico para descrever o intervalo que abrange as eras Cenozóico, Mesozóico e Paleozóico.

Tudo isto são apenas unidades de *tempo*. As rochas são divididas em sistemas, séries e fases. Há outra distinção que se utiliza entre recente e antigo (referente a tempo), e superior e inferior (referente a estratos de rocha). Aquilo que para as pessoas comuns se torna muito confuso é um assunto apaixonante para os geólogos. "Tenho visto homens feitos ficarem vermelhos de fúria por causa deste nanossegundo metafórico na história da vida", escreveu o paleontólogo inglês Richard Fortey a propósito de um interminável argumento que surgiu no século XX sobre a fronteira entre o Câmbrico e o Ordovícico.

O que vale é que hoje temos acesso a técnicas sofisticadas de datação. Durante grande parte do século XIX, os geólogos só podiam basear-se em meras especulações, e esperar que estivessem certas; a frustração típica da altura consistia no facto de conseguirem ordenar as rochas e fósseis por idades, mas não fazerem a mais pequena ideia do tempo que essas idades tinham durado. Quando Buckland especulou sobre a idade de um ictiossauro, só conseguiu dizer que tinha vivido algures entre "dez mil, ou mais do que dez mil vezes dez mil" anos antes.

Como não havia forma de se datarem correctamente os períodos, não faltava quem tentasse adivinhar. A mais conhecida das primeiras tentativas foi aventada pelo arcebispo James Ussher, da Igreja Irlandesa, que, depois de fazer um estudo cuidado da Bíblia e de outras fontes históricas, concluiu, num pesado volume a que chamou *Annals of the Old Testament*, que a Terra tinha sido criada no dia 23 de Outubro de 4004 a. C., ao meio-dia, afirmação que muito tem divertido historiadores e autores didácticos desde então.*

---

* Apesar de vir mencionado na grande maioria dos livros sobre este assunto, os detalhes da sua descoberta variam muito. Há quem diga que terá feito esta declaração em 1650, outros em 1654 e outros ainda em 1664. Muitos situam a data do suposto nascimento da Terra em 26 de Outubro. Há pelo menos um livro em que o seu nome aparece escrito "Usher". O assunto aparece estudado e descrito com interesse no livro *Eight Little Piggies*, de Stephen Jay Gould.

A propósito, há um mito que persiste – e que é referido em variadíssimos livros –, segundo o qual a abordagem de Ussher terá dominado o pensamento científico até meados do século XIX, tendo sido Lyell quem alterou o panorama. Stephen Jay Gould, no seu livro *Time's Arrow*, cita como exemplo típico esta frase, tirada de um livro popular na década de 1980: "Até Lyell publicar o seu livro, a maioria das pessoas que se interessava pelo assunto acreditava que a Terra era recente." Mas não é verdade. Nas palavras de Martin J. S. Rudwick, "não houve um geólogo de qualquer nacionalidade, cujo trabalho tenha sido levado a sério por outros geólogos, que tenha advogado uma data confinada aos limites de uma exegese literal do Génese". Até o reverendo Buckland, uma das almas mais piedosas do século XIX, declarou não haver qualquer passagem na Bíblia onde se diga que Deus criou os Céus e a Terra no primeiro dia, mas apenas "no princípio". Esse princípio, argumentou ele, pode ter durado "milhões e milhões de anos". Todos concordavam que a Terra era antiga. A questão era saber quão antiga.

De entre as primeiras tentativas de datar o planeta, uma das melhores foi feita pelo sempre eficaz Edmond Halley que, em 1715, sugeriu que, se dividíssemos a quantidade total de sal dos oceanos pelo sal que cada ano se lhe vinha acrescentar, teríamos o número de anos de existência dos oceanos, o que já daria uma ideia da idade da Terra. Era uma lógica tentadora, mas infelizmente ninguém sabia a quantidade de sal que havia nos oceanos, nem quanto aumentava por ano, o que tornava a experiência impraticável.

A primeira tentativa de medição que poderá considerar-se vagamente científica foi feita pelo francês Georges-Louis Leclerc, conde de Buffon, na década de 1770. Já se sabia há muito tempo que a Terra irradiava quantidades apreciáveis de calor – isso era evidente para quem quer que descesse a uma mina de carvão –, mas não havia forma de avaliar a taxa de dissipação do calor. A experiência de Buffon consistiu em aquecer esferas até ficarem brancas de calor, e em seguida avaliar a taxa da perda de calor, tocando-lhes (esperemos que muito ao de leve, pelo menos no princípio) à medida que arrefeciam. A experiência permitiu-lhe calcular que a idade da Terra se situava algures entre 75 mil e 168 mil anos. Claro que esta estimativa se encontrava muitíssimo abaixo dos números reais, mas não deixava de ser uma noção radical, e Buffon viu-se ameaçado de excomunhão caso a divulgasse. Como era um homem prático, pediu imediatamente desculpa por tamanha heresia, e continuou alegremente a repetir as suas conclusões em todos os trabalhos subsequentes.

Por meados do século XIX, a maior parte das pessoas com alguma cultura achava que a Terra devia ter pelo menos uns milhões de anos, talvez até dezenas de milhões, mas provavelmente não mais do que isso. Foi, portanto, uma grande surpresa quando, em 1859, Charles Darwin anunciou no seu livro *On the Origin of Species*, que os processos geológicos que tinham criado a região de Weald – uma área no Sudeste de Inglaterra que abrange os condados de Kent, Surrey e Sussex – tinham levado, segundo os seus cálculos, 306 662 400 anos a completar-se. Era uma declaração fantástica, não só por ser muito específica como por ir tão descaradamente contrariar tudo o que se acreditava saber sobre a idade da Terra*. A polémica foi tanta que Darwin acabou por retirar o número da terceira edição do livro. Mas o problema continuava por resolver. Darwin e todos os seus colegas geólogos precisavam de demonstrar que a Terra era muito antiga, mas ninguém conseguia descobrir maneira de o fazer.

Infelizmente para Darwin e para o progresso, a questão chegou aos ouvidos do grande Lord Kelvin (que, embora indubitavelmente grande, nessa altura se chamava apenas William Thomson; o título só lhe seria concedido em 1892, quando tinha já 68 anos e se aproximava do fim da sua carreira; mas vou seguir o protocolo e usar o título retroactivamente). Kelvin era uma das figuras mais extraordinárias do século XIX, para não dizer de qualquer século. O cientista alemão Hermann von Helmholtz, que também não ficava a dever nada a ninguém em termos de capacidade intelectual, escreveu que Kelvin tinha de longe a "maior inteligência, lucidez e destreza de pensamento" do que algum homem que jamais conhecera. "Às vezes sentia-me bastante parvo ao pé dele", acrescentou com alguma tristeza.

Era um sentimento compreensível, porque Kelvin era de facto uma espécie de super-homem vitoriano. Nasceu em Belfast em 1824, filho de um professor de matemática na Royal Academical Institution, que pouco tempo depois foi viver para Glasgow. Aí, Kelvin demonstrou ser um tal prodígio que o admitiram na Universidade de Glasgow com a tenra idade de dez anos. Com vinte e poucos anos já tinha estudado em várias instituições de Paris e Londres, já se licenciara em Cambridge (onde ganhou os primeiros prémios de matemática e remo, e ainda descobriu tempo para fundar uma sociedade musical), fora eleito

* Darwin adorava números exactos. Num trabalho feito mais tarde, anunciou que o número médio de minhocas por hectare no solo agrícola inglês era de 132 856.

membro da Peterhouse, e escrevera (em inglês e francês) uma dúzia de estudos de matemática pura de uma tão espantosa originalidade que foi obrigado a publicá-los anonimamente, com medo de envergonhar os seus superiores. Aos 22 anos regressou à Universidade de Glasgow para assumir uma cátedra em filosofia, posição que manteve durante os 53 anos que se seguiram.

No decurso de uma longa carreira (morreu em 1907, com 83 anos), escreveu 661 ensaios, acumulou 69 patentes (que o tornaram extremamente rico), e ganhou renome em quase todas as áreas da física. Entre muitas outras coisas, sugeriu a fórmula que levou directamente à invenção do método da refrigeração, inventou a escala de temperatura absoluta que ainda hoje tem o seu nome, inventou os dispositivos de expansão que permitiam o envio de telegramas através dos oceanos, e introduziu inúmeros melhoramentos nos transportes marítimos e na navegação, desde a invenção de uma bússola de fácil manuseamento à criação da primeira sonda de profundidade. E estes foram apenas os seus feitos de ordem prática.

O seu trabalho teórico em electromagnetismo, termodinâmica e teoria ondulatória da luz foi igualmente revolucionário*. A sua única falha foi não conseguir calcular com precisão a idade da Terra. Foi uma questão que lhe ocupou a maior parte da segunda metade da carreira, mas mesmo assim não conseguiu chegar nem perto do número correcto. A sua primeira tentativa, publicada em 1862 numa revista popular chamada *Macmillan's*, sugeria que a Terra tinha 98 milhões de anos, mas, à cautela, advertiu que esse número podia baixar para 20 milhões, ou então subir para 400 milhões. Com uma notável prudência, declarou que os seus cálculos podiam estar errados se "fontes desconhecidas para nós neste momento estejam entretanto a ser preparadas no grande armazém da criação" – mas era óbvio que, para ele, isso seria altamente improvável.

---

* Nomeadamente, elaborou a Segunda Lei da Termodinâmica. O debate destas leis daria assunto para outro livro, mas deixo aqui ao leitor um excelente resumo feito pelo químico P. W. Atkins, só para dar uma ideia do que se trata: "Há quatro Leis. A terceira delas, a Segunda Lei, foi reconhecida primeiro; a primeira, a Lei Zeroth, foi a última a ser formulada; a Primeira Lei foi a segunda; a Terceira Lei pode nem ser considerada lei em comparação com as outras." Resumindo, a Segunda Lei determina que há sempre um pouco de energia que é desperdiçada. Não se pode ter um dispositivo em perpétuo movimento, porque, por muito eficiente que seja, vai sempre perder energia, acabando por parar. A Primeira Lei diz que não se pode criar energia, e a Terceira que não pode reduzir a temperatura ao zero absoluto – haverá sempre calor residual. Dennis Overbye refere-se por vezes às três leis em tom jocoso: (1) não se pode ganhar, (2) não se pode empatar, (3) não se pode sair do jogo.

Com o passar do tempo, Kelvin tornou-se mais ousado nas suas observações, e também menos correcto. Continuou a rever os seus cálculos cada vez mais para baixo, desde o valor máximo de 400 milhões para cem milhões, depois para 50 milhões para finalmente, em 1897, se ficar por uns meros 24 milhões de anos. Kelvin não estava a ser teimoso. Simplesmente, não havia nada na física susceptível de explicar como é que um corpo do tamanho do Sol podia arder continuamente durante várias dezenas de milhões de anos, no máximo, sem se consumir completamente. Portanto, a única conclusão possível era que tanto o Sol como os planetas eram relativa mas inevitavelmente jovens.

O problema estava em que quase todos os fósseis estudados contradiziam esta teoria e, de repente, no século XIX, surgiu uma autêntica onda de fósseis reveladores.

6.

UMA CIÊNCIA COM UNHAS E DENTES

Em 1787, houve alguém na Nova Jérsia – hoje em dia não se sabe exactamente quem – que encontrou um fémur enorme meio enterrado na margem de um riacho num local chamado Woodbury Creek. Era óbvio que o osso não pertencia a nenhuma das espécies ainda vivas na altura, pelo menos na Nova Jérsia. Do pouco que agora sabemos, pensa-se que terá pertencido a um hadrossauro, um grande dinossauro com bico de pato. Naquela altura os dinossauros ainda não eram conhecidos.

O osso foi mandado para o Dr. Caspar Wistar, o maior especialista em anatomia do país, que o descreveu num encontro da American Philosophical Society, na Filadélfia, que teve lugar nesse Outono. Infelizmente, Wistar falhou completamente o diagnóstico do osso e, consequentemente, o seu significado, limitando-se a uns reparos cautelosos e sem interesse sobre um provável monstro. E assim perdeu a oportunidade de, meio século antes de qualquer outro, ser o descobridor dos dinossauros. A verdade é que o osso despertou tão pouco interesse que foi abandonado num armazém qualquer, de onde mais tarde desapareceu. E foi assim que o primeiro osso de dinossauro a aparecer foi também o primeiro a desaparecer.

O facto de o osso ter despertado tão pouco interesse é na verdade algo intrigante, já que apareceu exactamente numa época em que a América atravessava uma onda de enorme curiosidade por vestígios de grandes animais extintos. A causa dessa curiosidade era talvez a estranha afirmação do naturalista francês conde de Buffon – o das esferas aquecidas do capítulo anterior –, segundo a qual os seres vivos do Novo Mundo eram inferiores em quase tudo aos do Velho Mundo. No seu vasto e apreciadíssimo livro *Histoire Naturelle,* Buffon descreveu a América como uma terra onde as águas eram estagnadas, o solo estéril e os animais pequenos e sem vigor, visto terem o organismo afectado pelos "vapores tóxicos" que surgiam dos pântanos apodrecidos e das florestas sem sol. Até os índios nativos careciam de virilidade. "Não têm barba nem pelos no corpo", confidenciava um Buffon confiante no seu saber, "nem ardor pelas mulheres". Os seus órgãos reprodutores eram "pequenos e frágeis".

Coisa surpreendente é que as observações de Buffon encontraram apoio imediato noutros escritores, especialmente naqueles que, não estando familiarizados com o país, não tinham esse contratempo a limitar-lhes as certezas. O holandês Corneille de Pauw anunciou, na sua obra de grande sucesso *Recherches Philosophiques sur les Américains*, que os indígenas americanos do sexo masculino eram não só medíocres do ponto de vista reprodutor como apresentavam "uma tal falta de virilidade que até tinham leite nos peitos". Contra o que seria de esperar, estas ideias "pegaram" de tal forma que continuaram a aparecer em vários textos publicados na Europa até perto dos finais do século XIX.

Não é surpreendente que delírios deste género tenham sido recebidos na América com grande indignação. Furioso, Thomas Jefferson publicou um violento desmentido nas suas *Notes on the State of Virginia*, e convenceu o seu amigo general John Sullivan, de New Hampshire, a mandar 20 soldados para as florestas do Norte do estado à procura de um alce com o objectivo de o enviar seguidamente a Buffon como prova da estatura e majestade dos quadrúpedes americanos. Foram precisas duas semanas para caçarem um animal que preenchesse as condições necessárias. Infelizmente, depois de abatido, verificou-se que o alce não tinha a imponente armação que Jefferson especificara, mas Sullivan, homem de expediente, incluiu na encomenda um par de chifres de veado, sugerindo que os amarrassem no lugar da armação original. Afinal, quem é que em França ia dar pela batota?

Entretanto, em Filadélfia – na cidade de Wistar –, alguns cientistas tinham começado a juntar os ossos de uma criatura gigantesca semelhante a um elefante, a que deram primeiro o nome de "grande incógnito Americano" e que mais tarde foi identificada, não muito correctamente, como um mamute. Os primeiros destes ossos tinham sido encontrados num local chamado Big Bone Lick, no Kentucky, mas depressa começaram a aparecer por todo o lado. Pelos vistos, a América albergara outrora uma criatura realmente enorme – o que ia destruir completamente os disparatados comentários do gaulês Buffon.

Na sua sede de comprovar a grande envergadura e ferocidade do *incognitum*, parece que os naturalistas americanos se deixaram entusiasmar ligeiramente. Exageraram o tamanho do animal para seis vezes mais e atribuíram-lhe umas garras assustadoras que, na realidade, foram buscar a um Megalonix, ou preguiça gigante, encontrado ali perto. O mais espantoso é que se convenceram a si próprios de que o animal já tivera a "agilidade e ferocidade de um tigre", e retrataram-no em ilustrações convincentes, saltando com uma graça felina de sítios altos sobre as suas vítimas. Quando descobriram as respectivas presas, enfiaram-nas na cabeça do animal de várias maneiras diferentes, todas bastante criativas. Um dos restauradores atarraxou as presas ao contrário, como as presas de um tigre dente-de-sabre, o que lhe deu um ar satisfatoriamente agressivo. Outro colocou-as de forma a curvarem para trás, segundo a atraente teoria de que o animal teria sido aquático e as teria usado como âncora, prendendo-se nos troncos de árvores enquanto dormia. A consideração mais pertinente que fizeram sobre o *incognitum*, contudo, foi a de que parecia estar extinto – facto de que Buffon se apoderou com avidez como prova da sua natureza incontestavelmente degenerada.

Buffon morreu em 1788, mas a controvérsia continuou. Em 1795 chegou a Paris uma selecção de ossos, a fim de serem examinados pelo paleontólogo mais famoso do momento, o jovem aristocrata Georges Cuvier. Cuvier já deslumbrava todos com a sua incrível facilidade em transformar um monte informe de ossos desarticulados em formas convincentes e harmoniosas. Dizia-se que era capaz de adivinhar a forma e a natureza de um animal olhando só para um dente ou um bocado da mandíbula, e por vezes dizia mesmo a espécie e a ordem, à laia de bónus. Apercebendo-se de que ninguém na América se lembrara de descrever formalmente o animal, Cuvier encarregou-se de o fazer, tornando-se assim no seu descobridor oficial. Chamou-lhe *mastodonte* (que, estranhamente, significa dente em forma de mamilo).

Inspirado pela controvérsia, Cuvier escreveu em 1796 um estudo fundamental, *Note on the Species of Living and Fossil Elephants,* onde apresentou pela primeira vez uma teoria formal da extinção. Considerava que, de tempos a tempos, a Terra era alvo de catástrofes globais, durante as quais eram erradicados vários grupos de criaturas. Para pessoas religiosas, como ele próprio, a ideia arrastava consigo corolários desagradáveis, visto dar a entender que a Providência fazia as coisas inexplicavelmente à toa. Porque havia Deus de criar espécies que mais tarde iria eliminar? A noção era contrária à crença na Grande Cadeia do Ser, que sustentava que o mundo estava cuidadosamente ordenado, e que todo o ser vivo tinha nele, sempre tivera e teria, um lugar e uma finalidade. Jefferson era um dos que não conseguia tolerar a ideia de que espécies inteiras pudessem ser eliminadas (ou, em última análise, evoluir). Por isso, quando lhe sugeriram que poderia haver interesse científico e político em explorar o interior da América para além do Mississípi, agarrou-se logo à ideia, na esperança de que os intrépidos aventureiros encontrassem manadas inteiras de robustos mastodontes e outras criaturas gigantes a pastar nas férteis planícies americanas. O secretário particular e amigo pessoal de Jefferson, Meriwether Lewis, foi escolhido como co-orientador da expedição, e chefe dos naturalistas. E a pessoa indicada para o aconselhar sobre as espécies de animais a procurar, extintos ou vivos, foi nem mais nem menos do que Caspar Wistar.

No mesmo ano – na verdade, no mesmo mês – em que o famoso e aristocrático Cuvier propunha as suas teorias sobre a extinção das espécies em Paris, no outro lado do canal um inglês bastante menos conhecido começava a aperceber-se do significado dos fósseis, de tal forma que as suas conclusões iriam criar as bases para descobertas futuras. William Smith era um jovem supervisor na construção do Somerset Coal Canal. Na noite de 5 de Janeiro de 1796, estava sentado numa estalagem de mala-posta em Somerset, quando rabiscou num papel o conceito que lhe iria trazer a fama. Para se poder interpretar rochas tem de haver uma ideia de correlação, uma bitola que permita afirmar que as rochas carbónicas de Devon são, por exemplo, mais recentes do que as rochas câmbricas da Gales do Sul. A descoberta de Smith consistiu em perceber que a resposta estava nos fósseis. A cada mudança nos estratos de rocha, havia umas espécies de fósseis que desapareciam, ao passo que outras ainda passavam para o estrato seguinte. Pela observação das espécies que apareciam em cada estrato, era possível descobrir a idade relativa das rochas, independentemente do sítio onde aparecessem. Inspirando-se nos seus conhecimentos como supervisor, Smith começou imediatamente a fazer o mapa das rochas da Grã-Bretanha, que, depois de muitas tentativas, seria publicado em 1815, tornando-se num marco da geologia moderna. (A história é relatada na íntegra no livro de Simon Winchester *The Map That Changed the World*.)

Infelizmente, apesar de ter feito esta descoberta, Smith não mostrou interesse em saber por que é que as rochas se apresentavam por esta ou aquela ordem de estratos. "Deixei de tentar perceber a origem dos estratos, contentando-me em saber que é assim e pronto," escreveu. "Os porquês e os comos não são do pelouro de um Supervisor de Minerais."

A revelação de Smith sobre os estratos veio aumentar o mal-estar de ordem religiosa provocado pela teoria da extinção. Para começar, vinha confirmar que Deus eliminara algumas espécies não só de vez em quando mas sim repetidamente, o que O fazia parecer não só descuidado como particularmente hostil. Isto fez com que se tornasse necessário descobrir por que é que algumas espécies eram eliminadas enquanto outras continuavam pelos tempos fora. Era óbvio que havia mais a dizer sobre a extinção do que uma mera inundação bíblica, como era conhecido o Dilúvio de Noé, conseguia explicar. Cuvier arranjou a conveniente explicação, que o satisfez plenamente, de que o *Génesis* só se aplicava à inundação mais recente. Pelos vistos, Deus não tinha querido assustar ou distrair Moisés com notícias de extinções anteriores e sem interesse.

E assim, nos primeiros anos do século XIX, os fósseis tinham já adquirido uma certa importância incontornável, o que fez com que o erro de Wistar ao desprezar o significado daquele osso fosse ainda mais imperdoável. O facto é que, de repente, começaram a surgir ossos por todos os lados. Os americanos tiveram assim várias outras oportunidades de reclamar para si a descoberta dos dinossauros, mas desperdiçaram-nas todas. Em 1806 a expedição de Lewis e Clark atravessou o Hell Creek de Montana, local onde mais tarde os caçadores de fósseis haviam de tropeçar literalmente em ossos de dinossauros, chegando a examinar algo que era claramente um osso de dinossauro incrustado numa rocha, mas não conseguiram perceber do que se tratava. Outros ossos e pegadas fossilizados foram encontrados no Connecticut River Valley, na Nova Inglaterra, por um moço de quinta chamado Plinus Moody, que andava à procura de trilhos antigos numa plataforma rochosa em South Hadley, no Massachusetts. Alguns destes sobreviveram – nomeadamente os ossos de um Anquissauro, que figuram agora na colecção do Peabody Museum, em Yale. Encontrados em 1818, foram os primeiros ossos de dinossauro a ser analisados e guardados, mas infelizmente só foram reconhecidos como tal em 1855. Foi nesse mesmo ano de 1818 que Caspar Wistar morreu, acabando por ganhar uma certa e inesperada fama quando o botânico Thomas Nuttall deu o seu nome a uma bonita trepadeira – a glicínia. Alguns botânicos puristas insistem ainda hoje em escrever o seu nome em latim como *wistaria* e não *wisteria,* a grafia mais corrente.

Por essa altura, contudo, a fúria paleontológica transferira-se para Inglaterra. Em 1812, em Lyme Regis, na costa de Dorset, uma miúda extraordinária chamada Mary Anning – de 11, 12 ou 13 anos, dependendo do autor da narrativa – encontrou o fóssil de um estranho monstro marinho incrustado nas íngremes e perigosas falésias que correm ao longo do canal da Mancha.

Hoje reconhecido como sendo o fóssil de um ictiossauro, media 5,2 metros de comprimento.

Foi o princípio de uma carreira brilhante, pois Anning passou os 35 anos seguintes a recolher fósseis, que depois vendia aos turistas. (Crê-se ter sido ela a inspiradora da famosa lengalenga: *"She sells seashells on the seashore."*) Seria também ela a encontrar o primeiro plesiossauro, outro monstro marinho, e um dos primeiros e melhores pterodáctilos. O facto de não serem tecnicamente dinossauros não era relevante na altura, uma vez que ninguém sabia o que era um dinossauro. Era o suficiente para se perceber que neste mundo já tinham existido criaturas em nada parecidas com as que se viam agora.

Anning não só tinha um jeito especial para encontrar fósseis – aliás, sem rival –, mas sobretudo a sua técnica de extracção da rocha era de tal delicadeza que saíam sempre perfeitos. Se alguma vez tiver a oportunidade de visitar a secção de répteis marinhos antigos no Museu de História Natural, em Londres, recomendo-lhe vivamente que a aproveite, pois não há melhor forma de apreciar a escala e a beleza do trabalho que esta rapariga foi capaz de realizar sozinha, com os instrumentos mais básicos que se possam imaginar, e em condições dificílimas. Só o plesiossauro levou dez anos de escavação paciente, e apesar de não possuir qualquer tipo de treino, Anning era igualmente capaz de elaborar desenhos e descrições competentes para eventuais investigadores. Mas, apesar de todas estas capacidades, os achados importantes eram raros, e ela passou a maior parte da vida na pobreza.

Seria difícil conhecer alguém mais desprezado na história da paleontologia do que Mary Anning, mas o facto é que houve outra pessoa que não andou muito longe. Chamava-se Gideon Algernon Mantell, e era médico de aldeia em Sussex.

Mantell era um poço de defeitos ambulante – vaidoso, pedante, narcisista, sem sentido de família – mas nunca deve ter havido amador de paleontologia mais devotado. E tinha a sorte de ter uma mulher atenta e dedicada. Em 1822, enquanto o Dr. Mantell fazia uma visita domiciliária a um lavrador de Sussex, a mulher foi dar um passeio pelas redondezas e encontrou, num monte de lixo destinado a preencher buracos na estrada, um objecto curioso, uma pedra castanha, curva, do tamanho de uma pequena noz. Conhecendo o interesse do marido por fósseis, e pensando que talvez se tratasse de um, pegou nele e levou-lho. Mantell viu imediatamente que se tratava de um dente fossilizado, e depois de um breve estudo teve a certeza de que era originário de um animal herbívoro, da família dos répteis, de grandes dimensões – vários metros de comprimento – e do período cretácico. Todas estas conclusões estavam certas, mas não deixavam de ser ousadas, já que nunca se vira ou imaginara nada semelhante até então.

Consciente de que a descoberta ia revolucionar tudo o que se sabia até então sobre o passado, e aconselhado pelo seu amigo reverendo William Buckland – o dos balandraus esvoaçantes e exótica gastronomia experimental – a proceder com cautela, Mantell dedicou três esforçados anos à procura de provas que apoiassem as suas conclusões. Mandou o dente para Cuvier em Paris, pedindo-lhe a sua opinião, mas o sábio francês não ligou importância, dizendo que se tratava de um dente de hipopótamo. (Mais tarde, Cuvier desfez-se em desculpas por este erro inusitado.) Um dia, enquanto fazia uma investigação no Hunterian Museum, em Londres, Mantell encetou conversa com um colega investigador que lhe disse que o dente era muito parecido com os dos animais que andava a estudar, as iguanas da África do Sul, facto que confirmaram após uma rápida comparação. Foi assim que a criatura de Mantell passou a chamar-se iguanodonte, em honra de um preguiçoso lagarto tropical com o qual não tinha qualquer relação.

Mantell preparou um estudo para apresentar na Royal Society. Infelizmente, logo a seguir soube-se que aparecera outro dinossauro, desta vez numa pedreira em Oxfordshire, que fora logo formalmente descrito pelo reverendo Buckland – o mesmo homem que tinha convencido Mantell a não se apressar. Era agora o Megalossauro, nome que foi sugerido a Buckland pelo Dr. James Parkinson, futuro epónimo para a doença de Parkinson. É bom lembrar que Buckland era acima de tudo um geólogo, como se verifica pelo relatório, que escreveu sobre o Megalossauro, *Transactions of the Geological Society of London.* Nele referia que os dentes não estavam implantados directamente nos maxilares, como no caso dos lagartos, mas sim encaixados em concavidades, como nos crocodilos. Mas, embora se tenha apercebido desses pormenores, não entendeu o que significavam: que o Megalossauro era um tipo de criatura inteiramente nova. Por isso, embora o relatório demonstrasse pouca acuidade e intuição, foi a primeira descrição de um dinossauro a ser publicada, e por isso foi ele que recebeu os louros pela descoberta desta antiga linhagem de seres, e não Mantell, que na realidade era bem mais merecedor.

Sem saber que as desilusões iam passar a ser uma constante na sua vida, Mantell continuou a caça aos fósseis – encontrou outro gigante, o Hilaeossauro, em 1833 – e foi comprando outros a operários de pedreiras até possuir a que foi provavelmente a maior colecção de toda a Grã-Bretanha. Mantell era tão bom médico quanto caçador de ossos, mas não conseguiu dedicar-se igualmente a ambos os talentos. À medida que a sua colecção aumentava, a medicina ia sendo negligenciada. Em breve os fósseis enchiam quase por inteiro a sua casa de Brighton, consumindo grande parte das suas economias. Quase tudo o que sobrava ia para a publicação de livros que poucos se davam ao trabalho de ler. O livro *Illustrations of the Geology of Sussex,* publicado em 1827, só vendeu 50 exemplares e deixou-o com 300 libras de dívidas – soma demasiado elevada e penosa para a época.

Num momento de desespero, Mantell pensou em converter a sua casa em museu com entrada paga, mas depois apercebeu-se de que um acto tão mercenário estragaria a sua reputação de cavalheiro, para não falar da de cientista, e acabou por admitir visitas de graça. Vinham às centenas, semana após semana, afectando o seu trabalho como médico e a sua vida familiar. Acabou por se ver forçado a vender a maior parte da sua colecção para pagar dívidas. Pouco depois, a mulher deixou-o, levando os quatro filhos com ela.

Por incrível que pareça, isto era apenas o início dos seus problemas.

Num lugar chamado Crystal Palace Park, situado no distrito de Sydenham, ao sul de Londres, pode ver-se algo de insólito e já esquecido: as primeiras reproduções de dinossauros em tamanho natural. Hoje em dia não recebe muitos visitantes mas outrora foi uma das mais populares atracções de Londres – na verdade, como observou Richard Fortey, o primeiro parque temático do mundo. Há muitos pormenores nessas reproduções que não estão estritamente correctos: o polegar do iguanodonte foi colocado no nariz, sobressaindo como uma espécie de bossa aguçada, e o corpo assenta em quatro pernas bem grossas que lhe dão o aspecto de um cão gordo, enorme e desajeitado. (Na vida real, o iguanodonte não andava a quatro patas – era bípede.) Olhando para eles agora, custa a acreditar que estas estranhas e pachorrentas criaturas tenham causado tanto pavor e dano, mas o certo é que o fizeram. Não deve ter havido nada na história natural que tenha provocado um ódio tão violento e duradouro como a linha de animais pré-históricos conhecidos como dinossauros.

Na altura da construção destes dinossauros, Sydenham ficava nos limites de Londres, e o seu parque parecia ser o local ideal para a construção do Crystal Palace, a estrutura de ferro e vidro que tinha constituído a principal atracção da Exposição Universal de 1851, e que deu o nome ao novo parque. Os dinossauros, feitos em cimento, eram uma espécie de atracção suplementar.

Na véspera de Ano Novo de 1853, deu-se um jantar que ficou famoso, para o qual foram convidados 21 cientistas de renome. A refeição teve lugar dentro do iguanodonte, que ainda não estava terminado. Gideon Mantell, o homem que encontrara e identificara o iguanodonte, não se encontrava presente. À cabeceira da mesa estava a grande estrela da paleontologia da altura, o jovem Richard Owen, que, por esta altura, já passara muito do seu precioso e produtivo tempo a transformar a vida de Mantell num inferno.

Owen crescera em Lancaster, no Norte de Inglaterra, onde estudou medicina. Era um anatomista nato, e tão dedicado aos seus estudos que, por vezes, surripiava membros, órgãos e outras partes de cadáveres para os poder dissecar calmamente em casa. Uma vez, quando levava para casa um saco com a cabeça de um marinheiro negro que acabara de cortar, escorregou numa pedra da calçada e, horrorizado, ficou a ver a cabeça rolar pela rua abaixo e entrar pela porta aberta de uma casa, onde finalmente parou na sala da entrada. É difícil imaginar o que terão achado os donos da casa ao ver uma cabeça sem corpo entrar-lhes pela porta dentro. Digamos que ainda não tinham tido tempo para tirar grandes conclusões, quando, passado um instante, um jovem com ar esgazeado lhes entrou a correr pela porta dentro, agarrou a cabeça sem uma palavra, e saiu a correr outra vez.

Em 1825, com apenas 21 anos, Owen mudou-se para Londres, onde depressa foi convidado pelo Royal College of Surgeons a ajudar a organizar a vasta e desordenada colecção de espécimes médicos e anatómicos daquela instituição. A maior parte fora legada por John Hunter, cirurgião famoso e incansável coleccionador de curiosidades médicas que nunca tinham sido catalogadas ou organizadas, em grande parte porque a documentação de apoio, onde se explicava o significado de cada uma, desaparecera pouco tempo após a morte de Hunter.

Owen em breve se tornou famoso pela sua capacidade de organização e dedução. Por outro lado, demonstrou ser um anatomista ímpar, com uma intuição para a reconstituição anatómica quase tão extraordinária como a do grande Cuvier em Paris. Tornou-se de tal forma perito em anatomia animal que lhe deram prioridade como receptor do cadáver de qualquer animal que morresse no Jardim Zoológico de Londres, e que ele invariavelmente mandava entregar na sua casa, para aí o examinar. Uma vez, ao entrar em casa, a mulher de Owen encontrou o vestíbulo bastante preenchido com um rinoceronte que acabara de expirar. Tornou-se rapidamente no primeiro especialista em toda a espécie de animais vivos e extintos – desde ornitorrincos, equidnas e outros marsupiais recentemente descobertos, até ao malogrado dodó e aos pássaros gigantes extintos chamados moas, que outrora tinham povoado a Nova Zelândia, até o último exemplar da espécie ser devorado pelos Maoris. Foi o primeiro a descrever o arqueoptérix a seguir à sua descoberta na Baviera, em 1861, e o primeiro a escrever um epitáfio formal para o dodó. Ao todo, elaborou cerca de 600 estudos de anatomia, um número prodigioso.

Mas foi pelo seu trabalho com dinossauros que Owen ficou famoso. Inventou o termo *dinosauria*, em 1841. Significa "lagarto terrível", o que não deixa de ser um termo curiosamente inadequado. Como sabemos agora, os dinossauros não eram necessariamente criaturas terríveis – alguns eram do tamanho de coelhos, e provavelmente até muito assustadiços –, e se há coisa que não eram com certeza, era lagartos, que pertencem a uma linhagem muito mais antiga (cerca de 30 milhões de anos de diferença). Owen estava convencido de que se tratava de répteis, e podia ter proposto um termo grego perfeitamente adequado, *herpeton*, mas por qualquer razão decidiu não o escolher. Outro erro mais desculpável (dada a raridade das espécies conhecidas na altura) era que os dinossauros constituíam não uma mas duas ordens de répteis: os ornitísquios, com ancas de pássaro, e os saurísquios, com ancas de lagarto.

Owen não era uma pessoa simpática, nem na aparência nem no temperamento. Uma fotografia tirada quando já se aproximava da velhice mostra-nos um rosto descarnado e sinistro, um cabelo comprido e sem vida, e uns olhos esbugalhados, tal como os vilões dos melodramas vitorianos – o género de cara que mete medo às crianças. Tinha um modo frio e autoritário, e não demonstrava ter quaisquer escrúpulos quando se tratava de atingir os seus objectivos. Que se saiba, foi a única pessoa a ser odiada por Charles Darwin. Até o próprio filho (que se suicidou pouco depois) se referiu à sua "lamentável frieza de coração".

Os seus inegáveis dons de anatomista permitiam-lhe sair impune das desonestidades mais descaradas. Em 1857, ao folhear o *Churchill's Medical Directory*, o naturalista T. H. Huxley reparou que Owen aparecia mencionado como professor de Anatomia e Fisiologia Comparadas, na *Government School of Mines*, o que muito o surpreendeu, visto ser esse o lugar que ele próprio ocupava. Ao investigar como era possível Churchill ter cometido um erro tão elementar, disseram-lhe que a informação fora dada pelo próprio Dr. Owen. Entretanto, outro colega naturalista, chamado Hugh Falconer, apanhou Owen a reivindicar uma das suas descobertas. Outros ainda acusaram-no de pedir espécimes emprestados e recusar-se a devolvê-los, negando que os tinha levado. Chegou a entrar em terrível disputa com o dentista da Rainha por querer reivindicar para si uma teoria relativa à fisiologia dos dentes.

Não hesitava em perseguir aqueles de quem não gostava. Ainda nos primórdios da sua carreira, usou a sua influência junto da *Zoological Society* para boicotar o trabalho de um jovem e promissor anatomista chamado Robert Grant, cujo único crime fora ter demonstrado talento na sua especialidade. Grant ficou espantado quando, de repente, lhe foi negado acesso aos espécimes anatómicos de que precisava para realizar a sua pesquisa. Impossibilitado de prosseguir o seu trabalho, é óbvio que acabou por cair numa obscuridade deprimida.

Mas não houve ninguém que sofresse tanto com as más intenções de Owen como o cada vez mais desventurado Gideon Mantell. Depois de perder a mulher, os filhos, a clientela médica e a maior parte da sua colecção de fósseis, Mantell mudou-se para Londres. Em 1841 – o ano fatídico em que Owen atingiria o auge da glória por nomear e identificar os dinossauros –, Mantell teve um acidente horrível. Ao atravessar Clapham Common de carruagem, caiu do assento sem se saber como, ficou preso nas rédeas, e foi arrastado a galope sobre um piso muito desigual pelos cavalos assustados. O acidente deixou-o corcunda e com dores para toda a vida, devido aos danos irreparáveis que sofreu na coluna vertebral.

Aproveitando-se do frágil estado de Mantell, Owen lançou-se na tarefa de apagar sistematicamente os registos das descobertas de Mantell, dando novos nomes a espécies que este denominara havia anos e reivindicando em seguida o feito para si. Mantell continuou a tentar fazer pesquisas, mas Owen usou a sua influência junto da Royal Society para que lhe rejeitassem a maior parte dos estudos apresentados. Em 1852, incapaz de suportar mais o sofrimento físico e as perseguições, Mantell suicidou-se. A sua coluna deformada foi removida e enviada para o Royal College of Surgeons, onde foi – e aqui está a maior ironia – confiada aos cuidados de Richard Owen, director do Hunterian Museum do College.

Mas os insultos ainda não tinham acabado. Pouco depois da morte de Mantell, apareceu um obituário escandalosamente feroz na *Literary Gazette*, onde era descrito como anatomista medíocre, cujas modestas contribuições para a paleontologia tinham sido limitadas por uma "carência de conhecimentos exactos". A própria descoberta do iguanodonte era-lhe negada no obituário, sendo atribuída a Cuvier e Owen, entre outros. Apesar de não estar assinado, o obituário exibia o estilo inconfundível de Owen, pelo que ninguém no mundo das ciências duvidou da sua autoria.

Por esta altura, contudo, as transgressões de Owen iam começar a causar-lhe problemas. A sua desgraça começou quando um comité da Royal Society – de que, por acaso, era ele o presidente – decidiu conceder-lhe a honra suprema, a Medalha Real, por um estudo que elaborara sobre um molusco extinto chamado belemnite. "Contudo," como observa Deborah Cadbury na excelente história que escreveu sobre aquele período, *Terrible Lizard*, "o trabalho não era tão original como parecia". Afinal, a belemnite tinha sido descoberta quatro anos antes por um naturalista amador chamado Chaning Pearce, e a descoberta até fora relatada em pormenor numa reunião da Geological Society. Owen estivera presente nessa reunião, mas omitiu o facto quando apresentou o seu próprio relatório à Royal Society – no qual, e não foi por acaso, teve o cuidado de rebaptizar a criatura em sua honra, chamando-lhe *Belemnites owenii*. Apesar de não lhe retirarem a medalha, o episódio deixou um estigma permanente na sua reputação, até entre os poucos que ainda o apoiavam.

Eventualmente, Huxley acabaria por fazer a Owen aquilo que ele fizera a tantos outros: votou contra a sua admissão nos conselhos de administração das Zoological e Royal Societies, e, como insulto final, Huxley foi nomeado como o novo professor do Hunterian Museum do Royal College of Surgeons.

Owen nunca mais fez qualquer pesquisa importante, mas consagrou a segunda metade da sua carreira a uma preciosa causa, pela qual todos devemos estar agradecidos. Em 1856 foi nomeado chefe da secção de história natural do British Museum, e foi nessa qualidade que se tornou na mola impulsionadora para a criação do Museu de História Natural de Londres. O grandioso e admiradíssimo conjunto gótico de South Kensington, que abriu em 1880, é na sua quase totalidade testemunho da grande visão naturalista de Owen.

Antes de Owen, os museus serviam prioritariamente as elites, e mesmo assim eram de difícil acesso. Nos primeiros tempos do British Museum, os potenciais visitantes tinham de fazer um pedido por escrito e submeter-se a uma breve entrevista, a fim de determinar se podiam entrar. Depois tinham de voltar uma segunda vez para obter um bilhete – isto no caso de terem conseguido autorização para entrar – e, finalmente, uma terceira vez, desta feita para ver os tesouros do museu. E ainda assim não eram autorizados a demorar-se muito diante de cada peça: juntavam-nos em grupos e obrigavam-nos a circular. Owen pretendia que todos fossem bem-vindos, chegando ao ponto de incentivar as pessoas com emprego a visitar o museu à noite, e quis dedicar a maior parte da área do museu a exposições públicas. Numa medida radical para a época, chegou a mandar colocar etiquetas informativas em cada peça, de forma a que as pessoas pudessem apreciar o que estavam a ver. Neste ponto, curiosamente, estava em total desacordo com Huxley, que achava que os museus deviam ser antes de mais nada institutos de pesquisa. Ao fazer do Museu de História Natural uma instituição para todos, Owen transformou o conceito da vocação dos museus, dando-lhes o seu cariz actual.

Mesmo assim, o altruísmo manifestado em relação aos seus semelhantes não o desviou das rivalidades de carácter mais pessoal. Um dos seus últimos actos oficiais consistiu em encabeçar uma campanha contra uma proposta de se erigir uma estátua em memória de Charles Darwin. Quanto a isso, falhou, embora no fim tenha acabado por conseguir um relativo triunfo involuntário. O facto é que hoje em dia a estátua de Owen domina uma vista imponente a partir da escadaria do átrio principal do Museu de História Natural, enquanto as estátuas de Darwin e T. H. Huxley se encontram relegadas, de forma algo obscura, para a cafetaria do museu, onde contemplam com ar grave a humanidade a beber chávenas de chá e a comer bolas-de-berlim.

Seria razoável pensar que as mesquinhas rivalidades de Owen teriam marcado o ponto mais baixo da paleontologia do século XIX, mas o pior ainda estava para vir, desta vez do outro lado do oceano. Na América, nas últimas décadas do século, surgiu uma rivalidade ainda maior, espectacularmente venenosa embora não tão destrutiva, entre dois homens estranhos e cruéis, Edward Drinker Cope e Otheniel Charles Marsh.

Tinham muito em comum. Ambos eram mimados, ambiciosos, narcisistas, conflituosos, invejosos, desconfiados, e sempre infelizes. Mas o facto é que, entre eles, mudaram o mundo da paleontologia.

Começaram por ser amigos e respeitarem-se mutuamente, chegando ao ponto de dar às espécies de fósseis que iam descobrindo o nome do outro, tendo chegado a passar juntos uma agradável semana de trabalho em 1868. Mas entretanto houve qualquer coisa que correu mal – ninguém sabe bem o quê –, e no ano seguinte já tinham criado uma incompatibilidade que se transformaria num ódio destrutivo e devorador durante 30 anos. Talvez se possa dizer que não houve mais ninguém em toda a história das ciências naturais com um desprezo mútuo maior do que o destes dois.

Marsh, oito anos mais velho do que Cope, era um sujeito recatado, tipo rato de biblioteca, com uma barba aparada e modos elegantes, que passava pouco tempo em campo, e mesmo quando lá estava, raramente encontrava fosse o que fosse. Numa visita aos famosos campos de dinossauros de Como

Bluff, no Wyoming, não reconheceu os ossos que estavam, nas palavras de um historiador, "pousados por todo o lado, como troncos de árvores". Mas ele tinha posses para comprar quase tudo o que lhe apetecesse. Apesar de pertencer a um estrato social baixo – o pai era lavrador no Norte do estado de Nova Iorque –, o tio era o riquíssimo e generoso financeiro George Peabody. Assim que Marsh mostrou interesse em história natural, Peabody mandou construir um museu só para ele em Yale e providenciou os fundos necessários para que Marsh o enchesse com praticamente tudo o que quisesse.

Cope tivera um acesso mais directo ao dinheiro – o pai era um abastado negociante de Filadélfia – e era de longe o mais aventureiro dos dois. No Verão de 1876, em Montana, enquanto George Armstrong Custer e as suas tropas eram dizimadas em Little Big Horn, Cope andava à caça de ossos ali perto. Quando lhe fizeram notar que talvez não fosse a altura mais prudente para caçar tesouros em terrenos índios, Cope pensou um instante, mas decidiu continuar. A colheita estava a sair boa de mais para parar. A certa altura deparou-se com um grupo de índios Crow que o olharam desconfiados, mas conseguiu conquistar a sua amizade, tirando e voltando a pôr a dentadura repetidas vezes.

Durante cerca de uma década, a aversão mútua entre Marsh e Cope traduziu-se essencialmente numa discreta troca de pequenas investidas, mas em 1877 explodiu, assumindo dimensões gigantescas. Nesse ano, Arthur Lakes, professor de liceu no Colorado, encontrou ossos perto de Morrison, enquanto passeava pelas montanhas com um amigo. Reconhecendo-os como provenientes de um "sáurio gigantesco", Lakes teve a ideia prudente de enviar amostras separadas para Marsh e Cope. Cope ficou encantado e mandou cem dólares a Lakes pelo achado, pedindo-lhe que não revelasse a história a ninguém, especialmente a Marsh. Confuso, Lakes pediu a Marsh que enviasse a sua amostra a Cope. Marsh cumpriu, mas considerou isso uma afronta que nunca mais iria esquecer.

Assim começou a guerra entre os dois, que se foi tornando cada vez mais venenosa, descontrolada e por vezes mesmo ridícula. Chegaram ao ponto de mandar a respectiva equipa de escavadores atirar pedras à do outro. A certa altura, Cope foi apanhado a arrombar caixotes pertencentes a Marsh. Insultavam-se mutuamente na imprensa, e cada um deles troçava dos resultados do outro. Raramente – talvez até nunca – a simples animosidade conseguiu que a ciência avançasse tanto e tão depressa. Nos anos que se seguiram, os dois aumentaram o número de espécies de dinossauros conhecidas na América de nove para quase 150. Praticamente todos os dinossauros que a maior parte das pessoas conhece – estegossauros, brontossauros, diplodocos, triceratops – foram encontrados por um dos dois.* Infelizmente, trabalhavam com uma pressa tão desvairada, que muitas vezes nem se apercebiam de que aquilo que consideravam uma nova descoberta já era um facto sabido. Entre os dois, conseguiram "descobrir" uma espécie chamada *Uintatheres anceps*, nada menos do que 22 vezes. Foram precisos anos para clarificar as enormes confusões que conseguiram criar em termos de classificação. Algumas ainda hoje estão por esclarecer.

Dos dois, foi Cope quem deixou o legado científico mais substancial. Durante a sua carreira, de uma produtividade alucinante, elaborou qualquer coisa como 1400 estudos bem fundamentados e descreveu quase 1300 novas espécies de fósseis (de todos os tipos, não apenas de dinossauros) – mais do dobro da produção de Marsh em ambos os casos. Cope podia ter feito ainda mais, mas infelizmente a sua actividade decaiu subitamente nos últimos anos da sua vida. Tendo herdado uma fortuna em 1875, fez um mau investimento em prata e perdeu tudo. Acabou por ter de ir viver para um quarto alugado em Filadélfia, rodeado de livros, papéis e ossos. Marsh, por seu turno, acabou os seus dias numa esplêndida mansão de New Haven. Cope morreu em 1897, Marsh dois anos mais tarde.

Nos últimos anos da sua vida, Cope adquiriu outra obsessão interessante. O seu maior desejo era ser declarado espécime-padrão do *Homo sapiens* – isto é, que o seu esqueleto fosse considerado o modelo oficial para a raça humana. Normalmente, considera-se o modelo oficial de uma espécie o primeiro esqueleto dessa espécie a ser encontrado, mas como não havia um primeiro esqueleto do *Homo sapiens*, o lugar estava vago, e Cope desejava preenchê-lo. Era um desejo estranho e narcisista, mas ninguém conseguiu encontrar razões para se opor a ele. E assim, Cope doou o seu esqueleto ao Wistar Institute, uma sociedade de investigação de Filadélfia doada pelos descendentes do incontornável Caspar Wistar. Infelizmente, depois de o esqueleto estar preparado e devidamente montado, chegou-se à conclusão de que mostrava sintomas de sífilis incipiente, coisa que não se poderia considerar característica desejável no espécime-padrão da raça humana. E foi assim que a petição de Cope foi discretamente posta na prateleira, juntamente com a sua ossada. Ainda hoje não existem espécimes da raça humana moderna.

---

* A excepção foi o *Tyrannosaurus rex*, encontrado por Barnum Brown, em 1902.

Em relação aos outros actores desta peça dramática, Owen morreu em 1892, alguns anos antes de Cope e Marsh. Buckland acabou por enlouquecer, vivendo os seus últimos dias como um farrapo humano balbuciante num asilo de loucos em Clapham, muito perto do local onde Mantell sofrera o acidente que o incapacitou. A coluna torta de Mantell ficou exposta no Hunterian Museum durante quase um século, até ser piedosamente reduzida a pó por uma bomba alemã durante os bombardeamentos de Londres. O que restava da colecção de Mantell passou para os filhos depois da sua morte, e grande parte foi levada para a Nova Zelândia pelo seu filho Walter, que emigrou em 1840. Walter viria a ser um distinto cidadão neozelandês, chegando mesmo a ser nomeado ministro dos Assuntos Nativos. Em 1865 doou os principais espécimes da colecção do pai, incluindo o famoso dente de iguanodonte, ao Museu Colonial (agora Museu da Nova Zelândia) em Wellington, onde permanecem até hoje. O dente de iguanodonte, por onde tudo começou – talvez o dente mais importante de toda a história da paleontologia –, já não está em exposição.

É claro que a caça aos dinossauros não acabou com o desaparecimento dos grandes caçadores de fósseis do século XIX. Na verdade, numa escala surpreendente, pode dizer-se que apenas começara. Em 1898, o ano entre a morte de Cope e de Marsh, descobriu-se um tesouro maior do que alguma vez se tinha encontrado, num local chamado Bone Cabin Quarry, a poucos quilómetros do sítio favorito de Marsh para a procura de ossos – Como Bluff, no Wyoming. Aí viriam a ser encontrados centenas e centenas de ossos fósseis, meio enterrados nas encostas. Na verdade, eram tantos que alguém se lembrara de construir com eles uma cabana – daí o nome do lugar. Logo nos primeiros dois períodos de escavação recolheram-se no local 45 mil quilos de ossos antigos, enquanto em cada um dos seis anos seguintes se conseguiram mais umas dezenas de milhar de quilos.

O resultado foi que, ao entrar do século XX, os paleontólogos tinham, literalmente, toneladas de ossos velhos para se entreterem. O problema é que ainda não faziam ideia da idade de cada um deles. Pior ainda, os números a que se tinha chegado sobre a provável idade da Terra não conseguiam comportar o número de eras, idades e épocas que, pelos vistos, o passado continha. Se a Terra tinha realmente apenas 20 milhões de anos, como havia insistido o grande Lorde Kelvin, então havia ordas inteiras de criaturas antigas que tinham aparecido e desaparecido praticamente no mesmo instante geológico. Não fazia qualquer sentido.

Além de Kelvin, outros cientistas se debruçaram sobre o problema, chegando a resultados que apenas serviam para tornar a incerteza ainda maior. Samuel Haughton, um respeitado geólogo do Trinity College, em Dublin, estimou a idade da Terra em 2300 milhões de anos – o que ia muito além de quaisquer outros números aventados por alguém. Quando lhe chamaram a atenção para isso, refez os seus cálculos com base nos mesmo dados, e chegou ao número de 153 milhões de anos. John Joly, também de Trinity, decidiu reformular a ideia do sal dos oceanos de Edmond Halley, mas o seu método era baseado em pressupostos tão errados que rapidamente se desorientou. Calculou que a Terra tinha 89 milhões de anos – um número que se aproximava bastante dos cálculos de Kelvin, mas que, infelizmente, andava muito longe da realidade.

A confusão era tal que, no final do século XIX, dependendo do texto que se consultasse, ficava-se a saber que o número de anos decorrido entre o amanhecer do período câmbrico e os nossos dias era de três milhões, 18 milhões, 600 milhões, 794 milhões ou 2,4 mil milhões – ou qualquer outro número dentro destes parâmetros. Por volta de 1910, uma das estimativas mais respeitadas, apresentada pelo americano George Becker, considerava que a idade da Terra seria talvez de uns meros 55 milhões de anos.

Exactamente quando a questão parecia irremediavelmente embrulhada e confusa, eis que aparece outra figura extraordinária com uma abordagem completamente nova. Ernest Rutherford, um moço de quinta da Nova Zelândia, rapaz afável, de modos simples e espírito brilhante, apresentou provas praticamente irrefutáveis de que a Terra tinha no mínimo muitas centenas de milhões de anos, provavelmente até mais.

O mais espantoso é que as suas provas tinham por base a alquimia – natural, espontânea, cientificamente credível e totalmente inoculta, mas, mesmo assim, alquimia. Afinal, Newton não estava assim tão enganado, apesar de tudo. Ora a forma exacta como tudo aconteceu, evidentemente, já é outra história.

7.

MATÉRIAS ELEMENTARES

Costuma considerar-se que a química, enquanto ciência séria e respeitável, data de 1661, quando Robert Boyle, de Oxford, publicou *The Sceptical Chymist* – o primeiro trabalho a fazer a distinção entre químicos e alquimistas – mas foi uma mudança lenta e, muitas vezes, pouco linear. Até ao século XVIII, os académicos sentiam-se estranhamente bem em ambos os campos – como o alemão Johann Becher, que produziu um trabalho excepcional em mineralogia chamado *Physica Subteraânea*, mas que também tinha a certeza de que, com os materiais certos, podia tornar-se invisível.

Talvez não haja nada que exemplifique tão bem a estranha, e por vezes acidental, natureza da química como ciência nos seus primeiros tempos como a descoberta do alemão Henning Brand, em 1675. Brand estava convencido de que era possível destilar ouro a partir de urina humana. (A semelhança da cor parece ter contribuído para a sua conclusão). Juntou 50 baldes de urina humana e guardou-os durante meses na cave. Depois converteu-a, através de variados e misteriosos processos, primeiro numa pasta nojenta, e depois numa substância cerosa translúcida. Claro que nenhuma delas se converteu em ouro, mas o facto é que aconteceu uma coisa estranha e interessante. Passado algum tempo, a substância começou a brilhar. Além disso, quando exposta ao ar, entrava muitas vezes em combustão espontânea.

O valor comercial da substância – que cedo ficou conhecida como fósforo, palavra tirada de raízes gregas e latinas que significam "que contém luz" – não foi explorado por comerciantes ávidos de lucros, e as dificuldades inerentes à sua produção tornavam-na demasiado cara. Trinta gramas de fósforo eram vendidos a seis guinéus – talvez umas 300 libras na moeda de hoje – ou seja, mais cara do que o ouro.

A princípio, convocaram-se soldados para fornecer a matéria-prima, mas o esquema não era propriamente o mais indicado para uma produção à escala industrial. Por volta de 1750, um químico sueco chamado Karl (ou Carl) Scheele descobriu uma forma de produzir fósforo a granel, sem ter de passar pela porcaria ou pelo cheiro da urina. Foi em parte por causa desta descoberta que a Suécia se tornou num dos grandes produtores mundiais de fósforos, posição que ainda hoje mantém.

Scheele era um sujeito extraordinário com um azar ainda mais extraordinário. Sendo um farmacêutico sem meios financeiros que lhe permitissem comprar equipamento avançado, descobriu ainda assim oito elementos – cloro, flúor, manganês, bário, molibdénio, tungsténio, azoto e oxigénio –, sem ter sido reconhecido como o descobridor de nenhum deles. Em todos os casos, os seus resultados foram ignorados, ou então publicados depois de outra pessoa ter feito a mesma descoberta independentemente. Também identificou muitos compostos úteis, entre os quais a amónia, a glicerina e o ácido tânico, e foi o primeiro a perceber o valor comercial do cloro como lixívia – tudo descobertas que acabaram por enriquecer outros.

Um dos seus defeitos mais notáveis era uma curiosa insistência em provar todas as substâncias em que trabalhava, incluindo as mais espantosamente desagradáveis, como o mercúrio, o ácido prússico (outra das suas descobertas) e o ácido cianídrico – um composto tão venenoso que, 150 anos mais tarde, foi seleccionado por Erwin Schrödinger como toxina de eleição numa famosa experiência. A imprudência de Scheele saiu-lhe cara. Em 1786, com apenas 43 anos, foi encontrado morto no seu laboratório, cercado por uma série de produtos tóxicos, podendo qualquer deles ter sido o responsável pelo olhar espantado com que morreu.

Se o mundo fosse justo e falasse sueco, Scheele teria sido universalmente aclamado. Mas a fama tem tendência a procurar cientistas mais célebres, normalmente do mundo anglófono. Scheele descobriu o oxigénio em 1772, mas por razões extremamente complicadas não conseguiu publicar a tempo o seu estudo. Os louros foram para Joseph Priestley, que descobriu o mesmo elemento independentemente, mas mais tarde, no Verão de 1774. Ainda mais chocante foi não ter recebido crédito pela descoberta do cloro. Quase todos os livros escolares continuam a atribuir essa descoberta a Humphry Davy, que na verdade descobriu o cloro, sim, mas 36 anos depois de Scheele.

Apesar de a química ter evoluído muito ao longo do século que separou Newton e Boyle de Scheele e Priestley e Henry Cavendish, ainda havia muito por fazer. Até aos últimos anos do século XVIII (e, no caso de Priestley, um pouco mais tarde), os cientistas de todo o mundo continuavam à procura de coisas que na realidade não existiam, e por vezes pensavam até tê-las encontrado: ares viciados, ácidos marinhos deflogisticados, floxos, calces, exalações terráqueas e, acima de tudo, o flogisto, substância que se pensava ser o agente activo no processo de combustão. Também se pensava que havia nisto tudo um misterioso *élan vital*, a força que daria vida aos objectos inanimados. Ninguém sabia onde se localizava essa essência etérea, mas havia duas coisas que pareciam prováveis: por um lado, que podia ser "espevitada" com choques eléctricos (uma ideia mais tarde explorada até ao limite por Mary Shelley na sua novela *Frankenstein*), e, por outro, que existia numas substâncias mas não em outras, razão pela qual se acabou por criar dois ramos distintos na química: a química orgânica (para as que pareciam ter essa essência) e a inorgânica (para as que pareciam não a ter).

Era necessário haver alguém com uma visão especial, capaz de lançar a química na era moderna, e essa pessoa foi o francês Antoine-Laurent Lavoisier. Nascido em 1743, Lavoisier pertencia à pequena nobreza (o pai tinha comprado o título da família). Em 1786, comprou uma quota numa instituição profundamente desprezada, chamada Ferme Génerale (ou Quinta Geral), que colectava taxas e impostos em nome do Governo. Apesar de Lavoisier ser pessoalmente um homem pacífico e justo, a companhia para que trabalhava não era nem uma coisa nem outra. Para começar, não cobrava impostos aos ricos, só aos pobres, e muitas vezes arbitrariamente. Para ele, a vantagem da instituição era dar-lhe os meios financeiros necessários para poder seguir a sua grande vocação: as ciências. No topo da sua carreira, chegou a ganhar 150 mil dinheiros num ano – cerca de 12 milhões de libras hoje.

Três anos depois de ingressar nesta carreira produtiva, casou com uma rapariga de 14 anos, filha de um dos seus patrões. O casamento foi um encontro de mentes e corações. Madame Lavoisier tinha um intelecto incisivo, e em breve estava a trabalhar activamente ao lado do marido. Apesar das exigências do trabalho e da vida social, conseguiam ainda dedicar cinco horas diárias às ciências – duas de manhã e três à noite – bem como o domingo inteiro, ao qual chamavam o seu *jour de bonheur* (dia de felicidade). Lavoisier ainda conseguiu arranjar tempo para ser comissário de pólvora, supervisionar a construção de uma muralha em torno de Paris para barrar contrabandistas, ajudar a criar o sistema métrico, e ser co-autor do livro *Méthode de Nomenclature Chimique*, que se tornou na bíblia da nomenclatura química.

Como membro dirigente da Académie Royale des Sciences, era ainda chamado a manter um interesse activo em assuntos como a hipnose, a reforma prisional, a respiração dos insectos e o abastecimento de água à cidade de Paris. Foi neste contexto que, em 1780, Lavoisier fez alguns comentários pouco abonatórios sobre uma nova teoria da combustão apresentada à Academia por um jovem cientista em começo de carreira. A teoria estava de facto errada, mas o cientista nunca lhe perdoou. Chamava-se Jean-Paul Marat.

A única coisa que Lavoisier nunca fez foi descobrir um único elemento. Naquela altura, em que qualquer Zé da Esquina com uma proveta, uma chama e uns pós interessantes podia descobrir qualquer coisa nova – e quando cerca de dois terços dos elementos estavam ainda por descobrir – Lavoisier não conseguiu descobrir um único. Não foi com certeza por falta de provetas. Tinha 13 mil à sua disposição naquele que era provavelmente, e de forma quase escandalosa, o melhor laboratório privado da época.

Em vez disso, Lavoisier pegou nas descobertas dos outros e deu-lhes algum sentido. Ignorou o flogisto e os ares mefíticos. Compreendeu para que servia o oxigénio e o hidrogénio, e deu a ambos os seus nomes actuais. Em resumo, ajudou a dar rigor, clareza e método à ciência química.

E não há dúvida de que o seu luxuoso equipamento acabou por se revelar muito útil. Durante anos, ele e a mulher fizeram estudos extremamente rigorosos que necessitavam de medições muito precisas. Descobriram, por exemplo, que um objecto ferrugento não perdia peso, como todos pensavam havia muito tempo; pelo contrário, ficava mais pesado, o que constituiu uma descoberta surpreendente. O facto é que, à medida que enferruja, o objecto vai atraindo partículas elementares do ar. Foi a primeira constatação de que a matéria pode transformar-se, mas não perder-se. Se queimasse agora este livro, a sua matéria seria transformada em cinzas e fumo, mas a quantidade total de matéria no universo seria a mesma. Este conceito, verdadeiramente revolucionário, ficou conhecido como lei da conservação da massa. Infelizmente, coincidiu com outro tipo de revolução – a Revolução Francesa – e, em relação a essa, Lavoisier estava inteiramente do lado errado.

Com efeito, não só era membro da odiada Ferme Générale, como também construíra o muro à volta de Paris – uma construção tão odiada que foi a primeira coisa a ser atacada pelos cidadãos rebeldes. A acrescentar a isto, em 1791 Marat, agora uma voz importante na Assembleia Nacional, denunciou Lavoisier, sugerindo que era mais do que tempo de o enforcar. Pouco depois, a Ferme Générale foi encerrada. Menos tempo depois, Marat era assassinado na banheira por uma jovem que ofendera gravemente, de nome Charlotte Corday, mas já era tarde de mais para Lavoisier.

Em 1793, o Reinado do Terror, já de si intenso, passou a uma fase ainda mais violenta. Em Outubro, Marie Antoinette foi mandada para a guilhotina. No mês seguinte, Lavoisier foi preso, quando, junto com a mulher, preparava um plano B de fuga para a Escócia. Em Maio, juntamente com mais 31 colegas da Ferme Génerale, foi levado ao Tribunal Revolucionário (numa sala presidida por um busto de Marat). Oito foram considerados inocentes, mas Lavoisier e os outros foram levados directamente para a Praça da Revolução, (agora Praça da Concórdia), local da guilhotina mais concorrida de França. Lavoisier assistiu à decapitação do sogro, após o que subiu ao cadafalso e aceitou a sua própria sorte. Menos de três meses passados, no dia 27 de Julho, foi o próprio Robespierre que teve a mesma sina na mesma praça, acabando assim o Reinado do Terror.

Cem anos depois da sua morte, Paris viu erguer-se uma estátua de Lavoisier, que foi largamente admirada até alguém fazer notar que não se parecia nada com ele. Submetido a interrogatório, o escultor confessou ter usado a cabeça do matemático e filósofo Marquês de Condorcet – pelos vistos, tinha uma a mais – na esperança de que ninguém notasse, ou no caso de notar, não se importasse. Tinha razão em relação à segunda hipótese. A estátua de Lavoisier-cum-Condorcet ficou no mesmo lugar durante mais meio século, até à Segunda Guerra Mundial, quando, numa bela manhã, foi retirada e derretida para sucata.

Nas primeiras décadas do século XIX começou a moda de inalar óxido nitroso, ou gás hilariante, depois de se ter chegado à conclusão de que o seu uso "era acompanhado por uma sensação altamente agradável e excitante". Nos 50 anos que se seguiram, foi a droga de eleição entre os jovens. Os teatros apresentavam "noites de gás hilariante", durante as quais se apresentavam voluntários para se refrescarem com uma bela inalação, entretendo em seguida o público com o seu cómico andar cambaleante.

Só em 1846 é que se descobriu uma aplicação prática para o óxido nitroso: como anestésico. Sabe Deus quantas dezenas de milhar de pessoas sofreram desnecessariamente dores atrozes debaixo da faca do cirurgião, por ninguém ter pensado na mais óbvia aplicação prática deste gás.

Falo disto para sublinhar o facto de, depois de um tão grande avanço no século XVIII, a química ter perdido um pouco o balanço no início do século

XIX, tal como aconteceria com a geologia no início do século XX. Teve a ver em parte com as limitações do equipamento – por exemplo, só na segunda metade do século é que apareceram as centrifugadoras, o que limitou severamente vários tipos de experiências –, mas foi também um fenómeno social. A química era, de uma maneira geral, uma ciência para homens de negócios, para os que trabalhavam com carvão, potassa e tintas. Os cavalheiros eram mais atraídos pela geologia, as ciências naturais e a física. (Não era tanto assim na Europa continental como na Grã-Bretanha, mas quase.) Talvez seja revelador o facto de uma das mais importantes observações do século, o movimento browniano, que estabelece a natureza activa das moléculas, ter sido feita não por um químico mas por um botânico escocês chamado Robert Brown. (O que Brown descobriu em 1827 foi que minúsculos grãos de pólen em suspensão na água permaneciam indefinidamente em movimento, por muito tempo que se lhes desse para assentar. A causa deste movimento perpétuo – nomeadamente, as acções das moléculas invisíveis – permaneceu um mistério durante largo tempo.)

Tudo podia ter corrido pior se não tivesse sido um personagem maravilhosamente excêntrico, o conde Von Rumford que, apesar da grandiosidade do seu título, começou a vida em Woburn, no Massachusetts, com o simples nome de Benjamin Thompson. Era elegante e ambicioso, "bonito de traços e de figura", ocasionalmente corajoso e extraordinariamente inteligente, mas incapaz de se deixar perturbar por coisa tão desagradável como um escrúpulo. Casou aos 19 anos com uma viúva rica 14 anos mais velha, mas, quando rebentou a revolta nas colónias, teve a triste ideia de se colocar do lado dos fiéis à Coroa inglesa, trabalhando para eles como espião durante algum tempo. No ano fatídico de 1776, na iminência de ser preso "por indiferença à causa da liberdade", abandonou a mulher e o filho para fugir a uma multidão de antimonárquicos armados com baldes de alcatrão quente, sacos de penas e o desejo imenso de o enfeitar com ambos.

Escapou primeiro para Inglaterra e depois para a Alemanha, onde serviu como consultor militar no Governo da Baviera, impressionando de tal maneira as autoridades que, em 1791, foi agraciado com o título de conde Von Rumford do Sagrado Império Romano. Durante a sua estada em Munique, aproveitou para desenhar e instalar o famoso Jardim Inglês.

Entre estas façanhas, ainda encontrou tempo para se dedicar à ciência. Tornou-se na maior autoridade mundial em termodinâmica, e foi o primeiro a enunciar os princípios da convecção dos fluidos e da circulação das correntes oceânicas. Também inventou vários objectos úteis, incluindo uma máquina de café, roupa interior térmica, e um tipo de fogão de sala que ainda hoje é conhecido como lareira Rumford. Em 1805, durante uma estada em França, cortejou Madame Lavoisier, a viúva de Antoine-Laurent, acabando por casar com ela. O casamento não resultou e separaram-se pouco depois. Rumford continuou a viver em França, onde morreu em 1814, universalmente estimado por todos menos pelas suas ex-mulheres.

Mas a razão por que falamos dele aqui foi que, em 1799, durante uma passagem por Londres relativamente breve, Rumford fundou a Royal Institution, mais uma das muitas sociedades culturais que apareceram por toda a Inglaterra no final do século XVIII e princípio do século XIX. Durante uns tempos, foi praticamente a única instituição a promover activamente a nova ciência da química, e isso graças a um jovem brilhante, Humphry Davy, nomeado professor de química daquela instituição pouco depois da sua fundação, que rapidamente ganhou fama como conferencista brilhante e produtivo experimentalista.

Pouco depois de assumir o cargo, Davy desatou a descobrir novos elementos uns atrás dos outros – potássio, sódio, magnésio, cálcio, estrôncio e alumínio. Não descobriu tantos por ser sistematicamente inteligente, mas sim porque desenvolveu uma técnica engenhosa que consistia em aplicar electricidade a uma substância fundida, mais conhecida como electrólise. Descobriu 12 elementos na totalidade, um quinto da quantidade que se conhece hoje. Davy podia ter feito muito mais, mas infelizmente era dado aos prazeres do óxido nitroso, hábito que desenvolveu desde novo. Ficou tão viciado neste gás que tinha de o respirar três a quatro vezes por dia. Pensa-se que terá sido essa a causa da sua morte, em 1829.

Felizmente, havia pessoas mais sóbrias a trabalhar noutros lugares. Em 1808, um *quaker* obstinado de nome John Dalton tornou-se na primeira pessoa a revelar a natureza de um átomo (progresso que será discutido de forma mais completa um pouco mais adiante), e em 1811 um italiano com um esplêndido nome digno de uma ópera, Lorenzo Romano Amadeo Carlo Avogadro, conde de Quarequa e Cerreto, fez uma descoberta que viria a revelar-se muito significativa a longo prazo – nomeadamente, que dois volumes iguais de qualquer tipo de gás, se forem conservados à mesma pressão e temperatura, contêm o mesmo número de moléculas.

Havia duas coisas notáveis no princípio de Avogadro, como ficou conhecido. Primeiro, providenciou uma base para medições mais precisas do peso e tamanho dos átomos. Usando os seus cálculos matemáticos, os químicos conseguiram calcular, por exemplo, que um átomo médio tinha o diâmetro de 0,000 000 08 cm. E segundo, quase ninguém soube do princípio de Avogadro, tão elementarmente simples, durante quase 50 anos.*

Em parte, isto acontecia porque Avogadro era um homem recatado – trabalhava sozinho, correspondia-se pouco com outros cientistas, publicava poucos estudos e não ia a reuniões –, mas também não havia reuniões para ir e poucas revistas de química onde publicar, o que não deixa de ser algo extraordinário. A Revolução Industrial foi provocada em grande parte pelos desenvolvimentos da química, e contudo, como ciência organizada, a química quase não existiu durante décadas.

A Chemical Society of London só foi fundada em 1841, e só em 1848 começou a publicar uma revista periódica, altura em que praticamente todas as outras sociedades eruditas da Inglaterra – a Geológica, a Geográfica, a Zoológica, a Hortícola, e a de Linneu (para os naturalistas e botânicos) – já existiam há pelo menos 20 anos, e nalguns casos muito mais do que isso. O seu rival, o Institute of Chemistry, só surgiria em 1877, um ano depois de ser fundada a American Chemical Society. E foi por a ciência química levar tanto tempo a ser organizada que a importante descoberta de Avogadro de 1811 só começou a ser conhecida por todos no primeiro congresso internacional de química, realizado em Karlsruhe, em 1860.

Como os químicos tinham trabalhado isoladamente durante tanto tempo, as convenções levaram tempo a surgir. Até à segunda metade do século, a fórmula H_2O_2 podia significar água para uns e peróxido de hidrogénio para outros. C_2H_4 podia ser etileno ou gás dos pântanos (metano). Não havia, praticamente, uma molécula que fosse representada da mesma forma em todo o lado.

Os químicos usavam uma confusa variedade de símbolos e abreviaturas, muitas vezes inventadas por eles próprios. O sueco J. J. Berzelius contribuiu

---

* O princípio levou à adopção, muito mais tardia, do número de Avogadro, uma unidade básica de medição em química, a que foi dado o seu nome muito depois da sua morte. É o número de moléculas encontrado em 2,016 gramas de hidrogénio (ou um volume igual de outro gás qualquer). O seu valor é de $6,0221367 \times 10^{23}$, o que constitui um número extensíssimo. É costume os estudantes de química divertirem-se a calcular em computador a vastidão deste número, pelo que posso afirmar com segurança que é equivalente à quantidade de pipocas necessária para cobrir a superfície dos Estados Unidos numa profundidade de 14,5 quilómetros, ou ao número de copos de água contido no oceano Pacífico, ou de latas de refrigerantes que, empilhadas numa camada uniforme, cobririam a superfície da Terra numa profundidade de 320 quilómetros. O mesmo número em cêntimos americanos seria suficiente para que todas as pessoas da Terra fossem trilionárias (em dólares.) É um número incalculavelmente grande.

com uma medida fundamental para introduzir alguma ordem nas coisas, ao estipular que os elementos fossem designados por abreviaturas baseadas nos respectivos nomes em grego ou latim, razão pela qual o fósforo é P (do latim *phosphorum*) e a prata é Ag (do latim *argentum*). O facto de muitas outras abreviaturas corresponderem aos nomes comuns (N de nitrogénio, O de oxigénio, H de hidrogénio, etc.) deve-se à origem latina de grande parte das línguas do mundo ocidental. Para indicar o número de átomos existente numa molécula, Berzelius usou um número acima da linha de escrita, como em H^2O. Mais tarde, sem razão especial, passou a ser moda escrever esse número na parte inferior da linha: H_2O.

Apesar das ocasionais tentativas de organização, na segunda metade do século XIX a química estava num estado bastante caótico, razão pela qual toda a gente viu com bons olhos o aparecimento, em 1869, de um professor da Universidade de Sampetersburgo, um excêntrico com ar de louco chamado Dmitri Ivanovich Mendeleyev.

Mendeleyev (por vezes também se escreve Mendeleev ou Mendeléef), nasceu em 1834 em Tobolsk, no longínquo Oeste da Sibéria, numa família educada, razoavelmente próspera, e muito grande – tão grande, que a história já perdeu a noção do número de Mendeleyev que existiram: alguns dizem que havia 14 filhos, outros 17, mas todos estão de acordo em que Dmitri era o mais novo. A sorte nem sempre estava com os Mendeleyev. Dmitri era ainda pequeno quando o pai, director da escola local, ficou cego, e a mãe teve de ir trabalhar. Deve ter sido uma mulher extraordinária, visto que acabou por chegar ao cargo de gerente de uma próspera fábrica de vidro. Tudo correu bem até 1848, quando a fábrica ardeu e a família ficou na penúria. Decidida a dar uma boa educação ao seu filho mais novo, a intrépida senhora Mendeleyev foi com Dmitri até Sampetersburgo à boleia, uma viagem de seis mil quilómetros – a distância que vai de Londres à Guiné Equatorial –, onde o depositou no Instituto de Pedagogia. Desgastada por uma vida de esforço permanente, acabou por morrer pouco depois.

Mendeleyev, aluno aplicado, completou devidamente os seus estudos, acabando por conseguir um lugar na universidade local. O seu trabalho aí desenvolvido revelou um químico competente mas não extraordinário, mais conhecido pelo cabelo desgrenhado e a barba hirsuta, que só aparava uma vez por ano, do que pelos seus dotes no laboratório.

No entanto, em 1869, aos 35 anos, começou a especular sobre uma forma de ordenar os elementos. Na altura, os elementos eram geralmente agrupados de duas maneiras – ou pelo seu peso atómico (segundo o princípio de Avogadro), ou pelas suas propriedades comuns (por exemplo, se eram metais ou gases). A descoberta de Mendeleyev consistiu em perceber que se podiam combinar as duas coisas numa única tabela.

Como acontece muitas vezes em ciência, o princípio já fora descoberto três anos antes por um químico amador inglês chamado John Newlands. Este alvitrou que, quando os elementos eram ordenados pelo seu peso atómico, pareciam repetir certas propriedades – de uma certa forma, pareciam harmonizar-se – de oito em oito lugares ao longo da escala. Isto não foi muito sensato, porque a ciência ainda não estava preparada para esta ideia. Newland deu-lhe o nome de Lei das Oitavas, e comparou o fenómeno às oitavas do piano. Talvez fosse a forma como apresentou a ideia, mas o facto é que foi considerada essencialmente ridícula, tendo sido muito troçada. Nas reuniões a que ia, havia sempre uns engraçadinhos que lhe perguntavam se podia pedir aos seus elementos que lhes tocassem uma musiquinha. Desiludido, Newland acabou por desistir de impor a sua teoria, e em breve desaparecia completamente do panorama científico.

Mendeleyev inventou um sistema ligeiramente diferente, juntando os elementos em grupos de sete, mas usou fundamentalmente o mesmo princípio. De repente, a ideia parecia brilhante e perfeitamente compreensível. Como as propriedades se repetiam periodicamente, a invenção recebeu o nome de tabela periódica.

Dizia-se que Mendeleyev se tinha inspirado no jogo de cartas chamado paciência – em todo o lado menos na América do Norte, onde é conhecido como *solitaire* –, no qual as cartas são dispostas horizontalmente por naipes e verticalmente por números. Usando um conceito mais ou menos parecido, dispôs os elementos em linhas horizontais, a que chamou períodos, e colunas verticais a que chamou grupos. Este sistema mostrava instantaneamente uma série de relações quando lido de cima para baixo, e outra quando lido na horizontal. Especificamente, as colunas verticais agrupam os elementos químicos com propriedades semelhantes. Assim, o cobre fica por cima da prata, e a prata por cima do ouro, pelas suas afinidades químicas enquanto metais, enquanto o hélio, o neón e o árgon estão numa coluna constituída por gases. (O factor formal que determina realmente a ordenação é aquilo a que se chama valências dos electrões, mas para o leitor saber do que se trata receio que tenha de se inscrever num curso nocturno.) As linhas horizontais, por seu turno, ordenam os elementos químicos por ordem ascendente, segundo o número de protões do respectivo núcleo – que é designado como o seu número atómico.

A estrutura dos átomos, bem como o significado dos protões, será apresentada num próximo capítulo, pelo que, para já, basta apreciar o princípio organizativo: o hidrogénio só tem um protão, portanto, o seu número atómico é 1, pelo que é o primeiro a aparecer na tabela; o urânio tem 92 protões, portanto vem quase no fim, e o seu número atómico é 92. Como já foi referido por Philip Ball, neste sentido a química é apenas uma questão de contagem. (A propósito, o número atómico não deve ser confundido com o peso atómico, que é o número de protões mais o número de neutrões de um dado elemento.)

Havia ainda muito para saber e compreender. O hidrogénio é o elemento mais comum do universo, e no entanto só daí a 30 anos é que alguém se ia aperceber disso. O hélio, o segundo elemento mais abundante, fora descoberto apenas no ano anterior – antes disso, nem sequer se suspeitava da sua existência – e mesmo assim, nem sequer foi na Terra mas no Sol, onde foi descoberto com um espectroscópio durante um eclipse solar, razão pela qual se chama hélio, em honra do deus-sol grego Helios. E só seria isolado em 1895. De qualquer maneira, graças à tabela de Mendeleyev, a química assentava agora numa base sólida.

Para a grande maioria das pessoas, a tabela periódica é de uma beleza abstracta, mas para os químicos estabeleceu imediatamente uma ordem e clareza que nunca é de mais afirmar. "Sem sombra de dúvida, a Tabela Periódica dos Elementos Químicos é o gráfico organizacional mais elegante que alguma vez foi criado", escreveu Robert E. Krebs em *The History and Use of our Earth's Chemical Elements,* e o leitor encontrará opiniões semelhantes em quase todas as histórias da química publicadas até agora.

Hoje há "cerca de 120" elementos conhecidos – 92 naturais, e mais uns tantos criados em laboratório. O seu número real é ligeiramente controverso, porque os elementos pesados, sintetizados, existem apenas durante umas fracções de segundo, e os químicos por vezes ficam na dúvida se realmente foram detectados ou não. No tempo de Mendeleyev só se conheciam 63 elementos, mas justamente, o golpe de inteligência dele foi ter percebido que os elementos conhecidos não representavam o quadro completo, e que havia várias peças que faltavam. A tabela previa com notável precisão onde se encaixariam os novos elementos quando fossem descobertos.

A propósito, ninguém sabe quantos mais elementos podem aparecer, embora um peso atómico acima de 168 seja considerado "puramente especulativo", mas o certo é que qualquer um que apareça encaixar-se-á perfeitamente na extraordinária tabela de Mendeleyev.

O século XIX tinha ainda reservada uma última grande surpresa para os químicos. Tudo começou em 1896, em Paris, quando Henri Becquerel deixou inadvertidamente um pacote de sais de urânio dentro de uma gaveta, em cima de uma chapa fotográfica embalada. Quando foi retirar a chapa algum tempo mais tarde, ficou surpreendido ao descobrir que os sais tinham provocado uma impressão na mesma, como se tivesse estado exposta à luz. Os sais estavam a emitir uma espécie de raios.

Considerando a importância da descoberta, Becquerel fez uma coisa muito estranha: entregou o assunto nas mãos de uma recém-licenciada, pedindo-lhe que o estudasse. Felizmente, essa recém-licenciada era Marie Curie, recentemente emigrada da Polónia. Trabalhando juntamente com o marido, Pierre, com quem casara havia pouco, Marie Curie descobriu que certas rochas emitiam permanentemente extraordinárias quantidades de energia, sem contudo diminuírem de tamanho ou se alterarem de forma perceptível. O que ela e o marido não podiam saber – e que ninguém podia saber, até Einstein o explicar na década seguinte – era que essas rochas estavam a converter massa em energia de uma maneira incrivelmente eficaz. Marie Curie chamou ao fenómeno "radioactividade". No decurso do seu trabalho, os Curie também descobriram dois elementos – o polónio, que baptizaram em honra da terra natal de Marie, e o rádio. Em 1903, os Curie e Becquerel ganharam conjuntamente o Prémio Nobel da Física. (Marie Curie viria a ganhar o segundo, em química, em 1911; foi a única pessoa a ganhar prémios nos dois ramos – física e química.)

Na Universidade McGill, em Montreal, o jovem neozelandês Ernest Rutherford começou a interessar-se pelos novos materiais radioactivos. Juntamente com Frederick Soddy, seu colega, descobriu que nestas pequenas quantidades de matéria se condensavam reservas enormes de energia, e que o decaimento radioactivo dessas reservas era responsável por uma grande percentagem do calor da Terra. Também descobriram que os elementos radioactivos, durante o decaimento, se transformavam noutros elementos – um dia tinham um átomo de urânio, por exemplo, e no dia seguinte tinham um átomo de chumbo, o que era verdadeiramente extraordinário. Era alquimia, pura e simples; ninguém jamais imaginara que algo assim pudesse acontecer natural e espontaneamente.

TABELA PERIÓDICA DOS ELEMENTOS

1 H 1																	2 He 4
3 Li 6,9	4 Be 9											5 B 10,8	6 C 12	7 N 14	8 O 16	9 F 19	10 Ne 20,2
11 Na 23	12 Mg 24,3											13 Al 27	14 Si 28,1	15 P 31	16 S 32,1	17 Cl 35,5	18 Ar 39,9
19 K 39,1	20 Ca 40,1	21 Sc 45	22 Ti 47,9	23 V 51	24 Cr 52	25 Mn 54,9	26 Fe 55,8	27 Co 58,9	28 Ni 58,7	29 Cu 63,5	30 Zn 65,4	31 Ga 69,7	32 Ge 72,6	33 As 74,9	34 Se 79	35 Br 79,9	36 Kr 83,8
37 Rb 85,5	38 Sr 87,6	39 Y 88,9	40 Zr 91,2	41 Nb 92,9	42 Mo 96	43 Tc 96	44 Ru 101,7	45 Rh 102,9	46 Pd 106,7	47 Ag 107,9	48 Cd 112,4	49 In 114,8	50 Sn 118,7	51 Sb 121,8	52 Te 127,6	53 I 126,9	54 Xe 131,3
55 Cs 132,9	56 Ba 137,4		72 Hf 178,6	73 Ta 180,9	74 W 183,9	75 Re 186,3	76 Os 190,2	77 Ir 193,1	78 Pt 195,2	79 Au 197,2	80 Hg 200,6	81 Tl 204,4	82 Pb 207,2	83 Bi 209	84 Po 210	85 At 210	86 Rn 222
87 Fr 221	88 Ra 226		104 Rf 261	105 Db 262	106 Sg 263	107 Bh 262	108 Hs 265	109 Mt 266	110 Uun 269	111 Uuu 272	112 Uub 277						
LANTANÍDEOS			57 La 138,9	58 Ce 140,1	59 Pr 140,9	60 Nd 144,2	61 Pm 145	62 Sm 150,4	63 Eu 152	64 Gd 156,9	65 Tb 159,2	66 Dy 162,5	67 Ho 164,9	68 Er 167,2	69 Tm 169,4	70 Yb 173	71 Lu 175
ACTINÍDEOS			89 Ac 227	90 Th 232,1	91 Pa 231	92 U 238,1	93 Np 237	94 Pu 244	95 Am 243	96 Cm 247	97 Bk 247	98 Cf 251	99 Es 252	100 Fm 257	101 Md 258	102 No 259	103 Lr 262

Sempre pragmático, Rutherford foi o primeiro a prever as aplicações práticas de semelhante descoberta. Percebeu que, para qualquer amostra de determinado material radioactivo, o tempo que metade dessa amostra levava a "desgastar-se" era sempre o mesmo – a famosa semivida* – e que esta taxa constante e fiável de decaimento podia ser utilizada como uma espécie de relógio. Fazendo o cálculo retroactivamente, a partir da radiação que um determinado material tinha no presente e da rapidez com que decaía, era possível calcular a idade desse material. Testou um pedaço de pecheblenda, o principal minério do urânio, e descobriu que este tinha 700 milhões de anos – ou seja, era muito mais velho do que a idade que muitas pessoas estavam dispostas a atribuir à Terra.

Na Primavera de 1904, Rutherford foi a Londres para uma conferência no Royal Institution – a organização fundada pelo conde Von Rumford, 105 anos antes, embora essa era de cabeleiras empoadas parecesse estar agora a anos-luz de distância, comparada com a atitude "toca a arregaçar as mangas e ao trabalho!" dos recentes vitorianos. Rutherford estava lá para falar da sua nova teoria da desintegração da radioactividade, para o que levou consigo um pedaço de pechblenda. Com muito tacto – até porque o velho Kelvin estava presente, embora nem sempre acordado –, Rutherford referiu que o próprio Kelvin tinha aventado a hipótese de a descoberta de outra fonte de calor ir alterar completamente os seus cálculos. Graças à radioactividade, a Terra podia ser – e era, evidentemente – muito mais velha do que os 24 milhões de anos previstos por Kelvin.

Kelvin mostrou-se muito satisfeito com a respeitosa apresentação de Rutherford, mas na realidade não se deixou comover. Nunca aceitou a revisão

---

* Se alguma vez se interrogou sobre como é que os átomos determinam quais são os 50 por cento que se extinguem e quais os 50 por cento que sobrevivem para a sessão seguinte, a resposta é que a semivida é efectivamente uma conveniência estatística – uma espécie de tabela actuarial para os elementos. Imagine que tem uma amostra de material com uma semivida de 30 segundos. Não quer dizer que todos os átomos dessa amostra existam exactamente durante 30, 60 ou 90 segundos, ou noutro período de tempo cuidadosamente ordenado. Cada átomo sobreviverá por um período de tempo completamente aleatório, que não tem nada a ver com múltiplos de 30; pode durar até dois segundos a partir de agora ou oscilar durante os próximos anos, décadas ou séculos. Ninguém pode sabê-lo. Mas o que podemos afirmar é que para aquela amostra como um todo, a taxa de desaparecimento será aquela que fará desaparecer metade dos átomos a cada 30 segundos. Por outras palavras, é um valor médio, e pode ser aplicado a qualquer volume de amostragem. Alguém já calculou, por exemplo, que os *dimes* americanos (um décimo de dólar) têm uma semivida de cerca de 30 anos.

dos números e acreditou, até morrer, que o cálculo que fizera da idade da Terra tinha sido o seu contributo mais importante e genial para a ciência – muito melhor do que o seu trabalho sobre a termodinâmica.

Como na maioria das revoluções científicas, as descobertas de Rutherford não foram aceites universalmente. John Joly, de Dublin, insistiu, até finais da década de 1930, que a Terra não tinha mais do que 89 milhões de anos, e, se parou de insistir nessa altura, foi por ter morrido. Outros preocupavam-se com o facto de Rutherford ter provavelmente exagerado no tempo. Mas mesmo com o método da datação radiométrica, como passaram a ser conhecidos os cálculos baseados no decaimento radioactivo, levaria ainda décadas até nos aproximarmos da idade real da Terra, e mesmo assim com uma margem de erro de cerca de mil milhões de anos. A ciência estava no caminho certo, mas ainda muito longe da meta.

Kelvin morreu em 1907. Nesse ano morreu também Dmitri Mendeleyev. Tal como Kelvin, há muito que não fazia qualquer trabalho produtivo, mas, ao contrário dele, os seus últimos anos de vida não foram nada serenos. À medida que envelhecia, Mendeleyev tornou-se cada vez mais excêntrico – recusou-se a reconhecer a existência da radiação, ou dos electrões, ou de qualquer outra coisa que fosse novidade – e, também, de trato cada vez mais difícil. Passou os últimos anos de vida, essencialmente, a sair disparado e irritado dos vários laboratórios e salas de conferências espalhados pela Europa. Em 1955, o elemento 101 foi chamado mendelevium, em sua honra. "Como não podia deixar de ser", sublinha Paul Strathern, "trata-se de um elemento instável."

Quanto à radiação, evidentemente, continuou sem parar, tanto literalmente como de formas que ninguém suspeitava. No início de 1900, Pierre Curie começou a sentir claros sintomas de radiação – nomeadamente, dores permanentes nos ossos e sensação crónica de mal-estar – que teriam, sem dúvida, progredido da pior forma. Mas nunca poderemos ter a certeza, visto ter morrido atropelado por uma carruagem em 1906, ao atravessar uma rua de Paris.

Marie Curie passou o resto da sua vida a distinguir-se pelo trabalho desenvolvido nesse domínio, tendo ajudado a fundar o célebre Instituto do Rádio da Universidade de Paris, em 1914. Apesar dos seus dois Prémios Nobel, nunca foi eleita para a Academia das Ciências, em grande parte por, depois da morte de Pierre, ter tido um caso com um físico casado que era suficientemente indiscreto para escandalizar até os franceses – ou, pelo menos, os velhotes que dirigiam a academia, o que não será bem a mesma coisa.

Durante muito tempo, pensou-se que uma coisa tão milagrosamente energética como a radioactividade só podia ser benéfica. Durante anos, vários fabricantes de pasta de dentes e de laxantes puseram tório radioactivo nos seus produtos, e pelo menos até aos finais da década de 1920, o Glen Springs Hotel, na região dos Finger Lakes, de Nova Iorque (e certamente muitos outros), recomendavam orgulhosamente os efeitos terapêuticos das suas "termas minerais radioactivas". A radioactividade só foi banida dos produtos de consumo em 1938. Nessa altura já era tarde de mais para Marie Curie, que morreu de leucemia em 1934. A radiação é tão perniciosa e duradoura, que ainda hoje todos os seus artigos científicos de 1890 – até os seus livros de cozinha – são demasiado perigosos para ser manuseados livremente. Os seus livros de laboratório estão guardados dentro de caixas forradas a chumbo, e quem quiser consultá-los tem de usar roupas especiais de protecção.

Graças ao trabalho dedicado e, sem que o soubessem, de alto risco dos primeiros cientistas atómicos, nos primeiros anos do século XX começava a tornar-se claro que a idade da Terra era inquestionavelmente veneranda, embora tenha sido necessário mais meio século de ciência para se saber exactamente até que ponto. Entretanto, a ciência estava a entrar ela própria numa nova era – a era atómica.

III

ALVORADA DE UMA NOVA ERA

Um físico é uma maneira atómica de pensar sobre os átomos.

Anónimo

8.

O UNIVERSO DE EINSTEIN

À medida que o século XIX se aproximava do fim, os cientistas podiam pensar com satisfação que tinham desvendado quase todos os mistérios do mundo físico: electricidade, magnetismo, gases, óptica, acústica, cinética e mecânica estatística, para só mencionar alguns; todos se tinham alinhado, obedientes, perante eles. Tinham descoberto os raios X, o raio catódico, o electrão e a radioactividade, e inventado o ohm, o watt, o kelvin, o joule, o ampere e o pequeno erg.

Se uma coisa podia oscilar, ser acelerada, perturbada, destilada, combinada, pesada ou transformada em gás, tudo isso já tinham feito, e pelo caminho tinham produzido um conjunto de leis do universo tão importantes e majestosas que ainda hoje temos tendência a escrevê-las com letra maiúsculas: A Teoria da Luz como Campo Electromagnético, A Lei das Proporções Recíprocas, de Richter, A Lei dos Gases, de Charles, A Lei dos Volumes Combinados, A Lei do Zero Absoluto, O Conceito de Valência, A Lei da Acção das Massas, e um sem-número de outras. Por todo o mundo se ouvia o retinir dos metais e das baforadas de vapor das máquinas e instrumentos que o seu engenho tinha produzido. Muitas pessoas, mesmo as ilustradas, acreditavam que não havia já grande coisa por fazer no domínio da ciência.

Em 1875, quando um jovem alemão de Kiel chamado Max Planck hesitou entre dedicar-se à física ou à matemática, foi-lhe vivamente recomendado que não escolhesse a física, porque já se tinham feito todas as descobertas nessa área. Diziam-lhe que podia ter a certeza de que o próximo século seria de consolidação e reforma, mas nunca de revolução. Mas Planck não ligou. Estudou física teórica e atirou-se de alma e coração ao trabalho sobre a entropia, processo fulcral da termodinâmica, que parecia muito promissor para um jovem ambicioso.* Em 1891, este jovem apresentou os seus resultados e soube, para seu grande desgosto, que o trabalho importante sobre entropia já tinha sido feito, de facto, neste caso por um tímido académico da Universidade de Yale chamado J. Willard Gibbs.

De entre todos aqueles de que a maior parte das pessoas nunca ouviu falar, Gibbs é talvez o mais brilhante. Modesto ao ponto de ser quase invisível, passou praticamente toda a sua vida, excepto nos três anos em que estudou na Europa, dentro dos limites de uma área de três quarteirões entre a sua casa e o *campus* de Yale, em New Haven, no Connecticut. Nos primeiros dez anos em Yale nem se preocupou em receber um ordenado (tinha os seus próprios meios de subsistência). Desde 1871, ano em que entrou para a universidade como professor, até à sua morte, em 1903, o seu curso atraía em média pouco mais de um aluno por semestre. Os ensaios que escrevia eram difíceis de decifrar, e além disso empregava uma forma de notação ideográfica, que a maioria achava incompreensível. No entanto, enterradas no meio dessas fórmulas ocultas, havia lampejos sublimes de génio.

Em 1875-78, Gibbs escreveu uma série de artigos a que deu o nome de *On the Equilibrium of Heteregenous Substances*, onde esclarecia com particular brilhantismo os princípios termodinâmicos de, por assim dizer, tudo o que existe – "gases, misturas, superfícies, sólidos, mudanças de estado, reacções químicas, células electroquímicas, sedimentação e osmose", citando William H. Cropper. No fundo, o que Gibbs fez foi mostrar que a termodinâmica não se aplicava somente ao calor e à energia, à grande e barulhenta escala da máquina a vapor, mas também se encontrava presente e desempenhava um papel ao nível atómico das reacções químicas. O *Equilibrium* de Gibbs foi chamado "os *Principia* da termodinâmica", mas, por razões que ultrapassam qualquer especulação, Gibbs decidiu publicar estas observações essenciais no *Transactions of the Connecticut Academy of Arts and Sciences,* revista que até no próprio Connecticut conseguia passar despercebida, razão pela qual Planck só tarde de mais é que ouviu falar dele.

---

* Especificamente, trata-se de uma medida de ocorrência aleatória ou desordem num sistema. Darrell Ebbing, no seu livro *General Chemistry*, sugere que imaginemos um baralho de cartas. Um baralho novo, acabado de sair da caixa, ordenado por naipes e em sequência desde o ás até ao rei, pode ser considerado como estando no seu estado ordenado. Se baralharmos as cartas, ele passa a estar no seu estado desordenado. A entropia é a forma de medir o grau de desordem desse estado e de calcular a probabilidade de determinados resultados, se se continuar a baralhar. É evidente que, se se quiser publicar quaisquer observações que se façam numa revista respeitável, será necessário compreender conceitos adicionais, como irregularidades térmicas, distâncias de rede e relações estequeométricas, mas a ideia geral é esta.

Sem se deixar esmorecer – bem, talvez um pouco esmorecido –, Planck concentrou-se noutros assuntos*. Também nós vamos já tratar deles, mas primeiro façamos um ligeiro (mas relevante!) desvio até Cleveland, no Ohio, a uma instituição então conhecida como a Case School of Applied Science. Aí, na década de 80 do século XIX, Albert Michelson, um físico que acabava de entrar na meia-idade, ajudado por um amigo, o químico Edward Morley, lançou-se numa série de experiências, com resultados curiosos e perturbadores que iriam ter grande impacte em muito do que iria acontecer a seguir.

O que Michelson e Morley fizeram foi, embora sem querer, sabotar uma crença antiga sobre algo chamado éter luminoso, um meio estável, invisível, sem peso, sem fricção, e infelizmente sem qualquer existência real, que se pensava permear o universo. Concebido por Descartes, apoiado por Newton e venerado por quase todos desde essa altura, o éter adquiriu uma posição absolutamente central na física do século XIX, para explicar a forma como a luz viajava através do vazio do espaço. Era uma necessidade real naquela época, porque tanto a luz como o electromagnetismo eram vistos como ondas, que é o mesmo que dizer tipos de vibrações. As vibrações têm de ocorrer em qualquer coisa; daí a necessidade de um éter e a longa devoção ao dito. Já em 1909, o grande físico inglês J. J. Thomson ainda insistia: "O éter não é uma criação fantástica de filósofos especuladores; é tão essencial para nós como o ar que respiramos" – e isto, quatro anos após ter sido quase incontestavelmente decidido que o éter não existia. Ou seja, as pessoas estavam realmente vidradas no éter.

Se precisássemos de dar um exemplo típico da América do século XIX como terra da oportunidade, seria difícil encontrar melhor do que a vida de Albert Michelson. Nascido em 1852 na fronteira polaco-alemã, numa família de comerciantes judeus pobres, foi para os Estados Unidos com a família ainda bebé de colo, tendo crescido em plena época da corrida ao ouro num campo de exploração mineira na Califórnia, onde a família tinha uma loja de venda a retalho. Como eram pobres de mais para poderem pagar a universi-

---

* Planck teve pouca sorte ao longo da vida. A sua querida primeira mulher morreu cedo, em 1909, e o mais novo dos dois filhos foi morto na Primeira Guerra Mundial. Também tinha duas gémeas, que adorava. Uma morreu ao dar à luz o primeiro filho; a outra foi tomar conta do bebé e apaixonou-se pelo marido da irmã. Casaram, e dois anos mais tarde era ela quem morria ao dar à luz. Em 1944, quando Planck tinha 85 anos, caiu-lhe uma bomba dos Aliados em casa, destruindo tudo o que fizera – estudos, diários, uma vida inteira de trabalho. No ano seguinte, o seu único filho sobrevivente foi apanhado numa conspiração para matar Adolf Hitler. Foi executado.

dade, foi para Washington D. C., onde se pôs a passear em frente aos portões da Casa Branca, a fim de provocar um encontro com o Presidente Ulysses S. Grant quando este aparecesse para o seu passeio higiénico diário. (Decididamente, eram tempos mais fáceis.) Ao longo destes passeios, Michelson conseguiu cair nas boas graças do Presidente, o suficiente para este lhe garantir um lugar na Academia Naval. E foi aí que Michelson aprendeu a sua física.

Dez anos mais tarde, agora já professor na Case School em Cleveland, Michelson começou a interessar-se pela medição de uma coisa chamada corrente do éter – uma espécie de vento produzido por objectos em movimento através do espaço. A física newtoniana previa, entre outras coisas, que a velocidade da luz através do éter devia variar em relação ao observador, conforme este estivesse a mover-se em direcção à fonte de luz ou a afastar-se dela, mas ninguém tinha ainda descoberto a forma de medir isso. Michelson lembrou-se de que a Terra se desloca em direcção ao Sol durante metade do ano, enquanto na outra metade se afasta dele, e concluiu que, se se fizessem medições cuidadosamente precisas em estações do ano opostas, e se comparasse o tempo de deslocação da luz entre as duas medições, obter-se-ia a resposta.

Michelson falou com Alexander Graham Bell, que acabara de enriquecer com a invenção do telefone, e convenceu-o a financiar a construção de um instrumento sensível e engenhoso, concebido pelo próprio Michelson, a que chamou interferómetro, e que conseguia medir a velocidade da luz com enorme precisão. Depois, com a ajuda do genial mas apagado Morley, Michelson lançou-se em anos e anos de medições exaustivas. O trabalho era delicado e cansativo, e teve de ser interrompido a certa altura para permitir que Michelson recuperasse de um compreensível mas breve esgotamento nervoso, mas finalmente, em 1887, deu os seus frutos. E não eram de modo algum aquilo de que os dois cientistas estavam à espera.

Como escreveu o astrofísico Kip S. Thorne, do Instituto de Tecnologia da Califórnia, "a velocidade da luz revelou ser sempre a mesma, independentemente da direcção em que viaja e das estações do ano". Foi a primeira vez, em 200 anos – exactamente 200 anos –, que se suspeitou que as leis de Newton talvez não se aplicassem em todo o lado e a todo o momento. A descoberta de Michelson-Morley tornou-se, nas palavras de William H. Cropper, "provavelmente o resultado negativo mais famoso da história da física". Michelson ganhou o prémio Nobel da Física pelo trabalho – o primeiro americano a receber esta honra –, mas apenas 20 anos mais tarde. Entretanto, as experiências de Michelson-Morley ficariam a pairar desagradavelmente, como uma espécie de cheiro a mofo, nos bastidores do pensamento científico.

Surpreendentemente, e apesar das suas descobertas, no umbral do século XX Michelson contava-se entre aqueles que achavam que o trabalho científico estava quase terminado, faltando "só mais uns torreões e pináculos a acrescentar, e uns relevos a esculpir no tecto", nas palavras do autor de um artigo publicado na *Nature*.

Não há dúvida de que o mundo estava a iniciar um século de ciência, em que muitas pessoas não percebiam nada e ninguém percebia tudo. Em breve os cientistas iriam dar consigo à deriva no meio de um confuso universo de partículas e antipartículas, onde as coisas surgiam e desapareciam em espaços de tempo tais que faziam um nanossegundo parecer uma eternidade pachorrenta, onde tudo era estranho e inesperado. A ciência estava a deslocar-se do mundo da macrofísica, onde os objectos podiam ser vistos, agarrados e medidos, para o mundo da microfísica, onde os acontecimentos se manifestam com uma impensável rapidez, a escalas muito abaixo dos limites da imaginação. Estávamos a entrar na era quântica, e a primeira pessoa a empurrar a porta foi sem dúvida Max Planck, um homem que a sorte ainda não bafejara.

Em 1900, quando já era professor de física teórica na Universidade de Berlim e com a idade relativamente avançada de 42 anos, Planck descobriu uma nova "teoria quântica", segundo a qual a energia não é uma coisa contínua, como a água a correr, apresentando-se antes em pacotes individuais, a que chamou *quanta*. Era sem dúvida um conceito novo, e correcto. Em breve ajudaria a encontrar uma solução para o quebra-cabeças de Michelson-Morley, porque demonstrava que, afinal, a luz não era necessariamente uma onda. A longo prazo, este conceito viria a ser a base de toda a física moderna. Para todos os efeitos, foi o primeiro indício de que o mundo estava em vias de mudar.

Mas o acontecimento-chave – o nascimento de uma nova era – deu-se em 1905, quando, numa revista alemã de física chamada *Annalen der Physik*, apareceu uma série de artigos escritos por um jovem burocrata suíço sem afiliações universitárias ou acesso a qualquer laboratório, e que, como fonte regular de consulta, se limitava a usar o registo nacional de patentes de Berna, onde trabalhava como fiscal técnico de 3.ª classe. (O seu pedido de promoção a fiscal de 2.ª classe fora recentemente indeferido.)

Chamava-se Albert Einstein, e nesse ano memorável publicou cinco ensaios na *Annalen der Physik*, dos quais três, nas palavras de C. P. Snow, "se encontram entre os maiores na história da física" – um em que analisava o efeito fotoelétrico baseando-se na nova teoria quântica de Planck, outro sobre o comportamento de pequenas partículas em suspensão (conhecido como movimento browniano), e outro em que esboçava uma teoria específica da relatividade.

O primeiro valeu o Prémio Nobel ao seu autor; nele se explicava a natureza da luz (o que ajudou a tornar possível a televisão, entre outras coisas)*. O segundo provou que os átomos existem mesmo – facto que, surpreendentemente, fora objecto de controvérsia. O terceiro ensaio mudou o mundo, pura e simplesmente.

Einstein nasceu em Ulm, no Sul da Alemanha, em 1879, mas cresceu em Munique. O seu início de vida não fazia prever grandes feitos futuros. Só aprendeu a falar aos três anos. Na década de 1890, como o negócio de material eléctrico do pai estava a correr mal, mudaram-se para Milão, mas Albert, que já entrara na adolescência, foi para a Suíça a fim de prosseguir os estudos – acabou por reprovar no exame de admissão na universidade na primeira tentativa. Em 1896 desistiu da nacionalidade alemã para não ter de fazer o serviço militar e entrou no Instituto Politécnico de Zurique, para um curso de quatro anos concebido para formar à pressão professores liceais de ciências. Era um aluno inteligente, mas nada de extraordinário.

Formou-se em 1900, e poucos meses mais tarde começou a contribuir com ensaios para a *Annalen der Physik*. O seu primeiro ensaio, sobre a física de fluidos nas palhinhas de beber (imagine-se), apareceu no mesmo fascículo que a teoria quântica de Planck. De 1902 a 1904 escreveu uma série de ensaios sobre mecânica estatística, para descobrir no fim que J. Willard Giggs, do Connecticut, discreto mas produtivo, fizera também o mesmo trabalho, no seu *Elementary Principles of Statistical Mechanics*, publicado em 1901.

Por essa altura apaixonara-se por uma colega de estudos, a húngara Mileva Maric. Em 1901 tiveram uma filha fora do casamento, que foi discretamente entregue para adopção. Einstein nunca viu a criança. Dois anos mais tarde, casaram. Entre estes acontecimentos, em 1902, Einstein empregou-se na re-

---

* Einstein foi premiado em termos vagos por "serviços prestados à física teórica". Teve de esperar 16 anos, até 1921, para receber o prémio – bastante tempo, se pensarmos bem, mas nada que se compare com Frederick Reines, que detectou o neutrino em 1957 mas só recebeu o Nobel em 1995, 38 anos mais tarde, ou com o alemão Ernst Ruska, que inventou o microscópio electrónico em 1932 e recebeu o Nobel em 1986, mais de meio século depois. Uma vez que os Nobel nunca são póstumos, para os premiados a longevidade pode ser um factor tão importante como o respectivo génio.

partição do registo de patentes da Suíça, onde permaneceu nos sete anos seguintes. Gostava do trabalho: era suficientemente interessante para o obrigar a puxar pela cabeça, mas não tanto que o distraísse da sua física. E foi neste cenário que criou a sua teoria da relatividade, em 1905.

O artigo, "Sobre a Electrodinâmica dos Corpos em Movimento", foi um dos ensaios científicos mais extraordinários alguma vez publicados, tanto pela forma como foi apresentado como por aquilo que dizia. Não incluía notas de rodapé nem citações, o conteúdo matemático era praticamente inexistente, não fazia referência a qualquer trabalho que o pudesse ter influenciado ou que o tivesse precedido, e agradecia a ajuda de um único indivíduo, um colega do registo de patentes chamado Michele Besso. Nas palavras de C. P. Snow, era como se Einstein "tivesse chegado àquelas conclusões por mero raciocínio, sem ajuda, e sem ouvir opiniões de outras pessoas. E o mais espantoso é que, na maior parte do trabalho, foi exactamente isso que ele fez".

A sua famosa equação, $E=mc^2$, não era mencionada no artigo, tendo antes aparecido alguns meses mais tarde, num breve suplemento que se lhe seguiu. Como o leitor ainda se deve recordar dos tempos do liceu, E significa energia, m significa massa e c^2 é a velocidade da luz elevada ao quadrado.

Em termos mais simples, o que a equação traduz é que massa e energia têm uma equivalência. São duas formas da mesma coisa: a energia é a matéria libertada; a matéria é a energia à espera de acontecer. Uma vez que c^2 (a velocidade da luz multiplicada por si própria) é um número verdadeiramente imenso, a equação diz que existe uma quantidade enorme, verdadeiramente enorme, de energia contida e aprisionada em todas as coisas materiais*.

Talvez o leitor não se sinta particularmente robusto, mas se tiver um corpo de adulto mediano fique sabendo que, dentro da sua modesta estrutura, contém nada menos do que 7×10^{18} joules de energia potencial – o suficiente para explodir com uma força equivalente a 30 enormes bombas de hidrogénio, partindo do princípio de que saberia libertá-la, e estivesse muito ansioso para demonstrar a sua teoria. Todas as coisas têm este tipo de energia encurralada em si próprias. Só que não sabemos libertá-la. Até uma bomba de urânio – a coisa mais energética que já se conseguiu produzir – liberta menos de um por cento da energia que poderia libertar se fôssemos mais espertos.

---

* Não se sabe bem por que é que *c* foi escolhido como simbolo da velocidade da luz, mas David Bodanis sugeriu que poderia vir do latim *celeritas*, que significa rapidez. O *Oxford English Dictionary*, compilado dez anos antes da teoria de Einstein, reconhece *c* como símbolo de muitas coisas, desde o carbono ao críquete, mas não o menciona como símbolo da luz ou da rapidez.

Entre muitas outras coisas, a teoria de Einstein explicou como funciona a radiação: como é que um bocado de urânio pode emitir correntes constantes de energia de alto nível sem se derreter como um cubo de gelo. (Consegue fazê-lo, convertendo a massa em energia de maneira extremamente eficiente, como em $E=mc^2$.) Explicou como é que as estrelas podem arder durante biliões de anos sem consumir o seu combustível. (*Idem.*) Com um golpe de caneta, numa simples fórmula, Einstein deu aos geólogos e astrónomos um luxuoso presente de biliões de anos. Acima de tudo, a teoria revelou que a velocidade da luz era constante e suprema. Não havia nada que a pudesse superar. Fez incidir nova luz (no sentido próprio e figurado) sobre o cerne da nossa percepção da natureza do universo. E não foi por acaso que resolveu também o problema do éter luminoso, demonstrando que este não existia. Einstein deu-nos um universo que não precisava de tal coisa.

Por norma, os físicos não prestam lá muita atenção a descobertas feitas por empregados suíços de registos de patentes, pelo que, apesar da abundância de informações úteis, os artigos de Einstein não atraíram grande interesse. Já que se limitara a resolver vários dos mais profundos mistérios do nosso universo, Einstein candidatou-se a um lugar de leitor na universidade mas foi rejeitado; a seguir tentou ser aceite como professor de liceu, no que teve a mesma sorte. Voltou, portanto, ao seu cargo de fiscal de 3.ª classe, mas é evidente que continuou a pensar. Estava ainda muito longe de dar por encerradas as suas actividades.

Quando o poeta Paul Valéry perguntou uma vez a Einstein se usava um caderninho para registar as suas ideias, Einstein olhou-o com ligeira mas genuína surpresa. "Oh, não é preciso", respondeu, "raramente tenho ideias." Desnecessário será dizer que, quando tinha uma, o mais provável era ser muito boa. A ideia que teve a seguir foi uma das maiores que alguém jamais teve – na verdade, a maior de todas, segundo escreveram Boorse, Motz e Weaver na sua história da ciência atómica. "Como produto de uma mente única", escreveram, "é sem dúvida a maior realização intelectual da humanidade", coisa que me parece ser o maior elogio que se pode fazer a alguém.

Há quem diga que, por volta de 1907, Einstein viu um operário cair de um telhado, o que o levou a pensar na gravidade. Infelizmente, tal como muitas outras histórias, parece que esta é apócrifa. Segundo o próprio Einstein, o problema da gravidade ocorreu-lhe simplesmente um dia em que estava sentado numa cadeira.

A dizer a verdade, o que ocorreu a Einstein foi mais propriamente o início de uma solução para o problema da gravidade, uma vez que se apercebera logo à partida de que uma coisa que faltava na sua teoria especial era a gravidade. O que havia de "especial" na sua teoria especial é que tratava de coisas em movimento, mas num estado essencialmente livre de restrições. Ora o que acontecia quando uma coisa em movimento – a luz, acima de tudo – encontrava um obstáculo como a gravidade? Era uma questão que iria ocupar os seus pensamentos durante a maior parte dos dez anos seguintes, e que levaria à publicação, em 1917, de um estudo intitulado *Considerações Cosmológicas sobre a Teoria Geral da Relatividade*. A teoria especial da relatividade de 1905 era um trabalho profundo e importante, sem dúvida, mas como C. P. Snow observou uma vez, se Einstein não a tivesse formulado quando o fez, outro qualquer o teria feito, muito provavelmente dentro dos cinco anos seguintes; era uma ideia que estava à espera de acontecer. Mas a teoria geral era algo completamente diferente. "Se não tivesse sido formulada", escreveu Snow em 1979, "é natural que ainda estivéssemos à espera dela nos dias de hoje."

Com o seu cachimbo, o seu ar de génio modesto e o cabelo no ar, Einstein era uma figura demasiado monumental para ficar eternamente na obscuridade, e em 1919, com o fim da guerra, o mundo descobriu-o de repente. Imediatamente surgiu a ideia de que as suas teorias da relatividade eram impossíveis de ser compreendidas pelo comum dos mortais. Como David Bodanis explica no seu admirável livro $E=mc^2$, a situação piorou quando o *New York Times* resolveu publicar um artigo sobre o tema e, por razões que nos ultrapassam, enviou o seu correspondente desportivo, um tal Henry Crouch, para fazer a entrevista.

Crouch estava completamente fora do seu domínio, e percebeu quase tudo mal. De todas as informações erradas que dava no seu relatório, a mais acintosa era a afirmação de que Einstein tinha encontrado um editor tão delirante que ia publicar um livro que só uma dúzia de homens, "no mundo inteiro, podia compreender". Não existia tal livro, nem tal editor, nem tão-pouco esse círculo de homens letrados, mas o facto é que a ideia pegou. Em breve o número de pessoas capazes de compreender a relatividade era ainda mais reduzido na imaginação popular – e o mundo científico, é preciso que se diga, fez muito pouco para alterar o mito.

Quando um jornalista perguntou ao astrónomo britânico Sir Arthur Eddington se era verdade que ele era uma das três únicas pessoas no mundo inteiro que conseguia compreender a teoria da relatividade de Einstein,

Eddington pensou muito durante uns momentos e respondeu: "Estou a tentar descobrir quem é a terceira pessoa." Na realidade, o problema da relatividade não estava na grande quantidade de equações diferenciais que continha, nas transformações de Lorentz e outras matemáticas complicadas (embora fosse verdade que até Einstein precisou de ajuda para algumas passagens), mas sim no facto de excluir totalmente o conhecimento intuitivo.

O que a relatividade diz, na sua essência, é que o espaço e o tempo não são absolutos, mas sim relativos tanto ao observador como à coisa observada, e que, quanto mais rápido for o nosso movimento, mais pronunciados se tornam esses efeitos. Nunca poderemos acelerar o nosso movimento até alcançar a velocidade da luz, e quanto mais tentarmos (e mais depressa nos movermos) mais distorcidos ficaremos em relação a um observador exterior a nós.

Quase ao mesmo tempo, os partidários da "ciência ao alcance de todos" tentaram descobrir maneiras de tornar o conceito acessível ao público em geral. Uma das tentativas mais conseguidas – pelo menos do ponto de vista comercial – foi *O ABC da Relatividade*, escrito pelo matemático e filósofo Bertrand Russell. Russell empregou uma imagem que foi muitas vezes utilizada desde então. Pedia ao leitor que visualizasse um comboio de cem metros de comprimento a deslocar-se a uma velocidade equivalente a 60 por cento da velocidade da luz. Para alguém que o visse passar a partir de um cais, o comboio pareceria ter apenas 80 metros de comprimento, e tudo nele ficaria igualmente comprimido. Se pudéssemos ouvir os passageiros a conversar, as vozes chegar-nos-iam embrulhadas e arrastadas, como num gira-discos em rotação demasiado lenta, e os seus movimentos pareceriam igualmente pesados. Até os relógios do comboio pareceriam trabalhar a quatro quintos da sua velocidade normal.

No entanto – e aí é que está – as pessoas dentro do comboio não teriam a noção de distorção. Para elas, tudo dentro do comboio pareceria perfeitamente normal. Nós, os que estávamos no cais, é que lhes pareceríamos estranhamente comprimidos e lentos. Ou seja, tudo depende da posição do observador em relação ao objecto em movimento.

Este efeito acontece sempre que nos deslocamos. Se atravessarmos os Estados Unidos de avião, ao sair dele estaremos um quinzilionésimo de segundo mais novos do que as pessoas que deixámos para trás. Mesmo ao andar numa sala, o leitor está a alterar muito ligeiramente a forma como experimenta o espaço e o tempo. Fizeram-se os cálculos, e descobriu-se que uma bola de basebol lançada a 160 quilómetros por hora ganhará 0,000 000 000 002 gramas de massa pelo caminho, até chegar à base. Isto significa que os efeitos da relatividade são reais, e já foram medidos. O problema é que essas mudanças são demasiado pequenas para as conseguirmos detectar. Mas há outras coisas no universo – a luz, a gravidade e o próprio universo – em que as consequências passam a ser mais sérias.

Portanto, se a ideia de relatividade nos parece estranha, é só porque não experimentamos este tipo de interacções na vida quotidiana. No entanto, voltando a citar Bodanis, todos nós nos apercebemos de outras formas de relatividade – por exemplo, no que diz respeito ao som. Se estivermos num parque e alguém perto de nós tiver um rádio a tocar em altos berros, sabemos que, se nos afastarmos, vai parecer que a música está a tocar mais baixo. Claro que não está, a nossa posição em relação a ela é que mudou. Para uma coisa que seja demasiado pequena ou lenta para fazer esta experiência – um caracol, por exemplo – a ideia de que uma caixa de som possa emitir simultaneamente dois níveis de som diferentes para dois observadores distintos poderá parecer incrível.

O conceito mais difícil de entender, e também menos intuitivo, na teoria geral da relatividade, é a ideia de que o tempo faz parte do espaço. O nosso instinto faz com que vejamos o tempo como algo eterno, absoluto, imutável – nada pode alterar o seu caminho inexorável. Mas na verdade, segundo Einstein, o tempo é variável e está em constante mudança. Tem até forma. Está ligado – "inextrincavelmente interligado", na expressão de Stephen Hawkins – com as três dimensões do espaço, numa curiosa dimensão chamada espaço-tempo.

O espaço-tempo é normalmente explicado da seguinte forma: imagine uma coisa plana mas dobrável, por exemplo, um colchão, ou uma folha de espuma de borracha – onde está colocado um objecto redondo e pesado, como uma bola de ferro. O peso da bola faz com que o material que lhe está subjacente estique e se afunde ligeiramente. Em termos grosseiros, este efeito pode ser comparado àquele que um objecto maciço como o Sol (a bola de ferro) provoca no espaço-tempo (o material): estica-o, curva-o e deforma-o. Bom, se fizer rolar uma bola pequena sobre a folha, a trajectória será tão recta quanto o exigem as leis do movimento de Newton, mas, assim que se aproxima do objecto maciço e da depressão provocada por este no material de apoio, a bola rolará para baixo, inevitavelmente atraída pelo objecto de maior massa. Isto é a gravidade: o resultado de uma concavidade no espaço-tempo.

Todo o objecto com massa cria uma pequena depressão no tecido do cosmos. O universo é, como diz Dennis Overbye, "o colchão maleável por excelência". Nesta perspectiva, a gravidade é menos um factor do que uma consequência – "não é uma 'força', mas antes um subproduto da deformação do espaço-tempo", nas palavras do físico Michio Kaku, que diz ainda: "De certa maneira, a gravidade não existe; o que faz mover os planetas e as estrelas é a distorção do espaço e do tempo."

É claro que a analogia do colchão maleável só explica as coisas até certo ponto, porque não incorpora o efeito do tempo. Mas a verdade é que o nosso cérebro não consegue ir mais longe, porque é praticamente impossível imaginar uma dimensão que compreenda três partes de espaço e uma parte de tempo, todas interligadas como os fios de um tecido de xadrez. Seja como for, temos de concordar que foi uma ideia genial para um jovem que, da janela de uma repartição de registos na capital da Suíça, gostava de olhar sonhadoramente lá para fora.

Entre muitas outras coisas, a teoria geral da relatividade de Einstein deixava entrever que o universo está em constante expansão ou contracção. Mas Einstein não era cosmólogo, e aceitou o conceito generalizado na época de que o universo era fixo e eterno. Mais como um reflexo do que outra coisa, juntou às suas equações uma coisa a que chamou a constante cósmica, que contrabalançava arbitrariamente os efeitos da gravidade, e servia como uma espécie de tecla de pausa matemática. Todos os livros da história da ciência perdoam este lapso a Einstein, mas nem por isso deixou de ser um erro científico espantoso, e ele sabia-o bem. Chamou-lhe "o maior disparate da minha vida".

Por coincidência, mais ou menos na mesma altura em que Einstein aditava uma constante cósmica à sua teoria, no Observatório Lowell, no Arizona, um astrónomo com o nome divertido e intergaláctico de Vesto Slipher (na realidade, era natural de Indiana) andava a fazer leituras espectrográficas de estrelas distantes, e a descobrir que davam a impressão de estar a afastar-se da Terra. O universo não era estático. As estrelas que Slipher estava a observar mostravam sinais evidentes do efeito de Doppler – o mesmo mecanismo que explica o inconfundível som "elástico" que fazem os carros de corrida quando passam junto a nós a alta velocidade*. O mesmo fenómeno se aplica à luz,

---

* Este efeito foi assim chamado em honra de Johann Christian Doppler, um físico austríaco que reconheceu o fenómeno pela primeira vez, em 1842. Resumidamente, o que acontece é que, quando um objecto em movimento se aproxima de outro parado, as suas ondas sonoras ficam compactadas à medida que se vão comprimindo contra o dispositivo que as recebe (por exemplo, os nossos ouvidos), tal como acontece com qualquer coisa que seja empurrada contra um objecto imóvel. Essa compactação é percebida pelo ouvido como um som alto e estridente. Assim que a fonte de som passa, as ondas espalham-se e distanciam-se, provocando a queda abrupta do nível de som.

e no caso das galáxias que se afastam é conhecido como desvio para o vermelho (porque, quando a luz se afasta de nós, sofre um desvio para a extremidade vermelha do espectro; quando se aproxima, desvia para a extremidade azul).

Slipher foi o primeiro a reconhecer este efeito na luz e a perceber a sua importância potencial para a compreensão dos movimentos do cosmos. Infelizmente, ninguém lhe prestou muita atenção. O Observatório Lowell, como deve estar lembrado, era uma instituição um pouco estranha, graças à obsessão de Percival Lowell com os canais marcianos que, na década de 1910, o transformaram, em todos os sentidos, num baluarte de feitos astronómicos. Slipher não sabia da existência da teoria de Einstein, da mesma forma que o mundo não sabia da existência de Slipher. Portanto, a sua descoberta não teve qualquer impacte.

Em vez disso, a glória iria bater à porta de uma autêntica personificação do hiperego chamada Edwin Hubble. Hubble nasceu em 1889, dez anos depois de Einstein, numa pequena vila do Missouri, na orla das montanhas Ozarks, e cresceu em Wheaton, um subúrbio de Chicago, no Ilinois. O pai tinha um bom lugar numa empresa de seguros, pelo que Edwin gozou sempre de uma vida confortável, além de ter a sorte de ser fisicamente bem dotado. Era um atleta forte e talentoso, tinha encanto pessoal, era esperto e muitíssimo bem parecido – "quase bonito de mais", segundo a descrição de William H. Cropper, "um Adónis", nas palavras de outro admirador. Segundo ele próprio conta, conseguiu ainda desempenhar vários actos valorosos pela vida fora – salvando pessoas de se afogarem, levando para lugar seguro soldados amedrontados, perdidos nos campos de batalha franceses, pregando em campeões de boxe socos monumentais, ainda por cima em público. Parecia tudo bom de mais para ser verdade. E era. Apesar de todas as suas qualidades, Hubble era um mentiroso inveterado.

Isto era mais do que estranho, porque a vida de Hubble foi desde muito novo abençoada com um nível de distinção que chegava a rondar os limites do ridículo. Era um verdadeiro menino de ouro. Numa única prova de atletismo de liceu, em 1906, ganhou o salto à vara, o lançamento do disco e do peso, o lançamento do martelo, as duas modalidades de salto em altura, fez parte da equipa que ganhou a corrida de estafetas – ou seja, sete primeiros lugares num só encontro desportivo – e ficou em terceiro lugar no salto livre. Nesse mesmo ano, conseguiu o recorde estadual do salto em comprimento.

Como estudante era igualmente brilhante, e não teve dificuldades em ser admitido na Universidade de Chicago para estudar física e astronomia (por acaso, o chefe do departamento era Albert Michelson). Foi então seleccionado para ser um dos primeiros detentores de uma bolsa de estudo Rhodes em Oxford. É claro que três anos em Inglaterra lhe deram a volta à cabeça, visto que voltou a Wheaton em 1913 com uma capa escocesa, a fumar cachimbo e a falar com um sotaque peculiar, cheio de *aaahs* e de *ooohs* – não era bem britânico, mas também não deixava de ser –, que o acompanharia para o resto da vida. Apesar de afirmar mais tarde que passara a segunda metade do século a praticar advocacia em Kentucky, a verdade é que trabalhou como professor de liceu e treinador de basquetebol em New Albany, no Indiana, antes de conseguir um doutoramento tardio e uma breve passagem pelo exército. (Chegou a França um mês antes do Armistício, e quase de certeza que nunca chegou a ouvir disparar um único tiro.)

Em 1919, com a idade de 30 anos, mudou-se para a Califórnia, onde obteve um cargo no Observatório de Mount Wilson, perto de Los Angeles. Aí, de forma rápida e muito inesperada, tornou-se no astrónomo mais famoso do século XX.

Vale a pena fazer uma pausa para percebermos o pouco que se sabia do cosmos nessa altura. Os astrónomos de hoje acreditam que existam talvez uns 140 mil milhões de galáxias no universo visível. É um número enorme, muito maior do que parece ser quando nos limitamos a dizê-lo. Se as galáxias fossem ervilhas congeladas, seriam suficientes para encher um auditório grande – o velho Boston Garden, por exemplo, ou o Royal Albert Hall. (Este cálculo foi feito por computador pelo astrofísico Bruce Gregory.) Quando, em 1919, Hubble olhou pela primeira vez por um telescópio, o número de galáxias conhecidas era exactamente um: a Via Láctea. Tudo o resto se pensava pertencer ou à Via Láctea, ou a uma das muitas massas de gás distantes e periféricas. Hubble demonstrou rapidamente que essa crença estava completamente errada.

Ao longo da década seguinte, Hubble enfrentou duas das questões mais fundamentais do universo: que idade e que tamanho tem? Para responder a ambas as questões é preciso saber-se duas coisas – a que distância estão certas galáxias e a que velocidade se afastam de nós (aquilo que é conhecido por velocidade de recessão). O desvio para o vermelho dá-nos a velocidade a que as galáxias se afastam, mas não nos diz a que distância estão, para começar. Para isso é preciso ter em conta aquilo a que chamamos estrelas-padrão – estrelas cujo brilho pode ser calculado com fiabilidade, e usado como bitola para calcular o brilho (e portanto a distância relativa) de outras estrelas.

A sorte de Hubble foi aparecer em cena logo depois de uma mulher genial, chamada Henrietta Swan Leavitt, ter descoberto a maneira de o fazer. Leavitt trabalhava no Observatório do Harvard College como computador, como eram chamadas as pessoas como ela. Os computadores passavam a vida a estudar chapas fotográficas de estrelas e a fazer computações – daí o nome. Era pouco mais do que escravidão, só que com outro nome – mas era o mais perto que uma mulher conseguia chegar da verdadeira astronomia naquela altura, em Harvard ou em qualquer outro sítio. Embora injusto, o sistema não deixava de ter certos benefícios inesperados: significava que metade das mentes mais brilhantes eram assim dirigidas para um trabalho que, de outra maneira, teria poucos adeptos, e era uma forma de garantir que as mulheres acabassem por ter uma percepção do cosmos que muitas vezes escapava aos seus colegas do sexo oposto.

Um computador de Harvard, Annie Jump Cannon, usou o seu repetido contacto com o mundo das estrelas para inventar um sistema de classificação estelar tão prático que ainda é utilizado nos dias de hoje. A contribuição de Leavitt foi ainda mais longe. Ela reparou que um tipo de estrelas, conhecido como variável cefeida (da constelação Cefeu, onde foi identificada pela primeira vez), pulsava a um ritmo regular – uma espécie de batida cardíaca estelar. As cefeidas são bastante raras, mas pelo menos uma delas é muito conhecida: a Polaris, a estrela polar, é uma cefeida.

Hoje em dia sabemos que as cefeidas pulsam dessa forma porque são estrelas antigas que já passaram da sua "fase de sequência principal", na linguagem dos astrónomos, transformando-se em gigantes vermelhas. A química das gigantes vermelhas é demasiado densa para servir os objectivos deste livro (exige o conhecimento das propriedades dos átomos de hélio ionizados individualmente, entre outras coisas), mas, em termos simples, significa que elas queimam o que lhes resta de combustível de forma tal que aumentam e diminuem o respectivo brilho a um ritmo regular e muito preciso. O golpe de génio de Leavitt foi perceber que, comparando a grandeza relativa de cefeidas localizadas em diferentes pontos do céu, era possível calcular o ponto onde se encontravam em relação umas às outras. Podiam ser usadas como estrelas-padrão – termo inventado por ela, e que continua a ser usado universalmente. O método não fornecia distâncias absolutas, apenas distâncias relativas, mas apesar disso era a primeira vez que alguém tinha encontrado uma maneira satisfatória de efectuar medições à escala do universo.

(Só para pormos estas descobertas em perspectiva, talvez valha a pena recordar que, naquela altura, Leavitt e Cannon estavam a tentar deduzir propriedades fundamentais do cosmos a partir de uns vagos borrões em chapas fotográficas, enquanto o astrónomo de Harvard William H. Pickering, que, obviamente, tinha acesso a telescópios de primeira qualidade sempre que quisesse, estava a desenvolver a sua teoria fundamental, segundo a qual as manchas negras na superfície da Lua eram provocadas por enxames sazonais de insectos migrantes.)

Combinando a bitola cósmica de Leavitt com o desvio para o vermelho de Vesto Slipher, Edwin Hubble começou então a medir com outros olhos pontos seleccionados do espaço. Em 1923 mostrou que uma nuvem de poalha distante na constelação de Andrómeda, conhecida como M31, não era de modo algum uma nuvem de gás, mas sim um aglomerado de estrelas, uma galáxia com cem mil anos-luz de largura e situada a pelo menos novecentos mil anos-luz de distância. O universo era mais vasto – mas mesmo muito mais vasto – do que alguém alguma vez supusera. Em 1924 apresentou um estudo fundamental, *Cepheids in Spiral Nebulae* (*nebulae*, da palavra latina que significa "nuvens", para ele significava "galáxias"), em que revelava que o universo não se compunha apenas da Via Láctea, mas também de muitas outras galáxias independentes – "universos-ilhas" – muitos dos quais maiores do que a Via Láctea, e muito mais distantes.

Só esta descoberta teria chegado para assegurar a Hubble a fama, mas ele agora queria também saber o tamanho real do universo, e acabou por fazer uma descoberta ainda mais espantosa. Primeiro começou por medir o espectro das galáxias distantes – o mesmo que Slipher tinha começado a fazer no Arizona. Usando o novo telescópio de Mount Wilson, um *Hooker* de 2,5 metros, e fazendo algumas deduções inteligentes, descobriu que todas as galáxias do céu (excepto a nossa nebulosa local) estão a afastar-se de nós. Além disso, a sua velocidade e distância eram rigorosamente proporcionais: quanto mais longe estivesse a galáxia, mais depressa se afastava de nós.

Isto era realmente espantoso. O universo estava em expansão, de forma rápida e homogénea, e em todas as direcções. Não era preciso uma grande imaginação para deduzir o contrário, e perceber que, portanto, tudo devia ter começado a partir de um ponto central. Longe de ser o estável, fixo e eterno vazio que todos davam como adquirido, este universo tinha tido um começo. Daí que pudesse também ter um fim.

O espantoso, como sublinhou Stephen Hawking, era ninguém ter tido a ideia de um universo em expansão até essa data. Um universo estático, como devia ter sido óbvio para Newton e para qualquer astrónomo com dois dedos de testa desde então, teria de colapsar em si próprio. Para além disso, se as estrelas estivessem a arder indefinidamente num universo estático, o calor produzido seria intolerável – pelo menos para seres como nós. Um universo em expansão resolvia de uma assentada todas essas questões.

Hubble era melhor a observar do que a reflectir, e não percebeu imediatamente as implicações da sua descoberta, em parte porque ignorava completamente a teoria geral da relatividade de Einstein, coisa notável, visto que, nessa altura, Einstein e a sua teoria já eram mundialmente famosos. Além disso, em 1929, Albert Michelson – agora já no crepúsculo da vida, mas ainda um dos cientistas mais atentos e estimados do mundo – aceitara um cargo no Mount Wilson, a fim de medir a velocidade da luz com o seu fiel interferómetro, e deve pelo menos ter-lhe falado na aplicabilidade da teoria de Einstein às suas próprias descobertas.

Seja como for, Hubble desperdiçou uma magnífica oportunidade de se desfazer em teorias brilhantes. Em vez dele, foi ao padre e investigador belga Georges Lemaître (com um PhD do MIT) que coube juntar as duas pontas da meada na sua "teoria do fogo-de-artifício", segundo a qual o universo teria começado como um ponto geométrico, "um átomo primordial" que explodira em glória, e teria vindo a expandir-se desde então. Era uma ideia precursora da moderna concepção do *Big Bang*, mas estava tão adiantada em relação ao seu tempo, que Lemaître raramente consegue que se lhe dediquem mais do que as duas linhas que aqui escrevemos a seu respeito. O mundo precisaria de mais umas décadas, além da descoberta acidental da radiação cósmica de fundo feita por Penzias e Wilson, graças ao tal silvo na antena de Nova Jérsia, para que a teoria do *Big Bang* passasse de ideia interessante a teoria adquirida.

Nem Hubble nem Einstein viriam a desempenhar um grande papel nessa importante história. Embora não parecesse ser o caso na altura, ambos tinham feito quase tudo o que fariam em toda a sua vida.

Em 1936, Hubble escreveu um livro chamado *The Realm of the Nebulae*, onde explicava as suas importantes descobertas em estilo bastante lisonjeiro. Nesta obra mostrava finalmente conhecer a teoria de Einstein, pelo menos até certo ponto: concedeu-lhe quatro páginas, num total de 200.

Hubble morreu de um ataque de coração em 1953, mas ainda estava para lhe acontecer uma última coisa extraordinária. Por razões algo misteriosas, a mulher recusou-se a fazer-lhe um funeral, e nunca revelou o que tinha feito com o corpo. Cinquenta anos mais tarde, ninguém sabe onde param os restos mortais do maior astrónomo do século. Se quiser homenageá-lo terá de olhar para o céu, para o Telescópio Espacial Hubble, lançado no espaço em 1990 e baptizado em sua honra.

9.

O PODEROSO ÁTOMO

Enquanto Einstein e Hubble se dedicavam afanosamente a desvendar a gigantesca estrutura do cosmos, outros lutavam para compreender algo que estava um pouco mais à mão, mas, à sua maneira, igualmente remoto: o minúsculo e misterioso átomo.

O físico Richard Feynman, do Instituto de Tecnologia da Califórnia, observou uma vez que, se tivéssemos de reduzir a história científica a uma única declaração importante, essa seria: "Todas as coisas são feitas de átomos." Estão em todo o lado e são os constituintes de tudo. Olhem à vossa volta: tudo são átomos. Não somente as coisas sólidas, como as paredes e as mesas e sofás, mas também o ar que está entre eles. E em quantidade tal que não se consegue sequer imaginar.

A estrutura básica de uma molécula é o átomo (de uma palavra latina que significa "massa pequena"). Uma molécula é simplesmente um conjunto de dois ou mais átomos que se articulam, funcionando de forma mais ou menos estável: junte-se dois átomos de hidrogénio a um de oxigénio e teremos uma molécula de água. Os químicos pensam mais em termos de moléculas do que de elementos, da mesma maneira que os escritores pensam em termos de palavras em vez de letras, e, por isso, preferem contar as moléculas, e elas são numerosas, para pôr a questão modestamente. Ao nível do mar e a uma temperatura de zero graus centígrados, um centímetro cúbico de ar (ou seja, o tamanho equivalente a um cubo de açúcar) contém 45 milhões de biliões de moléculas. E estas existem igualmente em cada centímetro cúbico de ar à nossa volta. Pense quantos centímetros cúbicos existem no mundo fora da sua janela, ou quantos cubos de açúcar seriam precisos para encher essa vista. Depois pense quantos seriam precisos para encher o universo. Digamos, para resumir, que os átomos são muito abundantes.

São também de uma durabilidade fantástica, e é por isso que viajam tanto. Cada átomo que possuímos já passou com certeza por variadíssimas estrelas e foi parte de milhões de organismos pelo caminho, até se tornar parte de nós. Todos nós somos tão atomicamente numerosos, e tão vigorosamente reciclados no momento da nossa morte, que uma parte significativa dos nossos átomos – até cerca de mil milhões para cada um de nós, como já houve quem sugerisse – provavelmente já terá pertencido a Shakespeare. Outros mil milhões pertenceram a Buda, e outros a Genghis Khan, e outros a Beethoven, ou a qualquer outra figura histórica que o leitor escolher. (Ao que parece, os personagens têm de ser históricos, para que haja tempo suficiente para os átomos se redistribuírem; isto significa que, por mais que queiramos, ainda não estamos em comunhão de átomos com o Elvis Presley.)

Quer isto dizer que somos todos reincarnações – embora de curto prazo. Quando morremos, os nossos átomos desagregam-se e vão à procura de novas utilizações noutro lado – como parte de uma folha, ou de um ser humano, ou de uma gota de orvalho. No entanto, os átomos vivem praticamente para sempre. Ninguém pode prever quanto poderão sobreviver mas, segundo Martin Rees, poderá ser 10^{35} anos – um número tão grande que até eu fico aliviado por poder expressá-lo sob a forma de potência.

Os átomos são, acima de tudo, minúsculos. Meio milhão deles alinhados lado a lado poderiam esconder-se por trás de um cabelo humano. A uma escala dessas, um átomo individual é impossível de imaginar, mas vamos tentar.

Comecemos com um milímetro, que é uma linha deste tamanho: - Agora imagine essa linha dividida em mil partes iguais. Cada uma dessas partes é um mícron. É esta a escala dos microrganismos. Uma paramécia típica, por exemplo, mede dois mícrones de comprimento, ou seja, 0,002 milímetros, o que é realmente muito pequeno. Se quisesse ver a olho nu uma paramécia a nadar numa gota de água, teria de aumentar a gota até esta ter 12 metros de largura. No entanto, se quisesse ver os átomos na mesma gota, teria de a aumentar até ela ter 24 *quilómetros* de largura.

Os átomos, por outras palavras, existem a uma escala de grandeza de ordem totalmente diferente. Para atingir a escala dos átomos, teríamos de pegar em cada um desses mícrones e cortá-lo em dez mil partes iguais. E então sim, teríamos a escala dos átomos: um décimo milionésimo de milímetro. É um grau de pequenez que excede em muito a nossa capacidade de imaginação, mas podemos ter uma ideia da proporção se tivermos em conta que um átomo está para o comprimento de uma linha de um milímetro como a espessura de uma folha de papel está para a altura do Empire State Building.

É sem dúvida a abundância e extrema durabilidade dos átomos que os torna úteis, e a sua pequenez que os torna tão difíceis de detectar e compreender. Pequenos, numerosos e praticamente indestrutíveis, são as três características principais dos átomos que, como era de esperar, não ocorreram a Antoine-Laurent Lavoisier, ou a Henry Cavendish ou a Humphry Davy, mas antes a um *quaker* inglês poupado e com poucos estudos chamado John Dalton, de quem já falámos no capítulo relativo à química.

Dalton nasceu em 1766 na fronteira do Lake District, perto de Cockermouth, numa família de tecelões *quakers*, pobre mas muito religiosa. (Quatro anos mais tarde, nasceria também em Cockermouth o poeta William Wordsworth.) Dalton foi um estudante excepcionalmente brilhante – tão inteligente que, aos 12 anos, ficou encarregado da escola *quaker* local. Isto poderá dizer tanto sobre a escola como sobre a precocidade de Dalton, mas talvez não: sabemos a partir dos seus diários que por volta daquela altura ele andava a ler os *Principia* de Newton na versão original, em latim, e outros trabalhos de natureza igualmente estimulante. Com 15 anos, ainda a dar aulas na escola, começou a trabalhar na cidade vizinha de Kendal, e dez anos mais tarde mudou-se para Manchester, onde se deixou ficar durante os 50 anos seguintes. Em Manchester tornou-se numa espécie de furacão intelectual, produzindo livros e estudos sobre diversas matérias, desde a meteorologia à gramática. O daltonismo, deficiência de que sofria, foi assim chamado graças aos estudos que efectuou sobre ela. Mas foi um pesado calhamaço intitulado *A New System of Chemical Philisophy*, publicado em 1808, que lhe trouxe a fama.

Aí, num capítulo com apenas cinco páginas (o livro tinha mais de 900), os estudiosos do seu tempo depararam-se com a primeira abordagem ao conceito dos átomos, numa descrição que se aproximava bastante do seu conceito actual. Dalton teve a intuição simples de que a raiz de toda a matéria era constituída por partículas extraordinariamente minúsculas e irredutíveis. "Criar ou destruir uma partícula de hidrogénio seria o mesmo que tentar introduzir um novo planeta no sistema solar ou eliminar um que já exista", escreveu.

Nem o conceito de átomo nem o respectivo termo eram exactamente novos. Ambos tinham sido desenvolvidos pelos antigos gregos. A contribuição de Dalton foi compreender os tamanhos relativos e as características dos átomos, bem como a forma como se encaixavam. Ele sabia, por exemplo, que o hidrogénio era o elemento mais leve, e por isso atribuiu-lhe o peso atómico de 1. Também acreditava que a água era composta por sete partes de oxigénio e uma de hidrogénio, e foi por isso que deu ao oxigénio o peso atómico de sete. Foi desta forma que conseguiu chegar aos pesos relativos dos elementos conhecidos. Nem sempre era muito preciso – o peso atómico do oxigénio é na realidade 16, e não sete – mas era um princípio sólido, tendo passado a ser a base de toda a química moderna e de muitas outras ciências modernas.

Este trabalho tornou Dalton famoso – embora de uma forma discreta, bem ao estilo de um *quaker* inglês. Em 1826, o químico francês P. J. Pelletier foi a Manchester para se encontrar com o herói atómico. Pelletier esperava encontrá-lo associado a uma qualquer instituição grandiosa, e ficou espantado ao vê-lo ensinar aritmética elementar numa pequena escola de bairro para rapazes. Segundo o historiador científico E. J. Holmyard, ao deparar com o grande homem, Pelletier, confuso, balbuciou: "Est-ce que j'ai l'honneur de m'addresser à M. Dalton?", porque mal podia acreditar que o químico famoso em toda a Europa fosse aquele modesto professor, ocupado a ensinar a um miúdo as quatro operações básicas. "Sim", respondeu o pragmático *quaker*, sem quaisquer floreados. "Queira o cavalheiro tomar assento, enquanto ministro aritmética a este mancebo."

Embora Dalton tentasse evitar toda e qualquer honra, foi eleito para a Royal Society, inundado de medalhas e contemplado com uma bela pensão do Governo – tudo contra sua vontade. Quando morreu, em 1844, 40 mil pessoas desfilaram perante o caixão, e o cortejo fúnebre atingiu os três quilómetros. A sua biografia, no *Dictionary of National Biography*, é uma das mais longas, igualada apenas pelas de Darwin e Lyell entre os homens de ciência do século XIX.

Um século depois de Dalton apresentar a sua teoria, ela continuava a ser considerada hipotética, e alguns dos cientistas mais eminentes – nomeadamente o físico vienense Ernst Mach, de cujo nome deriva o valor da velocidade do som – simplesmente duvidavam da existência dos átomos. "Os átomos não podem ser apreendidos pelos sentidos... são coisas abstractas", escreveu. A existência de átomos era tão pouco credível, especialmente nos países de língua alemã, que se diz ter sido um factor importante no suicídio do grande físico teórico e entusiasta das teorias atómicas Ludwig Boltzman, em 1906.

Foi Einstein quem proporcionou a primeira prova incontroversa da existência dos átomos, com o seu estudo sobre o movimento browniano em 1905, mas foi um facto que atraiu pouca atenção e, de qualquer modo, Einstein iria em breve dedicar todo o seu tempo e trabalho à teoria da relatividade. E foi assim que o primeiro verdadeiro herói da era atómica, mesmo não tendo sido o primeiro a aparecer em cena, foi Ernest Rutherford.

Rutherford nasceu em 1871 nos confins da Nova Zelândia, filho de pais que tinham emigrado da Escócia para lá cultivar um pouco de linho e fazer muitos filhos (parafraseando Steven Weinberg). Tendo crescido num local remoto de um país longínquo, não podia estar mais afastado das últimas evoluções da ciência, mas em 1895 ganhou uma bolsa de estudo que o levou até ao Cavendish Laboratory da Universidade de Cambridge, que em breve iria ser o sítio mais "quente" do mundo da física.

Os físicos são conhecidos por gostarem de fazer troça dos cientistas de outras áreas. Quando a mulher do grande físico austríaco Wolfgang Pauli o trocou por um químico, ele ficou estonteado de surpresa. "Se tivesse escolhido um toureiro, eu ainda compreendia", comentou, espantado, com um amigo, "mas um *químico...*"

Era um sentimento que Rutherford teria compreendido. "Toda a ciência se resume à física, o resto são colecções de selos", disse uma vez, numa frase que tem sido muito citada desde então. Há uma certa ironia divertida no facto de quando, em 1908, ganhou o Prémio Nobel, ter sido em química e não em física.

Rutherford foi um homem de sorte – sorte por ter sido um génio, mas ainda mais por viver numa altura em que a física e a química eram matérias tão excitantes e compatíveis (embora ele não as sentisse assim). Nunca mais voltariam a interligar-se tão confortavelmente.

Apesar de todo o sucesso que teve, Rutherford não era um homem especialmente brilhante; na verdade, era mesmo bastante mau a matemática. Durante as aulas, várias vezes se perdia nas suas próprias equações, acabando por desistir a meio e dizer aos alunos que as resolvessem sozinhos. Segundo o seu colega de longa data, James Chadwick, que descobriu o neutrão, nem sequer era particularmente eficaz a fazer experiências. Era simplesmente persistente e de espírito aberto. Compensava a falta de brilhantismo com espírito de decisão e uma espécie de ousadia. A sua mente, nas palavras de um biógrafo, estava "sempre a expandir-se em direcção aos limites, o mais longe possível, e que era bastante mais longe do que a maior parte dos outros". Se confrontado com um problema aparentemente sem solução, trabalhava mais e durante mais tempo do que a maior parte das pessoas, e mostrava-se também mais receptivo a explicações pouco ortodoxas. Conseguiu o seu maior feito graças ao facto de estar disposto a passar horas intensamente entediantes sentado à frente do écrã a contar cintilações de partículas alfa, como eram então conhecidas – o tipo de trabalho que mais ninguém estava para fazer. Foi um dos primeiros a ver – talvez mesmo o primeiro – que a potência inerente ao átomo podia, se fosse reprimida, criar bombas capazes de "fazer este velho mundo desvanecer-se em fumo".

Fisicamente era grande e imponente, com um vozeirão que fazia tremer os tímidos. Uma vez, quando disseram a um colega que Rutherford ia fazer uma emissão radiofónica transatlântica, este perguntou secamente: "Para que precisam da rádio?" Tinha igualmente uma enorme e bonacheirona autoconfiança. Quando alguém comentou que parecia estar sempre na crista da onda, respondeu: "Bom, afinal fui eu que fiz a onda, não fui?" C. P. Snow recorda que, uma vez, ouviu por acaso um comentário de Rutherford num alfaiate de Cambridge: "Todos os dias me cresce a barriga. E a inteligência também."

Mas tanto a barriga como a fama o precediam, em 1895, quando chegou ao Cavendish Laboratory*. Foi um período excepcionalmente rico na história da ciência. No ano em que Rutherford chegou a Cambridge, Wilhelm Roentgen descobriu os raios X na Universidade de Würzburg, na Alemanha, e, no ano seguinte, Henri Becquerel descobriu a radioactividade. E o próprio Laboratório Cavendish estava prestes a entrar num longo período de grandeza. Foi lá que, em 1897, J. J. Thomson e alguns colegas seus descobriram o electrão, foi lá que, em 1911, C. T. R. Wilson fabricou o primeiro detector de partículas (como vamos ver) e foi igualmente lá que, em 1932, James Chadwick descobriu o neutrão. Alguns anos mais tarde, em 1953, James Watson e Francis Crick viriam a descobrir a estrutura do ADN nesse mesmo famoso Laboratório Cavendish.

No princípio, Rutherford trabalhou com ondas de rádio, e com algum sucesso – conseguiu transmitir um sinal sonoro nítido a mais de um quilómetro e meio de distância, feito bastante razoável para a época – mas desistiu, quando um colega mais velho o convenceu de que o rádio tinha pouco futuro. Mas, de maneira geral, Rutherford não teve grande sucesso no Cavendish. Passados três anos, sentindo que não estava a evoluir tanto quanto queria, aceitou um posto na Universidade McGill, em Montreal, onde começou a sua lenta e firme ascensão para o estrelato. Quando recebeu o prémio Nobel (por "investiga-

---

* O nome vem da mesma família a que pertencia Henry Cavendish. Este era William Cavendish, sétimo duque de Devonshire, matemático genial e barão do aço na Inglaterra vitoriana. Em 1870, doou à Universidade 6300 libras para a construção de um laboratório experimental.

ções sobre a desintegração dos elementos, e a química das substâncias radioactivas", segundo a citação oficial) já se tinha mudado para a Universidade de Manchester, e foi aí que, na realidade, produziu os seus trabalhos mais importantes na determinação da estrutura e natureza do átomo.

No início do século XX, já se sabia que os átomos eram constituídos por diversos elementos – a descoberta do electrão, por Thomson, permitiu essa conclusão –, mas não se sabia quantos elementos havia, ou como se encaixavam uns nos outros, ou que forma tinham. Alguns físicos achavam que os átomos seriam cúbicos, porque os cubos são mais fáceis de arrumar, sem qualquer perda de espaço. A opinião mais generalizada, no entanto, era a de que um átomo seria parecido com um bolo de passas ou um pudim de ameixa: um objecto sólido, denso, com carga positiva, mas crivado de electrões com carga negativa, como passas num bolo.

Em 1910, Rutherford (assistido pelo seu aluno Hans Geiger, que viria a inventar o detector de radiação com o seu nome), disparou átomos de hélio ionizado, ou partículas alfa, contra uma folha de película de ouro.* Para grande espanto de Rutherford, algumas partículas voltavam para trás. Era como se, dizia, "tivesse atirado uma granada de 15 polegadas contra uma folha dc papel, e esta tivesse ricocheteado, acabando me por aterrar no colo." Segundo todas as regras conhecidas, tal não devia acontecer. Depois de muita reflexão, percebeu que só podia haver uma explicação: as partículas que voltavam para trás batiam em qualquer coisa pequena mas densa que existia no coração do átomo, enquanto as outras partículas continuavam livremente o seu trajecto. Rutherford percebeu que o átomo era constituído essencialmente por vácuo, mas com um núcleo muito denso no meio. Era uma descoberta satisfatória, mas que apresentava um problema imediato. Segundo todas as leis da física convencional, os átomos não deviam, portanto, existir.

Façamos uma pequena pausa e consideremos a estrutura do átomo, tal como a conhecemos hoje. Todos os átomos são feitos de três espécies de partículas elementares: os protões, que têm carga eléctrica positiva; os electrões, que têm carga eléctrica negativa, e os neutrões, que não têm carga. Os protões e os neutrões estão concentrados no núcleo, enquanto os electrões giram livremente à volta dele. É o número de protões que confere ao átomo a sua identi-

---

* Geiger também viria a revelar-se leal aos nazis, traindo sem qualquer hesitação colegas judeus, incluindo muitos que o tinham ajudado.

dade química. Um átomo com um protão é um átomo de hidrogénio, um com dois protões é um átomo de hélio, com três protões um átomo de lítio, e por aí fora. De cada vez que há um protão que se junta, temos um novo elemento. (Como o número de protões de um átomo é sempre equilibrado pelo mesmo número de electrões, às vezes a referência faz-se ao número de electrões que constitui o elemento; vem a dar no mesmo. A mim explicaram-me que os protões dão ao átomo a sua identidade, e os electrões a sua personalidade.)

Os neutrões não influenciam a identidade do átomo, mas contribuem para a sua massa. O número de neutrões é geralmente igual ao número de protões, mas podem variar ligeiramente para mais ou para menos. Se juntarmos mais um ou dois neutrões, obtemos um isótopo. Os termos que se ouvem sobre técnicas de datação em arqueologia referem-se a isótopos – o carbono-14, por exemplo, é um átomo de carbono com seis protões e oito neutrões (14 é a soma dos dois).

Os protões e neutrões estão no núcleo do átomo. O núcleo de um átomo é muito pequeno – somente um milionésimo de bilionésimo do volume total do átomo – mas extremamente denso, uma vez que contém virtualmente toda a massa do átomo. Como disse Cropper, se um átomo fosse expandido até ao tamanho de uma catedral, o núcleo teria apenas as dimensões de uma mosca, mas essa mosca seria milhares de vezes mais pesada do que a catedral. Foi este enorme vácuo, este espaço estrondoso e inesperado, que deixou Rutherford totalmente perplexo em 1910.

Continua a ser uma noção difícil de apreender considerar que os átomos são basicamente espaços vazios, e que a solidez que sentimos à nossa volta é mera ilusão. Quando dois objectos se juntam no mundo real – as bolas de bilhar são um exemplo muitas vezes utilizado para ilustrar isto –, na realidade não chegam a tocar-se verdadeiramente. Timothy Ferris explica: "Os campos com cargas negativas das duas bolas repelem-se mutuamente... e se não fossem essas cargas eléctricas, poderiam, tal como as galáxias, atravessar-se mutuamente e permanecer incólumes." Se nos sentarmos numa cadeira, não nos estamos a sentar verdadeiramente, mas a levitar sobre ela à altura de um angstrom (um centésimo de milhão de centímetro), já que os nossos electrões e os electrões da cadeira se opõem implacavelmente a uma maior intimidade.

A imagem que quase toda a gente tem de um átomo é a de um ou dois electrões a girarem suspensos à volta de um núcleo, como planetas à volta de um sol. Esta imagem foi criada em 1904, baseada em pouco mais do que um bom palpite, por um físico japonês chamado Hantaro Nagaoka. É uma ideia totalmente errada, mas que persiste. Como sublinhou Isaac Asimov, inspirou várias gerações de escritores de ficção científica no sentido de criar mundos contidos dentro de outros mundos, nos quais há átomos que se transformam em minúsculos sistemas solares, ou em que o nosso sistema solar acaba por ser apenas uma partícula dentro de um mundo muito maior. Ainda hoje, a Organização Europeia de Investigação Nuclear (CERN) continua a utilizar a imagem de Nagaoka como logótipo no seu *site* da Internet. Na verdade, como os físicos depressa se aperceberam, os electrões não são nada como planetas em órbita, mas mais como as pás de uma ventoinha, que conseguem preencher simultaneamente todo o espaço por onde passam (mas com a diferença crucial de que as pás da ventoinha apenas *parecem* estar em todo o lado, enquanto os electrões *estão mesmo*.)

Escusado será dizer que muito pouco se sabia disto em 1910, e durante muitos dos anos que se seguiram. A descoberta de Rutherford apresentava alguns problemas sérios e imediatos, dos quais o menor não era com certeza o facto de nenhum electrão poder girar à volta do seu núcleo sem explodir. As teorias da electrodinâmica convencional exigiam que um electrão em movimento esgotasse rapidamente a sua energia – coisa que levaria apenas um instante – e que, num movimento em espiral, fosse absorvido pelo núcleo, com consequências desastrosas para ambos. Havia ainda outro problema: como é que os protões, com as suas cargas positivas, podiam comprimir-se dentro do núcleo sem explodir, e sem fazer explodir igualmente o resto do átomo? Obviamente, o que quer que estivesse a passar-se no mundo do infinitamente pequeno não era governado pelas leis que se aplicam no macromundo onde as nossas expectativas residem.

Assim que os físicos começaram a pesquisar nesta realidade subatómica, perceberam que ela não era apenas diferente daquilo que já conhecíamos, mas diferente de tudo o que alguma vez poderíamos imaginar. "Como o comportamento dos átomos é completamente diferente de qualquer experiência normal", observou Richard Feynman, "é muito difícil habituarmo-nos a ele, e parece estranho e misterioso, tanto para os leigos como para os físicos experientes". Quando Feynman fez este comentário, os físicos já tinham tido meio século para se adaptarem ao misterioso comportamento atómico. Portanto, imagine o que não terá sido para Rutherford e os seus colegas no princípio do século XX, quando tudo aquilo era novidade total.

Uma das pessoas a trabalhar com Rutherford foi um jovem dinamarquês de trato afável chamado Niels Bohr. Em 1913, enquanto tentava compreender a estrutura do átomo, Bohr teve uma ideia tão emocionante que adiou a sua lua-de-mel para poder escrever um estudo que havia de se tornar decisivo neste domínio. Como não conseguiam ver nada tão pequeno como um átomo, os físicos tinham de tentar adivinhar a sua estrutura a partir do seu comportamento perante certas experiências, como Rutherford tinha feito com a folha de ouro e as partículas alfa. Às vezes, os resultados deixavam-nos perplexos, o que não era surpreendente. Um dos enigmas por resolver há algum tempo tinha a ver com as leituras do espectro dos comprimentos de onda do hidrogénio. Os padrões produzidos mostravam que os átomos de hidrogénio emitiam energia em certos comprimentos de onda, mas não noutros. Era como se alguém sob vigilância estivesse sempre a aparecer em certos sítios, sem contudo ser visto a deslocar-se até lá. Ninguém conseguia explicar por que é que isto acontecia.

Foi ao debruçar-se sobre este problema que ocorreu a Bohr uma solução, a qual se apressou a registar no seu famoso estudo. Intitulado "Sobre a Constituição dos Átomos e das Moléculas", nele explicava como os electrões conseguiam evitar ser absorvidos pelo núcleo, ocupando somente algumas órbitas bem definidas. Segundo a nova teoria, um electrão passava de uma órbita para outra, desaparecendo de uma e aparecendo instantaneamente na outra *sem visitar o espaço entre elas*. É evidente que esta ideia – o famoso "salto quântico" – é de uma estranheza absoluta, mas era boa de mais para não ser verdade. Não só evitava que os electrões caíssem à toa dentro do núcleo, como também explicava os estranhos comprimentos de onda do hidrogénio. Os electrões só apareciam em certas órbitas porque só existiam nessas órbitas. Era um conceito estonteante, e fez com que Bohr ganhasse o Prémio Nobel da Física em 1922, um ano depois de Einstein receber o dele.

Entretanto, o incansável Rutherford, agora já de volta a Cambridge como sucessor de J. J. Thomson na direcção do Laboratório Cavendish, apresentou um modelo que explicava por que é que os núcleos não explodiam. Compreendeu que eles deviam ser equilibrados por algum tipo de partículas neutralizantes, às quais chamou neutrões. A ideia era simples e atraente, mas difícil de provar. O associado de Rutherford, James Chadwick, dedicou 11 anos de trabalho intensivo à caça de neutrões, até que finalmente conseguiu o seu objectivo em 1932. Também ele ganhou um Nobel da Física, em 1935. Como Boorse e os seus colegas sublinham na história que escreveram sobre o assunto, o atraso na descoberta foi provavelmente uma grande vantagem, uma vez que um bom conhecimento dos neutrões era fundamental para o desenvolvimento da bomba atómica. (Uma vez que os neutrões não têm carga, não são repelidos pelos campos eléctricos existentes no cerne do átomo, podendo portanto ser disparados como pequenos torpedos para dentro de um núcleo, desencadeando o processo de destruição conhecido por fissão nuclear.) Se o neutrão tivesse sido isolado nos anos 1920, dizem, "seria muito provável que a bomba atómica tivesse sido desenvolvida primeiro na Europa, provavelmente pelos alemães."

O facto é que os europeus andavam muito ocupados a tentar entender o estranho comportamento do electrão. O principal problema que se lhes deparava era que, às vezes, o electrão se comportava como uma partícula, e outras vezes como uma onda. Esta impossível dualidade quase levou os físicos à loucura. Durante toda a década seguinte, de uma ponta da Europa à outra, reflectiam e escreviam furiosamente, e depois apresentavam hipóteses constantes. Em França, o príncipe Louis-Victor de Broglie, morgado de uma família ducal, descobriu que havia certas anomalias no comportamento dos electrões que desapareciam se estes fossem encarados como ondas. A observação chamou a atenção do austríaco Erwin Schrödinger, que procedeu a uns hábeis melhoramentos e inventou um útil sistema conhecido por mecânica de ondas. Quase ao mesmo tempo, o físico alemão Werner Heisenberg apresentou uma teoria rival chamada mecânica matricial. Era tão complexa matematicamente que quase ninguém a entendia, incluindo o próprio Heisenberg ("Eu nem sequer sei que diabo é uma matriz", confidenciou ele a um amigo num momento de desespero), mas não há dúvida de que resolveu alguns problemas que as ondas de Schrödinger não conseguiam explicar.

Acontece que agora a física tinha duas teorias, assentes em premissas contraditórias, que produziam os mesmos resultados. Era uma situação insustentável.

Finalmente, em 1926, Heisenberg apresentou uma solução de compromisso, criando uma nova disciplina que veio a ser conhecida por mecânica quântica. Assenta no Princípio de Incerteza de Heisenberg, que diz que o electrão é de facto uma partícula, mas uma partícula que pode ser descrita em termos de ondas. A incerteza em torno da qual a teoria é construída é a de que, das duas uma, ou conseguimos saber o percurso que um electrão faz ao mover-se através do espaço ou conseguimos determinar onde ele se encontra, mas não podemos saber as duas coisas ao mesmo tempo.* Qualquer tentativa

---

* Existe alguma incerteza sobre a utilização do termo *incerteza* no princípio de Heisenberg. No posfácio da sua peça de teatro *Copenhagen*, Michael Frayn comenta que vários termos alemães

de medir um dos parâmetros perturbará inevitavelmente o outro. Não é uma questão relativa à necessidade de instrumentos mais precisos: é uma propriedade imutável do universo.

O que isto significa, na prática, é que nunca se pode prever onde estará um electrão em determinado momento; só se podem listar as probabilidades de ele estar ou não ali. Ou, dizendo de outra maneira, até ser observado, um electrão deve ser considerado como estando "em todo o lado e em lado nenhum ao mesmo tempo".

Se isto lhe parece confuso, talvez lhe sirva de algum consolo pensar que também o foi para os físicos. Overbye observa: "Bohr comentou uma vez que, se uma pessoa não ficasse indignada com a teoria quântica quando a ouvisse pela primeira vez, era porque certamente nem percebia o que lhe estavam a dizer." Quando perguntaram uma vez a Heisenberg como se podia visualizar um átomo, respondeu: "Nem tente."

Assim, o átomo acabou por se revelar muito diferente da imagem que a maior parte das pessoas tinha criado dele. O electrão não se desloca à volta do núcleo como um planeta à volta do Sol, tendo em vez disso o aspecto mais amorfo de uma nuvem. A "casca" de um átomo não é um invólucro duro e brilhante, como as ilustrações por vezes nos levam a crer, mas apenas a mais exterior dessas turvas nuvens de electrões. A nuvem em si é essencialmente apenas uma zona de probabilidade estatística que marca a área para além da qual o electrão raramente se desloca. Portanto, um átomo, se o pudéssemos ver, seria muito mais parecido com uma bola de ténis muito desfocada do que com uma esfera metálica de contornos bem definidos (mas nenhum dos exemplos é satisfatório; não esqueçamos que estamos a falar de um mundo muito diferente daquele que vemos à nossa volta).

Parecia não haver fim para as coisas esquisitas. Pela primeira vez, como disse James Trefil, os cientistas deparavam-se com "uma área do universo que o nosso cérebro não está sintonizado para compreender". Ou, como comentou Feynman, "numa escala pequena, a forma como as coisas se comportam não tem *nada* a ver com a forma como se comportam a uma grande escala". À medida que iam aprofundando esta matéria, os físicos aperceberam-se de que tinham descoberto um mundo onde os electrões não só podiam saltar de uma órbita para outra sem passar por qualquer espaço existente entre as

---

– *Unsicherheit, Unschärfe, Unbestimmtheit* – têm sido utilizados por diferentes tradutores, mas que nenhum equivale inteiramente à palavra *incerteza*. Frayn sugere que *indeterminação* seria uma palavra mais adequada ao Princípio, e *indeterminabilidade* melhor ainda.

duas, como também que a matéria podia surgir de repente do nada – "desde que", citando Alan Lightman do Instituto de Tecnologia de Massachusetts, "desapareça outra vez suficientemente depressa".

Talvez a mais espantosa das improbabilidades quânticas seja a ideia, resultante do Princípio de Exclusão enunciado por Wolfgang Pauli em 1925, de que, determinados pares de partículas subatómicas, mesmo estanto separadas pelas maiores distâncias, podem "saber" instantaneamente o que a outra está a fazer. Estas partículas possuem uma propriedade conhecida por *spin*, e, de acordo com a teoria quântica, no momento em que se determina o *spin* de uma partícula, a sua partícula-irmã, por mais distante que esteja, começará imediatamente a girar sobre si própria na direcção oposta, e à mesma velocidade.

Nas palavras do escritor científico Lawrence Joseph, é como se tivéssemos duas bolas de bilhar iguais, uma no Ohio e outra em Fiji, e, no momento em que puséssemos uma a rodar sobre si própria, a outra começasse imediatamente a rodar no sentido oposto, e exactamente à mesma velocidade. O mais notável é que o fenómeno foi comprovado em 1997, quando físicos da Universidade de Genebra enviaram fotões a dez quilómetros de distância em direcções opostas, e demonstraram que, quando interferiam com um, o outro reagia imediatamente da mesma forma.

As coisas atingiram proporções tais que Bohr chegou ao ponto de comentar numa conferência, a propósito das novas teorias, que o problema não era ela serem loucas, mas antes não serem *suficientemente* loucas. Para ilustrar a natureza não intuitiva do mundo quântico, Schrödinger propôs um famoso raciocínio experimental: um hipotético gato era colocado numa caixa com um átomo de uma substância radioactiva, amarrado a um frasco de ácido cianídrico. Se a partícula se decompusesse no espaço de uma hora, detonaria um mecanismo que partiria o frasco e envenenaria o gato. Se não, o gato viveria. Mas como não poderíamos saber qual dos dois casos aconteceria, cientificamente a única possibilidade seria considerar o gato 100 por cento vivo e 100 por cento morto ao mesmo tempo. Isto quer dizer, como observou Stephen Hawking com um toque de excitação compreensível, que "não podemos prever eventos futuros com exactidão se não conseguimos medir sequer o estado presente do universo com precisão!"

Por todas estas peculiaridades, muitos físicos não gostaram da teoria quântica, ou pelo menos de alguns dos seus aspectos, entre eles Einstein. Isto era um tanto ou quanto irónico, uma vez que fora ele quem, no seu *annus mirabilis* de 1905, tão persuasivamente explicara que os fotões podiam às vezes comportar-se como partículas e outras vezes como ondas – a noção-chave da nova física. "A teoria quântica merece muito respeito", observou delicadamente, mas na realidade não gostava dela. "Deus não joga aos dados", dizia.*

Einstein não suportava a ideia de que Deus tivesse criado um universo onde existissem coisas que nunca se pudessem vir a saber. Além disso, a ideia de acção à distância – que uma partícula pudesse instantaneamente influenciar outra a biliões de quilómetros de distância – era uma pura violação à teoria especial da relatividade. Esta decretava expressamente que nada poderia ultrapassar a velocidade da luz, e eis que os físicos se punham a insistir que, de alguma maneira, a nível subatómico, havia informações que o faziam. (A propósito, nunca ninguém conseguiu explicar como é que as partículas realizam tal proeza. Os cientistas lidaram com este problema "sem pensar nele", segundo o físico Yakir Aharanov.)

Acima de tudo, havia o problema de a física quântica ter introduzido um nível de imprecisão inexistente até aí. De repente, eram necessárias duas séries de leis para explicar o comportamento do universo – a teoria quântica para o mundo do ínfimo, e a teoria da relatividade para o imenso universo que nos rodeia. A gravidade implícita na teoria da relatividade era brilhante na forma como explicava a razão por que os planetas andavam em órbita em torno dos sóis, ou por que as galáxias tendiam a aglomerar-se, mas não tinha qualquer influência ao nível das partículas. Para explicar o que mantinha os átomos juntos eram necessárias outras forças, e duas delas foram descobertas em 1930: a força nuclear forte e a força nuclear fraca. A força nuclear forte mantém os átomos juntos; é graças a ela que os protões se mantêm juntos dentro do núcleo. A força nuclear fraca está presente em tarefas mais variadas, que, na sua maior parte, têm a ver com o controlo das taxas de decaimento radioactivo.

Esta força fraca, apesar do nome, é dez mil biliões de biliões de vezes mais forte do que a gravidade, e a força nuclear forte é mais forte ainda – muitíssimo mais, na verdade – mas a sua influência só se faz sentir a distâncias extraordinariamente curtas. A força forte só se faz sentir até à distância de cerca de 1/100 000 do diâmetro de um átomo. É por isso que os núcleos dos átomos são tão compactos e densos, e que os elementos com núcleos grandes e cheios de protões tendem a ser tão instáveis: a força forte simplesmente não consegue controlar todos os protões.

---

* Ou, pelo menos, é essa a citação que aparece quase sempre. O que ele disse mesmo foi: "Parece-me difícil espreitar por cima do ombro de Deus para lhe espreitar o jogo. Mas que Ele jogue aos dados e use métodos 'telepáticos'... isso não acredito nem por um momento."

A conclusão disto tudo é que os físicos acabaram por ficar com duas séries de leis com vidas completamente separadas – uma para o mundo do extremamente pequeno, e outra para o universo em geral. Einstein também não gostou disto. Por isso, passou o resto da vida a tentar ligar estes dois fios soltos da meada através de uma nova grande teoria unificada, mas nunca conseguiu. De vez em quando parecia-lhe que tinha encontrado a solução, mas acabava sempre por chegar a um beco sem saída. À medida que o tempo ia passando, começou a ser cada vez mais marginalizado, chegando a haver quem tivesse pena dele. Snow escreveu sobre ele: "Quase todos os seus colegas acharam, e ainda acham, que desperdiçou a segunda metade da sua vida."

Noutros pontos, contudo, faziam-se grandes progressos. Por volta dos anos 1940, os cientistas já tinham chegado a compreender o átomo a um nível extremamente profundo – como acabaram por demonstrar, com uma eficácia maior do que seria de desejar, em Agosto de 1945, ao detonarem duas bombas atómicas sobre o Japão.

Chegados a este ponto, os físicos tinham desculpa por pensarem que tinham conquistado o átomo. Mas o facto é que, em matéria de física de partículas, tudo se ia complicar ainda muito mais. No entanto, antes de nos lançarmos nessa história um pouco cansativa, é preferível completarmos um dos fios da nossa história de quase tudo com uma narrativa de avareza, traição, erros científicos e várias mortes desnecessárias, até à determinação definitiva da idade da Terra.

10.

CHUMBO, O FIEL INIMIGO

Nos finais dos anos 1940, um estudante licenciado pela Universidade de Chicago chamado Clair Patterson (que, apesar do requintado nome de baptismo, era um rapaz do campo do Iowa) andava a usar um novo método de medição com isótopos de chumbo para tentar descobrir a idade da Terra de uma vez por todas. Infelizmente, todas as amostras resultavam contaminadas, demasiado contaminadas. A maior parte continha cerca de 200 vezes a quantidade de chumbo que seria normal. Foram precisos muitos anos para Patterson chegar à conclusão de que era Thomas Midgley Jr., um inventor medíocre do Ohio, o responsável pelo fenómeno.

Midgley era engenheiro, e o mundo inteiro seria hoje um lugar mais seguro se ele tivesse continuado a sê-lo. Mas não, começou a interessar-se pelas aplicações industriais da química. Em 1921, quando trabalhava para a General Motors Research Corporation, em Dayton, no Ohio, estudou um composto chamado chumbo tetraetilo, e descobriu que este reduzia consideravelmente um fenómeno habitualmente conhecido como detonação dos motores.

Embora fosse do conhecimento geral que o chumbo era perigoso, no início do século XX este encontrava-se na grande maioria dos produtos consumíveis. As latas de produtos alimentares eram seladas com solda de chumbo. A água era normalmente armazenada em tanques forrados a chumbo. Era usado como pesticida nas frutas, sob a forma de arseniato de chumbo. Até fazia parte das embalagens das pastas de dentes. Era raro o produto que não contaminava com um pouco de chumbo a vida dos consumidores. Em todo o caso, foi com a adição do chumbo à gasolina que esta intimidade se consumou.

O chumbo é uma neurotoxina. Pode provocar a danos irreparáveis a nível do cérebro e do sistema nervoso central. Entre os muitos sintomas associados à sobrexposição ao chumbo encontramos a cegueira, a insónia, a insuficiência renal, a perda de audição, o cancro, vários tipos de paralisia e as convulsões. Na sua forma mais aguda provoca alucinações aterrorizantes, tanto para as vítimas como para quem assiste aos seus ataques, e que acabam geralmente em coma e morte. Não é nada boa ideia deixar entrar demasiado chumbo no nosso organismo.

Por outro lado, o chumbo era fácil de extrair e de trabalhar, e quase vergonhosamente lucrativo quando produzido industrialmente – e não há dúvida de que o chumbo tetraetilo acabou definitivamente com a detonação dos motores. E foi assim que, em 1923, três das maiores companhias americanas, a General Motors, a Du Pont e a Standard Oil, de Nova Jérsia, formaram uma empresa conjunta chamada Ethyl Gasoline Corporation (mais tarde conhecida apenas por Ethyl Corporation), com o objectivo de fazer tanto chumbo tetraetilo quanto o mundo estivesse disposto a comprar, que acabou por ser muitíssimo. Chamaram "etilo" ao aditivo por parecer mais inócuo e menos tóxico do que o termo "chumbo", e introduziram-no no consumo público (de muitas mais maneiras do que a maior parte das pessoas pensa) a 1 de Fevereiro de 1923.

Quase ao mesmo tempo, os trabalhadores começaram a exibir a forma de andar cambaleante e a confusão mental características de envenenamento recente. Quase imediatamente, a Ethyl Corporation lançou-se numa política de desmentido calmo mas firme, que manteve durante várias décadas. Como comenta Sharon Bertsch Mcgrayne, na sua história da química industrial, *Prometheans in the Lab*, quando os empregados de uma determinada fábrica exibiam alucinações irreversíveis, o porta-voz da empresa rapidamente informava os repórteres: "Estes homens enlouqueceram, provavelmente, por excesso de trabalho." No total, pelo menos 15 homens morreram nos primeiros tempos da produção de gasolina com chumbo, e inúmeros ficaram doentes, muitas vezes com gravidade; não se conhecem os números exactos, já que a companhia conseguia quase sempre abafar as notícias de fugas, derramamentos e intoxicações, pouco convenientes para o negócio. Às vezes, contudo, era impossível evitar as notícias, particularmente em 1924, quando, numa só sala mal ventilada, morreram em poucos dias cinco operários da produção e 35 ficaram transformados em farrapos humanos cambaleantes.

Como começavam a correr rumores sobre os perigos do novo produto, o entusiástico inventor do etilo, Thomas Midgley, resolveu fazer uma demonstração para os repórteres, a fim de acabar com as preocupações. Enquanto ia falando sobre a preocupação da empresa com a segurança dos seus trabalhadores, entornou chumbo tetraetilo sobre as mãos, depois pegou numa proveta cheia do mesmo produto e respirou os seus vapores durante um minuto, declarando que podia repetir o processo todos os dias sem qualquer problema. Mas a verdade é que estava farto de saber os perigos do envenenamento pelo chumbo: ele próprio tinha ficado seriamente doente uns meses antes por exposição ao produto, e, quando não tinha de fazer estas encenações para acalmar os jornalistas, fugia dele como o diabo da cruz.

Animado pelo sucesso da gasolina com chumbo, Midgley debruçou-se em seguida sobre outro problema técnico típico da época. Nos anos 1920, os frigoríficos eram incrivelmente perigosos, porque usavam gases perigosos sujeitos a fugas. Em 1929, uma fuga num frigorífico de hospital em Cleveland, no Ohio, matou mais de cem pessoas. Midgley lançou-se na descoberta de um gás que fosse estável, não inflamável, não corrosivo e seguro de respirar. Com aquele seu quase apavorante instinto para a asneira, inventou os clorofluorocarbonetos, ou CFC.

Raras vezes houve um produto industrial que tenha sido tão rapidamente adoptado, e com consequências tão desastrosas. Os CFC começaram a ser produzidos no início dos anos 1930, e foram imediatamente aplicados em quase tudo, desde o ar condicionado nos carros a desodorizantes em *spray*, antes de se perceber, meio século mais tarde, que se tratava do responsável pelo desaparecimento do ozono na estratosfera. Desnecessário será dizer que não foi lá muito boa ideia.

O ozono é uma forma de oxigénio molecular em que cada molécula possui três átomos de oxigénio em vez de dois. É uma espécie de anormalidade química, na medida em que, ao nível do solo, se comporta como uma substância poluente, enquanto na estratosfera é benéfico, uma vez que absorve as perigosas radiações ultravioletas. Mas este ozono benéfico não é muito abundante. Se fosse distribuído uniformemente ao longo da estratosfera, constituiria uma camada de apenas 0,3 cm de espessura, razão pela qual é tão vulnerável e as perturbações atingem tão rapidamente um ponto crítico.

Os clorofluorocarbonetos também não são muito abundantes – constituem apenas uma parte por mil milhões da atmosfera total –, mas são extraordinariamente destrutivos. Meio quilo de um CFC pode capturar e aniquilar 32 mil quilos de ozono atmosférico. Também são muito duradouros – em média, duram cerca de um século –, destruindo tudo enquanto duram. Além disso, são autênticas esponjas a absorver calor. Uma simples molécula de CFC é cerca de dez mil vezes mais eficiente a agravar o efeito de estufa do que uma molécula de dióxido de carbono – e o dióxido de carbono não é nada modesto como gás de estufa. Em resumo, os clorofluorocarbonetos são grandes candidatos ao epíteto da pior invenção do século XX.

Midgley nunca soube disto, porque morreu muito antes de se saber até que ponto os CFC eram nocivos. Mas o facto é que teve uma morte extremamente invulgar. Depois de ter ficado incapacitado na sequência de uma poliomielite, Midgley inventou uma engenhoca com uma série de alavancas motorizadas que automaticamente o levantavam ou deitavam na cama. Em 1944, ficou preso nas cordas quando a máquina começou a trabalhar, acabando por ser estrangulado pela sua própria invenção.

O local certo para se saber a idade das coisas era, nos anos 1940, a Universidade de Chicago. Willard Libby estava prestes a inventar o processo de datação por radiocarbono, que permite aos cientistas ler a idade precisa nos ossos e noutros restos orgânicos, algo que nunca se tinha conseguido fazer até então. Antes desta altura, as datas antigas mais fiáveis não iam além da Primeira Dinastia no Egipto, cerca do ano 3000 a. C. Ninguém podia dizer com certeza, por exemplo, quando tinha acabado a idade do gelo, ou quando é que os homens do Cro-Magnon tinham decorado as cavernas de Lascaux, em França.

A ideia de Libby foi tão proveitosa que viria a ganhar o Prémio Nobel em 1960. Baseava-se no facto de todos os seres vivos terem dentro de si um isótopo de carbono chamado carbono-14, que começa a diminuir a uma taxa mensurável no instante em que morrem. O carbono-14 tem uma semivida – isto é, o tempo que demora a desaparecer metade de qualquer amostra – de cerca de 5600 anos, portanto, calculando a quantidade desaparecida de uma determinada amostra, Libby conseguia ter uma ideia bastante razoável da idade do objecto – embora só até certo ponto. Depois de oito semividas, resta apenas 0,39 por cento do carbono radioactivo, muito pouco para se fazer uma medição precisa, o que quer dizer que este método do radiocarbono só funciona com objectos até cerca de 40 mil anos de idade.

Curiosamente, à medida que a técnica se difundia, começaram a detectar-se certas imperfeições. Para começar, descobriu-se que um dos componentes básicos da fórmula de Libby, conhecido como constante de decaimento, estava incorrecto em cerca de três por cento. Nessa altura, contudo, já se tinham feito milhares de medições em todo o mundo. Em vez de conferirem tudo, os cientistas resolveram manter a constante como estava. "Portanto", observa Tim Flannery, "cada data radiométrica calculada nos dias de hoje será três por cento mais nova". Mas os problemas não acabavam aqui. Também se percebeu rapidamente que as amostras de carbono-14 podem ser facilmente contaminadas com carbono de outras fontes – uma pequena amostra de matéria vegetal, por exemplo, que tenha sido apanhada inadvertidamente ao mesmo tempo que a amostra. Para as amostras mais jovens – abaixo dos 20 mil anos, mais ou menos –, uma ligeira contaminação não terá grande influência, mas no caso das amostras mais antigas pode ser um problema sério, já que os átomos restantes para a contagem são poucos. No primeiro caso, citando Flannery, "é como se nos enganássemos num dólar ao contar mil; no caso das amostras mais antigas, pode ser um erro de um dólar quando temos apenas dois dólares para contar."

O método de Libby também se baseava no pressuposto de que a quantidade de carbono-14 contida na atmosfera, e a taxa a que era absorvida pelos seres vivos, fora sempre constante através da história. Mas na realidade não era assim. Sabemos agora que o volume de carbono-14 na atmosfera depende de como o magnetismo da Terra desvia mais ou menos os raios cósmicos, e que isso pode variar bastante através dos tempos. Portanto, algumas datações por carbono-14 são menos correctas do que outras. Isto acontece especialmente com datas próximas da época de colonização das Américas, razão pela qual este assunto anda sempre em discussão.

Por fim, e talvez um pouco surpreendemente, as leituras podem ser distorcidas por factores externos que aparentemente nada têm a ver – como, por exemplo, o regime alimentar seguido pelas pessoas cujos ossos estão a ser analisados. Um caso recente veio ilustrar o velho debate sobre se a sífilis teve origem no Novo ou no Velho Mundo. Arqueólogos de Hull, no Norte de Inglaterra, descobriram que uns monges exumados do cemitério de um mosteiro tinham sucumbido à sífilis, mas a conclusão inicial, segundo a qual isso teria acontecido antes da viagem de Colombo, foi posta em dúvida depois de se saber que o seu regime alimentar incluía grandes quantidades de peixe, coisa que poderia fazer com que os ossos parecessem mais antigos do que eram na realidade. É bem possível que os monges tenham apanhado sífilis, mas saber como e quando, continua a ser um irritante mistério.

Por causa das sucessivas falhas com o carbono-14, os cientistas inventaram outros métodos para datar materiais antigos, entre os quais a termoluminescência, que mede os electrões retidos nas argilas, e a ressonância de *spin* electrónico, que consiste em bombardear uma amostra com ondas electromagnéticas e medir as vibrações dos electrões. Mas mesmo o melhor destes sistemas não conseguia datar nada com mais de 200 mil anos, e não era capaz de datar materiais inorgânicos, como rochas, o que, evidentemente, é fundamental para determinar a idade do planeta.

A dificuldade com a datação das rochas era tal que, a certa altura, quase todos os cientistas do mundo inteiro desistiram de o fazer. Se não fosse um obstinado professor universitário inglês chamado Arthur Holmes, a questão poderia muito bem ter-se ficado por aí.

Holmes foi heróico, tanto pelos obstáculos que ultrapassou como pelos resultados que conseguiu obter. Por volta dos anos 1920, quando estava no auge da sua carreira, a geologia passava de moda – o grande entusiasmo era agora a física –, e quase não havia financiamentos para aquele ramo da ciência, especialmente na Grã-Bretanha, o seu berço espiritual. Holmes foi, durante muitos anos, todo o departamento de geologia da Universidade de Durham. Várias vezes teve de pedir emprestado equipamento, ou então consertá-lo ele próprio, para poder continuar a sua datação radiométrica das rochas. A dada altura, os seus cálculos chegaram a ficar parados durante um ano inteiro, à espera que a universidade lhe fornecesse uma simples máquina de somar. De vez em quando tinha de abandonar a vida académica para ganhar o suficiente para sustentar a família – chegou a gerir uma loja de curiosidades em Newcastle upon Tyne – e era frequente nem conseguir pagar as cinco libras anuais da quota da Geological Society.

Em teoria, a técnica usada por Holmes no seu trabalho era simples: baseava-se no processo descoberto por Ernest Rutherford em 1904, segundo o qual átomos de determinados elementos se transformam noutros elementos durante o decaimento radioactivo a uma taxa tão previsível que podem ser usados como relógios. Se soubermos quanto tempo leva ao potássio-40 a transformar-se em árgon-40, e se medirmos as quantidades de cada um contidas numa amostra, podemos calcular a idade de um determinado material. Holmes calculou que, medindo a taxa de decaimento do urânio em chumbo, seria possível calcular a idade das rochas, e portanto – assim o esperava – a da Terra.

Mas havia muitas dificuldades técnicas a ultrapassar. Holmes também precisava de instrumentos sofisticados que pudessem tirar medidas precisas em amostras muito pequenas, mas, como já sabemos, teve um trabalhão só para conseguir uma simples máquina de somar. Foi já um feito considerável quando, em 1946, conseguiu proclamar com alguma certeza que a Terra tinha pelo menos três mil milhões de anos, e possivelmente mais ainda. Infelizmente, ia agora deparar-se com outro enorme impedimento para a aceitação da sua teoria: o conservadorismo dos seus colegas cientistas. Embora dispostos a elogiar a sua metodologia, muitos insistiam que ele não tinha descoberto a idade da Terra, mas apenas a idade dos materiais que a constituíam.

Foi precisamente nessa altura que Harrison Brown, da Universidade de Chicago, desenvolveu um novo método para a contagem de isótopos de chumbo em rochas ígneas (ou seja, as que se formaram por fusão, por oposição às que se formaram por sedimentação). Quando percebeu que o trabalho ia ser extremamente longo e meticuloso, passou-o para o jovem Clair Patterson como projecto de tese. Diz-se que lhe garantiu que determinar a idade da Terra através do seu novo método seria "canja". Mas a verdade é que acabou por levar vários anos.

Patterson começou a trabalhar no projecto em 1948. Comparada com as contribuições coloridas de Thomas Midgley para a marcha do progresso, a descoberta da idade da Terra passou a ser tão atraente como uma velha de 100 anos. Durante sete anos, primeiro na Universidade de Chicago e depois no Instituto de Tecnologia da Califórnia (para onde se mudou em 1952), trabalhou num laboratório estéril, fazendo medições rigorosíssimas das taxas de chumbo/urânio em amostras de rochas antigas cuidadosamente seleccionadas.

O problema na medição a idade da Terra era a necessidade de encontrar rochas extremamente antigas, que contivessem cristais com chumbo e urânio tão vetustos como o próprio planeta, visto que qualquer rocha mais nova revelaria uma data erroneamente recente, mas as rochas muitíssimo antigas são raras na Terra. Nos finais dos anos 1940, ninguém percebia muito bem por que era assim. Na verdade, o que é de espantar, é que estaríamos já bem avançados na era espacial antes que alguém conseguisse dar uma explicação razoável sobre o que acontecera com as rochas mais antigas da Terra. (A resposta estava na tectónica de placas, de que vamos falar mais adiante.) Entretanto, Patterson continuava a tentar explicar as coisas com materiais muito limitados. Por fim, teve a engenhosa ideia de contornar a questão da falta de rochas antigas, usando rochas extraterrestres. E foi assim que começou a estudar os meteoritos.

O princípio de que partiu – um pouco arriscado, mas que acabou por revelar-se correcto – foi o de que muitos meteoritos são essencialmente restos dos materiais de construção dos primeiros dias do sistema solar, tendo por isso mantido as suas características químicas internas em estado mais ou menos puro. Medindo-se a idade destas rochas, ter-se-ia a idade (suficientemente aproximada) da Terra.

Como sempre, no entanto, nada é tão simples quanto uma descrição destas parece sugerir. Os meteoritos não andam por aí aos pontapés, pelo que as respectivas amostras não são lá muito fáceis de encontrar. Além disso, a técnica de medição de Brown provou ser muito delicada, exigindo grande aperfeiçoamento para poder ser fiável. Mas o principal problema era o facto de as amostras de Patterson aparecerem permanente e inexplicavelmente contaminadas com grandes doses de chumbo atmosférico sempre que eram expostas ao ar. Foi este facto que o levou a criar um laboratório estéril – o melhor do mundo, segundo pelo menos uma testemunha.

Patterson levou sete anos de trabalho paciente a coligir amostras adequadas aos testes finais. Na Primavera de 1953 deslocou-se ao Argonne National Laboratory, no Illinois, onde o deixaram utilizar o último modelo de um espectrógrafo de massa, uma máquina capaz de detectar e medir as mínimas quantidades de chumbo e de urânio encerradas nos cristais antigos. Quando finalmente obteve os seus queridos resultados, Patterson ficou tão excitado que foi directamente para a casa onde nascera, no Iowa, e pediu à mãe que o levasse ao hospital, porque achou que estava a ter um ataque de coração.

Pouco tempo depois, numa reunião que teve lugar no Wisconsin, Patterson anunciou a idade definitiva da Terra: 4550 milhões de anos (com uma margem de erro de 70 milhões de anos) – "um número que continua inalterado 50 anos mais tarde", como sublinha McGrayne com admiração. Ao fim de 200 anos de tentativas, a Terra tinha finalmente uma idade.

Depois de feito o grosso do seu trabalho, Patterson passou a interessar-se pela incomodativa questão de todo aquele chumbo a pairar na atmosfera. Ficou espantado ao descobrir que o pouco que se sabia sobre os efeitos do chumbo nos seres humanos estava quase sempre errado, ou podia, pelo menos, induzir em erro – o que também não era de espantar, já que, durante 40 anos, todos os estudos sobre a matéria tinham sido financiados por fabricantes de aditivos de chumbo.

Num desses estudos, um médico sem qualquer formação em patologia química iniciou um programa de cinco anos em que os voluntários eram convidados a inalar ou engolir chumbo em quantidades elevadas, após o que eram submetidos a análises das fezes e da urina. Infelizmente, e o médico pelos vistos ignorava tal facto, o chumbo não é excretado como resíduo indesejável. Em vez disso, acumula-se nos ossos e no sangue – por isso é tão perigoso.

Mas como não se fizeram análises aos ossos nem ao sangue, o chumbo foi dado como inócuo.

Patterson concluiu rapidamente que havia uma grande quantidade de chumbo na atmosfera – e ainda há, uma vez que o chumbo não desaparece – e que cerca de 90 por cento desse chumbo vinha, aparentemente, dos tubos de escape dos carros, mas não podia prová-lo. Precisava de ter uma maneira de comparar os níveis de chumbo na atmosfera existentes na altura com os anteriores a 1923, data em que fora introduzido o chumbo tetraetilo. Lembrou-se então de que a resposta podia estar nos núcleos de gelo.

Era sabido que a neve em lugares como a Gronelândia se acumula em discretas camadas anuais (porque as diferenças sazonais de temperatura produzem ligeiras mudanças na sua coloração, na passagem do Inverno para o Verão). Contando regressivamente as camadas e medindo a quantidade de chumbo em cada uma delas, conseguiria calcular a concentração global de chumbo em qualquer momento, durante centenas ou mesmo milhares de anos. Esta noção tornou-se a base dos estudos dos núcleos de gelo, na qual assentam muitos dos estudos actuais de climatologia.

O que Patterson descobriu foi que, antes de 1923, quase não havia chumbo na atmosfera, mas a partir dessa data os níveis tinham aumentado a uma taxa constante e assustadora. Foi então que resolveu dedicar a sua vida a tentar que se retirasse o chumbo da gasolina. Para tal, passou a ser um crítico constante e inabalável da indústria do chumbo e respectivos interesses.

A campanha viria a revelar-se um verdadeiro pesadelo. A Ethyl era uma empresa vasta e poderosa, com muitos apoiantes em lugares influentes. (Entre os seus vários administradores, encontra-se o juiz do Supremo Tribunal Lewis Powel, e Gilbert Grosvenor, da National Geographic Society.) De um momento para o outro, Patterson viu os subsídios de investigação a escassear, se não a desaparecer completamente. O American Petroleum Institute cancelou uma investigação que lhe tinha encomendado, assim como os Serviços de Saúde Pública dos Estados Unidos, um organismo estatal supostamente neutro.

À medida que Patterson se tornava cada vez mais num embaraço para a instituição em que trabalhava, os membros do conselho de administração da escola iam sendo pressionados pela indústria do chumbo, no sentido de o silenciar ou mesmo despedir. Segundo diz Jamie Lincoln Kitman, num artigo do *The Nation* publicado em 2000, os executivos da Ethyl ter-se-ão oferecido para subsidiar uma cátedra no Instituto de Tecnologia da Califórnia "se Patterson fosse despachado". O mais absurdo foi ter sido excluído de um painel organizado em 1971 pelo National Research Council para investigar os perigos de envenenamento pelo chumbo na atmosfera, numa altura em que já era inquestionavelmente o maior perito em chumbo atmosférico.

Mas, honra lhe seja feita, Patterson nunca esmoreceu nem desistiu. Os seus esforços acabaram por levar à introdução do Clean Air Act, em 1970, e finalmente, em 1986, à retirada da gasolina com chumbo do mercado americano de consumo. Quase imediatamente, os níveis de chumbo no sangue dos americanos desceu 80 por cento. Mas, como o chumbo não desaparece, nós, os que estamos vivos hoje, temos cerca de 625 vezes mais chumbo no sangue do que os nossos antepassados de há cem anos. Além disso, o nível de chumbo atmosférico continua a aumentar, com toda a legalidade, cerca de cem mil toneladas por ano, proveniente na sua maior parte das minas, fundições e actividades industriais em geral. Os Estados Unidos também baniram o chumbo das tintas de interior "40 anos depois da Europa", como sublinha McGrayne. Surpreendentemente, considerando a sua grande toxicidade, a solda de chumbo só foi retirada das latas de produtos alimentares em 1993.

Quanto à Ethyl Corporation, continua próspera, apesar de a GM, a Standard Oil e a Du Pont já não deterem acções na companhia. (Venderam as respectivas quotas a uma companhia chamada Albemarle Paper, em 1962.) Segundo McGrayne, em Fevereiro de 2001 a Ethyl continuava a insistir que "as pesquisas não tinham demonstrado que a gasolina com chumbo fosse uma ameaça para a saúde humana ou o ambiente". Na sua página da Internet, a companhia faz o seu historial sem qualquer referência ao chumbo – nem tão-pouco a Thomas Midgley –, referindo simplesmente que o produto original continha "uma certa combinação de químicos".

A Ethyl já não produz gasolina com chumbo, embora, segundo as contas da companhia de 2001, o tetraetilo de chumbo (ou TEL, como lhe chamam) ainda fosse responsável por 25,1 milhões de dólares das vendas de 2000 (num total de 795 milhões), número mais elevado do que os 24,1 milhões de dólares de 1999, mas bem mais modesto do que os 117 milhões de 1998. Nesse relatório, a companhia anunciava a sua determinação em "maximizar os lucros gerados pelo TEL, à medida que a sua utilização continuar a ser gradualmente suprimida em todo o mundo". A Ethyl comercializa o TEL através de um acordo com a Associated Octel of England.

Em relação à outra calamidade que nos foi legada por Thomas Midgley, os clorofluorocarbonetos (CFC), foram proibidos nos Estados Unidos em

1974, mas são tenazes como a praga, pelo que tudo o que já tenha sido espalhado na atmosfera (nos desodorizantes e nas lacas do cabelo, por exemplo) vai continuar a devorar o ozono muito tempo depois de termos ido desta para melhor. Pior ainda, continuamos a introduzir enormes quantidades de CFC na atmosfera todos os anos. Segundo Wayne Biddle, há mais de 27 milhões de quilos deste composto, num valor de cerca de 1,5 mil milhões de dólares, que continuam a ser introduzidos anualmente no mercado. Então quem é que os produz? Nós – isto é, muitas das nossas grandes companhias continuam a produzi-los nas suas fábricas no estrangeiro, porque só serão banidos nos países do Terceiro Mundo em 2010.

Clair Patterson morreu em 1995, sem ganhar um Prémio Nobel pelo seu trabalho. Os geólogos nunca ganham nada. Mais estranho ainda, não ganhou fama, nem chamou grande atenção, ao longo de meio século de esforços constantes e feitos altruístas. Pode dizer-se sem exagero algum que foi o mais influente geólogo do século XX. Mas quem já ouviu falar de Clair Patterson? Muitos livros de geologia nem sequer o mencionam. Dois livros de sucesso recentemente publicados sobre a história da datação da Terra conseguem mesmo escrever o nome dele incorrectamente. No início de 2001, um crítico, ao falar de um desses livros na revista *Nature,* conseguiu acrescentar a este o erro espantoso de se referir a Patterson como sendo uma mulher.

Em todo o caso, foi graças ao trabalho de Clair Patterson que, em 1953, a Terra viu finalmente atribuir-se-lhe uma idade capaz de reunir um consenso geral. O único problema agora é que a Terra era mais antiga do que o universo que a contém.

11.

OS QUARKS DE JAMES JOYCE

Em 1911, um cientista britânico chamado C. T. R. Wilson dedicava-se a escalar com regularidade o pico de Ben Nevis, uma montanha escocesa conhecida pela sua humidade, a fim de estudar a formação de nuvens, quando lhe ocorreu que devia haver uma maneira mais fácil de o fazer. De volta ao Laboratório Cavendish, em Cambridge, construiu uma câmara de nuvens artificiais – um dispositivo simples onde podia arrefecer e humidificar o ar, criando um modelo razoável de nuvem em ambiente laboratorial.

O instrumento trabalhava muito bem, e tinha uma inesperada vantagem adicional. Quando acelerava uma partícula alfa através da câmara a fim de criar as suas nuvens artificiais, esta deixava um trilho visível – como os rastos que deixam os aviões ao passar. Tinha acabado de inventar o detector de partículas, coisa que provava de forma convincente a existência de partículas subatómicas.

Mais tarde, dois outros cientistas de Cavendish iriam inventar um dispositivo mais potente de feixe de protões, enquanto na Califórnia, em Berkeley, Ernest Lawrence produzia o seu famoso ciclotrão, ou "esmaga-átomos", como se chamaram no início tais dispositivos. Todos estes funcionavam – e ainda funcionam – mais ou menos segundo o mesmo princípio: acelerar um protão, ou outra partícula com carga eléctrica, até ele atingir enorme velocidade ao longo de um trajecto (por vezes linear, outras vezes circular), e, de repente, fazê-lo chocar com outra partícula, para ver o que se libertava no processo. Era por isso que lhes chamavam esmaga-átomos. Não era uma manifestação muito sofisticada do espírito científico, mas o que interessa é que, em geral, funcionava.

À medida que os físicos construíam máquinas maiores e mais ambiciosas, começavam a descobrir ou a postular partículas, ou famílias de partículas, que pareciam não ter fim: muões, piões, hiperões, mesões, mesões-K, bosões de Higgs, bosões de vector intermediário, bariões e taquiões. Até os físicos começaram a achar tudo isto despropositado. "Jovem", respondeu Enrico Fermi quando um estudante lhe perguntou o nome de determinada partícula, "se me conseguisse lembrar dos nomes dessas partículas, tinha ido para botânica."

Hoje em dia os aceleradores de partículas têm nomes que parecem saídos de uma batalha do Flash Gordon: Superprotão Sincrotão (SPS), Grande Colisor Electrão-Positrão, Grande Colisor de Hadrões (LHD), Colisor Relativista de Iões Pesados. Usando grandes quantidades de energia (alguns trabalham só à noite, de modo a não deitarem abaixo a electricidade das cidades vizinhas, tal a quantidade de energia que consomem), conseguem acelerar as partículas a uma velocidade tal que um simples electrão pode dar 47 mil voltas a um túnel de sete quilómetros num segundo. Chegou-se a temer que, no seu entusiasmo, os cientistas criassem inadvertidamente um buraco negro, ou mesmo algo a que chamam "quarks estranhos", que poderiam, teoricamente, interagir com outras partículas subatómicas e propagar-se descontroladamente. Se está a ler isto, pode ficar sossegado – é porque tal não aconteceu.

É necessária uma certa concentração para encontrar partículas. Não só são pequeníssimas e rápidas como também inacreditavelmente efémeras. As partículas podem aparecer e desaparecer em qualquer coisa como 0,000 000 000 000 000 000 000 001 de segundo (10^{-24}). Até a mais indolente das partículas instáveis não dura mais do que 0,000 000 1 de segundo (10^{-7}).

Algumas são incrivelmente escorregadias. A cada segundo a Terra é visitada por dez mil biliões de biliões de minúsculas partículas, quase desprovidas de massa, chamadas neutrinos (a maior parte disparada pelas erupções solares), dos quais virtualmente todos passam através de tudo o que existe na Terra, incluindo eu e o leitor, como se não existíssemos. Para apanhar apenas alguns deles, os cientistas precisam de tanques com uma capacidade de 57 milhões de litros de água pesada (água com uma abundância relativa de deutério) situados em câmaras subterrâneas (normalmente minas velhas), onde não possa haver interferência de outros tipos de radiação.

Muito de vez em quando, um neutrino esbarra com um núcleo atómico contido na água, produzindo um pequeno sopro de energia. Os cientistas contam os sopros, e a partir daí conseguem aproximar-nos – muito ligeiramente – de uma explicação das propriedades fundamentais do universo. Em 1998, investigadores japoneses declararam que os neutrinos têm, de facto, massa – só que não é lá grande coisa: cerca de 1/10 000 000 da do electrão.

Hoje em dia, a única coisa necessária para descobrir partículas, é dinheiro. Muito. Na física moderna, existe uma relação inversamente proporcional entre a pequenez daquilo que se investiga e a escala do equipamento necessário para o fazer. O Centro Europeu de Investigação Nuclear (CERN) é como uma pequena cidade. Situado na fronteira entre a França e a Suíça, emprega cerca de três mil pessoas e ocupa vários quilómetros quadrados de terreno. O CERN possui um sistema de ímans supercondutores que pesa mais do que a Torre Eiffel, e tem um corredor subterrâneo com mais de 26 quilómetros.

Partir átomos é fácil, como sublinhou James Trefil; o próprio leitor o faz, de cada vez que acende uma lâmpada fluorescente. Partir núcleos atómicos é que já requer uma soma considerável e uma grande quantidade de energia eléctrica. A nível dos quarks – as partículas que formam as partículas –, é preciso ainda mais: biliões de volts de electricidade e um orçamento igual ao de uma pequena nação da América Central. O novo Grande Colisor de Hadrões do CERN, (LHD), programado para entrar em funcionamento em 2005, vai chegar aos 14 biliões de volts de energia, e a sua construção deverá custar cerca de 1,5 mil milhões de dólares*.

Todavia estes números são insignificantes se comparados com o que se poderia ter obtido (e gastado!) com o descomunal Supercolisor Supercondutor, cujo projecto foi entretanto abandonado, infelizmente, mas que ainda começou a ser construído perto de Waxahachie, no Texas, nos anos 1980, antes de ele próprio entrar em colisão com o Congresso dos Estados Unidos. O objectivo do colisor era permitir que os cientistas investigassem a "natureza última da matéria", como sempre se disse, ao recriar tão fielmente quanto possível as condições do universo durante os primeiros dez mil bilionavos de segundo. O projecto consistia em lançar partículas através de um túnel com 84 quilómetros de comprimento, atingindo o espantoso nível de 99 biliões de volts de energia. Era um projecto ambicioso, mas teria custado oito mil milhões de dólares (número que eventualmente subiu para dez mil milhões), além de centenas de milhar de dólares por ano para o manter em funcionamento.

Foi talvez o exemplo mais literal da velha história de "enterrar" dinheiro; o Congresso Americano gastou dois mil milhões de dólares no projecto para depois o cancelar em 1993, quando já tinham sido escavados 22 quilómetros de túnel. De modo que, hoje em dia, o Texas pode gabar-se de ter o buraco mais caro do universo. Segundo o meu amigo Jeff Guinn, do *Fort Worth*

---

* Mas há efeitos secundários úteis, que justificam toda esta despesa. A World Wide Web é um produto do CERN. Foi inventada por um cientista daquela instituição, Tim Berners-Lee, em 1989.

Star-Telegram, é, "essencialmente, um vasto campo aberto, rodeado por uma série de pequenas cidades desiludidas."

Desde o fiasco do Supercolisor, os físicos de partículas passaram a ser um pouco menos ambiciosos nas suas expectativas, mas mesmo os projectos relativamente modestos custam quantias de cortar a respiração se os compararmos com... praticamente tudo. A construção de um observatório de neutrinos proposto para a velha Homstake Mine, em Lead, no Dacota do Sul, custaria 500 milhões de dólares – e numa mina já existente – sem contar com os custos anuais de manutenção, e ainda com 281 milhões de dólares de "custos gerais de conversão". Entretanto, um acelerador de partículas situado no Fermilab, no Illinois, custou 260 milhões de dólares só pela remodelação.

Resumindo, a física de partículas é um empreendimento extremamente caro – mas muito produtivo. Hoje em dia, contam-se muito para cima de 150 partículas, e suspeita-se que haja mais umas cem, mas infelizmente, como diz Richard Feynman, "é muito difícil perceber qual a relação entre estas partículas, ou para que é que a natureza as quer, ou quais as ligações entre umas e outras". Inevitavelmente, cada vez que se consegue abrir uma caixa, encontra-se outra caixa fechada lá dentro. Algumas pessoas pensam que há partículas chamadas taquiões, que conseguem viajar a uma velocidade superior à da luz. Outros ambicionam encontrar os gravitões – o cerne da gravidade. Não é fácil saber quando se chegou ao nível mais baixo de todos. Carl Sagan, no seu livro *Cosmos,* põe a hipótese de, se conseguíssemos viajar para dentro de um electrão, descobrirmos talvez que contém um universo em si próprio, como nas histórias de ficção científica dos anos 1950. "Dentro dele, organizadas em equivalentes locais das galáxias e das estruturas mais pequenas, encontrar-se-ia um número imenso de outras partículas elementares muito mais pequenas, que seriam por sua vez pequenos universos em si mesmas ao nível imediatamente inferior, e por aí fora, indefinidamente – uma infinita regressão decrescente, universos dentro de universos, sempre, sem parar. E no sentido crescente seria igual."

Para a maior parte de nós, é um mundo que ultrapassa a compreensão. Para conseguir ler um guia, mesmo elementar, da física de partículas, teríamos de decifrar jóias da criptologia como a que se segue: "O pião e antipião carregados decaem, respectivamente, num muão mais antineutrino, e num antimuão mais neutrino, com uma média de vida de 2,603 x 10^{-8} segundos; o pião neutro decai originando dois fotões com uma vida média de cerca de 0,8 x 10^{-16} segundos, e o muão e antimuão decaem respectivamente em..." E por aí fora – note-se que este trecho foi retirado de um livro destinado ao leitor comum, escrito por um dos intérpretes mais lúcidos (normalmente), Steven Weinberg.

Na década de 1960, numa tentativa de simplificar um pouco as coisas, o físico do Instituto de Tecnologia da Califórnia, Muray Gell-Mann, inventou uma nova classe de partículas, essencialmente, nas palavras de Steven Weinberg, "para restabelecer alguma economia nos magotes de hadrões" – um termo colectivo usado pelos físicos para designar protões, neutrões e outras partículas governadas pela poderosa força nuclear. Gell-Mann acreditava que todos os hadrões eram constituídos por partículas ainda mais pequenas e fundamentais. O seu colega Richard Feynman queria dar a estas novas partículas básicas o nome de partões, mas, como lembravam o nome da cantora (Dolly Parton), foi derrotado por maioria. Em vez disso, passaram a chamar-se *quarks*.

Gell-Mann tirou o nome de uma célebre exclamação do livro *Finnegan's Wake*, de James Joyce: "Três quarks para Muster Mark!". A simplicidade fundamental dos quarks não durou muito. À medida que se ia sabendo mais sobre eles, surgia a necessidade de se criarem subdivisões. Apesar de os quarks serem demasiado pequenos para poderem ter cor, cheiro ou qualquer outra característica física reconhecível, foram agrupados em seis categorias – *up, down, strange, charm, top e bottom* – a que os físicos dão o bizarro nome de "sabores", e, por sua vez, estes são divididos nas cores vermelho, azul e verde. (É de crer que não terá sido totalmente por acaso que estes termos foram usados pela primeira vez na Califórnia durante a era psicadélica.)

O resultado final de tudo isto foi o Modelo Standard, que é, basicamente, uma espécie de estojo de peças do mundo subatómico. O Modelo Standard consiste em seis quarks, seis leptões, cinco bosões conhecidos, mais a hipótese de um sexto, o bosão de Higgs (nome de um cientista escocês, Peter Higgs), mais três das quatro forças físicas: a força nuclear forte, a fraca, e o electromagnetismo.

O Modelo explica, essencialmente, que os quarks se encontram entre os blocos básicos de constituição da matéria; mantêm-se juntos através de partículas chamadas gluões e, juntos, gluões e quarks formam os protões e os neutrões, matéria que constitui o núcleo do átomo. Os leptões são a fonte dos electrões e dos neutrinos. Os quarks, juntos com os leptões, chamam-se fermiões. Os bosões (assim chamados em honra do físico indiano S. N. Bose) são partículas que produzem e transportam forças, e incluem os fotões e os gluões. O bosão de Higgs pode ou não existir na realidade; foi inventado simplesmente como um estratagema para se poder atribuir massa às partículas.

Como o leitor já percebeu, é tudo um tanto confuso, mas é a forma mais simples de se explicar o que se passa no mundo das partículas. A maior parte dos físicos de partículas pensa, como comentou Leon Lederman num documentário da cadeia de televisão PBS, em 1985, que falta ao Modelo Standard elegância e simplicidade. "É demasiado complicado. Tem demasiados parâmetros arbitrários", disse Lederman. "Não conseguimos imaginar o Criador a rodar 20 maçanetas, para marcar 20 parâmetros, para criar o universo tal como o conhecemos." A física, ao fim e ao cabo, é apenas uma busca da simplicidade derradeira, mas até aqui tudo o que conseguimos foi uma espécie de trapalhada elegante – ou, como diz Lederman: "Há uma profunda sensação de que o quadro não tem nada de bonito."

O Modelo Standard é não só deselegante como incompleto. Por um lado, não esclarece nada sobre a gravidade. Por mais que procure, não há nada no Modelo que explique por que é que, ao pôr um chapéu em cima de uma mesa, ele não flutua até ao tecto. E, como já percebemos, também não consegue explicar a massa. Para se poder atribuir massa às partículas, teve de se introduzir o hipotético bosão de Higgs; se ele existe ou não, é uma questão que ficará para os físicos do século XXI resolverem. Como Feynman observou alegremente: "E assim, estamos presos numa teoria, e não sabemos se está certa ou errada, mas sabemos que está um *bocadinho* errada, ou pelo menos incompleta."

Numa tentativa de dar sentido a isto tudo, os físicos criaram a teoria das supercordas. Esta postula que todas aquelas coisinhas minúsculas, como os quarks e os leptões, que anteriormente considerávamos como partículas, são na realidade "cordas" – fitas vibratórias de energia que oscilam em 11 dimensões, as quais incluem as três que já conhecemos, mais o tempo, e mais outras sete dimensões que, para nós, são simplesmente desconhecidas. As cordas são minúsculas, suficientemente minúsculas para se confundirem com meras partículas individuais.

Ao introduzir dimensões adicionais, a teoria das supercordas possibilita aos físicos juntarem num só pacote relativamente simples as leis da quântica e as leis da gravidade, mas também significa que qualquer coisa que os cientistas digam sobre a teoria começa a adquirir traços de conversas de malucos. É o caso, por exemplo, do físico Michio Kaku, quando explica a estrutura do universo da perspectiva das supercordas:

> "A corda heterótica consiste numa corda fechada com dois tipos de vibração, uma no sentido dos ponteiros do relógio e outra no sentido opos-

to, que são tratadas diferentemente. As vibrações no sentido dos ponteiros do relógio existem num espaço de dez dimensões. As outras existem num espaço de 26 dimensões, das quais 16 foram compactadas. (Lembramos que, nas cinco dimensões originais de Kaluza, a quinta dimensão era compactada por enrolamento, formando um círculo.)"

E assim continua por mais 350 páginas.

A teoria das cordas deu ainda origem a algo chamado Teoria M, que incorpora superfícies conhecidas como membranas – ou simplesmente branas, para os grandes entendidos do mundo da física. Receio, contudo, que tenhamos chegado à paragem da estrada do conhecimento onde a maior parte de nós terá de sair. Passo a citar o *New York Times,* numa passagem destinada a dar uma explicação tão simples quanto possível ao público em geral:

"O processo ecpirótico começa muito longe, no passado indefinido, com um par de branas planas vazias, colocadas paralelamente uma à outra num espaço curvo com cinco dimensões... As duas branas, que formam as paredes da quinta dimensão, podem ter surgido do nada de repente como uma flutuação quântica num passado ainda mais distante, e terem-se separado em seguida."

Quem somos nós para duvidar? Ou para compreender, já agora? A propósito, *ecpirótico* vem da palavra grega que significa "conflagração".

Na física moderna, as coisas chegaram a um tal ponto que, como diz Paul Davies na *Nature*, é "praticamente impossível para os leigos conseguir distinguir entre o legitimamente estranho e o disparate chapado". A questão chegou ao cúmulo no Outono de 2002, quando dois físicos franceses, os gémeos Igor e Grickha Bogdanov, criaram uma teoria ambiciosamente densa que incluía conceitos como "tempo imaginário" e o "estado Kubo-Schwinger-Martin", com o objectivo de descrever o nada que era o universo antes do *Big Bang* – um período que sempre se considerou ser impossível de conhecer, uma vez que era anterior ao nascimento da física e das suas propriedades.

O artigo dos irmãos Bogdanov suscitou quase imediatamente grandes debates entre os físicos, que não sabiam se haviam de o considerar um disparate, uma obra genial ou uma aldrabice. "Cientificamente, não há dúvida de que se trata de um disparate mais ou menos completo", declarou ao *New York Times* Peter Woit, um físico da Universidade de Columbia, "mas hoje em dia isso não constitui grande diferença relativamente a grande parte do que tem sido escrito sobre o assunto."

Karl Popper, a quem Steven Weinberg chamou "o diácono dos filósofos modernos da ciência", sugeriu uma vez que talvez não haja uma teoria definitiva para a física – que, na verdade, cada explicação que se encontrasse precisaria sempre de outra explicação, produzindo assim uma "cadeia infinita de mais e mais princípios fundamentais". Outra possibilidade igualmente viável é a de que tal conhecimento possa simplesmente ultrapassar-nos. "Felizmente, até agora", escreve Weinberg no seu livro *Dreams of a Final Theory*, "não me parece que estejamos a chegar ao fim das nossas capacidades intelectuais".

Esta é certamente uma área que verá surgir novas evoluções do pensamento, e, quase de certeza, esses pensamentos estarão, mais uma vez, para além da nossa compreensão.

Enquanto os físicos de meados do século XX se debruçavam com perplexidade sobre o mundo do ínfimo, os astrónomos não se sentiam menos frustrados com a falta de respostas satisfatórias em relação ao universo em geral.

Quando falámos pela última vez em Edwin Hubble, ele acabara de descobrir que quase todas as galáxias presentes no nosso campo visual se afastavam de nós, e que a velocidade e a distância deste recuo eram rigorosamente proporcionais: quanto mais longe estivesse a galáxia, mais depressa se movia. Hubble percebeu que isso se podia exprimir com uma simples equação, $Ho = v/d$ (onde Ho é a constante, v é a velocidade de recessão de uma galáxia em movimento, e d a distância que nos separa dela). Desde então, Ho tem sido conhecida como a constante de Hubble, e a totalidade como a Lei de Hubble. Com esta fórmula, Hubble calculou que o universo tinha à volta de dois mil milhões de anos, o que não dava muito jeito, porque até nos finais dos anos 1920 já era bastante óbvio que muitas das coisas que fazem parte do universo – inclusivamente a própria Terra – eram provavelmente mais velhas do que isso. O aperfeiçoamento desta data tem sido uma das preocupações constantes da cosmologia.

A única coisa constante sobre a constante de Hubble foi a quantidade de controvérsias que se geraram sobre o valor a atribuir-lhe. Em 1956, os astrónomos descobriram que as variáveis cefeidas eram mais variáveis do que se pensava; aliás, havia dois tipos de variáveis, e não um. Isto permitiu-lhes refazer os cálculos e chegar a uma nova idade provável do universo: de sete a 20 mil milhões de anos. Não era um número lá muito exacto, mas pelo menos era suficientemente alto para incluir a formação da Terra.

Nos anos que se seguiram nasceu uma disputa infindável entre Allan Sandage, sucessor de Hubble em Mount Wilson, e Gérard de Vaucouleurs, um astrónomo nascido em França que trabalhava na Universidade do Texas. Depois de vários anos de cálculos cuidadosos, Sandage atribuiu à constante de Hubble o valor 50, dando ao universo a idade de 20 mil milhões de anos. Mas De Vaucouleurs estava igualmente seguro de que a constante de Hubble era 100*. Isto significaria que o universo tinha apenas metade do tamanho e da idade que lhe Sandage atribuira: dez mil milhões de anos. Tudo ficou ainda mais incerto quando, em 1994, uma equipa dos Carnegie Observatories, na Califórnia, usando medidas feitas com o telescópio espacial *Hubble*, aventou a hipótese de o universo poder ter apenas oito mil milhões de anos – uma idade que eles próprios admitiam ser inferior a de algumas das estrelas contidas no universo. Em Fevereiro de 2003, uma equipa da NASA e do Goddard Space Flight Center, em Maryland, usando um novo tipo de satélite de longo alcance chamado *Wilkinson Microwave Anistropy Probe*, anunciou com algum grau de certeza que a idade do universo é de 13,7 mil milhões de anos, mais milhão, menos milhão. E, para já, ficamos assim.

A dificuldade em tirar conclusões definitivas é que existe sempre muito espaço para interpretações. Imagine que está num campo, à noite, a tentar descobrir a que distância estão duas luzes eléctricas situadas ao longe. Com instrumentos astronómicos relativamente simples, poderá facilmente constatar que as duas lâmpadas brilham com a mesma intensidade, e que uma delas está, digamos, 50 por cento mais distante do que a outra. Mas não pode ter a certeza se a luz mais perto de si é, por exemplo, uma lâmpada de 58 watts a 37 metros, ou uma de 61 a 36,5 metros. Para além disso, tem de ter em conta as distorções causadas pelas variações na atmosfera da Terra, pela poeira intergaláctica, pela luz contaminadora das estrelas que se encontram em planos mais avançados,

* O leitor tem todo o direito de perguntar o que quer dizer exactamente uma "constante de 50" ou uma "constante de 100". A resposta reside nas unidades de medidas astronómicas. Exceptuando os efeitos de conversão, os astrónomos não utilizam anos-luz. Utilizam uma distância chamada *parsec* (uma contracção das palavras *paralaxe* e *segundo*), baseada numa medida universal chamada paralaxe estelar, equivalente a 3,26 anos-luz. As medidas realmente grandes, como o tamanho de um universo, são medidas em megaparsecs – um milhão de parsecs. A constante é expressa em termos de quilómetros por segundo por megaparsec. Portanto, quando os astrónomos se referem a uma constante de Hubble de 50, o que realmente querem dizer é "50 quilómetros por segundo por megaparsec." É evidente que, para a maior parte de nós, esta medida não tem qualquer significado, mas é o que acontece com as medidas astronómicas: a maior parte das distâncias é tão grande que acaba por perder qualquer significado.

e muitos outros factores. O resultado é que as computações são necessariamente baseadas numa série de pressupostos, todos eles susceptíveis de discussão. Há ainda o problema de o acesso aos telescópios ser sempre muito disputado, e a medição dos desvios para o vermelho ter saído muito cara ao longo da história da astronomia. Pode levar uma noite inteira para se conseguir uma única exposição, de forma que os astrónomos se têm visto por vezes obrigados (ou tentados) a basear as suas conclusões em provas muito escassas. Em cosmologia, como sugeriu o jornalista Geoffrey Carr, temos "uma montanha de teorias assente num montículo de provas." Ou, como disse Martin Rees: "A nossa actual satisfação (que está de acordo com o nosso grau de compreensão) pode reflectir mais a pobreza dos dados do que a excelência da teoria."

A propósito, esta incerteza aplica-se tanto a coisas situadas relativamente perto como aos limites distantes do universo. Como sublinha Donald Goldsmith, quando os astrónomos dizem que a galáxia M87 está a 60 milhões de anos-luz de distância, o que querem realmente dizer ("mas geralmente não explicam ao público em geral") é que está algures entre 40 e 90 milhões de anos-luz de distância, o que não é bem a mesma coisa. Em relação ao universo no sentido lato, estas imprecisões são necessariamente ampliadas. Com todo o tumulto gerado pelas últimas declarações, estamos longe de conseguir uma opinião unânime.

Uma teoria interessante, lançada recentemente, diz que o universo não é nem de longe tão grande como pensamos, e que algumas das galáxias que vemos à distância podem ser apenas reflexos, imagens-fantasma criadas pela luz reflectida.

A verdade é que, mesmo a nível das coisas mais fundamentais, há muito que ainda não sabemos – entre elas: de que é feito o universo. Quando os cientistas calculam a quantidade de matéria necessária para manter as coisas juntas, falta-lhes sempre imensa matéria. Parece que pelo menos 90 por cento, senão mesmo 99 por cento, é composta pela "matéria negra", de Fritz Zwicky – matéria que é, por natureza, invisível para nós. É ligeiramente humilhante pensar que nem conseguimos ver a maior parte do universo em que vivemos, mas tal parece ser um dado adquirido. Pelo menos, os nomes dos dois possíveis culpados são divertidos: ou são WIMP*, (Partículas Maciças de Interacção Fraca, ou seja, poeiras de matéria invisível deixadas pelo *Big Bang*), ou MACHO** (Objectos Compactos Maciços com Halo – o que, na verdade, é

* Weakly Interacting Massive Particles.
** Massive Compact Halo Objects.

apenas mais um nome para buracos negros, anãs castanhas, e outras estrelas muito pouco brilhantes).

Os físicos de partículas tendem a favorecer a explicação dos WIMP como partículas, os astrofísicos a explicação estelar dos MACHO. Durante certo tempo os MACHO estiveram em vantagem, mas não se encontrou um número suficiente deles, pelo que a moda passou outra vez para os WIMP, só que com o ligeiro problema de nunca se ter descoberto nenhum. Como interagem fracamente, são (partindo do princípio de que existem sequer) muito difíceis de detectar. Os raios cósmicos causariam muita interferência, pelo que os cientistas têm de continuar a procurar bem fundo debaixo da terra. Um quilómetro abaixo da superfície do solo, os bombardeamentos cósmicos teriam 1/1 000 000 do impacte que teriam à superfície. Mas, mesmo assim, "há dois terços do universo que continuam em falta no livro de contas".

As descobertas mais recentes indicam que não só as galáxias estão a afastar-se de nós, como também o fazem a uma velocidade crescente. Isto vai contra todas as expectativas. Parece que o universo pode estar não apenas cheio de matéria negra mas também de energia negra. Os cientistas também lhe chamam energia do vácuo, ou ainda, num arroubo de exotismo, quinta-essência. O que quer que seja, parece estar a dirigir uma força de expansão que ninguém consegue explicar completamente. Segundo esta teoria, o espaço vazio não está de todo vazio, há partículas de matéria e antimatéria a aparecerem e a desaparecerem constantemente e que empurram o universo para fora a uma velocidade crescente. O mais inesperado é que a única coisa que resolve tudo isto é justamente a constante cosmológica de Einstein – o pequeno elemento matemático que ele introduziu na teoria geral da relatividade para pôr termo à presumível expansão do universo, e a que chamou "o maior disparate da minha vida". Agora parece que, afinal, ele tinha razão.

O resultado é que vivemos num universo cuja idade não conseguimos calcular, rodeados por estrelas a distâncias que não conseguimos determinar com precisão, preenchidos por matéria que não sabemos identificar, e a funcionar em conformidade com leis da física cujas propriedades não entendemos verdadeiramente.

E posta esta conclusão, algo inquietante, regressemos ao planeta Terra e consideremos algo que, para variar, conseguimos compreender – apesar de, provavelmente, o leitor já não se surpreender se lhe disser que não o compreendemos inteiramente, e que o que compreendemos agora, também não compreendemos há tanto tempo quanto isso.

12.

A TERRA MOVE-SE

Numa das últimas intervenções profissionais feitas antes da sua morte, em 1955, Albert Einstein escreveu um prefácio curto mas brilhante ao livro do geólogo Charles Hapgood, chamado *Earth's Shifting Crust: A Key to Some Basic Problems of Earth Science*. A teoria de que os continentes se deslocavam ao longo da superfície terrestre era completamente destruída no livro de Hapgood. Num tom que praticamente convidava o leitor a dar com ele umas risadinhas complacentes, Hapgood observava que algumas almas inocentes tinham reparado "numa aparente correspondência na forma de certos continentes". Parecia, continuava Hapgood, que "a América do Sul tinha estado encaixada na África, e por aí fora... Até há quem diga que as formações rochosas são semelhantes nos dois lados do Atlântico."

O Sr. Hapgood despachava assim de uma assentada todas estas noções, sublinhando que os geólogos K. E. Caster e J. C. Mendes tinham procedido a trabalhos exaustivos no terreno em ambos os lados do Atlântico, e tinham estabelecido, acima de qualquer dúvida, que não existiam semelhanças nenhumas. Deus sabe onde é que os senhores Caster e Mendes foram buscar as suas amostras, porque a verdade é que as formações rochosas em ambos os lados do Atlântico são exactamente as mesmas – não apenas semelhantes, mas as mesmas.

Mas pelos vistos a ideia não agradou muito ao Sr. Hapgood, nem a muitos outros geólogos do seu tempo. A teoria a que ele se referia fora proposta pela primeira vez em 1908 por um geólogo americano amador, Frank Bursley Taylor. Taylor pertencia a uma família rica, e tinha tanto os meios como a liberdade de restrições académicas para se dedicar a formas de investigação não convencionais. Fora um dos que notara a semelhança entre as linhas costeiras opostas da América do Sul e de África, e foi dessa observação que desenvolveu a ideia de que, outrora, os continentes se moviam de um lado para o outro. Sugeriu ainda – e o palpite saiu certo, como se veio a provar – que a colisão entre os continentes poderia ter provocado o aparecimento das cadeias de montanhas do globo. No entanto, não conseguiu apresentar grandes provas para consubstanciar a sua teoria, pelo que esta foi considerada demasiado louca para merecer séria atenção.

Na Alemanha, no entanto, a ideia de Taylor vingou, tendo sido adoptada pelo teórico Alfred Wegener, meteorologista na Universidade de Marburg. Wegener investigou as várias anomalias de plantas e fósseis que não se encaixavam facilmente com o modelo geralmente aceite da história da Terra, e percebeu que muito pouco se aproveitava desse modelo, quando interpretado no sentido convencional. Os mesmos fósseis animais apareciam em lados opostos dos oceanos, em sítios onde estes eram demasiado vastos para serem atravessados a nado. Como era possível, perguntava-se, os marsupiais viajarem da América do Sul para a Austrália? Como é que apareciam caracóis idênticos na Escandinávia e na Nova Inglaterra? E como é que, já agora, se conseguia explicar a presença de jazigos de carvão e outros resíduos semitropicais em lugares frios como Spitsbergen, a mais de 600 quilómetros a norte da Noruega, se não tivessem migrado para lá a partir de climas mais amenos?

Wegener desenvolveu a teoria de que os continentes tinham outrora formado uma massa terrestre única a que chamou Pangeia, onde a flora e a fauna se tinham misturado antes de os continentes se separarem e flutuarem até às suas presentes posições. Tudo isto foi registado por Wegener num livro intitulado *Die Entstehung der Kontinente und Ozeane,* ou *The Origin of Continents and Oceans*, publicado em alemão em 1912 e – apesar de a Primeira Guerra Mundial ter entretanto eclodido – em inglês, três anos mais tarde.

Por causa da guerra, a teoria de Wegener não atraiu muita atenção ao princípio, mas em 1920, quando apresentou uma edição revista e aumentada, rapidamente se tornou assunto de discussão. Todos estavam de acordo em que os continentes se moviam – mas para cima e para baixo, e não para os lados. O processo de movimentação vertical, conhecido como isostasia, foi a base das teorias geológicas durante gerações, muito embora ninguém conseguisse explicar porquê ou como se produzia. Uma ideia que continuou a surgir nos compêndios, já eu andava há que tempos na escola, era a teoria da "maçã assada", proposta pelo austríaco Eduard Suess imediatamente antes da viragem do século. Segundo essa teoria, durante o processo de arrefecimento e endurecimento da Terra que se sucedeu ao seu estado de fusão, a superfície do planeta ter-se-ia enrugado, tal como a casca de uma maçã depois de assada, dando origem às bacias oceânicas e às cadeias de montanhas. Pouco lhe importou que James Hutton já tivesse demonstrado há muito tempo que um fenómeno de tal forma estático só poderia resultar num esferóide homogéneo, à medida que a erosão fosse nivelando as rugosidades e preenchendo as concavidades. Havia ainda o problema, demonstrado por Rutherford e Soddy no princípio do século, de que os elementos terrestres armazenam enormes reservas de calor – quantidades demasiado grandes para permitir o tipo de arrefecimento e enrugamento sugerido por Suess. E de qualquer maneira, se a teoria de Suess estivesse correcta, então as montanhas deveriam estar uniformemente distribuídas ao longo da superfície terrestre, e obviamente não estavam, e teriam mais ou menos a mesma idade. No entanto, nos princípios do século XX já era mais do que evidente que algumas cordilheiras, como os Urais e os Apalaches, tinham centenas de milhar de anos mais do que, por exemplo, os Alpes e as Rochosas. Tinha chegado nitidamente o momento de se criar uma nova teoria, mas, infelizmente, Alfred Wegener não era o homem indicado para isso, no entender dos geólogos.

Para começar, as suas noções radicais punham em causa os fundamentos daquele ramo da ciência, o que raras vezes contribui para gerar um público favorável. Um desafio desses já teria sido suficientemente difícil de engolir se viesse de um geólogo, mas Wegener nem sequer tinha formação em geologia. Era um simples meteorologista, por amor de Deus. Um homem que prevê o tempo – e alemão, ainda por cima. Eram deficiências imperdoáveis.

E assim, os geólogos fizeram tudo o que estava ao seu alcance para invalidar as provas que ele apresentou e ridicularizar as suas teorias. Para contornar o problema da distribuição dos fósseis, colocaram "pontes continentais" em todos os sítios onde desse jeito. Quando encontraram um antepassado do cavalo chamado *Hipparion* em França e na Flórida ao mesmo tempo, desenharam uma "ponte" de um lado ao outro do Atlântico. Quando descobriram que os antigos tapires tinham existido simultaneamente na América do Sul e no Sudeste Asiático, colocaram aí outra "ponte". Em breve os mares pré-históricos ficaram praticamente preenchidos com pontes hipotéticas – da América do Norte à Europa, do Brasil a África, do Sudeste Asiático à Austrália, da Austrália à Antárctida. Estes tentáculos conectores não só apareciam convenientemente sempre que era preciso mudar um ser vivo de uma zona para outra, como também desapareciam obedientemente em seguida, sem deixar rasto da sua existência anterior. Claro que não havia o mínimo indício que provasse esta teoria (que aliás não podia estar mais errada), e no entanto foi esta a geologia ortodoxa adoptada no meio século seguinte.

Mas nem tudo conseguia ser explicado pelas pontes. Descobriu-se que uma das espécies de trilobites, bem conhecida na Europa, também vivera na Terra Nova – mas só de um lado. Ninguém conseguia dar uma explicação convincente para o facto de ter conseguido atravessar 3000 quilómetros de um oceano hostil, para depois não ser capaz de contornar uma ilha com 300 quilómetros de largura. Ainda mais difícil de explicar era outra espécie de trilobite encontrada na Europa e no Noroeste do Pacífico, mas sem qualquer exemplar pelo meio, o que teria exigido não uma simples ponte terrestre, mas uma ponte aérea, e bem comprida. Contudo, já em 1964, quando a Enciclopédia Britânica discutiu as teorias rivais, foi a de Wegener que foi acusada de conter "numerosas e graves dificuldades teóricas". Wegener cometeu sem dúvida alguns erros. Declarou que a Gronelândia estava a afastar-se para oeste cerca de 1,6 quilómetros por ano, o que é um disparate nítido. (Seria mais à volta de um centímetro). Acima de tudo, não dava uma explicação convincente sobre a forma como se deslocam as massas terrestres. Para se acreditar na teoria dele era necessário aceitar que os continentes conseguiam, de uma forma ou de outra, abrir caminho pela crosta terrestre sólida, como um arado através do solo, sem deixar nenhum sulco atrás de si. Nada do que era sabido na altura conseguia fornecer uma explicação plausível para a origem daqueles movimentos.

Foi Arthur Holmes, o geólogo inglês que tanto fez para descobrir a idade da Terra, que sugeriu uma teoria possível. Holmes foi o primeiro cientista a compreender que o aquecimento radioactivo podia produzir correntes de convecção dentro da Terra. Em teoria, estas podiam ser suficientemente potentes para fazer mover os continentes à superfície. No seu livro *Principles of Physical Geology*, que teve grande sucesso e influenciou muita gente logo na sua primeira publicação em 1944, Holmes lançou uma teoria sobre a deriva dos continentes que, na sua essência, é a que prevalece ainda nos dias de hoje. Não deixava de ser uma proposta radical para a época, e foi largamente criticada, particularmente nos Estados Unidos, onde a resistência à deriva dos continentes durou mais tempo do que em qualquer outro lugar. Um crítico comentou, aparentemente sem qualquer ironia, que Holmes apresentava os seus argumentos de forma tão clara e atraente que os estudantes eram bem capazes de acreditar neles. Noutras partes do mundo, contudo, a nova teoria encontrou apoio firme, se bem que cauteloso. Em 1950, numa reunião da British Association for the Advancement of Science, uma votação veio demonstrar que metade dos presentes já aderia à ideia da deriva dos continentes. (Hapgood citou pouco depois esse número como prova do trágico erro em que incorreram os geólogos britânicos). O mais curioso é que o próprio Holmes vacilava por vezes nas suas convicções. Em 1953 confessou: "Nunca me consegui libertar de um teimoso preconceito contra a deriva dos continentes; sinto nos meus ossos de geólogo, por assim dizer, que se trata de uma hipótese fantasista."

A teoria não deixava de ter os seus apoiantes nos Estados Unidos. Reginald Daly de Harvard era a favor da deriva dos continentes, mas, se o leitor bem se lembra, também era ele que dizia que a Lua tinha sido formada por um impacto cósmico. As suas ideias eram consideradas interessantes, até válidas, mas um pouco exuberantes de mais para serem levadas a sério. Portanto, a maior parte dos académicos americanos preferiu manter a ideia de que os continentes sempre tinham ocupado as suas posições actuais, e que as características das respectivas superfícies podiam ser atribuídas a qualquer outra coisa que não fosse as deslocações laterais.

É interessante notar que os geólogos das companhias petrolíferas sabiam há muito tempo que a pesquisa de jazigos de petróleo passava precisamente pelo tipo de movimentos de superfície causados pela tectónica de placas. Mas estes geólogos não escreviam ensaios académicos; limitavam-se a procurar petróleo.

Havia outro grande problema com as teorias geológicas que ainda ninguém tinha resolvido, ou chegado sequer perto da resolução. Era a questão do destino dos sedimentos. Todos os anos, os rios do planeta transportavam volumes maciços de material resultante de erosão – 500 milhões de toneladas de cálcio, por exemplo – para os mares. Se se multiplicasse a taxa de deposição pelo número de anos ao longo dos quais o processo se verificava, chegava-se a um valor perturbante: deveria haver cerca de 20 quilómetros de sedimentos acumulados nos fundos dos oceanos – ou, pondo a questão de outra forma, os fundos dos oceanos deviam estar, nesta fase, muito acima da superfície dos mesmos. Os cientistas lidaram com este problema da forma mais prática possível: ignorando-o. Mas acabou por chegar o momento em que não podiam continuar a ignorá-lo.

Durante a Segunda Guerra Mundial, um mineralogista da Universidade de Princeton chamado Harry Hess foi colocado no comando de um navio de transporte de tropas de ataque, o USS *Cape Johnson*. A bordo deste barco havia uma nova e sofisticada sonda de profundidade chamada fatómetro, concebida para facilitar as manobras de desembarque nas praias, mas Hess apercebeu-se de que também podia ser usada para estudos científicos e nunca a desligou, nem no mar alto nem no calor das batalhas. E aquilo que descobriu foi totalmente inesperado. Se os fundos dos oceanos eram antigos, como todos acreditavam, deviam estar cobertos com uma espessa camada de sedimento, como o lodo existente no fundo de um lago ou de um rio. Mas os dados recolhidos por Hess mostravam que o fundo do oceano tinha tudo menos aquela matéria lisa e macia dos sedimentos antigos. Estava cheio de ravinas, fossas e fendas, e encontrava-se pontilhado de vulcões submarinos com cumes achatados a que chamou *guyots* em honra de um ex-geólogo de Princeton chamado Arnold Guyot. Tudo isto era enigmático, mas Hess tinha uma guerra com que se entreter, e relegou esses pensamentos para alturas mais propícias.

Depois da guerra, Hess regressou a Princeton e às preocupações do ensino, mas os mistérios do fundo dos oceanos continuavam a ocupar-lhe uma parte da mente. Entretanto, ao longo dos anos 1950, os oceanógrafos iam procedendo a pesquisas mais sofisticadas do fundo dos oceanos. E foi assim que tiveram mais uma surpresa: a maior e mais extensa cadeia de montanhas da Terra estava – quase toda – debaixo de água. Fazia um trilho contínuo ao longo dos leitos marinhos, um pouco como os pespontos de uma bola de basebol. Começando na Islândia, continuava a descer pelo centro do oceano Atlântico, contornava o sul do continente africano e atravessava o oceano Índico e o oceano Austral, seguindo para o Pacífico logo abaixo da Austrália; aqui inflectia para o Pacífico como se fosse em direcção à Baixa Califórnia, antes de se dirigir abruptamente para norte, contornando a costa ocidental dos Estados Unidos até ao Alasca. Ocasionalmente, os seus picos mais elevados surgiam acima da água, sob a forma de pequenas ilhas ou arquipélagos – os Açores e as Canárias no Atlântico e o Havai no Pacífico, por exemplo – mas a maior parte jazia a uma profundidade de milhares de metros de água salgada, desconhecida e insuspeita. Depois de ligarem todas as suas ramificações, aperceberam-se de que esta enorme cadeia montanhosa atingia os 75 mil quilómetros.

Já há algum tempo que se sabia uma ínfima parte de tudo isto. Quando se começaram a colocar cabos submarinos no século XIX, os técnicos aperceberam-se de que havia qualquer espécie de intrusão montanhosa no meio do Atlântico devido à posição dos cabos no fundo do mar, mas a sua natureza contínua, bem como a dimensão geral desta cadeia submarina, revelaram ser uma surpresa espantosa. Além do mais, continha anomalias físicas que não se conseguiam explicar. No meio da crista médio-atlântica havia uma ravina

– uma falha – com cerca de 20 quilómetros de largura ao longo de todo o seu comprimento de 19 mil quilómetros. Isto parecia sugerir que a Terra estava a rebentar pelas costuras, como uma noz a sair da casca. Era uma noção absurda e inquietante, mas não se podia ignorar os indícios.

E depois, em 1960, as amostras colhidas vieram demonstrar que o fundo do oceano era relativamente novo na crista médio-atlântica, mas envelhecia progressivamente para Este ou para Oeste. Harry Hess ponderou a questão, e chegou à conclusão de que isto só podia significar uma coisa: que se estava a formar nova crosta terrestre em ambas as vertentes da crista central, e que essa crosta ia sendo empurrada em ambos os sentidos laterais, à medida que ia dando lugar à nova crosta que ia surgindo. Na prática, era como se o fundo do Atlântico possuísse duas enormes correias transmissoras, uma que levava crosta para a América do Norte, outra para a Europa. O processo ficou conhecido como expansão do fundo do oceano.

Quando a crosta alcançava o fim da sua jornada, no limite dos continentes, mergulhava outra vez na Terra num processo conhecido por subducção, o que explicava para onde iam afinal todos os sedimentos: estavam a voltar às entranhas da Terra. E também explicava por que é que o fundo dos oceanos era tão jovem em comparação com o resto da crosta terrestre. Ainda não se tinha encontrado nenhum com mais de 175 milhões de anos, o que era um enigma, porque as rochas continentais tinham, normalmente, biliões de anos. Agora Hess já percebia porquê. As rochas oceânicas duravam apenas o tempo de chegar às costas. Era uma teoria brilhante, e que explicava muita coisa. Hess desenvolveu-a num importante ensaio que foi quase universalmente ignorado. Por vezes, o mundo não está pura e simplesmente preparado para uma boa ideia.

Entretanto, dois investigadores a trabalhar em separado estavam a fazer descobertas espantosas, com base num facto curioso da história da Terra descoberto várias décadas antes. Em 1906, um físico francês chamado Bernard Brunches descobrira que o campo magnético do planeta se inverte de tempos a tempos, e que o registo dessas inversões fica permanentemente inscrito em certas rochas na altura da sua formação. Especificamente, há pequenos grãos de minério de ferro contidos nas rochas que apontam na direcção dos pólos magnéticos presentes na altura da sua formação, e que continuam a apontar nessa direcção à medida que as rochas esfriam e endurecem. É como se se "lembrassem" do sítio onde estavam os pólos magnéticos na altura da sua formação. Durante anos isto não passou de uma curiosidade, mas, nos anos 1950, Patrick Blackett, da Universidade de Londres, e S. K. Runcorn, da

Universidade de Newcastle, estudaram os padrões magnéticos antigos fixados nas rochas da Grã-Bretanha e ficaram espantados, para não dizer de boca aberta, com a história que eles "contavam": a dada altura, num passado distante, a Grã-Bretanha rodara sobre o seu eixo e divagara para norte, à semelhança, de certo modo, de uma jangada que quebra as amarras e fica à deriva. Além disso, descobriram que, se colocassem um mapa dos padrões magnéticos da Europa ao lado de um mapa dos padrões americanos do mesmo período, estes encaixavam perfeitamente, como duas metades de uma carta rasgada ao meio. Era perturbador. Mas, também desta vez, tais descobertas foram simplesmente ignoradas.

Coube finalmente a dois elementos da Universidade de Cambridge, um geofísico chamado Drummond Matthews e um ex-aluno seu chamado Fred Vine, juntar todas as peças do quebra-cabeças. Em 1963, servindo-se de registos de estudos magnéticos do fundo do oceano Atlântico, demonstraram de forma conclusiva que os fundos marítimos estavam a alastrar precisamente da forma que Hess descrevera, e que também os continentes se deslocavam. Um geólogo canadiano com menos sorte, chamado Lawrence Morley, chegou à mesma conclusão exactamente na mesma altura, mas infelizmente não encontrou nenhum editor para o seu ensaio. Num episódio que ficaria célebre pela arrogância intelectual implícita, o director do *Journal of Geophysical Research* disse-lhe: "Esse tipo de especulações talvez seja óptimo para conversa de *cocktail*, mas não para publicar numa revista científica séria". Mais tarde, um geólogo observou que este fora "provavelmente o ensaio geológico mais significativo a ser rejeitado para publicação".

De qualquer maneira, a mobilidade da crosta terrestre era uma ideia que estava finalmente pronta para ser aceite. Sob os auspícios da Royal Society, realizou-se em Londres, em 1964, um simpósio que reuniu os nomes mais importantes na matéria, e de repente, todos se tinham convertido à teoria. A Terra, concordaram, era um mosaico de segmentos interligados, e os seus majestosos encontrões eram os responsáveis pela maior parte do que acontecia à superfície do planeta.

O nome "deriva continental" foi rapidamente posto de parte, quando se percebeu que toda a crosta estava em movimento e não apenas os continentes, mas levou algum tempo até que se descobrisse um nome para os segmentos individuais. Primeiro chamaram-lhe "blocos de crosta" ou, por vezes, "lajes de pavimentação". Só nos finais de 1968, com a publicação de um artigo de três sismógrafos americanos no *Journal of Geophysical Research*, é que os segmentos receberam o nome pelo qual são conhecidos desde então: placas. E o mesmo artigo chamou à nova ciência "tectónica de placas".

As ideias antigas custam a desaparecer, e nem todos se precipitaram a abraçar a nova teoria. Já bem nos anos 1970, um dos compêndios de geologia mais populares e fiáveis, *The Earth*, do ilustre Harold Jeffreys, insistia veementemente que a tectónica de placas era uma impossibilidade física, como já antes afirmara, numa edição de 1924. Também refutava a teoria da convecção e do alastramento dos fundos oceânicos. E no *Basin and Range*, publicado em 1980, John McPhee observava que mesmo nessa altura, um em cada oito geólogos americanos ainda não acreditava na tectónica de placas.

Hoje sabemos que a superfície da Terra é constituída por oito a doze grandes placas (dependendo do que se entende por grande) e cerca de vinte mais pequenas, movendo-se todas em direcções e a velocidades diferentes. Algumas placas são grandes e relativamente inactivas, outras pequenas mas cheias de energia. A sua relação com as massas terrestres que nelas assentam é meramente acidental. A placa norte-americana, por exemplo, é muito maior do que o continente a que está associada. Acompanha mais ou menos a linha exterior da costa oeste (razão pela qual a região é tão sísmica: devido aos movimentos de colisão no limite da placa), mas ignora por completo a linha costeira oriental, estendendo-se em vez disso pelo Atlântico fora até à crista média. A Islândia está dividida ao meio, o que faz com que, tectonicamente, seja meio americana, meio europeia. A Nova Zelândia, por outro lado, faz parte da enorme placa do oceano Índico, embora nem sequer se situe perto dele. E é isso que acontece com a maior parte das placas.

Descobriu-se que as relações entre as massas terrestres actuais e as do passado são muito mais complexas do que alguma vez se imaginou. Pelos vistos, o Cazaquistão já esteve agarrado à Noruega e à Nova Inglaterra. Um dos cantos da Staten Island, mas apenas um, é europeu, assim como parte da Terra Nova. Se pegar num seixo da praia de Massachusetts, fique sabendo que o seu parente mais próximo está agora em África. As Terras Altas da Escócia e grande parte da Escandinávia são substancialmente americanas. Pensa-se que parte da Cordilheira Shackleton, na Antárctida, pode já ter pertencido aos Apalaches, na costa leste dos Estados Unidos. Resumindo, as rochas fartam-se de viajar.

A agitação constante impede a fusão das placas numa única placa imóvel. Partindo do princípio de que as coisas continuarão na mesma linha actual, o oceano Atlântico irá expandir-se até passar a ser muito maior do que o Pacífico. Grande parte da Califórnia vai destacar-se do continente, passando a ser uma espécie de Madagáscar do Pacífico. A África será empurrada para norte em direcção à Europa, fazendo com que o Mediterrâneo desapareça e dando origem a uma cadeia de montanhas, tão imponente como os Himalaias, de Paris a Calcutá. A Austrália juntar-se-á com as ilhas do norte e ficará ligada à Ásia por um istmo umbilical. Isto serão os resultados futuros, mas não os futuros acontecimentos. Os acontecimentos já estão a passar-se agora. Enquanto estamos aqui sentados, os continentes andam para aí a deriva, como folhas a boiar na superfície de um lago. Graças ao Sistema de Posicionamento Global (GPS), conseguimos ver que a Europa e a América do Norte estão a separar-se a uma velocidade equivalente ao crescimento das unhas – mais ou menos dois metros num tempo de vida médio. Se pudesse esperar o tempo suficiente, poderia ir de Los Angeles até São Francisco sem se mexer. Só a brevidade das nossas vidas nos impede de termos consciência das mudanças. Se olhar para um globo agora, aquilo que vir é apenas uma foto dos continentes tal como eles têm sido durante apenas um décimo de um por cento da história da Terra.

A Terra é o único dos planetas que tem movimentos tectónicos, mas não se sabe bem porquê. Não é apenas uma questão de tamanho ou densidade – Vénus é quase gémeo da Terra sob esse aspecto, e não tem actividade tectónica. Crê-se – embora se trate apenas de uma crença – que os movimentos tectónicos são uma parte importante do bem-estar orgânico do planeta. Como disse o físico e escritor James Trefil: "Seria difícil acreditar que o movimento contínuo das placas tectónicas não tem influência no desenvolvimento da vida na Terra". Ele aventa a hipótese de os desafios induzidos pelos movimentos tectónicos – mudanças de clima, por exemplo – terem sido um estímulo importante para o desenvolvimento da inteligência. Outros acreditam que a deriva dos continentes pode ter produzido pelo menos alguns dos fenómenos de extinção das espécies. Em Novembro de 2002, Tony Dickson, da Universidade de Cambridge, em Inglaterra, elaborou um relatório, publicado na revista *Science*, onde defende a teoria de que pode muito bem haver uma relação entre a história das rochas e a história da vida. Dickson descobriu que a composição química dos oceanos tem vindo a alterar-se abrupta e vigorosamente ao longo dos últimos quinhentos milhões de anos, e que essas mudanças coincidiram várias vezes com acontecimentos importantes na história da biologia – a enorme explosão de minúsculos organismos que deram origem às encostas calcárias no sudeste do litoral de Inglaterra, a súbita predominância de conchas entre os seres marinhos no período câmbrico, etc. Ninguém pode explicar com alguma certeza por que é que a composição química dos oceanos muda tão drasticamente de tempos a tempos, mas o abrir e fechar das cristas oceânicas pode muito bem ser o responsável mais óbvio.

Seja como for, a tectónica de placas não só explicou a dinâmica da superfície da Terra – como é que, por exemplo, o *Hipparion* foi de França para a Flórida – mas também muitas das suas actividades internas. Os terramotos, a formação de cadeias de ilhas, o ciclo do carbono, a localização das montanhas, o aparecimento de idades do gelo, as origens da própria vida – era difícil haver um assunto que não fosse directamente influenciado por esta brilhante nova teoria. Como disse McPhee, os geólogos sentiam-se estonteados com a ideia de que "de repente, a terra inteira fazia sentido".

Mas só até certo ponto. A distribuição dos continentes nos tempos antigos está ainda muito longe de ser estabelecida, ao contrário do que pensam os leigos em geofísica. Apesar de os livros nos darem representações com aspecto convincente de massas terrestres antigas: Laurásia, Gonduana, Rodínia e Pangeia, estas baseiam-se por vezes em conclusões pouco consistentes. Como observa George Gaylord Simpson no seu livro *Fossils and the History of Life*, as espécies de plantas e animais do mundo antigo têm o hábito inconveniente de aparecerem onde não devem e faltarem onde deviam estar.

O contorno da Gonduana, um continente outrora enorme que juntava a Austrália, a África, a Antárctida e América do Sul, baseou-se em grande parte na distribuição de um tipo de antepassado dos fetos chamado *Glossopteris*, que foi encontrado em todos os lugares previstos. No entanto, muito mais tarde, o *Glossopteris* foi também encontrado em partes do mundo que não tinham qualquer relação conhecida com a Gonduana. Esta discrepância perturbadora foi, e continua a ser, quase sempre ignorada. Da mesma maneira, foi encontrado um réptil do Triássico chamado *Lystrosaurus* desde a Antárctida até à Ásia, apoiando portanto a ideia de uma ligação entre esses continentes, mas nunca apareceu, por exemplo, na América ou na Austrália, que se pensa terem feito parte do mesmo continente, na mesma altura.

Há também muitas características da superfície terrestre que a tectónica não consegue explicar. Tomemos o exemplo de Denver que, como todos sabem, está a um quilómetro e meio de altitude, embora essa altitude seja relativamente recente. Quando os dinossauros andavam pela Terra, Denver estava num fundo oceânico, a muitos milhares de metros de profundidade.

No entanto, as rochas onde Denver assenta não apresentam fracturas ou deformações, como deveriam apresentar se tivesse sido empurrado para cima por uma colisão de placas. De qualquer maneira, Denver estava demasiado longe das orlas das placas para ser susceptível às suas acções. Era como se se empurrasse a orla de um tapete e ficasse à espera de ver erguer-se uma prega na ponta oposta. O mistério é que, ao que parece, Denver tem estado a elevar-se ao longo de milhões de anos, como um bolo no forno. E o mesmo é válido para grande parte da África austral; uma parte do seu território com 1600 quilómetros elevou-se quase um quilómetro e meio em 100 milhões de anos, sem que tenha havido qualquer actividade tectónica que o justifique – pelo menos que se saiba. A Austrália, entretanto, tem estado a inclinar-se e a afundar. Durante os últimos 100 milhões de anos, à medida que tem vindo a deslocar-se para norte na direcção da Ásia, a sua ponta anterior afundou-se quase 200 metros. Parece que a Indonésia também está a afundar-se muito lentamente, arrastando a Austrália consigo. E nenhum destes fenómenos pode ser explicado pela tectónica de placas.

Alfred Wegener não viveu para ver as suas ideias legitimadas. Numa expedição à Gronelândia em 1930, partiu sozinho, no dia em que fazia 50 anos, para investigar uma falha nos abastecimentos. Nunca mais voltou. Foi encontrado alguns dias mais tarde, morto de frio, caído sobre o gelo. Foi sepultado no local e ainda lá está, embora esteja cerca de um metro mais perto da América do Norte do que no dia em que morreu.

Einstein também não viveu o suficiente para ver que tinha apostado no cavalo errado. Morreu em 1955 em Princeton, na Nova Jérsia, ainda antes da publicação das disparatadas críticas de Charles Hapgood sobre a deriva dos continentes.

O outro principal responsável pelo aparecimento da teoria da tectónica de placas, Harry Hess, também se encontrava em Princeton na altura, e por lá ficou até ao final da sua carreira. Um dos seus alunos, um jovem brilhante chamado Walter Alvarez, viria também a mudar o mundo da ciência, embora de forma bastante diferente.

Quanto à geologia propriamente dita, os seus cataclismos ainda mal tinham começado, e foi o jovem Alvarez quem ajudou a despoletar o processo.

IV

PLANETA PERIGOSO

A história de qualquer uma das partes da Terra, tal como a vida de um soldado, compõe-se de longos períodos de tédio e curtos períodos de terror.

Derek V. Ager, geólogo britânico

13.

BANG!

Já há muito tempo que se sabia haver qualquer coisa estranha no subsolo de Manson, no Iowa. Em 1912, um homem encarregue de abrir um poço para o abastecimento de água da cidade contou que tinham brotado do furo pedaços de rocha com estranhas deformações – "fragmentos clásticos cristalinos, com matriz fundida" e "sequências invertidas de ejecção", como foi mais tarde descrito num relatório oficial. A água também era estranha. Era quase tão macia como a água da chuva. Nunca se tinha encontrado água macia no Iowa até então.

Apesar de as rochas estranhas e a suavidade das águas de Manson terem despertado curiosidade, haviam de passar ainda 41 anos até que uma equipa da Universidade do Iowa se resolvesse a fazer uma viagem à comunidade, que continuava nessa altura a ser uma cidadezinha com cerca de duas mil pessoas, localizada na parte noroeste do estado. Em 1953, depois de fazerem uma série de perfurações experimentais, os geólogos concordaram que o local era realmente anómalo, e atribuíram a deformação das rochas a uma qualquer actividade vulcânica antiga. Esta conclusão era típica dos conhecimentos de que se dispunha naquele tempo, mas, do ponto de vista geológico, não podia estar mais errada.

O trauma geológico de Manson não vinha do interior da Terra, e sim de pelo menos 160 milhões de quilómetros mais além. Algures num passado muito antigo, quando Manson se situava na margem de um mar pouco profundo, uma rocha de cerca de 2,4 quilómetros de largura e 10 mil milhões de toneladas de peso, viajando a uma velocidade talvez 200 vezes superior à do som, atravessou a atmosfera e embateu na Terra com uma violência e rapidez difíceis de imaginar. No sítio onde agora se situa Manson ficou um buraco com 4,8 quilómetros de profundidade e mais de 32 quilómetros de largura. O calcário que normalmente confere à água do Iowa a sua dureza característica desapareceu, sendo substituído pelas rochas subterrâneas resultantes da colisão e que tanto intrigaram o vedor em 1912.

O impacto de Manson foi o maior evento que jamais ocorreu no território continental dos Estados Unidos. A todos os níveis. E desde sempre. A cratera que deixou é tão grande que, se nos colocássemos numa extremidade, só num dia límpido conseguiríamos ver a outra ponta. Em comparação, o Grande Canyon parece pequeno e banal. Infelizmente para os amantes de espectáculo, 2,5 milhões de anos de sucessivos glaciares encheram a cratera de Manson até ao topo com um conglomerado argiloso de origem glaciar, e a seguir alisaram-na, de forma que hoje em dia a superfície do terreno em Manson, e em vários quilómetros à sua volta, é tão plana como o tampo de uma mesa. E essa é também a razão por que nunca ninguém ouviu falar da cratera de Manson.

Na biblioteca de Manson terão o maior prazer em mostrar-lhe uma colecção de artigos de jornal e uma caixa de amostras rochosas resultantes de um programa de perfuração executado em 1991-92; para dizer a verdade, estão sempre mortos por poder mostrá-los – mas terá de pedir para os ver. Não há nenhuma exposição permanente, nem existe qualquer marco histórico na cidade.

Para a maioria das pessoas de Manson, o mais importante acontecimento foi um tornado que passou na rua principal em 1979, destruindo todo o bairro comercial. Uma das vantagens de toda aquela planura é que se consegue avistar o perigo quando ele ainda vem longe. Quase toda a cidade veio para uma extremidade da rua principal e ficou meia hora a ver o tornado aproximar-se na direcção deles, na esperança de que se desviasse, e depois, quando viram que não era o caso, puseram-se rapidamente a andar. Infelizmente, houve quatro que não andaram tanto quanto deviam, e morreram no processo. Agora, todos os anos, no mês de Junho, Manson dedica uma semana a comemorar os chamados Dias da Cratera, organizada com a intenção de ajudar a esquecer o aniversário daquele infortúnio. Na realidade nada tem a ver com a cratera, só que ninguém conseguiu descobrir outra maneira de tirar vantagens de um local de impacto que não é visível.

"Muito de vez em quando, aparecem pessoas a perguntar onde se encontra a cratera, e temos de lhes responder que não há nada para ver", diz Anna Schlapkohl, a simpática bibliotecária de Manson. "E vão-se embora um bocado desiludidos". No entanto, a maioria das pessoas, incluindo os outros habitantes do estado, nunca ouviu falar da cratera de Manson. Mesmo os geólogos raramente lhe concedem uma nota de rodapé. Mas, durante um breve período nos anos 1980, Manson foi, sob o ponto de vista geológico, o local mais excitante à face da Terra.

A história começa no princípio dos anos 1950, quando um jovem e brilhante geólogo, chamado Eugene Shoemaker, foi visitar a Cratera do Meteoro no Arizona, hoje em dia considerado o local de impacto mais famoso da Terra e uma atracção turística de grande popularidade. Naquela época não recebia muitos visitantes, e era ainda conhecida como Barringer Crater, em honra de um próspero engenheiro de minas chamado Daniel Barringer, que adquirira a respectiva concessão em 1903. Barringer acreditava que a cratera tinha sido formada por um meteorito de 10 milhões de toneladas carregado de ferro e níquel, e estava convencido de que ia ficar rico com a sua extracção. Sem perceber que o meteoro e tudo o que ele continha teria necessariamente desaparecido com o impacto, desperdiçou uma fortuna, bem como os 26 anos seguintes, a escavar túneis que nunca deram em nada.

Em comparação com os dias de hoje, a pesquisa de crateras no início do século XX era, no mínimo, pouco sofisticada. O principal pesquisador desses primeiros tempos, G. K. Gilbert, da Universidade da Columbia, reconstituía o efeito dos impactos atirando berlindes para dentro de panelas cheias de papas de aveia (por razões que não sei explicar, Gilbert realizou estas experiências num quarto de hotel, em vez de num dos laboratórios da Universidade). Não se percebe muito bem como, mas lá conseguiu concluir a partir daí que as crateras da Lua eram realmente formadas por impactos – uma noção já de si bastante radical para a época – mas que as da Terra não o eram. A maior parte dos cientistas recusava-se a ir tão longe. Para eles, as crateras da Lua não passavam de antigos vulcões. As poucas crateras que permaneciam visíveis na Terra (a maior parte já tinha sofrido erosão) eram geralmente atribuídas a outras causas, ou tratadas como raridades meramente acidentais.

Quando Shoemaker apareceu, pensava-se que a Cratera do Meteoro tinha sido formada por uma explosão de vapor por debaixo da terra. Ele não sabia nada sobre esse tipo de explosões – nem podia saber, já que não existe tal coisa – mas sabia muito sobre zonas de explosão. Um dos seus primeiros trabalhos, quando saiu da universidade, foi estudar anéis de explosão no local de ensaios nucleares em Yucca Flats, no Nevada. Concluiu, tal como Barringer antes dele, que não havia nada na cratera do meteoro que sugerisse actividade vulcânica, mas que havia uma enorme distribuição de outras substâncias – principalmente sílicas finas anómalas e magnetites – que pareciam apontar para um impacto vindo do espaço. Intrigado, começou a estudar o assunto nos seus tempos livres.

Trabalhando primeiro com a sua colega Eleanor Helin e mais tarde com a mulher, Carolyn, e o seu sócio David Levy, lançou-se num estudo sistemático do sistema solar interno. Passavam uma semana por mês no Observatório Palomar, na Califórnia, à procura de objectos, especialmente asteróides, cujas trajectórias atravessassem a órbita terrestre.

"Na altura em que começamos, só tinham sido identificados pouco mais de uma dúzia destes objectos no decurso de toda a observação astronómica", lembrou Shoemaker anos mais tarde, numa entrevista à televisão. "Os astrónomos do século XX abandonaram pura e simplesmente o sistema solar", acrescentou. "Têm a atenção virada para as estrelas e galáxias".

O que Shoemaker e os colegas descobriram é que havia muito mais riscos no espaço do que eles, ou quaisquer outros, tinham alguma vez imaginado.

Os asteróides, como a maior parte das pessoas sabe, são objectos rochosos que andam em órbita livre dentro de uma cintura situada entre Marte e Júpiter. As ilustrações mostram-nos sempre uns em cima dos outros, mas na realidade o sistema solar é um lugar com muito espaço, e, em média, cada asteróide deve estar a cerca de um milhão e meio de quilómetros de distância do seu vizinho mais próximo. Ninguém sabe, nem sequer aproximadamente, quantos asteróides andarão a girar no espaço, mas calcula-se que o seu número não seja inferior a mil milhões. São considerados bocados de planetas que não conseguiram chegar ao seu objectivo devido à atracção gravitacional de Júpiter, que os impediu, e impede, de se unirem.

Quando os asteróides foram detectados pela primeira vez no século XIX – o primeiro foi descoberto no primeiro dia do século por um siciliano chamado Giuseppi Piazzi – pensava-se que eram planetas, e os primeiros receberam o nome de Ceres e Pallas. Foram precisas algumas deduções inspiradas do astrónomo William Herschel para descobrir que eram muito mais pequenos do que os planetas. Chamou-lhes "asteróides" – que em latim significa "com aspecto de estrelas" – designação infeliz, porque de facto não se parecem nada com estrelas. Hoje em dia chamam-lhes por vezes, mais apropriadamente, planetóides.

Descobrir asteróides tornou-se uma actividade popular no século XIX, e no final do século já se conheciam cerca de mil. O problema é que ninguém fazia o seu registo sistemático. No inicio do século XX, tornou-se praticamente impossível saber se um asteróide que aparecesse de repente era novo, ou simplesmente um que já fora descoberto e depois esquecido. Nessa altura, também a astrofísica tinha avançado muito, e poucos astrónomos queriam dedicar o seu tempo a um assunto tão desinteressante como planetóides rochosos. Apenas alguns astrónomos, entre os quais Gerard Kuiper, de origem holandesa, que deu o nome à cintura de cometas Kuiper, demonstrou algum interesse pelo sistema solar. Graças ao seu trabalho no McDonald Observatory no Texas, seguido de trabalhos posteriores feitos por outros no Minor Planet Center em Cincinnati, e no projecto Spacewatch no Arizona, a longa lista de asteróides transviados foi diminuindo gradualmente, até que, no final do século xx, apenas um ainda não tinha sido encontrado – um objecto chamado 719 Albert. Visto pela última vez em Outubro de 1911, foi finalmente encontrado em 2000, depois de andar desaparecido durante 89 anos.

De forma que, do ponto de vista da pesquisa de asteróides, o século XX limitou-se a ser basicamente um longo exercício de contabilidade. A dizer a verdade, foi apenas nestes últimos anos que os astrónomos começaram a contar e a vigiar o resto da comunidade dos asteróides. Em Julho de 2001, tinham sido identificados e baptizados 26 mil asteróides – e metade desse número só nos dois anos anteriores. Com cerca de mil milhões para identificar, a contagem ainda mal começou.

E, no fundo, pouco interessa. Não é por se identificar um asteróide que ele passa a existir. Mesmo que todos os asteróides do sistema solar tivessem um nome e uma órbita conhecida, ninguém poderá prever o tipo de perturbações capazes de os fazer disparar na nossa direcção. Nem sequer conseguimos prever as perturbações nas rochas da nossa própria superfície. Se as pusermos à deriva no espaço, sabe-se lá o que lhes pode dar para fazer.

Pense na órbita da Terra como uma espécie de estrada onde nós somos o único automóvel, mas que é atravessada regularmente por peões que não olham antes de descer do passeio. Pelo menos 90 por cento desses peões são praticamente desconhecidos para nós. Não sabemos onde vivem, que género de horários têm, e quantas vezes se atravessam no nosso caminho. A única coisa que sabemos é que, a dada altura, a intervalos irregulares, se atravessam na estrada por onde vamos a 100 mil quilómetros por hora. Como disse Steven Ostro, do Jet Propulsion Laboratory, "Imagine um botão que acenda todos os asteróides superiores a dez metros que atravessam a nossa órbita: haveria mais de cem milhões desses objectos no céu". Em resumo, não veríamos apenas uns milhares de longínquas estrelinhas brilhantes, mas milhões, milhões e mais milhões de objectos mais próximos movendo-se ao acaso – "todos eles capazes de colidir com a Terra, e todos eles com trajectos e a velocidades ligeiramente diferentes, movendo-se pelo céu fora. Seria extremamente enervante". Bem podemos ficar enervados, porque eles estão lá. Só que não os podemos ver.

No total, pensa-se – embora seja apenas uma conjectura baseada em extrapolações das taxas de craterização da Lua – que cerca de dois mil asteróides, suficientemente grandes para pôr em perigo a nossa civilização, atravessam regularmente a nossa órbita. Mas basta um pequeno asteróide – do tamanho de uma casa, por exemplo – para destruir uma cidade. O número destes pequenos asteróides que atravessam a órbita da Terra ronda, quase de certeza, as centenas de milhar ou possivelmente de milhões, e são praticamente impossíveis de detectar.

O primeiro asteróide só foi avistado em 1991 e, mesmo assim, só depois da sua passagem. Chamaram-lhe 1991 BA, e passou a uma distância de 170 mil quilómetros – o que, em termos cósmicos, equivale a uma bala a atravessar uma manga sem tocar no braço. Dois anos mais tarde, outro, um pouco maior, passou a apenas 145 mil quilómetros – a maior rasante jamais registada. Também este só foi detectado depois da passagem e se tivesse colidido connosco não teríamos tido qualquer aviso prévio. De acordo com Timothy Ferris, que publicou um artigo sobre o assunto no *New Yorker*, este tipo de passagem à tangente ocorre provavelmente duas a três vezes por semana sem que ninguém as detecte.

Um objecto com cem metros de largura não consegue ser detectado por nenhum telescópio da Terra até estar a apenas alguns dias de distância de nós, e isso só se o observador estiver treinado para tal, o que é pouco provável, porque, mesmo agora, há poucas pessoas à procura de tais objectos. A analogia que se costuma fazer é que o número de pessoas activamente à procura de asteróides no mundo inteiro é surpreendentemente mais pequeno do que o número de empregados de um McDonald's. (Agora talvez já seja um pouco maior, mas não muito).

Enquanto Gene Shoemaker tentava galvanizar a atenção geral sobre os perigos potenciais do sistema solar interno, em Itália começava a desenrolar-se discretamente outro acontecimento, aparentemente sem qualquer relação com ele, sob a acção de um jovem geólogo do Lamont Doherty Laboratory, da Universidade de Columbia. No início dos anos 1970, Walter Alvarez procedia a trabalhos de campo num vulgar desfiladeiro conhecido como a Garganta Bottaccione, perto da vila de Gubbio, situada numa encosta da Úmbria, quando lhe despertou a curiosidade uma fina risca de argila avermelhada que dividia duas camadas de calcário antigas – uma do Cretácico e outra do Terciário. Este é um ponto conhecido em geologia como fronteira KT*, e marca a altura, 65 milhões de anos atrás, em que os dinossauros e praticamente metade das outras espécies animais desapareceram abruptamente dos registos fósseis. Alvarez perguntou-se como é que uma finíssima lâmina de argila, de uma escassa espessura de seis milímetros, poderia ser testemunha de um momento tão dramático na história da Terra.

Na altura, os conhecimentos convencionais sobre a extinção dos dinossauros eram os mesmos que nos tempos de Charles Lyell, um século antes – nomeadamente, que os dinossauros se tinham extinguido progressivamente ao longo de um período de milhões de anos. Mas a reduzida espessura da lâmina de argila sugeria claramente que, pelo menos na Úmbria, tinha acontecido algo mais repentino. Infelizmente, nos anos 1970 não havia ainda testes que permitissem determinar quanto tempo teria levado a acumular aquele depósito.

Segundo o curso normal das coisas, Alvarez teria abandonado o problema quase de certeza, mas, por sorte, tinha um contacto excelente com uma pessoa fora do seu domínio de investigação que podia ajudá-lo – o seu pai. Luís Alvarez era um físico nuclear eminente, que recebera o Prémio Nobel da física na década anterior. Embora sempre tivesse feito uma troça condescendente da paixão do filho pelas rochas, o problema intrigou-o. E ocorreu-lhe que a solução poderia residir nas poeiras vindas do espaço.

Todos os anos a Terra acumula cerca de 30 mil toneladas de "esférulas cósmicas" – poeira espacial, em linguagem vulgar – que, se acumulada, faria uma pilha enorme, mas adquire dimensões infinitesimais quando espalhada por todo o globo. Dispersos nesta fina poeira encontram-se elementos exóticos que, normalmente, não são muito frequentes na Terra. Entre eles está um elemento chamado irídio, mil vezes mais abundante no espaço do que na crosta terrestre (porque, segundo se pensa, a maior parte do irídio terrestre se afundou em direcção ao núcleo era a Terra ainda jovem).

Alvarez sabia que um colega seu do Lawrence Berkeley Laboratory da Califórnia, Frank Asaro, desenvolvera uma técnica para medir rigorosamente a composição química das argilas, usando um processo chamado análise por

---

* Diz-se KT em vez de CT, porque o C já fora adoptado para simbolizar Câmbrico. Dependendo da fonte, K vem do grego *kreta* ou do alemão *kreide;* ambos significam "greda", ou "giz", que é também a raiz etimológica de Cretácico.

activação com neutrões. Este consiste em bombardear amostras com neutrões num pequeno reactor nuclear, e contar cuidadosamente os raios gama emitidos; era um trabalho extremamente minucioso. Asaro já usara anteriormente esta técnica para analisar pedaços de objectos de barro, mas Alvarez deduziu que, se medisse a quantidade de um dos elementos exóticos contidos nas amostras de solo do filho e a comparasse com a sua taxa anual de deposição, ficaria a saber quanto tempo as amostras tinham levado a formar-se. Numa tarde de Outubro de 1977, Luís e Walter Alvarez bateram à porta de Asaro e perguntaram-lhe se lhes podia fazer os testes necessários.

Era um pedido bastante exigente. No fundo, estavam a pedir a Asaro que gastasse meses do seu tempo a fazer medições trabalhosíssimas de amostras geológicas, apenas para confirmar o que parecia mais do que evidente logo à partida: que a fina camada de argila se tinha formado tão depressa quanto sugeria a sua reduzida espessura. Na verdade, ninguém esperava que a sua pesquisa produzisse qualquer resultado espectacular.

"Bem, eles foram muito simpáticos, muito persuasivos", lembrou Asaro, numa entrevista dada em 2002. "E, como parecia um desafio interessante, concordei. Infelizmente, tinha muito trabalho em mãos, por isso só oito meses depois é que comecei." Consultou as suas notas dessa altura. "No dia 21 de Junho de 1978, à 1:45h da tarde, pusemos uma amostra no detector. Ao fim de 224 minutos percebemos que estava a dar resultados interessantes pelo que desligámos para ver."

Os resultados foram tão inesperados, na verdade, que os três cientistas acharam que se tinham enganado. A quantidade de irídio nas amostras de Alvarez era três vezes superior ao normal – muito para além das suas previsões. Nos meses seguintes, Asaro e a sua colega Helen Michel chegaram a trabalhar mais de 30 horas seguidas. ("depois de começarmos, não conseguíamos parar", explicou Asaro) a analisar amostras, sempre com os mesmos resultados. As análises de outras amostras – colhidas na Dinamarca, em Espanha, França, Nova Zelândia e Antárctida – mostraram que o depósito de irídio era comum a todo o globo e muito elevado em todo o lado, por vezes cerca de 500 vezes os níveis normais. Era óbvio que o que provocara este surpreendente fenómeno tinha de ser algo de grandes proporções e repentino, provavelmente um qualquer tipo de cataclismo.

Depois de muito pensar, os Alvarezes concluíram que a explicação mais plausível – pelo menos para eles – era que a Terra tinha sido atingida por um cometa ou asteróide.

A ideia de que a Terra podia estar sujeita a impactos devastadores de tempos a tempos não era tão peregrina na altura como hoje se parece acreditar. Em 1942, um astrofísico da Northwestern University chamado Ralph B. Baldwin, tinha sugerido essa possibilidade num artigo da revista *Popular Astronomy*. (Publicou o artigo aí porque nenhum editor académico estava preparado para o fazer.) E pelo menos dois cientistas bem conhecidos, o astrónomo Ernst Öpik e o químico Harold Urey, este laureado com o Nobel, tinham já apoiado publicamente essa teoria em diversas alturas. Esta era conhecida até entre os paleontólogos. Em 1956, um professor da Universidade do Estado de Oregon, M. W. de Laubenfels, já se adiantara mesmo à teoria de Alvarez no *Journal of Paleontology*, sugerindo que os dinossauros teriam sofrido uma morte súbita causada pelo impacto de um objecto vindo do espaço, e, em 1970, o presidente da American Paleontological Society, Dewey J. McLaren, propôs, numa conferência anual do grupo, a possibilidade de um impacto extraterrestre ter sido a causa de um acontecimento anterior conhecido como extinção frasniana.

Como para sublinhar até que ponto a ideia já não era nova nesta altura, em 1979 um estúdio de Hollywood produziu um filme chamado *Meteoro* ("Tem sete quilómetros e meio de largura... Aproxima-se a 30 mil quilómetros por hora – e não há onde nos possamos esconder!"), com Henry Fonda, Natalie Wood, Karl Malden e um pedregulho enorme.

E foi por isso que quando, na primeira semana de 1980, numa reunião da Associação Americana para o Avanço da Ciência, os Alvarez anunciaram a sua teoria, segundo a qual a extinção dos dinossauros não ocorrera ao longo de milhares de anos fazendo parte de um lento e inexorável processo, e sim subitamente, numa só explosão de enormes proporções, a notícia não deveria ter sido um choque para ninguém.

Mas foi. Em todo o lado, e especialmente na comunidade paleontológica, foi recebida como uma heresia escandalosa.

"Bem, é preciso ter em consideração que nós éramos amadores neste domínio", lembra Asaro. "O Walter era geólogo, especializado em paleomagnetismo, o Luís era físico, e eu, químico nuclear. E eis que chegávamos e nos púnhamos a dizer aos paleontólogos que tínhamos acabado de resolver um problema que lhes escapava há mais de um século. Não é de estranhar muito que não se atirassem à ideia de braços abertos." Como disse Luís Alvarez com humor: "Fomos apanhados a praticar geologia sem licença".

Mas havia ainda algo muito mais profundo e mais fundamentalmente difícil de aceitar na teoria do impacto. A crença de que os processos terrestres eram graduais fora um elemento fundamental das ciências naturais desde os tempos de Lyell. Nos anos 1980, o catastrofismo tinha saído de moda há tanto tempo que se transformara numa teoria literalmente impensável. Como disse Eugene Shoemaker, para a maioria dos geólogos a ideia de um impacto devastador ia "contra a sua religião científica".

O facto de Luís Alvarez desprezar abertamente os paleontólogos e as suas contribuições para o conhecimento científico também não ajudou muito. "Eles não são lá muito bons cientistas. Mais parecem coleccionadores de selos", escreveu num artigo para o *New York Times*, que ainda hoje dói aos atingidos.

Os opositores à teoria de Alvarez foram apresentando explicações alternativas para os depósitos de irídio – por exemplo, que eram gerados por erupções vulcânicas prolongadas, ocorridas na Índia, chamadas Deccan Traps – e, acima de tudo, insistiam que não havia provas de que o desaparecimento abrupto dos dinossauros dos registos fósseis tivesse ocorrido na fronteira do irídio. Um dos oponentes mais enérgicos, Charles Officer, de Dartmouth College, insistia que o irídio fora depositado por acção vulcânica, na mesma altura em que, numa entrevista a um jornal, admitiu não ter provas disso. Já em 1988, mais de metade dos paleontólogos americanos contactados durante um inquérito continuavam a acreditar que a extinção dos dinossauros não tinha qualquer relação com um impacto de asteróides ou cometas.

A única coisa que podia obviamente apoiar a teoria dos Alvarezes era precisamente o que lhes faltava – um local de impacto. E foi aí que entrou Eugene Shoemaker. Shoemaker tinha um contacto no Iowa – a sua nora leccionava na Universidade do Iowa – e tinha conhecimento da cratera de Manson através dos seus estudos. Graças a ele, todos os olhares se voltavam agora para o Iowa.

A geologia é uma profissão que varia de sítio para sítio. No Iowa, por exemplo, que é um estado plano e sem acidentes de terreno, não há grandes histórias para contar. Não há cumes alpinos, nem glaciares devastadores, nem grandes jazigos de petróleo ou metais preciosos, nem sombra de fluxos piroclásticos. Um geólogo contratado pelo estado do Iowa tem como principal tarefa a avaliação de Projectos de Gestão de Estrume, que são periodicamente obrigados a entregar todos os "operadores de instalações animais" – a que os leigos chamam criadores de porcos – daquele estado maioritariamente agrícola. Há 15 milhões de suínos no Iowa, ou seja, muito estrume para gerir. Não estou de modo algum a fazer troça – é um trabalho vital e inteligente, pois mantém limpa a água do Iowa – mas nem com a maior boa-vontade do mundo terá o prestígio de, digamos, andar a evitar bombas de lava no Monte Pinatubo, ou esgravatar fendas nas camadas de gelo da Gronelândia, à procura de resquícios de vida aprisionados em quartzos antigos. Portanto, podemos bem imaginar a excitação que invadiu o Iowa Department of Natural Resources, quando, no meio dos anos 1980, o mundo geológico focou toda a sua atenção em Manson, e na sua preciosa cratera.

O Trowbridge Hall, na cidade de Iowa, é um velho edifício de tijolo encarnado do princípio do século XX que alberga o departamento das Ciências Geológicas da Universidade do Iowa e também, muito lá para cima, numa espécie de sótão, os geólogos do Departamento de Recursos Naturais do Iowa. Ninguém se lembra exactamente de quando, e ainda menos como, os geólogos do estado foram colocados em dependências académicas, mas fica-se com a impressão de que o espaço foi concedido de má vontade, porque os escritórios são acanhados, de tectos baixos e difícil acesso. Quando nos mostram o caminho, quase esperamos que nos façam subir para o rebordo do telhado e nos obriguem depois a entrar por uma janela de sótão.

Ray Anderson e Brian Witzke passam a vida a trabalhar lá em cima, entre desordenadas pilhas de papéis, relatórios, gráficos enrolados, e pesadas amostras de pedras. (Os geólogos nunca têm falta de pisa-papéis.) É o género de lugar onde, quando se procura alguma coisa – uma cadeira suplementar, uma chávena de café, um telefone a tocar – tem de se deslocar montanhas de coisas de um lado para o outro.

"De repente estávamos no centro de tudo", disse-me Anderson com olhos brilhantes, ao recordar, quando fui ter com ele e com Witzke nos respectivos escritórios, numa triste e chuvosa manhã de Junho. "Foi uma época maravilhosa."

Perguntei-lhes sobre Gene Shoemaker, um homem que parece ter sido mundialmente venerado. "Era um tipo fantástico", respondeu Witzke sem hesitações. "Se não fosse ele, tudo isto estaria ainda na estaca zero. Mesmo com o seu apoio, levou dois anos para começar. A abertura de um furo é muito cara – cerca de 115 dólares por metro naquela altura, agora mais ainda, e precisávamos de ir até aos mil metros de profundidade."

"Às vezes mais do que isso", acrescentou Anderson.

"Às vezes mais do que isso", concordou Witzke. "E em várias localizações. Por isso havia muito dinheiro metido nisto, bastante mais do que o nosso orçamento permitia".

Foi aí que se criou um protocolo de colaboração entre a Iowa Geological Survey e a U. S. Geological Survey.

"Pelo menos *pensávamos* que era uma colaboração," comentou Anderson com um sorriso amarelo.

"Foi uma verdadeira aprendizagem para nós," continuou Wintzke. "A dizer a verdade, a prática científica daquela altura não era das melhores – as pessoas estavam sempre prontas a apresentar resultados que nem sempre eram dos mais fiáveis." Um desses momentos foi ilustrado na reunião anual da American Geophysical Union em 1985, quando Glenn Izett e C. L. Pillmore da U. S. Geological Survey anunciaram que a cratera de Manson tinha justamente a idade certa para estar relacionada com a extinção dos dinossauros. A declaração atraiu muita atenção por parte da imprensa, mas infelizmente era prematura. Um exame mais cuidadoso dos dados disponíveis revelou que Manson não só era muito pequena, como também nove milhões de anos mais antiga.

Anderson e Witzke souberam deste revés nas suas carreiras à chegada a uma conferência em Dacota do Sul, quando viram as pessoas ir ter com eles e dizer-lhes com ar compadecido: "Soubemos que perderam a vossa cratera". Foi assim que souberam que Izett e os outros cientistas de USGS tinham anunciado números bem precisos, que faziam com que Manson não pudesse de forma alguma ser a cratera associada à extinção.

"Foi um grande choque", recorda Anderson. "Afinal, tínhamos em mãos este assunto tão importante, e de repente, fugiu-nos. Mas pior do que isso foi perceber que as pessoas que pareciam estar a colaborar connosco nem se tinham dado ao trabalho de partilhar o que tinham descoberto."

"E porque não?"

Encolheu os ombros. "Sei lá! De qualquer maneira, é uma pequena amostra de como a ciência se pode tornar num jogo sujo, quando se joga a certo nível."

A pesquisa passou para outro local. Por acaso, em 1990, um dos pesquisadores, Alan Hildebrand da Universidade do Arizona, encontrou um repórter da *Houston Chronicle* que conhecia uma formação circular, grande e inexplicável, com 193 quilómetros de largura e 48 quilómetros de profundidade, em Chicxulub, abaixo da Península do Iucatão, no México, perto da cidade de Progreso, cerca de 950 quilómetros a Sul de Nova Orleães. A formação fora descoberta pela companhia de petróleo mexicana Pemex, em 1952 – por coincidência o mesmo ano em que Gene Shoemaker visitara a Cratera do Meteoro no Arizona – mas os geólogos da companhia tinham concluído que era uma cratera vulcânica, de acordo com as ideias dessa altura. Hildebrand foi até ao local e concluiu rapidamente que se tratava da cratera certa. No início de 1991 ficou estabelecido que Chicxulub era o local do impacto.

Ainda assim, havia muitas pessoas que não percebiam as consequências de um impacto. Stephen Jay Gould recorda num dos seus ensaios: "Lembro-me que, inicialmente, tive fortes dúvidas sobre as consequências de um acontecimento destes... Por que é que um objecto que só tem nove quilómetros de largura haveria de provocar tal devastação num planeta com um diâmetro de 13 mil quilómetros?"

A sorte foi ter surgido uma oportunidade para se fazer um ensaio da teoria ao vivo, quando Shoemaker e Levy descobriram o cometa Shoemaker-Levy 9, e se aperceberam de que este se dirigia para Júpiter. Pela primeira vez, os seres humanos iam poder assistir a uma colisão cósmica – e bem podiam agradecê-lo ao novo telescópio espacial Hubble. Segundo Curtis Peebles, a maior parte dos astrónomos não tinha grandes esperanças, particularmente porque o cometa não era uma esfera coesa, e sim uma cadeia de 21 fragmentos alinhados. "Parece-me", escreveu um deles, "que Júpiter vai simplesmente acabar por engolir esses cometas sem dar sequer um arroto". Uma semana antes do impacto, a *Nature* apresentou um artigo, "Preparem-se para um grande chuveiro", onde previa que o impacto ia traduzir-se apenas numa chuva de meteoros.

Os impactos começaram em 16 de Julho de 1994, duraram uma semana e foram muito maiores do que toda a gente – com a possível excepção de Gene Shoemaker – estava à espera. Um fragmento, conhecido como *Nucleus G*, colidiu com uma força de seis milhões de megatoneladas – um número 75 vezes superior ao de todo o armamento nuclear existente. O *Nucleus G* tinha apenas o tamanho de uma montanha pequena, mas deixou cicatrizes do tamanho da Terra na superfície jupiteriana. Foi o golpe de misericórdia para os opositores à teoria Alvarez.

Luís Alvarez nunca soube da descoberta da cratera de Chicxulub, nem do cometa Shoemaker-Levy, porque morreu em 1988. Shoemaker também morreu cedo. No terceiro aniversário do impacto do Shoemaker-Levy, andava com a mulher pelas terras do interior da Austrália, onde o casal ia todos os anos à procura de locais de impacto. Numa estrada de terra do deserto Tanami – normalmente um dos lugares mais desertos à face da Terra – chegaram a uma elevação ao mesmo tempo que se aproximava outro veículo. Shoemaker morreu instantaneamente e a mulher ficou gravemente ferida. Parte das cinzas do cientista foram levadas para a Lua a bordo da nave Lunar Prospector, e o resto foi lançado em torno da Cratera do Meteoro.

Anderson e Witzke perderam a cratera que matara os dinossauros, "mas continuávamos a ter a maior e mais perfeita cratera de impacto em todo território continental dos Estados Unidos", disse Anderson. (É necessária uma certa destreza verbal para permitir que a Cratera de Manson mantenha o seu estatuto superlativo. Existem outras crateras maiores – nomeadamente em Chesapeake Bay, reconhecida como local de impacto em 1994 – mas estão todas ao largo da costa, ou então deformadas.) "A de Chicxulub está soterrada por dois a três quilómetros de calcário e está, na sua maior parte, fora do território continental, o que a torna difícil de estudar", continuou Anderson, "enquanto a de Manson é bastante acessível. E, por estar enterrada, está em estado relativamente imaculado."

Perguntei-lhes se teríamos algum tipo de aviso, no caso de estarmos na iminência de apanhar com um rochedo de tamanho semelhante.

"Não, provavelmente nenhum", respondeu com ar casual. "Não seria visível a olho nu até ter aquecido, e isso só aconteceria quando entrasse na atmosfera, isto é, um segundo antes de atingir a Terra. Estamos a falar de uma coisa que se desloca dezenas de vezes mais depressa do que a bala mais rápida. A menos que fosse visto por alguém que tivesse um telescópio, e não há qualquer garantia disso, seríamos apanhados completamente de surpresa."

A violência de um impacto depende de muitas variáveis – ângulo de entrada, velocidade e trajectória, se a colisão se produz de frente ou de lado, e da massa e densidade do objecto projectado, entre muitas outras coisas – coisas que não conseguimos saber quando já passaram tantos milhões de anos sobre o acontecimento. O que os cientistas podem fazer – e Anderson e Witzke fizeram-no – é medir o local do impacto e calcular a quantidade de energia libertada. A partir daí podem imaginar cenários plausíveis do que se poderá ter passado – ou, o diabo seja surdo, do que poderia passar-se se acontecesse agora.

Um cometa ou asteróide a viajar a velocidades cósmicas entraria na atmosfera terrestre a tal velocidade que o ar por baixo dele seria comprimido como numa bomba de encher pneus. Como toda a gente que já usou uma dessas bombas sabe, o ar comprimido aquece muito rapidamente, e a temperatura por baixo deste subiria para cerca de 60 mil graus Kelvin, ou seja, dez vezes a temperatura de superfície do Sol. No instante da sua chegada à nossa atmosfera, tudo o que estivesse no caminho do meteoro – pessoas, casas, fábricas, carros – desapareceria como uma folha de celofane a arder.

Um segundo depois de entrar na atmosfera, o meteorito colidiria com a superfície da Terra, no mesmo sítio onde as pessoas de Manson teriam estado a tratar calmamente das suas vidas um momento antes. Quanto ao próprio meteorito, vaporizar-se-ia instantaneamente, mas a explosão enviaria mil quilómetros cúbicos de rocha, terra e gases superaquecidos em todas as direcções. Qualquer ser vivo, num raio de 250 quilómetros, que não tivesse morrido com o calor seria agora morto pela explosão. A onda de choque inicial irradiaria centrifugamente quase à velocidade da luz, arrasando tudo à sua frente.

Para os que estivessem fora da zona de destruição imediata, o primeiro sinal de catástrofe seria um clarão de luz encandeante – a mais brilhante jamais vista por olhos humanos – seguido de, um minuto ou dois depois, uma visão apocalíptica de grandeza inimaginável: uma parede negra a erguer-se no ar até chegar aos céus, preenchendo todo o campo de visão e deslocando-se a milhares de quilómetros por hora. A sua aproximação seria assustadoramente silenciosa, uma vez que se moveria a uma velocidade muito superior à do som. Alguém que estivesse num edifício alto em Omaha ou em Des Moines, por exemplo, e que por acaso olhasse na direcção certa, veria um pavoroso véu de destruição, seguido de nada.

Numa questão de minutos, numa área que se estenderia de Denver a Detroit e abrangeria o que fora outrora Chicago, St. Louis, Kansas City, Minneapolis e St. Paul – resumindo, todo o Midwest – tudo o que estivesse de pé estaria arrasado ou ardido, e quase todos os seres vivos estariam mortos. Todas as pessoas que se encontrassem num raio de 1500 quilómetros seriam projectadas no ar, estilhaçadas e trespassadas por uma chuva de projécteis voando em todas as direcções. Para além dos 1500 quilómetros, a destruição diminuiria gradualmente.

Mas isto seria apenas a onda de choque inicial. Ninguém sabe ao certo quais os danos associados a este tipo de cataclismo, mas podemos ter a certeza de que seriam bruscos e globais. O impacto provocaria quase de certeza uma série de terramotos devastadores. Os vulcões de todo o globo entrariam em actividade, e haveria maremotos a varrer as costas mais distantes. No espaço de uma hora, uma nuvem negra cobriria o planeta, bocados de rocha e outros detritos escaldantes seriam projectados por todo o lado, fazendo arder a maior parte do planeta. Calcula-se que pelo menos 1,5 mil milhões de pessoas morreriam ao fim do primeiro dia. As perturbações maciças da ionosfera destruiriam os sistemas de comunicação por todo o lado, pelo que os sobreviventes não poderiam saber o que se passava noutros lugares, nem para onde fugir. Coisa que também não teria grande importância. Como explicou um comentador, fugir seria "preferir uma morte lenta a uma morte rápida. O número de vítimas mortais seria muito pouco afectado por qualquer esforço de transferência das populações para outros locais, uma vez que a capacidade da Terra para manter a vida estaria universalmente diminuída."

A quantidade de fuligem e cinzas flutuantes resultantes do impacto e dos incêndios subsequentes taparia o Sol, certamente durante meses, possivelmente durante anos, perturbando os ciclos de crescimento. Em 2001, pesquisadores do Instituto de Tecnologia da Califórnia analisaram isótopos de hélio de sedimentos deixados pelo último impacto KT, e concluíram que o clima da Terra foi afectado durante cerca de dez mil anos. Na verdade, esta descoberta foi usada como prova de apoio à teoria de que a extinção dos dinossauros foi rápida e violenta – o mesmo acontecendo em termos geológicos. Só nos resta imaginar como a humanidade reagiria, ou se teria alguma hipótese de o fazer, perante tal catástrofe.

E o mais provável, não se esqueça, é que tudo acontecesse sem aviso prévio, vindo do nada.

Mas vamos partir do princípio de que víamos o objecto a chegar. O que faríamos? Toda a gente presume que se enviaria um míssil nuclear para o reduzir a estilhaços, mas esta ideia levanta alguns problemas. Primeiro, como nota John S. Lewis, os nossos mísseis não foram concebidos para funcionar no espaço. Não têm força suficiente para escapar à gravidade da Terra e, mesmo que tivessem, não existem os mecanismos necessários para guiá-los pelo espaço fora, ao longo de dezenas de milhões de quilómetros. Muito menos poderíamos mandar uma nave de cowboys espaciais para nos livrar do problema, como no filme *Armagedon;* já nem sequer possuímos um foguetão com força suficiente para mandar seres humanos até à Lua. O último que o fez, o Saturno 5, foi retirado da actividade há anos, e nunca foi substituído. Também seria difícil construir um novo, uma vez que os planos de lançamento do Saturno foram destruídos durante uma operação de limpeza interna efectuada pela NASA, o que não deixa de ser espantoso.

Mesmo que conseguíssemos lançar um míssil até ao asteróide para o reduzir a pedaços, o mais provável é que nada mais conseguíssemos do que transformá-lo numa série de rochedos que viria colidir connosco, como aconteceu com o Cometa Shoemaker-Levy em Júpiter – apenas com a diferença de que, neste caso, as rochas seriam extremamente radioactivas. Tom Gehrels, um detector de asteróides da Universidade do Arizona, acha que mesmo um ano de aviso prévio seria insuficiente para tomar as precauções necessárias. O mais provável, no entanto, é que não víssemos objecto algum – mesmo um cometa – até este estar a seis meses de distância, coisa que seria tarde de mais. O Shoemaker-Levy 9 andava em órbita à volta de Júpiter de forma bastante notória desde 1929, mas levou mais de meio século até ser detectado.

Curiosamente, como estas coisas são muito difíceis de calcular e implicam sempre uma margem de erro importante, mesmo que soubéssemos da existência de um objecto a viajar na nossa direcção, só conseguiríamos saber mesmo perto do fim – nas últimas semanas, pelo menos – se haveria realmente colisão. Durante a maior parte do período de aproximação do objecto, o ambiente seria sempre de grande incerteza. Seriam certamente os meses mais interessantes na história do mundo. E imagine a festa que era, se o objecto passasse sem nos bater.

"Então, com que frequência é que pode acontecer algo como o impacto de Manson?", perguntei a Anderson e Witzke antes de sair.

"Oh, uma vez em cada milhão de anos, em média", respondeu Witzke.

"E lembre-se", acrescentou Anderson, "esse acontecimento foi de uma importância menor. Sabe quantas extinções estiveram associadas com o impacto de Manson?"

"Não faço ideia", respondi.

"Nenhuma", disse, com um estranho ar de satisfação. "Nem uma."

Claro que, acrescentaram os dois rapidamente e mais ou menos em uníssono, deve ter havido devastações terríveis em grande parte do planeta, como foi descrito atrás, e destruição total num raio de centenas de quilómetros à volta da zona do impacto. Mas a vida é resistente, e quando o fumo se desvaneceu, havia uns sobreviventes com sorte, e em número suficiente para que cada espécie pudesse ser perpetuada.

As boas notícias, ao que parece, é que para extinguir uma espécie é preciso um trabalhão dos diabos. As más notícias é que nunca se pode contar com as boas notícias. Pior ainda, não precisamos sequer de olhar para o espaço para antever perigos petrificantes. Como veremos, a Terra por si só já nos consegue proporcionar perigos que cheguem.

14.

ENTRANHAS EM FOGO

No Verão de 1971, um jovem geólogo chamado Mike Voorhies andava a fazer o reconhecimento de um terreno rural no leste do Nebraska, perto da cidadezinha de Orchard, onde crescera. Ao passar por uma ravina muito íngreme, reparou numa coisa que brilhava no mato por cima desta, e subiu para ver o que era. Deparou-se-lhe o crânio perfeito de um jovem rinoceronte, que ficara a descoberto na sequência de fortes chuvas recentes.

Alguns metros mais longe, veio depois a saber-se, encontrava-se o mais extraordinário jazigo de fósseis alguma vez descoberto na América do Norte, um poço seco que tinha servido como sepultura maciça de animais – rinocerontes, cavalos zebróides, veados dente-de-sabre, camelos, tartarugas. Todos tinham morrido na sequência de um cataclismo ocorrido há pouco menos de 12 milhões de anos, no período geológico conhecido por Mioceno. Naquela altura, o Nebraska era uma vasta planície quente, muito parecida com o actual Parque Nacional do Serengueti, na Tanzânia. Os animais estavam enterrados debaixo de três metros de cinzas vulcânicas. O facto curioso é que não há nem nunca houve, quaisquer vulcões no Nebraska.

Hoje, o local da descoberta de Voorhies chama-se Ashfall Fossil Beds State Park, e possui um requintado centro para visitantes e um museu, com oportunos mostruários da geologia do Nebraska e a história dos jazigos de fósseis. O centro possui também um laboratório com paredes de vidro, através das quais os visitantes podem ver os paleontólogos limpar os ossos dos animais. A trabalhar sozinho no dia em que passei pelo laboratório, lá estava um rapaz todo animado, de cabelo grisalho e camisa azul que percebi logo ser o próprio Mike Voorhies, tendo-o reconhecido por causa de um documentário televisivo da BBC. Não há assim tantos visitantes em Ashfall Fossil Beds Statepark – fica, por assim dizer, para lá do sol-posto – e Voorhies pareceu contente em poder servir-me de guia. Levou-me até ao cimo de uma ravina com seis metros, o sítio onde fizera a sua descoberta.

"Era um sítio idiota para vir à procura de ossos", disse alegremente. "Mas eu não estava à procura de ossos. Nessa altura estava a pensar fazer um mapa geológico do leste do Nebraska, e andava por aqui a espreitar. Se não tivesse subido aquela ravina, ou se aquele crânio não tivesse ficado exposto pelas chuvas, eu teria continuado o meu caminho, e isto nunca teria sido encontrado." Apontou para um terreno demarcado e coberto, que era agora o local principal das escavações. Tinham-se descoberto ali cerca de 200 animais, todos misturados uns com os outros.

Perguntei-lhe por que dizia que aquele era um sítio idiota para procurar ossos. "Bem, quando se anda à procura de ossos, é conveniente fazê-lo em sítios onde haja rochas expostas. É por isso que a paleontologia se pratica em locais quentes e secos. Não quer dizer que haja mais ossos aí, mas é mais fácil serem detectados. Num lugar como este" – fez um gesto de quem varre a vasta e monótona planície com o braço – "não se saberia por onde começar. Podia sempre haver material fantástico, mas não havia, à superfície, pistas que indicassem por onde se deveria começar."

Primeiro pensou-se que os animais tinham sido enterrados vivos, e o próprio Voorhies o disse, num artigo da *National Geographic* em 1981. "O artigo chamava ao sítio uma 'Pompeia de animais pré-históricos' ", disse-me, "o que foi um título infeliz, porque logo a seguir percebemos que os animais não tinham morrido de repente. Todos eles sofriam de uma coisa chamada osteodistrofia pulmonar hipertrófica, que é justamente o resultado de se respirar grandes quantidades de cinzas abrasivas – e eles devem ter inalado muita cinza, uma vez que havia uma camada de vários metros de espessura num raio de centenas de quilómetros." Pegou numa espécie de argila acinzentada e desfê-la na minha mão. Era um pó ligeiramente granulado. "Péssimo de respirar," continuou, "porque é simultaneamente fino e cortante. É natural que tenham vindo a esta nascente de água à procura de alívio, e acabaram por morrer com bastante sofrimento. A cinza deve ter destruído tudo. Deve ter soterrado todas as ervas, coberto todas as folhas, e transformado a água numa lama cinzenta completamente imbebível. Não deve ter sido lá muito agradável."

O documentário da BBC tinha dado a entender que a existência de tanta cinza no Nebraska era surpreendente. Contudo, os imensos depósitos de cinza daquele estado já eram conhecidos há bastante tempo. Durante quase um século, as cinzas tinham sido utilizadas para fazer pós de limpeza domésticos, como o *Vim* e o *Ajax*. Mas, curiosamente, ninguém se tinha lembrado de perguntar de onde vinha aquela cinza toda.

"Fico um pouco envergonhado em dizer-lhe isto," disse Voorhies, sorrindo por um instante, "mas a primeira vez que pensei nisso foi quando um redactor da *National Geographic* me perguntou qual era a origem de toda aquela cinza, e eu tive de confessar que não sabia. Ninguém sabia."

Voorhies mandou amostras a colegas de todo o oeste dos Estados Unidos, perguntando se encontravam nelas algo de reconhecível. Muitos meses mais tarde, um geólogo chamado Bill Bonnichsen, da Idaho Geological Survey, contactou-o, dizendo que a amostra de cinza era semelhante à de um depósito vulcânico encontrado num lugar chamado Bruneau-Jarbidge, no sudoeste do Idaho. O que matara os animais das planícies do Nebraska fora uma explosão vulcânica de dimensões até aí inimagináveis – mas suficientemente grandes para deixar uma camada de cinza de três metros de profundidade a uma distância de quase 1600 quilómetros, no leste do Nebraska. Descobriu-se então que, no subsolo do oeste dos Estados Unidos, havia um imenso caldeirão de magma, uma colossal zona de ebulição vulcânica, que explodia periodicamente, de forma drástica, de 600 mil em 600 mil anos. A última dessas erupções foi há pouco mais de 600 mil anos. A zona de ebulição ainda lá está. Chama-se hoje em dia Parque Nacional de Yellowstone.

Não deixa de ser notório o pouco que sabemos sobre o que acontece debaixo dos nossos pés. É quase impressionante pensar que a Ford começou a fabricar carros, e se iniciaram os campeonatos mundiais de basebol ainda antes de descobrirmos que existia uma coisa chamada núcleo terrestre. E não esqueçamos que a ideia de que os continentes flutuam, como nenúfares na superfície de um lago, passou a ser do conhecimento geral há menos de uma geração. "Por muito estranho que pareça", escreveu Richard Feynman, "nós sabemos mais sobre a distribuição da matéria no interior do Sol do que sobre o interior da Terra."

A distância da superfície da Terra ao centro é de 6370 quilómetros, o que não é muito. Calcula-se que, se se abrisse um poço até ao centro e se atirasse para lá um tijolo, este levaria apenas 45 minutos para chegar ao fundo (apesar de, nesse ponto, o tijolo já não ter peso, visto que toda a gravidade da Terra estaria acima e ao redor da respectiva superfície, e não por baixo). As nossas tentativas de penetrar no interior do planeta têm sido modestas, não há dúvida. Uma ou duas minas de ouro da África do Sul chegam a uma profundidade superior a três quilómetros, mas a maior nparte das das minas da Terra não vão além de uns 400 metros. Se o planeta fosse uma maçã, ainda não lhe teríamos furado a casca. Na verdade, nem teríamos chegado perto.

Até há pouco menos de um século, o que as mentes científicas mais bem informadas sabiam sobre o interior da Terra não era muito mais do que sabia um trabalhador numa mina de carvão – nomeadamente, que se podia escavar o solo até encontrar rocha, e pouco mais do que isso. Até que, em 1906, um geólogo irlandês chamado R. D. Oldham, ao analisar os registos de um sismógrafo relativos a um terramoto ocorrido no Guatemala, observou que algumas ondas de choque penetravam até certo ponto no interior da Terra e depois voltavam para trás, como se tivessem encontrado uma espécie de barreira. A partir daqui, deduziu que a Terra tinha um núcleo. Três anos mais tarde, um sismólogo croata, Andrija Mohorovic, ao analisar os gráficos de um terramoto em Zagreb, observou o mesmo desvio estranho, mas a um nível menos profundo. Tinha acabado de descobrir a fronteira entre a crosta e a camada imediatamente abaixo, o manto; esta zona passou a ser conhecida como a descontinuidade de Mohorovic, ou simplesmente Moho.

Começávamos a ter uma vaga ideia das camadas interiores da Terra – apesar de ser apenas muito vaga. Só em 1936 é que um cientista dinamarquês chamado Inge Lehmann, ao estudar registos sismográficos de terramotos ocorridos na Nova Zelândia, descobriu que havia dois núcleos – um interno, que hoje em dia se crê ser sólido, e outro externo (aquele que Oldham tinha detectado) que se pensa ser líquido, e o centro do magnetismo terrestre.

Mais ou menos na mesma altura em que Lehmann aperfeiçoava os nossos conhecimentos rudimentares do interior da Terra, estudando as ondas sísmicas dos terramotos, dois geólogos do Instituto de Tecnologia da Califórnia, inventavam uma forma de estabelecer comparações entre um terramoto e o seguinte. Eram eles Charles Richter e Beno Gutenberg, mas, por razões que nada devem à justiça, a escala tornou-se quase imediatamente conhecida apenas como escala de Richter. (Também nada teve a ver com Richter: era um homem modesto, que nunca se referiu à escala usando o seu nome, mas sempre como "Escala de Magnitude.")

A escala de Richter tem sido sempre mal compreendida pelos leigos, apesar de talvez o ser um pouco menos agora do que naqueles tempos em que as pessoas que visitavam Richter e lhe pediam para ver a tal escala, pensando que era uma espécie de máquina. Claro que a escala é mais uma ideia que um objecto, uma medida arbitrária do estremecimento da Terra, baseada em medições de superfície. Aumenta exponencialmente, pelo que um terramoto de 7,3 é 50 vezes mais forte do que um terramoto de 6,3 e 2500 vezes mais forte que um de 5,3.

Teoricamente pelo menos, não existe limite superior para um terramoto – nem limite inferior, já que falamos nisso. A escala é uma simples medida de potência, mas não diz nada sobre os estragos. Um terramoto de magnitude sete que ocorra bem no interior do manto – digamos, a 650 quilómetros de profundidade – pode não chegar a causar qualquer dano à superfície, enquanto outro significativamente mais pequeno, que aconteça somente a seis ou sete quilómetros de profundidade, pode causar grandes danos numa grande extensão. Muito depende da natureza do subsolo, da duração do terramoto, da frequência e gravidade dos terramotos secundários, e da implantação física da área afectada. Tudo isto significa que os terramotos mais assustadores não são necessariamente os mais fortes, apesar de a respectiva potência ser obviamente muito importante.

O maior terramoto ocorrido desde a invenção da escala foi, dependendo da fonte a que dermos crédito, ou um que teve o seu epicentro no Prince William Sound, no Alasca, em Março de 1964, e mediu 9,2 na escala de Richter, ou um ocorrido no Oceano Pacífico, ao largo da costa do Chile, em 1960, inicialmente classificado com a magnitude de 8,6, mas revisto mais tarde por algumas entidades (incluindo a United States Geological Survey), que o reclassificaram à escala impressionante de 9,5. Como o leitor poderá ter percebido por tudo isto, medir terramotos não é propriamente uma ciência exacta, particularmente quando se interpretam as leituras de localizações longínquas. De qualquer forma, ambos os sismos foram colossais. O de 1960 não só causou enormes danos ao longo da zona costeira da América do Sul, como também provocou um enorme *tsunami*, que viajou dezenas de milhar de quilómetros através do Pacífico e foi arrasar grande parte da zona baixa da cidade de Hilo, no Havai, destruindo 500 edifícios e matando 60 pessoas. E houve outras ondas semelhantes que fizeram ainda mais vítimas em sítios tão distantes como o Japão e as Filipinas.

Em termos de destruição pura e concentrada, no entanto, talvez o mais intenso terramoto registado na história tenha sido o que atingiu, e que acabou por arrasar quase completamente, a cidade de Lisboa, em Portugal, no dia de Todos os Santos (1 de Novembro) de 1755. Eram quase dez da manhã quando a cidade foi subitamente abalada num brusco movimento lateral, que hoje se calcula ter sido de magnitude nove, e que a sacudiu impiedosamente durante sete longos minutos. A força convulsiva do abalo foi de tal ordem que a água do rio recuou da embocadura até ao largo, regressando em seguida sob a forma de uma onda gigante com mais de 15 metros de altura, que concluiu o arrasamento da baixa da cidade. Quando finalmente parou, os sobreviventes gozaram apenas três minutos de calma antes do segundo abalo, pouco menos violento do que o primeiro. O terceiro e último abalo verificou-se duas horas mais tarde. Depois de tudo terminado, 60 mil pessoas tinham morrido, e praticamente todos os edifícios, num diâmetro de muitos quilómetros, estavam reduzidos a escombros. Em comparação, o terramoto de São Francisco de 1906, que se calcula ter sido de 7,8 na escala de Richter, durou menos de trinta segundos.

Os terramotos são bastante habituais. Todos os dias, em média, ocorrem algures no mundo dois de magnitude dois ou superior – o suficiente para abalar com força quem quer que se encontre nas proximidades. Apesar de se concentrarem em certas zonas – nomeadamente ao longo da orla do Pacífico – podem ocorrer em quase qualquer lado. Nos Estados Unidos, apenas a Flórida, o leste do Texas, e o Midwest superior parecem – até agora – estar quase inteiramente imunes. A Nova Inglaterra já teve dois terramotos de magnitude seis ou mais nos últimos 200 anos. Em Abril de 2002, verificou-se um abalo de 5,1 perto de Lake Champlain, no limite de Nova Iorque com o Vermont, causando danos gigantescos e (sou testemunha) arrancando quadros das paredes e crianças das respectivas camas num raio de acção que se estendeu até New Hampshire.

O tipo mais comum de terramotos é aquele que ocorre quando duas placas se unem, como acontece na Califórnia, ao longo da falha de Santo André. À medida que as placas se vão empurrando uma contra a outra, a pressão aumenta, até que uma das duas cede. De maneira geral, quanto maior o intervalo entre os terramotos, maior a pressão acumulada, e maior a hipótese de uma grande sacudidela. Esta é uma preocupação constante em Tóquio, que Bill McGuire, um especialista em catástrofes do University College London, descreve como "a cidade à espera de morrer" (não é propriamente a melhor frase para os panfletos turísticos). Tóquio fica no ponto de encontro de três placas tectónicas, e isto num país bem conhecido pela sua instabilidade sísmica. Em 1995, como o leitor se deve lembrar, a cidade de Kobe, cerca de 500 quilómetros para oeste, foi atingida por um terramoto de magnitude 7,2, que matou 6394 pessoas. Os estragos foram calculados em 99 mil milhões de dólares. Mas isso não foi nada – ou relativamente pouco – em comparação com o que pode vir a acontecer em Tóquio.

Tóquio já sofreu um dos mais devastadores terramotos dos tempos modernos. A 1 de Setembro de 1923, mesmo antes do meio-dia, a cidade foi atingida pelo que ficou conhecido como o Grande Terramoto de Kanto – um sismo dez vezes mais forte do que o terramoto de Kobe. Morreram 200 mil pessoas. Desde essa altura, Tóquio tem estado assustadoramente imóvel, o que quer dizer que a tensão subterrânea tem vindo a acumular-se durante 80 anos. É de calcular que, mais tarde ou mais cedo, estale. Em 1923, Tóquio tinha uma população de cerca de três milhões. Hoje em dia aproxima-se dos 30 milhões. Ninguém está interessado em calcular quantas pessoas poderão morrer, mas o custo económico potencial foi calculado em sete biliões de dólares.

Ainda mais enervantes, não só por se saber menos sobre eles mas também porque podem ocorrer em qualquer lado e a qualquer hora, são os abalos mais raros conhecidos como sismos intraplacas. Estes ocorrem longe dos pontos de junção de placas, o que os torna completamente imprevisíveis. E, por virem de uma maior profundidade, tendem a propagar-se ao longo de áreas mais extensas. Os que mais se destacaram nesta categoria, ocorridos nos Estados Unidos, foram uma série de três registados em Nova Madrid, no Missouri, no Inverno de 1811-12. A aventura começou pouco depois da meia-noite do dia 16 de Dezembro, quando as pessoas acordaram, primeiro com o barulho dos animais de quinta em pânico (a inquietação dos animais antes dos terramotos não é uma história da carochinha – é um facto bem conhecido, embora ninguém o saiba explicar) e, a seguir, por um potente ruído de qualquer coisa a romper-se no interior da Terra. Ao sair de suas casas, os habitantes deram com a terra a erguer-se em ondas de quase um metro de altura e a abrir-se em fissuras de grande profundidade. Um forte cheiro a enxofre encheu o ar. O abalo durou quatro minutos, tendo causado os habituais danos nos bens e propriedades. O pintor John James Audubon, que se encontrava por acaso no local, estava entre as testemunhas. O terramoto irradiou com tal força que deitou abaixo chaminés em Cincinnati a 600 quilómetros de distância e, de acordo com pelo menos um relato, "despedaçou vários barcos nos portos da Costa Leste e... fez cair os andaimes suspensos no edifício do Capitólio, em Washington D. C." A 23 de Janeiro e 4 de Fevereiro seguiram-se outros terramotos de grandezas semelhantes. Nova Madrid tem estado calma desde então – mas isso não é de espantar, uma vez que esses episódios não ocorrem normalmente duas vezes no mesmo sítio. Tanto quanto sabemos, são tão imprevisíveis como os relâmpagos. O próximo pode ser em Chicago, Paris ou Kinshasa. Ninguém faz a mais pequena ideia. E o que é que causa estas gigantescas rupturas intraplacas? Algo que se localiza muito fundo no interior da Terra. Mais do que isso não se sabe.

Por volta dos anos 1960, os cientistas já se sentiam suficientemente frustrados com a falta de conhecimentos sobre o interior da Terra para se decidirem a fazer qualquer coisa que mudasse a situação. Especificamente, tiveram a ideia de perfurar o fundo do oceano (a crosta continental era muito espessa) até à descontinuidade de Moho, e extrair uma amostra do manto para pesquisa científica. A lógica que presidiu à iniciativa era de que, se conseguissem compreender a natureza das rochas existentes no interior da Terra, talvez pudessem começar a compreender a forma como elas interagem, conseguindo talvez assim prever terramotos e outros acontecimentos indesejáveis.

Inevitavelmente, o projecto tornou-se conhecido como o Mohole[NT], e foi bastante desastroso. Esperavam conseguir baixar uma broca a mais de 4000 metros de profundidade no oceano Pacífico, ao largo da costa do México, e perfurar cerca de 5000 metros através de uma crosta rochosa relativamente fina. Nas palavras de um oceanógrafo, perfurar a partir de um barco em mar alto é "como tentar fazer um buraco nos passeios de Nova Iorque a partir do cimo do Empire State Building, usando um fio de esparguete". Todas as tentativas falharam. O máximo que conseguiram penetrar foi cerca de 180 metros. O Mohole passou a ser conhecido como o No Hole[NT]. Em 1966 o Congresso, exasperado com o aumento das despesas e a falta de resultados, cancelou o projecto.

Quatro anos mais tarde, os cientistas soviéticos decidiram tentar a sua sorte em terra seca. Escolheram um lugar na península russa de Kola, perto da fronteira com a Finlândia, e começaram a trabalhar, com a esperança de conseguir chegar a 15 quilómetros de profundidade. O trabalho foi mais difícil do que esperavam, mas os soviéticos foram de uma persistência digna de melhor sorte. Quando finalmente desistiram, 19 anos mais tarde, tinham conseguido chegar a 12,262 metros de profundidade. Tendo em conta que a crosta terrestre representa apenas cerca de 0,3 por cento do volume do planeta, e que o buraco de Kola não tinha chegado sequer a um terço do total

---

[NT] "Buraco de Moho".

[NT] "Não há buraco".

da crosta, não podemos propriamente gabar-nos de ter conquistado o interior do nosso planeta.

Curiosamente, embora o buraco tenha sido modesto, quase tudo o que nos ensinou se revelou surpreendente. Os estudos das ondas sísmicas tinham levado os cientistas a prever, e com bastante rigor, que encontrariam rochas sedimentares até uma profundidade de 4700 metros, seguidas de granito nos 2300 metros seguintes e, a partir daí, basalto. Neste caso, a camada sedimentar revelou ser 50 por cento mais profunda do que o esperado, e a camada de basalto nunca chegou a ser encontrada. Além disso, o mundo subterrâneo mostrou ser mais quente do que alguém tinha pensado, com uma temperatura de 180º C a dez mil metros, quase o dobro do que fora previsto. O mais surpreendente de tudo foi descobrir que a essa profundidade a rocha estava saturada de água – algo que não se pensava possível.

Como não podemos ver para dentro da Terra, temos de usar outras técnicas, que envolvem fundamentalmente a leitura das ondas à medida que se propagam pelo interior. Também se sabe um pouco sobre o manto através dos veios de kimberlitos[NT], onde se formam os diamantes. O que acontece é que há explosões bem no interior da Terra que fazem com que uma autêntica bala de magma seja disparada até à superfície a velocidades supersónicas. É um acontecimento completamente acidental. Pode haver um veio de kimberlito a explodir no seu quintal enquanto está a ler isto. Como vêm de uma tal profundidade – até 200 quilómetros – as bombas de kimberlito trazem toda a espécie de coisas que normalmente não se encontram à superfície, nem perto dela: uma rocha chamada peridotite, cristais de olivina e – ocasionalmente, num veio em cada cem – diamantes. Há muito carbono arrastado com as ejecções de kimberlito, mas a maior parte vaporiza-se ou transforma-se em grafite. Só muito ocasionalmente um destes pedaços é lançado à velocidade certa e esfria com a necessária rapidez para se transformar em diamante. Foi um destes veios que fez com que Joanesburgo se transformasse na mais produtiva cidade mineira de diamantes do mundo, mas pode ser que haja outras ainda maiores de que não temos conhecimento. Os geólogos sabem que algures na vizinhança do nordeste de Indiana há indícios da existência de um veio ou grupo de veios que pode ser verdadeiramente monumental. Foram encontrados, espalhados por diferentes locais da região, diamantes de 20 quilates ou mais, mas ainda ninguém encontrou a fonte. Como diz John McPhee,

---

[NT] Palavra que deriva do Vale de Kimberley, na África do Sul, região rica em diamantes.

podem estar soterrados sob depósitos de glaciares, como a cratera de Manson, no Iowa, ou debaixo dos Grandes Lagos.

Portanto, o que sabemos nós sobre o que se passa debaixo da Terra? Muito pouco. Os cientistas geralmente concordam em que o mundo debaixo de nós é composto por quatro camadas – uma crosta exterior rochosa, um manto de rocha quente e viscosa, um núcleo externo líquido, e um núcleo interno sólido.* Sabemos que a superfície é composta predominantemente por silicatos, que são relativamente leves e sem peso suficiente para contribuir para a densidade total do planeta. Logo, deve haver qualquer coisa mais pesada lá dentro. Sabemos que para o nosso campo magnético se formar algures no interior, tem de haver uma cintura concentrada de elementos metálicos em estado líquido. Quanto a isto o consenso é universal. Quase tudo para além disso – como é que as camadas interagem, o que as faz terem o comportamento que têm, o que irão fazer a qualquer momento futuro – é uma questão em que reina alguma incerteza, quando não muita.

Até a parte que podemos ver, a crosta, é objecto de acesas discussões. Quase todos os textos de geologia dizem que a crosta continental tem cinco a dez quilómetros de espessura por baixo dos oceanos, 40 quilómetros por baixo dos continentes e 65 a 95 quilómetros por baixo das grandes cordilheiras de montanhas, mas há muitas variações intrigantes dentro destes números gerais. A crosta por baixo da Serra Nevada, por exemplo, tem apenas 30 a 40 quilómetros de espessura, e ninguém sabe porquê. Segundo todas as leis da geofísica, a Serra Nevada devia estar a afundar-se, como se estivesse sobre areias movediças. (Há quem pense que sim).

Como e quando é que a Terra ganhou a sua crosta são questões que dividem os geólogos em dois vastos campos – aqueles que acham que isso aconteceu abruptamente, logo no princípio da história da Terra, e aqueles que pensam que aconteceu gradualmente, e mais tarde. São questões que incendeiam

---

* Para quem gostar de ter uma imagem mais completa do interior da Terra, aqui ficam as dimensões das várias camadas, em números médios: Entre 0 e 40 quilómetros, temos a crosta. Entre 40 e 400 quilómetros, temos o manto superior. Entre 400 e 650 quilómetros, situa-se uma zona de transição entre o manto superior e o manto inferior. Entre 650 e 2700 quilómetros, encontramos o manto inferior. Entre 2700 e 2890 quilómetros, temos a camada "D". Dos 2890 aos 5150 quilómetros temos o núcleo externo, e dos 5150 aos 6370 quilómetros, o núcleo interno.

facilmente os ânimos. Richard Armstrong, da Universidade de Yale, propôs nos anos 1960 uma teoria a favor da explosão inicial, e passou o resto da vida a lutar contra os que não estavam de acordo com ele. Morreu de cancro em 1991, mas pouco antes de morrer "atacou violentamente os seus os críticos numa polémica publicada num jornal australiano de ciências geológicas, onde os acusava de perpetuarem mitos", de acordo com uma reportagem que saiu na revista *Earth* em 1998. "Morreu amargo", comentou um colega seu.

O conjunto da crosta e de parte do manto exterior chama-se litosfera (do grego *lithos,* que quer dizer "pedra"), que por sua vez flutua em cima de uma camada de rocha mais mole chamada astenosfera (do grego "sem força"), mas estes termos não são completamente satisfatórios. Dizer que a litosfera flutua sobre a astenosfera dá a entender que existe um certo grau de facilidade em flutuar que não corresponde bem à realidade. Da mesma forma, induz em erro imaginar que as rochas flutuam sobre qualquer coisa tal como estamos habituados a ver qualquer material a flutuar sobre outro à superfície do planeta. As rochas são viscosas, mas de uma viscosidade semelhante à do vidro. Pode não parecer, mas todo o vidro da Terra está a deslizar para baixo, sob o efeito da gravidade. Se retirarmos um vidro muito antigo da janela de uma catedral europeia, por exemplo, verificaremos que é nitidamente mais grosso em baixo do que em cima. É deste tipo de "deslizamento" que estamos a falar. O ponteiro das horas de um relógio move-se cerca de dez mil vezes mais depressa do que as rochas "deslizantes" do manto.

Os movimentos não ocorrem apenas lateralmente, à medida que as placas se vão deslocando à superfície da Terra, mas também de cima para baixo, à medida que as rochas se erguem e descem, sob o efeito do processo mecânico conhecido por convecção. A existência deste processo foi deduzida pelo excêntrico conde Von Rumford, no final do século XVIII. Sessenta anos mais tarde, um vigário inglês chamado Osmond Fisher previu (acertadamente) que o interior da Terra podia ser suficientemente fluído para permitir a movimentação do seu conteúdo, mas esta ideia demorou muito tempo a ganhar adeptos.

Por volta de 1970, quando os geofísicos se aperceberam do tumulto que se passava lá em baixo, a surpresa foi grande e geral. Como disse Shawna Vogel no seu livro *Naked Earth: The New Geophysics:* "Era como se os cientistas tivessem passado décadas a descortinar as camadas da atmosfera terrestre – troposfera, estratosfera, e por aí fora – e só então descobrissem a existência do vento."

Até que profundidade se dá o processo de convecção tem sido assunto de grande controvérsia desde então. Alguns dizem que começa a 650 quilómetros de profundidade, outros falam em 3000 quilómetros. O problema, como observou Donald Trefil, é que "há duas séries de dados provenientes de duas disciplinas diferentes, e que não encaixam uns nos outros". Os geoquímicos dizem que há certos elementos à superfície da Terra que não são originários da camada superior do manto, mas sim de camadas mais profundas no interior da Terra. Portanto, os materiais da camada superior e inferior do manto devem misturar-se ocasionalmente. Mas os sismógrafos insistem que não há quaisquer provas nesse sentido.

Portanto, tudo o que podemos dizer é que a dado ponto indeterminado do percurso em direcção ao centro da Terra, deixamos a astenosfera e mergulhamos no manto puro. Considerando que este é responsável por 82 por cento do volume total da Terra, e 65 por cento da sua massa, o manto não parece atrair grande atenção, principalmente porque as coisas que interessam tanto aos geólogos como aos leitores em geral acontecem ou mais abaixo (como o magnetismo), ou mais perto da superfície (como os terramotos). Sabemos que, até uma profundidade de 150 quilómetros, o manto consiste predominantemente num tipo de rocha chamado peridotite, mas desconhece-se o material que preenche os 2650 quilómetros seguintes. Segundo um artigo publicado na revista *Nature*, não parece ser peridotite. Mas mais do que isso não se sabe.

Por baixo do manto estão os dois núcleos – um núcleo sólido interno, e um núcleo líquido externo. É evidente que os conhecimentos que temos sobre a natureza destes núcleos são indirectos, mas os cientistas conseguem fazer deduções razoáveis. Sabem que as pressões no centro da Terra são suficientemente altas – qualquer coisa como três milhões de vezes superiores às pressões verificadas à superfície – para solidificar qualquer rocha. Também sabem pela história da Terra (entre outras coisas) que o núcleo interno retém facilmente o seu próprio calor. Apesar de ser pouco mais do que uma suposição, pensa-se que, num período de quatro mil milhões de anos, a temperatura do núcleo não terá descido mais de 110° C. Ninguém sabe exactamente a temperatura do núcleo, mas calcula-se que varie entre 4000° C a 7000° C – quase a mesma temperatura da superfície do Sol.

O núcleo exterior é ainda menos conhecido a vários níveis, apesar de todos concordarem que é fluído e que é nele que se situa a origem do magnetismo. Segundo a teoria aventada por E. C. Bullard, da Universidade de Cambridge, em 1949, esta parte fluída do núcleo da Terra gira de forma a transformá-lo numa espécie de motor eléctrico, criando assim o campo magnético da Terra. Supõe-se que os fluidos convectores da Terra se comportam como a corrente nos fios eléctricos. O que acontece exactamente não se sabe, mas pensa-se com alguma certeza que está ligado ao movimento giratório do núcleo sobre si mesmo, e ao facto de este ser líquido. Os corpos que não possuem um núcleo líquido – a Lua e Marte, por exemplo – não têm magnetismo.

Sabemos que o campo magnético da Terra muda de potência de tempos a tempos: na idade dos dinossauros, era três vezes mais forte do que agora. Também sabemos que se inverte a cada 500 mil anos em média, embora essa média esconda um vasto grau de imprevisibilidade. A última inversão foi há cerca de 750 mil anos. Às vezes mantém-se imutável durante milhões de anos – 37 milhões de anos parece ter sido o período máximo – enquanto noutras alturas sofreu uma inversão ao fim de 20 mil anos. Por junto, nos últimos cem milhões de anos o processo repetiu-se cerca de 200 vezes, e não temos a mais pequena ideia da razão disso. Tem-se chamado a este fenómeno "A maior questão sem resposta das ciências geológicas."

Pode ser que esteja agora mesmo a acontecer uma dessas inversões. O campo magnético da Terra diminuiu talvez seis por cento, só no último século. Qualquer diminuição do magnetismo pode ser um mau presságio, porque o magnetismo, para além de manter os papelinhos com recados colados nos frigoríficos e as bússolas a apontar na direcção certa, é essencial para nos manter vivos. O espaço está cheio de raios cósmicos perigosos que, na ausência da protecção magnética, nos penetrariam no corpo, deixando a maior parte do nosso ADN reduzido a farrapos inúteis. Quando o campo magnético está a funcionar, esses raios são afastados da superfície da Terra e direccionados para duas zonas do espaço próximo chamadas cinturas de Van Allen. Também interagem com partículas da atmosfera superior, dando origem às enfeitiçantes cortinas de luz conhecidas por auroras.

Uma das grandes razões da nossa ignorância, curiosamente, é o facto de sempre ter havido poucos esforços no sentido de coordenar o que se passa acima da Terra com o que se passa dentro dela. Como diz Shawna Vogel: "Os geólogos e os geofísicos raramente vão às mesmas reuniões ou colaboram nos mesmos problemas."

Nada demonstra melhor a nossa dificuldade em compreender a dinâmica do interior da Terra, do que o estado desprevenido em que nos apanha quando tem um ataque de mau génio, e seria difícil encontrar melhor exemplo das limitações dos nossos conhecimentos do que a erupção do Monte St. Helens, no estado de Washington, em 1980.

Nessa altura, os outros 48 estados continentais dos Estados Unidos já não viam uma erupção vulcânica há mais de 65 anos. Portanto, os vulcanólogos do governo convocados para controlar e prever o comportamento do St. Helens tinham visto essencialmente vulcões havaianos em acção, e esses, pelo que se descobriu, estavam longe de ser a mesma coisa.

O St. Helens começou a emitir os seus rugidos ameaçadores em 20 de Março. Passada uma semana estava a vomitar magma, se bem que em pequenas quantidades, cerca de cem vezes por dia, e a ser constantemente sacudido por terramotos. As pessoas foram evacuadas para uma distância considerada segura, a 13 quilómetros. À medida que os rugidos aumentavam de intensidade, St. Helens transformava-se numa atracção turística para o mundo inteiro. Os jornais faziam reportagens diárias sobre os melhores pontos de observação do fenómeno. As equipas de televisão passavam a vida a sobrevoar o cume de helicóptero, e até se viram pessoas a subir o monte. Num único dia, mais de 70 helicópteros e aviões ligeiros sobrevoaram o cume. Mas, à medida que os dias iam passando e os barulhos não se transformavam em nada de espectacular, as pessoas começaram a ficar impacientes, e foi opinião geral que, afinal, o vulcão não ia explodir.

A 19 de Abril, o flanco norte da montanha começou a inchar notoriamente. O mais espantoso é que não houve ninguém numa posição de responsabilidade que entendesse o fenómeno como forte indício de uma explosão lateral. Os sismólogos, sem hesitar, basearam as suas conclusões nos comportamentos dos vulcões havaianos, que não explodem lateralmente. Praticamente a única pessoa que acreditou que algo realmente perigoso podia acontecer foi Jack Hyde, professor de geologia de uma universidade técnica de Tacoma. Sublinhou que o St. Helens não tinha uma chaminé aberta, como os vulcões havaianos, e que, portanto, qualquer pressão que se formasse lá dentro teria inevitavelmente que se libertar de forma violenta, talvez mesmo catastrófica. No entanto, como Hyde não fazia parte da equipa oficial, as suas observações não foram tidas em conta.

Todos sabemos o que se passou a seguir. Às 8:32h de uma manhã de domingo, no dia 18 de Maio, o lado norte do vulcão abateu, projectando uma enorme avalanche de terra e rochas pela montanha abaixo, a 250 quilómetros por hora. Foi a maior derrocada da história, e levou consigo material suficiente para soterrar Mahattan inteiro até uma profundidade de 120 metros. Um minuto mais tarde, com o flanco gravemente enfraquecido, o Monte St. Helens explodiu com a força de 500 bombas atómicas, do tamanho da que destruiu Hiroshima, disparando uma nuvem escaldante e mortal que atingiu os 1050 quilómetros por hora – velocidade demasiado alta para permitir a fuga a quem estiver nas proximidades. Muitas pessoas que se pensava estarem em lugares seguros, mesmo muito para além do alcance visual do vulcão, foram apanhadas pela nuvem assassina. Morreram 57 pessoas, e 23 dos corpos nunca foram encontrados. Teria havido muitas mais mortes se não fosse domingo. Se tivesse sido um dia da semana, haveria muitos madeireiros a trabalhar na zona fatal. E, mesmo assim, morreram pessoas a 30 quilómetros de distância.

A pessoa com mais sorte nesse dia foi um estudante de nome Harry Glicken. Tinha estado a ocupar um posto de observação da montanha a nove quilómetros de distância, mas, por causa de uma entrevista para entrada na universidade que tinha marcada para o dia 18, na Califórnia, abandonara o posto no dia anterior ao da erupção. O seu lugar foi preenchido por David Johnston, que foi o primeiro a dar sinal da explosão do vulcão; poucos momentos depois, estava morto. O seu corpo nunca foi encontrado. Mas, infelizmente, a sorte de Glicken foi apenas temporária. Onze anos mais tarde, foi um dos 43 cientistas e jornalistas vitimados por uma emissão escaldante de cinzas, gases e rochas em fusão – chamada emissão piroclástica – no Monte Unzen, no Japão, quando, mais uma vez, houve um engano fatal nas previsões do comportamento do vulcão.

Os vulcanólogos podem ou não ser os piores cientistas do mundo no que diz respeito a previsões, mas são sem qualquer dúvida os piores a assumir até que ponto se enganaram. Menos de dois anos depois da catástrofe de Unzen, outro grupo de observadores de vulcões, chefiado por Stanley Williams, da Universidade do Arizona, desceu ao perímetro de um vulcão activo chamado Galeras, situado na Colômbia. Apesar das mortes recentes, apenas dois dos 16 membros do grupo de Williams levavam capacetes de segurança, ou qualquer outro equipamento de protecção. O vulcão explodiu, matando seis dos cientistas, juntamente com três turistas que se tinham juntado ao grupo, e feriu gravemente vários dos outros, incluindo o próprio Williams.

Num livro intitulado *Surviving Galeras*, de uma auto-indulgência espantosa, Williams declara que só conseguiu "abanar a cabeça de espanto" quando mais tarde soube que os seus colegas do mundo da vulcanologia tinham achado que ele menosprezara ou ignorara sinais sísmicos importantes, e tivera um comportamento irresponsável. "É tão fácil atirar pedras depois do facto consumado, aplicar os conhecimentos que temos agora aos eventos de 1993", escreveu. Achava que a única coisa de que era culpado era de ter tido o azar de estar ali no momento em que o Galeras, "teve um capricho, como têm normalmente as forças da natureza. Deixei-me enganar, e assumo a responsabilidade por isso. Mas não me sinto culpado pelas mortes dos meus colegas. Não houve culpa. Houve apenas uma erupção."

Mas voltando a Washington. O Monte St. Helens perdeu 400 metros de altura, e 600 quilómetros quadrados de floresta foram totalmente destruídos. Foram pelos ares árvores suficientes para construir 150 mil casas (ou 300 mil, segundo outros relatos). Os danos foram calculados em 2,7 mil milhões de dólares. Em menos de dez minutos, uma coluna gigante de fumo e cinzas elevou-se a uma altura de 18 mil metros. Um avião que passava a cerca de 48 quilómetros de distância foi atingido por uma chuva de pedras.

Noventa minutos depois da explosão, começaram a cair cinzas em Yakima, no estado de Washington, numa comunidade de 50 mil pessoas a cerca de 130 quilómetros de distância. Como era de esperar, a cinza transformou o dia em noite e entrou por todo o lado, entupindo motores, bloqueando sistemas de filtragem, e paralisando toda a actividade em geral. O aeroporto fechou, e as auto-estradas de acesso à cidade tiveram a mesma sorte.

Tudo isto aconteceu, repare bem, a sotavento de um vulcão que há dois meses rugia ameaçadoramente. No entanto, Yakima não previra quaisquer procedimentos de emergência. O sistema de difusão radiofónica de emergência da cidade, concebido para entrar em acção imediata em caso de crise, não foi para o ar porque "a equipa do domingo de manhã não sabia trabalhar com o equipamento." Yakima ficou paralisada e isolada do mundo durante três dias, com o aeroporto fechado e as estradas de acesso intransitáveis. No total, a cidade só apanhou com 1,5 cm de cinzas provenientes da erupção do Monte St. Helens. Agora não se esqueça disso, por favor, enquanto passamos a analisar os possíveis efeitos de uma explosão em Yellowstone.

15.

BELEZA PERIGOSA

Nos anos 1960, enquanto estudava a história vulcânica do Parque Nacional de Yellowstone, Bob Christiansen, da United States Geological Survey, ficou intrigado com algo que, curiosamente, ainda não tinha preocupado ninguém: não conseguia encontrar o vulcão do parque. Sabia-se há muito tempo que Yellowstone tinha natureza vulcânica – só isso podia explicar todos aqueles géiseres e outras características fumegantes – e se há coisa que caracterize bem os vulcões, é a sua capacidade de dar nas vistas. Mas Christiansen não conseguia encontrar o vulcão em lado nenhum. Sobretudo, não conseguia encontrar uma estrutura a que chamamos caldeira.

A maior parte de nós, quando pensa em vulcões, pensa naqueles de forma cónica tradicional, como o Fuji ou o Kilimanjaro, que surgem quando o magma se acumula numa pilha simétrica. Estas podem formar-se muito rapidamente. Em 1943, em Parícutin, no México, um agricultor ficou espantado ao ver fumo a sair de um determinado sítio nas suas terras. Passada uma semana, era o divertido e perplexo proprietário de um cone com 152 metros de altura. Ao fim de dois anos já se elevava a 430 metros, e tinha mais de 800 metros de diâmetro. No total, devem existir cerca de dez mil destes espalhafatosos vulcões espalhados pela Terra, estando quase todos extintos, à excepção de umas poucas centenas. Mas existe uma outra espécie de vulcão, menos famosa, sem formação de montanha. São vulcões tão explosivos que podem rebentar de uma só vez, numa única e violenta erupção, deixando atrás de si uma vasta depressão côncava: a caldeira. Yellowstone pertencia obviamente ao segundo tipo, mas Christiansen não conseguia encontrar a caldeira em sítio nenhum.

Por coincidência, na mesma altura a NASA decidiu testar câmaras de grande altitude, tirando fotografias de Yellowstone. Entretanto, um funcionário simpático achou por bem enviar cópias das fotografias às autoridades do parque, pensando que dariam uma bela vista aérea para expor num dos centros de informação aos visitantes. Assim que Christiansen viu as fotografias, percebeu por que não encontrara a caldeira: ela era constituída por quase todo o parque – 9000 quilómetros quadrados. A explosão deixara uma cratera com mais de 65 quilómetros de diâmetro – grande de mais para ser detectada a partir de qualquer ponto ao nível do solo. A dada altura do passado, Yellowstone deve ter explodido com uma violência muito superior às escalas conhecidas pelos seres humanos.

Yellowstone é, portanto, um supervulcão. Fica em cima de um enorme ponto quente, um reservatório de rocha fundida que se eleva desde pelo menos 200 quilómetros abaixo da Terra até à superfície, formando o que se designa por superpluma. O calor do ponto quente é o que produz todas as chaminés, géiseres, nascentes termais e poças de lama em ebulição de Yellowstone. Abaixo da superfície existe uma câmara de magma com cerca de 90 quilómetros de diâmetro – mais ou menos as mesmas dimensões do parque – e cerca de 13 quilómetros de espessura no seu ponto mais espesso. Imagine uma pilha de TNT do tamanho de Rhode Island, com 13 quilómetros de altura, que é a altitude das mais altas nuvens cirros, e terá uma ideia do que se esconde por baixo dos pés de quem visita o Yellowstone. A pressão que uma camada de magma deste calibre exerce na crosta que a cobre fez com que Yellowstone e o território circundante se elevassem a cerca de 500 metros acima do ponto onde deveriam normalmente estar. Se rebentasse, o cataclismo seria muito maior do que conseguimos imaginar. De acordo com o Professor Bill McGuire do University College em Londres, "não se conseguiria chegar a menos de um raio de mil quilómetros" enquanto estivesse em erupção. E as consequências que se seguissem seriam ainda piores.

As superplumas do tipo daquela onde assenta Yellowstone são como os copos de martini – finas até acima, mas alargando-se ao chegar à superfície, criando taças gigantes de magma instável. Algumas destas taças podem chegar aos 1900 quilómetros de diâmetro. Segundo algumas teorias, aquelas nem sempre irrompem de forma explosiva, alastrando por vezes de forma lenta e contínua, numa espécie de vasta inundação de rocha derretida, como aconteceu em Deccan Traps, na Índia, há 65 milhões de anos. (*Trap* vem de uma palavra sueca que designa este tipo de lava; Deccan é simplesmente o nome de uma área). Esta cobriu uma área de 500 mil quilómetros quadrados, e provavelmente contribuiu para o desaparecimento dos dinossauros – pelo menos, não ajudou

– devido às exalações venenosas que se produziram. As superplumas podem também ser responsáveis pelas fendas que causam a quebra dos continentes.

Estas plumas não são assim tão raras. Existem cerca de trinta, activas em todo o planeta neste momento, e são elas as responsáveis por muitas das mais famosas ilhas e cadeias de ilhas – Islândia, Havai, Açores, Canárias, as Galápagos, a pequena Pitcairn, no meio do Pacífico Sul, e muitas outras – mas, à excepção da de Yellowstone, são todas oceânicas. Ninguém faz a mais pequena ideia de como ou porque é que a de Yellowstone foi parar debaixo de uma placa continental. Apenas duas coisas são certas: que a crosta terrestre em Yellowstone é fina, e que o mundo por baixo dela é quente. Mas se a crosta é fina por causa do ponto quente ou se o ponto quente está lá porque a crosta é fina, isso já é matéria de acalorado debate (perdoem-me o trocadilho). A natureza continental da crosta faz com que as erupções sejam totalmente diferentes. Enquanto os outros supervulcões têm tendência para erupções contínuas e relativamente benignas, as de Yellowstone são súbitas e explosivas. Não acontece frequentemente, mas quando o faz é melhor estar bem longe.

Desde a sua primeira erupção conhecida, há 16,5 milhões de anos, já explodiu cerca de cem vezes, mas as três erupções mais recentes são as que foram mais detalhadamente descritas. A última erupção foi mil vezes mais intensa do que a do Monte St. Helens; a anterior tinha sido 280 vezes mais violenta, e a anterior a essa foi tão grande que ninguém sabe exactamente qual a sua potência. Foi pelo menos 2500 vezes maior do que a de St. Helens, mas talvez 8000 vezes mais catastrófica.

Não temos absolutamente nada que sirva de termo de comparação possível. A maior explosão dos tempos recentes foi a do Krakatoa, na Indonésia, em Agosto de 1883, que provocou um estrondo tal que se ouviu por todo o planeta durante nove dias, e provocou ondas costeiras que chegaram ao próprio Canal da Mancha. Mas se imaginarmos que o volume de material ejectado pelo Krakatoa tem o tamanho de uma bola de golfe, então as maiores explosões de Yellowstone deveriam ter o tamanho de uma esfera ligeiramente menor. Nessa escala, o material ejectado em St. Helens teria o tamanho de uma ervilha.

A erupção de Yellowstone de há dois milhões de anos atrás expeliu cinza suficiente para enterrar o estado de Nova Iorque até uma profundidade de 20 metros, ou o estado da Califórnia a uma profundidade de seis metros. Foram essas cinzas que criaram os jazigos de fósseis descobertos por Mike Voorhies no leste do Nebraska. Essa erupção ocorreu onde fica agora o Idaho, mas ao longo de milhões de anos, a uma taxa de mais ou menos 2,5 centímetros por ano, a crosta terrestre deslocou-se sobre ela, pelo que hoje se encontra directamente por baixo do noroeste do Wyoming. (O ponto quente fica no mesmo sítio, como um bico de acetileno apontado para o tecto.) Atrás de si, deixa aquele tipo de planícies de solo vulcânico rico ideal para a plantação de batatas, como os agricultores do Idaho já descobriram há muito tempo. Uma das piadas favoritas dos geólogos é que, daqui a dois milhões de anos, Yellowstone vai produzir batatas fritas para o McDonald's, e as pessoas de Billings, no Montana, vão ter de andar com cuidado em torno de inúmeros géiseres.

A cinza que saiu da última erupção de Yellowstone cobriu todos ou parte de 19 estados do oeste americano (e ainda parte do Canadá e do México), ou seja, praticamente todo o território dos Estados Unidos a oeste do Mississipi. Essa área, note-se, é o celeiro da América, produzindo quase metade da totalidade mundial de cereais. E a cinza, vale a pena lembrar, não é como a neve, que derrete na primavera. Se quiséssemos produzir novas colheitas, teríamos de arranjar um sítio onde pôr aquela cinza toda. Se foram precisos milhares de pessoas a trabalhar durante oito meses para limpar 1,8 mil milhões de toneladas de escombros dos 6,5 hectares do World Trade Center em Nova Iorque, imagine o que não seria preciso para limpar todo o Kansas.

E não estamos sequer a considerar as consequências climáticas. A última erupção de um supervulcão na Terra foi em Toba, no norte da Sumatra, há 74 mil anos atrás. Ninguém sabe o seu tamanho exacto, mas sabe-se que foi uma explosão gigantesca. Os núcleos de gelo da Gronelândia mostram que a explosão de Toba foi seguida de pelo menos seis anos de "inverno vulcânico", e sabe Deus quantas fracas colheitas depois disso. O evento, pensa-se, poderá ter deixado os seres humanos no limiar da extinção, reduzindo a população global a pouco mais de uns milhares de indivíduos. Isso significa que todos os humanos modernos descendem de uma reduzidíssima população de base, o que explicaria a nossa falta de diversidade genética. De qualquer forma, há alguns indícios que levam a crer que, nos 20 mil anos que se seguiram, o número total de pessoas na Terra nunca foi superior a alguns milhares de cada vez. Escusado será dizer que é muito tempo para recuperar de uma única explosão vulcânica.

Tudo isto foi relativamente interessante até 1973, quando um acontecimento estranho tornou as coisas subitamente fascinantes: a água do Lago Yellowstone, situado mesmo no meio do parque, começou a transbordar das margens na parte sul, inundando um prado, enquanto no lado oposto a água baixava misteriosamente. Os geólogos fizeram uma pesquisa rápida e descobriram que uma grande parte do parque desenvolvera um inchaço agoirento. Era isso que fazia levantar um dos lados do lago, fazendo com que a água escorresse para o lado oposto, como quando levantamos uma piscina de bebé. Em 1984, toda a região central do parque – mais de cem quilómetros quadrados – tinha-se elevado mais de um metro em relação a 1924, a última vez que se tinha produzido um levantamento do parque. Depois, em 1985, toda a parte central do parque se afundou 20 centímetros. Agora parece que está a inchar outra vez.

Os geólogos aperceberam-se de que só pode haver uma explicação para isto: – uma irrequieta câmara de magma. Yellowstone não era, afinal, o local de um antigo supervulcão; era o local de um supervulcão activo. Foi também na mesma altura que conseguiram calcular o ciclo médio de erupções em Yellowstone, ou seja, uma erupção gigantesca em cada 600 mil anos. A última, curiosamente, foi há 630 mil anos. Ao que parece, Yellowstone deve estar prestes a manifestar-se.

"Pode não parecer, mas você está em cima do maior vulcão activo do mundo", disse-me Paul Doss, geólogo do Parque Nacional de Yellowstone, pouco depois de desmontar da sua enorme Harley-Davidson e me dar um aperto de mão, quando nos encontrámos nos escritórios do parque em Mammoth Hot Springs, numa linda manhã de Junho. Natural do Indiana, Doss é um homem amigável, de modos suaves e extremamente simpático, que parece tudo menos um funcionário do National Park Service. Tem uma barba grisalha e o cabelo preso num grande rabo-de-cavalo. Uma pequena safira enfeita-lhe uma das orelhas. Tem uma barriguinha a enfunar-lhe ligeiramente o uniforme impecável. Parece mais um músico de *blues* do que um funcionário público. E, na verdade, ele é mesmo um músico de *blues* (toca gaita de beiços). Mas não há dúvida de que também é geólogo, e adora a geologia. "E estou no melhor lugar do mundo para isso", diz, quando entrámos num carro velho e desengonçado em direcção ao Old Faithful*. Aceitou que o acompanhasse durante um dia de trabalho, para ver o que fazem normalmente os geólogos dos parques naturais. A primeira tarefa de hoje é fazer uma palestra de apresentação a um novo grupo de guias turísticos do Parque.

Inútil será dizer que Yellowstone é de uma espectacular beleza natural, com as suas imponentes montanhas, as pradarias pontilhadas de bisontes, riachos

* "Velho Fiel", nome dado a um dos géisers do Parque, que entra impreterivelmente em actividade todos os 67 minutos.

saltitantes, um lago da cor do céu, e uma vida selvagem pululante. "Não há nada melhor do que isto para um geólogo", diz Doss. "Temos rochas em Beartooth Gap com quase três mil milhões de anos – a um quarto do caminho desde a formação da Terra – e também fontes minerais" – aponta para as nascentes quentes sulfurosas donde nasceu o nome de Mammoth Hot Springs – "onde pode ver as rochas no momento do seu próprio nascimento. E pelo meio há tudo o que se possa imaginar. Nunca estive em nenhum sítio onde a geologia se evidenciasse tanto – ou fosse de tão grande beleza."

"Então gosta disto?", disse eu.

"Gostar, não, adoro", responde com profunda sinceridade. "Gosto mesmo muito disto. Os Invernos são rigorosos e o salário não é grande coisa, mas quando é bom, é simplesmente..."

Interrompeu-se para apontar uma ravina distante numa cordilheira de montanhas situadas a oeste, que tinham acabado de surgir no horizonte, para além de uma colina. As montanhas, disse-me, chamavam-se as Gallatins. "Aquela ravina tem entre cem a 110 quilómetros de diâmetro. Durante muito tempo ninguém conseguiu compreender a razão da sua existência, e então Bob Christiansen percebeu que tinha de ser pelo facto de as montanhas terem sido atiradas pelos ares. Quando se tem cem quilómetros de montanhas que simplesmente desapareceram, percebe-se que estamos na presença de qualquer coisa de muito potente. Christiansen levou seis anos para descobrir isso tudo."

Perguntei-lhe o que tinha causado a explosão de Yellowstone naquela altura.

"Não sei. Ninguém sabe. Os vulcões são coisas estranhas. Não há maneira de os conseguirmos compreender. O Vesúvio, em Itália, esteve activo durante 300 anos, até à sua erupção em 1944, e depois parou, simplesmente. Tem estado silencioso desde então. Alguns vulcanólogos pensam que está a recarregar-se, e em grande, o que é preocupante, porque moram ali à volta dois milhões de pessoas. Mas ninguém sabe."

"E quanto tempo de sobreaviso se teria se, por acaso, Yellowstone fosse explodir?"

Ele encolheu os ombros. "Ninguém estava por perto na última vez que explodiu, portanto ninguém sabe quais são os sinais de aviso. Provavelmente teria séries sucessivas de terramotos e alguma elevação da superfície, e talvez alguma mudança no comportamento dos géiseres e condutos de vapor, mas ninguém tem certezas nisto."

"Portanto, poderia explodir sem qualquer aviso?"

Ele assentiu, pensativo. O problema é que tudo o que poderia servir de sinal de aviso já existe em Yellowstone. "Os tremores de terra são geralmente percursores de erupções vulcânicas, mas o parque já tem imensos tremores de terra – houve 1260 no ano passado. Muitos deles são pequenos de mais para os sentirmos, mas não deixam de ser tremores de terra."

Uma mudança no padrão de erupção dos géiseres também pode ser uma pista, disse, mas também aqui existem variações imprevisíveis. O géiser mais famoso do parque foi o chamado Excelsior Geyser. Costumava irromper a intervalos regulares, em jactos espectaculares com alturas de cem metros, mas em 1888 parou, simplesmente. Depois, em 1985, teve nova erupção, mas apenas a 25 metros de altura. O Steamboat Geyser é o maior géiser do mundo quando irrompe, disparando água a 120 metros de altura, mas os intervalos entre as erupções variam entre um mínimo de quatro dias e um máximo de 50 anos. "Se rebentasse hoje e voltasse a rebentar na próxima semana, isso não nos daria qualquer indicação sobre o que poderia acontecer na semana seguinte, ou duas, ou daqui a 20 anos", disse Doss. "O parque inteiro é tão inconstante, que se torna basicamente impossível retirar conclusões de qualquer coisa que aconteça."

Nunca seria fácil evacuar Yellowstone. O parque recebe cerca de três milhões de visitantes por ano, principalmente nos três meses de Verão. As estradas do parque são relativamente poucas e propositadamente estreitas, por um lado para obrigar o tráfego a reduzir a velocidade, por outro para preservar o ar pitoresco, e também devido a certas condicionantes topográficas. No pico do Verão, pode facilmente levar meio-dia a atravessar o parque, e várias horas para se conseguir chegar a um ponto específico dentro dele. "Sempre que as pessoas vêem animais, param, onde quer que estejam. Temos engarrafamentos por causa dos ursos. Engarrafamentos por causa dos bisontes. Engarrafamentos por causa dos lobos."

No Outono de 2000, vários representantes da U. S. Geological Survey e do National Park Service, juntamente com alguns académicos, reuniram-se e criaram o Yellowstone Volcanic Observatory. Já havia quatro instituições semelhantes – no Havai, na Califórnia, no Alasca e em Washington – mas, curiosamente, não havia nenhum na maior zona vulcânica do mundo. O YVO é mais uma ideia do que uma instituição – um acordo de coordenação de iniciativas destinadas a estudar e analisar a diversidade geológica do parque. Uma das suas primeiras tarefas, disse-me Doss, foi conceber "um plano de emergência em caso de terramoto e erupção vulcânica" – um plano de acção na eventualidade de uma crise.

"Ainda não há nenhum?", disse eu.

"Não. Infelizmente, não. Mas vai haver brevemente".

"Não estará um pouco atrasado?"

Ele riu-se. "Bem, digamos que já não era sem tempo."

A ideia é que, uma vez feito, três pessoas – Christiansen em Menlo Park, na Califórnia, o Professor Robert B. Smith, na Universidade de Utah, e Doss, no Yellowstone – mediriam o grau de perigo de qualquer cataclismo potencial, e dariam ao superintendente do parque as instruções adequadas. Este decidiria se devia ou não evacuar o parque. Quanto às áreas circundantes, não há planos para elas. Se Yellowstone sofresse uma explosão gigantesca, qualquer pessoa que saísse dos limites do parque ficaria entregue a si própria.

Claro que podem faltar ainda milhares de anos para que isso aconteça. Doss pensa mesmo que pode muito bem nunca acontecer. "Só porque no passado houve um certo padrão, isso não quer dizer que ele se mantenha", diz. "Existem alguns indícios de que o padrão poderá ser uma série de explosões catastróficas, seguidas de um longo período de calma. Pode ser que estejamos num desses períodos. O que parece é que a maior parte da câmara de magma está a arrefecer e a cristalizar. Está a libertar gases, e os gases precisam de estar presos para haver uma erupção do tipo explosivo."

Entretanto, há muitos outros perigos em Yellowstone e nas áreas circundantes, como se tornou bastante evidente na noite de 17 de Agosto de 1959, num lugar chamado Hebgen Lake, mesmo à saída do parque. Às vinte para a meia-noite desse dia, Hebgen Lake sofreu um violento terramoto. Foi de magnitude 7,5, o que não é muito para um terramoto, mas foi tão abrupto e devastador que fez ruir toda uma encosta. Foi no pico do Verão, mas felizmente naquela altura não havia tantos visitantes como nos dias de hoje. Caíram da montanha 80 milhões de toneladas de rocha a uma velocidade superior a 160 quilómetros por hora, com uma força e ímpeto tais que a parte da frente da derrocada subiu a encosta de um monte situado do outro lado do vale, chegando a uma altura de 120 metros. Parte do parque de campismo de Rock Creek situava-se no trilho da derrocada. Morreram 28 campistas, dos quais 19 ficaram soterrados a tão grande profundidade que os seus corpos nunca foram encontrados. Foi um massacre rápido, mas também caprichoso. Três irmãos que dormiam numa tenda foram poupados; os pais, que estavam na tenda ao lado, foram arrastados pela avalanche para nunca mais serem vistos.

"Haverá um dia um grande terramoto – muito grande mesmo", disse-me Doss. "Pode acreditar. Esta é uma grande zona de falhas, muito propícia a terramotos."

Apesar do terramoto de Hebgen Lake e de outros riscos conhecidos, Yellowstone só contou com sismógrafos a tempo inteiro a partir dos anos 1970.

Uma boa forma de se obter uma ideia da grandeza e inexorabilidade dos processos geológicos será estudarmos as Tetons, a sumptuosa cordilheira de montanhas situada mesmo a sul do Parque Nacional de Yellowstone. Há nove milhões de anos, as Tetons não existiam. A terra em torno de Jackson Hole era um simples planalto coberto de ervas. Mas de repente abriu-se uma falha de 64 quilómetros de comprimento nas profundezas da Terra e, desde então, uma vez em cada 900 anos, as Tetons sofrem um terramoto fortíssimo, suficientemente forte para as erguer mais dois metros. Ao longo de várias eras, estas movimentações elevaram-nas até à sua majestosa altitude actual de mais de 2000 metros.

Os 900 anos são um número médio – e, até certo ponto, susceptível de induzir em erro. De acordo com Robert B. Smith e Lee J. Siegel no seu livro *Windows into the Earth*, uma história geológica da região, o último grande terramoto das Tetons foi há cerca de cinco a sete mil anos atrás. Ou seja, as Tetons são a zona sísmica com o prazo de actividade mais atrasado de todo o planeta.

As explosões hidrotérmicas também constituem um risco importante. Podem acontecer a qualquer altura, em qualquer lado, e sem qualquer possibilidade de previsão. "Sabe, por princípio, costumamos canalizar os turistas para as bacias termais", disse-me Doss, depois de termos visto o Old Faithful dar a sua contribuição. "É o que eles vêem ver. Sabe que há mais géiseres e nascentes quentes em Yellowstone do que no resto do mundo inteiro?"

"Não, não sabia."

Fez que sim com a cabeça. "Dez milhões deles, e ninguém sabe quando uma nova chaminé se pode abrir." Fomos até um sítio chamado Duck Lake, um lago com uns 200 metros de diâmetro. "Parece completamente inócuo", disse ele. "É apenas um grande lago. Mas este grande buraco não estava aqui antes. A dada altura, nos últimos 15 mil anos, isto explodiu com uma violência inaudita. Deve ter havido várias dezenas de milhões de toneladas de terra e rocha, juntamente com água escaldante, a esguichar de dentro da Terra a velocidades hipersónicas. Está a imaginar o que seria se isso acontecesse, por exemplo, debaixo do parque de estacionamento do Old Faithful ou de um dos centros de visitantes." Fez uma careta de aflição.

"Haveria algum aviso?"

"Provavelmente não. A última explosão significativa do parque foi num lugar chamado Pork Chop Geyser, em 1989. Deixou uma cratera com cerca de cinco metros de diâmetro – não se pode dizer que seja grande, mas teria sido enorme se estivesse alguém lá no meio. Felizmente não estava ninguém por ali, por isso ninguém se magoou, mas foi totalmente inesperado. Num passado muito distante houve explosões que fizeram buracos de quilómetro e meio de diâmetro, e ninguém sabe dizer quando ou onde isso pode voltar a acontecer. Só temos de cruzar os dedos para não estar lá nessa altura, se de facto acontecer."

As grandes derrocadas de rochas são outro dos perigos. Houve uma grande em Gardiner Canyon em 1999, mas mais uma vez, felizmente, não houve feridos. Mais ao fim da tarde, Doss e eu parámos num lugar onde havia uma rocha suspensa sobre uma estrada movimentada do parque. Tinha muitas fendas bem visíveis. "Pode cair a qualquer momento," disse Doss, pensativo.

"Está a brincar," disse eu. Não havia um único momento em que não houvesse dois carros a passar por baixo, todos eles a abarrotar de campistas alegres.

"Oh, não é provável", acrescentou. "Só estou a dizer que pode cair. Tal como pode ficar assim durante décadas. Não há maneira de saber. As pessoas têm de aceitar que há um risco em vir aqui. É só isso."

Quando voltámos ao carro, de regresso a Mammoth Hot Springs, Doss acrescentou: "Mas a verdade é que, na maior parte das vezes, não acontece nada de mau. As rochas não caem. Não há terramotos. Os condutos não se abrem de repente. Apesar de toda a potencial instabilidade, a maior parte das vezes as coisas estão espantosamente tranquilas."

"Como a própria Terra", disse eu.

"Exactamente", concordou.

Os riscos de Yellowstone aplicam-se tanto aos empregados do parque como aos visitantes. Doss teve essa terrível sensação na sua primeira semana de trabalho, cinco anos antes. Uma vez, à noite, três jovens funcionários contratados para o Verão meteram-se numa actividade proibida – nadar, ou simplesmente banhar-se, nas piscinas quentes. Apesar de o parque não o publicitar, por razões óbvias, nem todas as piscinas de Yellowstone são perigosamente quentes. Algumas são mesmo muito agradáveis, e era hábito dos empregados de verão darem um mergulhinho à noite, apesar de ser contra as regras. Estupidamente, nenhum dos três se lembrou de levar uma lanterna, o que é muito perigoso, porque muito do solo em torno das piscinas é constituído por uma fina camada de crosta, podendo facilmente cair-se em alguma chaminé escaldante. De qualquer forma, quando voltavam para o dormitório, depararam-se com um riacho que já tinham necessitado de saltar à ida. Recuaram alguns passos, deram-se os braços, contaram até três, ganharam balanço e saltaram. Simplesmente, não era o tal riacho. Era uma piscina de água escaldante. No meio da escuridão, tinham perdido o sentido de orientação. Nenhum dos três sobreviveu.

Pus-me a pensar nisto na manhã seguinte, quando, ao sair do parque, fiz uma visita rápida a um lugar chamado Emerald Pool, na Upper Geyser Basin. Doss não tivera tempo de me levar lá no dia anterior, mas achei que não podia deixar de dar uma espreitadela, já que Emerald Pool é um local histórico.

Em 1965, um casal de biólogos, Thomas e Louise Brock, arriscaram uma experiência extravagante durante uma visita de estudo que empreenderam no Verão. Retiraram um bocado da espuma castanho-amarelada que bordejava a piscina, e analisaram-na, à procura de indícios de vida. Para seu grande espanto, e eventualmente também do mundo inteiro, estava cheia de micróbios vivos. Tinham encontrado os primeiros extremófilos do mundo – organismos capazes de viver em água que até aí fora considerada demasiado quente, ou ácida, ou sulfurosa, para permitir o desenvolvimento de vida. A água de Emerald Pool, curiosamente, reunia todas essas condições, e no entanto, para pelo menos dois tipos de seres vivos, o *Sulpholobus acidocaldarius* e o *Thermophilus aquaticus*, como passaram a ser conhecidos, a vida nela era possível. Sempre se supusera que nenhum organismo poderia sobreviver a temperaturas superiores a 50° C, mas a verdade é que ali estavam organismos a banhar-se deliciados em águas sujas, ácidas e com mais do dobro daquela temperatura.

Durante quase 20 anos, uma das duas bactérias de Brock, a *Thermophilus aquaticus*, não passou de curiosidade de laboratório, até que um cientista da Califórnia, Kary B. Mullis, percebeu que as enzimas resistentes ao calor podiam ser usadas para criar uma espécie de magia química conhecida como reacção em cadeia por polimerase (PCR), que permite aos cientistas produzir grandes quantidades de ADN a partir de pequenas amostras – nas condições ideais, mesmo tão pequenas como uma simples molécula. Trata-se de uma espécie de fotocópia genética que passou a ser a base de toda a ciência genética subsequente, desde estudos académicos até investigação criminal, e que trouxe a Mullis o prémio Nobel da química em 1993.

Entretanto, os cientistas continuavam a encontrar micróbios ainda mais resistentes, conhecidos hoje em dia como por hipertermófilos, que exigem temperaturas de 80° C ou mais. O organismo mais quente encontrado até agora, segundo Frances Ashcroft no seu livro *Life at the Extremes,* é o *Pyrolobus fumarii*, que vive nas paredes dos condutos oceânicos, onde a temperatura pode alcançar os 113° C. Pensa-se que o limite máximo para a existência de vida é de cerca de 120° C, apesar de ninguém ter a certeza. De qualquer maneira, a descoberta de Brocks mudou completamente a nossa percepção do mundo vivo. Como disse Jay Bergstrahl, cientista da NASA: "Onde quer que vamos, na Terra – mesmo ao que possa parecer o ambiente mais hostil possível para a existência de vida – desde que exista água no estado líquido e uma fonte qualquer de energia química, encontramos vida."

A vida era, afinal, infinitamente mais inteligente e adaptável do que alguma vez se supusera. E isso é muito bom, porque, como vai ver, vivemos num mundo que não parece muito feliz com a nossa presença.

V

A VIDA PROPRIAMENTE DITA

Quanto mais examino o universo e estudo os pormenores
da sua arquitectura, mais me convenço de que, de uma certa forma,
o universo já sabia que vínhamos a caminho.

Freeman Dyson

16.

UM PLANETA SOLITÁRIO

Não é fácil ser-se um organismo. Em todo o universo, pelo que sabemos até agora, há apenas um sítio, um ponto recôndito da Via Láctea chamado Terra, capaz de nos manter, e mesmo esse consegue fazer-se bastante difícil.

Desde o fundo do oceano mais profundo até ao topo da montanha mais alta, a zona que abrange a quase totalidade da vida conhecida tem pouco mais do que 20 quilómetros de espessura – o que é muito pouco, comparado com o generoso espaço do cosmos em geral.

Para os humanos é ainda pior. Acontece que pertencemos à porção de coisas vivas que, há 400 milhões de anos, tomou a decisão precipitada mas aventureira de sair dos mares e transformar-se em seres terrestres que respiram oxigénio. Como resultado, cerca de 99,5 por cento do espaço habitável em volume, de acordo com uma estimativa, está fundamentalmente – e em termos práticos, completamente – fora do nosso alcance.

Não se trata apenas da nossa incapacidade para respirar dentro de água, mas também de não sermos capazes de aguentar a sua pressão. A água é 1300 vezes mais pesada do que o ar, e a pressão aumenta rapidamente à medida que descemos – o equivalente a uma atmosfera por cada dez metros de profundidade. Em terra, se subirmos a uma altura de 150 metros – a Catedral de Colónia ou o Washington Monument, por exemplo –, a mudança de pressão seria tão pequena que se tornaria imperceptível. À mesma profundidade debaixo de água, contudo, as nossas veias rebentariam e os nossos pulmões seriam comprimidos até ficarem do tamanho de uma lata de *Coca-Cola*. Coisa espantosa é haver pessoas que mergulham voluntariamente a essas profundidades, sem equipamento de mergulho, só pela piada, num desporto conhecido como mergulho livre em apneia. Aparentemente haverá uma certa satisfação na sensação de ter os órgãos internos violentamente deformados (embora, esperemos, não tão satisfatória como tê-los de volta à sua forma original, quando se chega à superfície). No entanto, para alcançar tais profundidades, os mergulhadores têm de ser arrastados para baixo por pesos, e com bastante brusquidão. Sem ajuda, o ser humano que conseguiu descer mais fundo, e sobreviver para contar a experiência, foi um italiano chamado Umberto Pelizzari que, em 1992, mergulhou até aos 72 metros, ficou lá durante um nanossegundo, e depois subiu disparado até à superfície. Em termos terrestres, 72 metros é um comprimento ligeiramente mais longo do que um intervalo entre duas ruas de Nova Iorque. Isto quer dizer que, mesmo na mais exuberante das nossas acrobacias, não nos podemos propriamente considerar senhores dos abismos.

Claro que há organismos que conseguem gerir as pressões a grandes profundidades, embora a forma como alguns o conseguem fazer seja um mistério. O ponto mais fundo no oceano é a fossa das Marianas, no oceano Pacífico. Aí, a cerca de 11,3 quilómetros de profundidade, as pressões sobem a mais de uma tonelada por centímetro quadrado. Uma vez conseguiu-se enviar homens a essa profundidade dentro de um submarino muito resistente, mas apenas por um breve período, e contudo é lá que habitam colónias e colónias de anfípodes, uma espécie de crustáceos parecida com o camarão, mas transparente, que sobrevive sem qualquer protecção. É claro que a maior parte dos oceanos não é tão profunda, mas mesmo à profundidade média de quatro quilómetros a pressão é equivalente à de uma pilha de 14 camiões carregados de cimento.

Quase toda a gente, incluindo os autores de alguns livros de sucesso sobre oceanografia, parte do princípio de que o corpo humano ficaria completamente esvaziado se fosse submetido à enorme pressão do fundo dos oceanos. Na verdade, parece que não é bem assim. Como o nosso próprio corpo é em grande parte constituído por água, e a água é "virtualmente incompressível", nas palavras de Frances Ashcroft, da Universidade de Oxford, "o corpo permanece à mesma pressão da água circundante, e não é esmagado a grande profundidade". O problema está nos gases contidos no corpo, principalmente nos pulmões. Estes gases são de facto comprimidos, mas também não se sabe qual o ponto a partir do qual a compressão se torna fatal. Até recentemente pensava-se que alguém que mergulhasse a cem metros morreria de forma dolorosa, assim que os pulmões implodissem ou as paredes do tórax rebentassem, mas a prática do mergulho em apneia tem provado que não é assim. Segundo Ashcroft, parece que "os homens podem assemelhar-se mais com as baleias e os golfinhos do que seria de pensar."

Contudo, há muitas outras coisas que podem correr mal. No tempo dos fatos de mergulho complicados – daqueles que ficavam ligados à superfície por um tubo –, os mergulhadores experimentavam por vezes um fenómeno assustador conhecido como "a espremidela". Isto acontecia quando a bomba de superfície falhava, levando a uma catastrófica perda de pressão no fato. O ar abandonava o fato com tal rapidez que o infeliz mergulhador era literalmente sugado para dentro do capacete e do tubo. Quando o içavam para a superfície, "tudo o que restava dele eram os ossos e alguns farrapos de carne", escreveu o biólogo J. B. S. Haldane em 1947, acrescentando, para o caso de haver quem não acreditasse: "Já aconteceu."

(A propósito, o capacete de mergulho original, concebido em 1823 por um inglês chamado Charles Deane, não se destinava ao mergulho mas sim ao combate aos fogos. Chamava-se "capacete de fumo", mas, por ser de metal, era muito quente e incómodo, e, como Deane rapidamente percebeu, os bombeiros não estavam especialmente interessados em entrar em estruturas em chamas com nenhum tipo de roupa em especial, muito menos com uma coisa que aquecia como uma chaleira e que ainda por cima lhes dificultava os movimentos. Numa tentativa de salvar o investimento, Deane testou-o debaixo de água e considerou-o ideal para trabalhos de recuperação de objectos naufragados.)

O verdadeiro terror das profundezas, no entanto, é o chamado mal da descompressão* – não tanto por provocar dores muito desagradáveis, embora de facto assim seja, mas porque, pior do que isso, ocorre com muita frequência. O ar que respiramos contém 80 por cento de azoto. Se se colocar o corpo humano sob pressão, esse azoto transforma-se em minúsculas bolhas que entram no sangue e nos tecidos. Se a pressão mudar rapidamente – como quando um mergulhador sobe abruptamente à superfície – as bolhas dissolvidas no sangue começam a efervescer, exactamente da mesma maneira que acontece quando se abre uma garrafa de champanhe, entupindo os capilares e privando as células de oxigénio, o que provoca dores tão fortes que as vítimas se encolhem em autêntica agonia – daí o termo *the bends*.

Este tem sido, desde tempos imemoriais, um risco profissional para os caçadores de corais e pérolas, mas só começou a despertar a atenção no mundo ocidental no século XIX, e nessa altura até mesmo entre as pessoas que nunca se molhavam (ou pelo menos não o suficiente para ultrapassar os calcanha-

* Em inglês, *the bends:* as dobras.

res). Entre estes encontram-se os funcionários que trabalhavam nas câmaras estanques destinadas à construção de pontes. Essas câmaras estanques eram construídas no fundo dos rios, a fim de facilitar a construção dos pilares das pontes. Estavam cheias de ar comprimido e, muitas vezes, quando os operários vinham à superfície depois de terem estado sujeitos a longos períodos sob esta pressão artificial, ficavam com sintomas ligeiros, como formigueiros ou comichões na pele. Mas havia alguns que inesperadamente sentiam dores mais insistentes nas articulações e ocasionalmente caíam no chão com dores, por vezes para não mais voltarem a levantar-se.

Era tudo muito intrigante. Muitas vezes os operários sentiam-se perfeitamente bem ao deitar, e de manhã acordavam paralisados. Outras vezes nem chegavam a acordar. Ashcroft conta uma história que aconteceu aos directores da construção de um dos túneis que passa por baixo do Tamisa e que resolveram dar um banquete para comemorar o fim dos trabalhos. Para sua consternação, o champanhe não borbulhou quando abriram as garrafas sujeitas ao ar comprimido do túnel. Contudo, quando finalmente saíram para o ar fresco de uma bela noite londrina, as bolhas começaram a efervescer, animando-lhes a digestão de forma inesquecível.

Para além de se evitar de todo em todo os ambientes de alta pressão, só existem duas estratégias contra o mal da descompressão. A primeira é limitar a um curto período o tempo de exposição às mudanças de pressão. É por isso que os mergulhadores em apneia podem descer até 150 metros sem sofrerem efeitos secundários. Nunca permanecem debaixo de água o tempo suficiente para que o azoto se dissolva nos tecidos. A outra solução é ascender por etapas cuidadosas, dando tempo a que as bolhas se dissipem sem causar danos.

Grande parte daquilo que sabemos sobre a sobrevivência em ambientes hostis é graças a uma equipa constituída por pai e filho, John Scott e J. B. S. Haldane. Até para os exigentes padrões intelectuais britânicos, os Haldane eram excepcionalmente excêntricos. O Haldane mais velho nasceu em 1860 numa família de aristocratas escoceses (o irmão era o visconde de Haldane), mas viveu modestamente durante a maior parte da sua carreira como professor de fisiologia em Oxford. Era conhecido por ser muito distraído. Um dia, a mulher mandou-o subir ao quarto, a fim de se vestir para uma festa; quando viu que ele nunca mais voltava, foi procurá-lo e deu com ele na cama a dormir, com o pijama vestido. Quando o acordou, Haldane explicou que, ao dar por si a tirar a roupa, achou que deviam ser horas de ir para a cama. Tinha também uma curiosa maneira de passar férias: ia para a Cornualha estudar vermes parasitas presentes nos intestinos dos mineiros. O romancista Aldous Huxley, neto de T. H. Huxley, que viveu com os Haldane durante algum tempo, fez uma caricatura algo impiedosa dele, ao criar a personagem do cientista Edward Tantamount no romance *Point Counter Point*.

O contributo de Haldane para o mergulho foi a descoberta dos intervalos de descanso necessários para regressar à superfície sem ser atacado pelo mal da descompressão, mas os seus interesses abrangiam toda a fisiologia, desde o estudo das tonturas em altitude nos alpinistas até aos problemas causados pela insolação nas regiões desérticas. Interessava-se especialmente pelos efeitos dos gases tóxicos no corpo humano. Para perceber melhor como é que as fugas de monóxido de carbono provocavam a morte dos mineiros, envenenava-se metodicamente, retirando e analisando entretanto as suas próprias amostras de sangue. Só deixou de o fazer quando estava quase a perder o controlo muscular e o nível de saturação do sangue chegou aos 56 por cento – um nível que, como salienta Trevor Norton na sua história do mergulho, *Stars Beneath the Sea,* se situa perigosamente no limiar da morte certa.

Jack, filho de Haldane, conhecido para a posteridade como J. B. S., era um autêntico menino-prodígio que se interessou pelo trabalho do pai desde a mais tenra infância. Com apenas três anos, ouviram-no perguntar ao pai com ar entendido: "Mas é oxihemoglobina ou carboxihemoglobina?" Ao longo de toda a sua juventude, o jovem Haldane ajudou o pai nas mais variadas experiências. Na adolescência, já testava com o pai gases e máscaras de gás, alternando com ele para ver quanto tempo levava até o outro desmaiar.

Apesar de nunca ter tirado uma licenciatura em ciências (estudou filologia clássica em Oxford), J. B. S. Haldane veio a ser um cientista brilhante por conta própria, principalmente em Cambridge. O biólogo Peter Medawar, que passou a vida inteira entre autênticos génios, chamava-lhe "o homem mais inteligente que alguma vez conheci". Da mesma forma, Huxley parodiou o Haldane júnior no seu romance *Antic Hay*, mas também se serviu das suas ideias sobre a manipulação genética de seres humanos como base para o enredo do seu *Admirável Mundo Novo*. Entre muitos outros sucessos, Haldane foi uma peça fundamental na ligação entre os princípios darwinianos da evolução e o trabalho de genética de Gregor Mendel, que iria produzir aquilo a que os geneticistas chamam hoje a Síntese Moderna.

O jovem Haldane talvez tenha sido o único ser humano a considerar a Primeira Guerra Mundial "uma experiência muito agradável", e admitia sem problemas que "gostava da oportunidade de matar pessoas". Ele próprio foi ferido duas vezes. Depois da guerra tornou-se num adepto da democratização da ciência, aliás com muito sucesso, tendo escrito 23 livros (assim como mais de 400 artigos científicos). Os seus livros são ainda perfeitamente legíveis e instrutivos nos dias de hoje, embora nem sempre sejam fáceis de encontrar. Também se tornou num entusiástico marxista. Dizia-se, e não de forma totalmente cínica, que tal se devia ao facto de ele ser irremediavelmente "do contra", e que, se por acaso tivesse nascido na União Soviética, teria sido, com certeza, um monárquico inflamado. De toda a maneira, a maior parte dos seus artigos apareceram pela primeira vez no jornal comunista *Daily Worker*.

Enquanto o principal interesse do seu pai se concentrava nos mineiros e no seu envenenamento, o jovem Haldane deixou-se fascinar pela ideia de salvar os tripulantes de submarinos e os mergulhadores das consequências nefastas do seu trabalho. Com o financiamento do Ministério da Marinha, adquiriu uma câmara de descompressão a que chamou "panela de pressão". Era um cilindro metálico onde se podiam encerrar três pessoas de cada vez e submetê-las a testes, quase todos perigosos e dolorosos. Os voluntários podiam ter de se sentar em água gelada ao mesmo tempo que respiravam numa "atmosfera aberrante", ou ser sujeitos a mudanças repentinas de pressurização. Numa das experiências, o próprio Haldane simulou uma ascensão à superfície perigosamente rápida, para ver o que acontecia. O que aconteceu foi que os chumbos lhe saltaram dos dentes. "Quase todas as experiências", escreveu Norton, "acabavam com alguém a ter convulsões, hemorragias ou vómitos." A câmara era totalmente à prova de som, portanto a única maneira de que os ocupantes dispunham para mostrar aflição ou desconforto era bater insistentemente nas paredes, ou então exibir notas escritas através de uma janela minúscula.

Noutra ocasião, enquanto se envenenava a si próprio com doses elevadas de oxigénio, Haldane teve um ataque tão forte que esmigalhou várias vértebras. Os pulmões em colapso eram para ele um dano corriqueiro, bem como os tímpanos furados, mas, como escreveu Haldane à laia de consolo num dos seus ensaios, "o tímpano geralmente recupera, mas, se o furo permanecer, embora a pessoa fique um pouco surda, pode sempre expelir fumo de cigarro pelo ouvido, o que é um feito notável socialmente".

O mais extraordinário de tudo isto não era o facto de Haldane estar disposto a sujeitar-se a tais riscos e sofrimentos no interesse da ciência, mas sim o facto de não ter qualquer problema em colocar também na sua câmara os colegas ou entes queridos. Uma certa vez, depois de submetida a uma descida simulada, a sua mulher sofreu um ataque que durou 13 minutos. Quando finalmente parou de estrebuchar no chão, ele ajudou-a a erguer-se e mandou-a para casa fazer o jantar. Haldane servia-se de quem quer que lhe aparecesse, incluindo, numa memorável ocasião, um ex-primeiro-ministro de Espanha, Juan Negrín. O Dr. Negrín queixou-se depois de formigueiros e de "uma curiosa sensação de dormência nos lábios", mas de resto parece ter escapado ileso. Bem podemos considerá-lo um homem de sorte. Uma experiência semelhante, desta vez com privação de oxigénio, deixou o próprio Haldane sem sentir as nádegas e a parte inferior da coluna durante seis anos.

Entre as muitas preocupações específicas de Haldane contava-se a intoxicação por azoto. Por razões ainda difíceis de compreender, o azoto transforma-se numa droga potentíssima a profundidades superiores a 30 metros. Conhecem-se casos de mergulhadores que, sob a sua influência, tiram os tubos de respiração para os oferecer aos peixes que passam, ou então decidem fazer um intervalo para fumar um cigarro. Também produzia tremendas variações de humor. No decurso de um teste, anotou Haldane, um dos homens em observação "alternou entre a depressão e a euforia, ora implorando que o descomprimissem porque se sentia 'horrivelmente mal', ora desatando a rir no momento seguinte, tentando boicotar os testes de destreza do seu colega". No intuito de medir a taxa de deterioração do organismo, havia um cientista que tinha de entrar na câmara com o voluntário para proceder a alguns testes matemáticos simples. Mas ao fim de alguns minutos, como Haldane recordou mais tarde, "o examinador ficava tão intoxicado como o examinando, e normalmente esquecia-se de carregar no botão do cronómetro ou de tomar os apontamentos relevantes". A causa desse tipo de embriagamento é ainda hoje um mistério. Pensa-se que pode ser o mesmo que causa a intoxicação pelo álcool, mas como também ninguém tem a certeza da causa desse, ficamos na mesma. O certo é que, se não tivermos o maior cuidado, é muito fácil arranjarmos sarilhos quando abandonamos o mundo da superfície.

O que nos traz de volta (bom, ou quase) à nossa anterior observação de que a Terra não é o lugar mais fácil para se ser um organismo, mesmo sendo o único possível. Da pequena porção da superfície do planeta suficientemente seca para podermos lá viver, há uma quantidade espantosamente grande que é, ou quente, ou fria, ou seca, ou íngreme, ou alta de mais para nos servir. Em parte, há que admitir, a culpa é nossa. Em termos de adaptabilidade, os humanos não são grande coisa. Como a maior parte dos animais, não morremos de amores por sítios demasiado quentes, mas, como suamos e temos acidentes vasculares com tanta facilidade, somos especialmente vulneráveis. Nas piores circunstâncias – a pé no deserto, e sem água – a maior parte das pessoas entra em delírio e cai para o lado, possivelmente para não mais se levantar, em menos de sete ou oito horas. E não somos mais resistentes ao frio. Tal como todos os mamíferos, os humanos geram calor com facilidade, mas, devido ao facto de termos tão pouco pêlo, não conseguimos manter esse calor devidamente. Mesmo em climas bastante amenos, metade das calorias que queimamos são utilizadas para manter o corpo aquecido. Claro que podemos minimizar muito essas dificuldades através da roupa e das casas que nos servem de abrigo, mas mesmo assim, a percentagem da superfície da Terra que se proporciona à nossa vida é de facto modesta: apenas 12 por cento do total da área terrestre, e apenas quatro por cento da superfície total, se incluirmos os mares.

Mesmo assim, quando consideramos as condições existentes noutras partes do universo, verificamos que o mais espantoso não é usarmos uma parte tão diminuta do nosso planeta, mas sim o termos conseguido encontrar um planeta utilizável, mesmo que seja apenas em parte. Basta olharmos para o nosso sistema solar – ou, já agora, para certos períodos da história da Terra – para percebermos que a maioria dos lugares é muito mais inóspita e muito menos agradável à vida do que o nosso ameno e aquático Planeta Azul.

Até agora, os cientistas espaciais descobriram cerca de 70 planetas fora do sistema solar, no total de dez mil milhões de biliões que se pensa existirem, o que não faz dos seres humanos grandes autoridades na matéria, mas dá pelo menos a ideia de que para encontrar um planeta propício à existência de vida, é preciso ter uma sorte dos diabos, e quanto mais evoluída for essa vida, mais sorte necessitaremos. Vários observadores conseguiram identificar cerca de duas dúzias de períodos particularmente propícios à vida na Terra, mas como este é um estudo muito sumário, vamos resumi-los aos quatro principais. São eles:

Localização excelente. Nós estamos, a um ponto quase assustador, à distância certa do tipo certo de estrela, ou seja, suficientemente grande para irradiar grandes quantidades de energia, mas não tão grande que se esgote rapidamente. É uma das curiosidades da física: quanto maior é uma estrela, mais rapidamente ela arde. Se o nosso Sol fosse dez vezes maior, ter-se-ia esgotado ao fim de dez milhões de anos em vez de dez mil milhões, e nós não estaríamos aqui agora. Também tivemos sorte com a órbita em que estamos. Se estivéssemos demasiado perto, tudo na Terra teria evaporado. Se estivéssemos mais longe, ficaria tudo congelado.

Em 1978, um astrofísico chamado Michael Hart concluiu, depois de fazer alguns cálculos, que a Terra seria inabitável se estivesse um por cento mais longe ou cinco por cento mais perto do Sol. Não é muito – e, na verdade, não era o suficiente. Os números foram aperfeiçoados desde então, e são agora um pouco mais generosos – pensa-se que cinco por cento mais perto e 15 por cento mais longe serão limites mais correctos para inserir a nossa zona de habitabilidade – mas continua a ser uma margem estreita.*

Para percebermos até que ponto a margem é estreita, basta-nos olhar para Vénus. Vénus está apenas 40 milhões de quilómetros mais perto do Sol do que nós. O calor do Sol chega a Vénus apenas dois minutos antes de nos tocar. Em matéria de tamanho e composição, Vénus é muito parecido com a Terra, mas a pequena diferença na distância das respectivas órbitas foi decisiva nas diferenças entre os dois planetas. Parece que nos primeiros tempos do sistema solar, Vénus era pouco mais quente do que a Terra, e provavelmente também tinha oceanos. Mas aqueles poucos graus de calor a mais impediram Vénus de manter a sua água de superfície, o que teve consequências desastrosas no respectivo clima. À medida que a água ia evaporando, os átomos de hidrogénio libertavam-se para o espaço enquanto os átomos de oxigénio se combinavam com o carbono, formando uma densa atmosfera do gás de estufa dióxido de carbono. Vénus transformou-se num planeta sufocante. Embora as pessoas da minha idade se lembrem do tempo em que os astrónomos tinham esperança de encontrar vida em Vénus por baixo das suas fofas nuvens, ou mesmo um certo tipo de vegetação tropical, sabe-se agora que o ambiente venusiano é demasiado violento para qualquer tipo de vida imaginável. A sua temperatura de superfície é a de um autêntico grelhador (470° C), suficientemente quente para derreter chumbo, e a pressão atmosférica à superfície é 90 vezes superior à da Terra, ou seja, mais do que qualquer corpo humano poderia suportar. Falta-nos a tecnologia para fabricar fatos, ou mesmo naves espaciais, capazes de nos permitir uma visita àquele planeta. O nosso conhecimento da superfície de Vénus é baseado em fotografias distantes tiradas por radar e nalguns estalidos sobressaltados de uma sonda soviética não tripulada, esperançadamente

* A descoberta de extremófilos nas paredes das poças de lama fervente de Yellowstone e outros organismos similares encontrados noutros locais levou os cientistas a concluir que, na realidade, pode haver certos tipos de vida dentro de parâmetros muito mais largos – talvez mesmo sob a superfície gelada de Plutão. Mas, neste contexto, estamos a falar das condições capazes de produzir seres de superfície razoavelmente complexos.

lançada nas nuvens do planeta irmão em 1972, e que só funcionou por uma escassa hora, até se apagar para sempre.

Eis portanto o que acontece quando nos aproximamos do Sol dois minutos-luz. Se nos afastamos, o problema deixa de ser o calor e passa a ser o frio, de que Marte é a gélida prova. Também este já terá sido em tempos um sítio muito mais hospitaleiro, mas, por não conseguir reter uma atmosfera utilizável, transformou-se num mero detrito gelado.

Todavia, estar à distância ideal do Sol também não chega, caso contrário a própria Lua seria um belo planeta coberto de verdura, o que claramente não é. Para tal, é preciso ter:

O planeta do tipo certo. Imagino que não haverá muita gente, mesmo sendo perita em geofísica, que, quando lhe perguntassem em que aspectos considerava ter tido mais sorte, incluísse na lista o facto de viver num planeta com um interior em fusão, mas é praticamente certo que, se não fosse todo esse magma movediço por baixo de nós, não estaríamos agora aqui. Para além de tudo o mais, o nosso dinâmico interior criou as fugas de gases que ajudaram a construir a atmosfera e nos forneceram o campo magnético que nos protege das radiações cósmicas. Também nos proporcionou placas tectónicas que renovam e enrugam constantemente a superfície. Se a Terra fosse perfeitamente lisa, estaria uniformemente coberta de água com uma altura de quatro quilómetros. Poderia até haver vida nesse oceano solitário, mas de certeza que não havia futebol.

Para além de termos um interior muito propício, temos também os elementos certos nas proporções correctas. No sentido mais literal, somos feitos da matéria certa. Isso é tão crucial para o nosso bem-estar que vamos discuti-lo mais pormenorizadamente já a seguir, mas primeiro temos de considerar os dois factores que faltam, começando por um outro que é normalmente desprezado:

Somos um planeta gémeo. Poucos de nós pensam na Lua como um planeta companheiro, mas é isso mesmo que ela é. Muitas das luas são minúsculas em relação ao seu planeta principal. Os satélites marcianos Fobos e Deimos, por exemplo, têm apenas uns dez quilómetros de diâmetro. A nossa Lua, pelo contrário, tem mais de um quarto do diâmetro da Terra, o que faz do nosso o único planeta do sistema solar com uma lua de tamanho considerável em relação a si próprio (à excepção de Plutão, mas esse não conta por ser ele próprio tão pequeno), e que diferença que isso faz para nós!

Sem a influência estabilizadora da Lua, a Terra cambalearia como um pião quase a parar, sabe Deus com que consequências para o clima e para o estado atmosférico do tempo. A sólida influência gravitacional da Lua faz com que a Terra rode sobre si própria à velocidade e no ângulo certos para fornecer o tipo de estabilidade necessária a um desenvolvimento duradouro e eficaz da vida. O que não vai acontecer eternamente. A Lua está a escapar-nos a uma taxa de cerca de quatro centímetros por ano. Daqui a dois mil milhões de anos estará tão afastada que não vai conseguir manter-nos firmes e vamos ter de encontrar outra solução qualquer, mas até lá devíamos considerá-la muito mais do que um bonito adorno num límpido céu nocturno.

Durante muito tempo, os astrónomos partiram do princípio de que a Lua e a Terra se tinham formado ao mesmo tempo, ou de que a Terra tinha capturado a Lua quando esta ia a passar perto. Mas hoje pensa-se, como se deve lembrar de um capítulo anterior, que há cerca de 4,4 mil milhões de anos um objecto do tamanho de Marte colidiu com a Terra, projectando no espaço resíduos suficientes para criar a Lua. É óbvio que isso foi muito bom para nós – mas especialmente por ter acontecido há tanto tempo. Se tivesse acontecido em 1896, ou na quarta-feira passada, não estaríamos assim tão felizes com isso. O que nos leva à quarta e talvez mais crucial consideração de todas:

Cronologia. O universo é um lugar extremamente inconstante e cheio de actividade, e a nossa existência no meio disto tudo é um milagre. Se há 4,6 mil milhões de anos toda uma longa e inimaginavelmente complexa sequência de acontecimentos não se tivesse desenrolado de uma maneira precisa, e numa altura igualmente precisa – se, para referir apenas um exemplo óbvio, os dinossauros não tivessem desaparecido quando desapareceram por causa de um meteoro – você poderia muito bem ter alguns centímetros de comprimento, bigodes e cauda, e estar a ler isto dentro de uma toca.

Não temos bem a certeza, porque não temos mais nada com que possamos comparar a nossa própria existência, mas parece evidente que, se nos quisermos considerar como resultado de uma sociedade pensante e moderadamente avançada, teremos fatalmente de estar na extremidade certa de uma longa cadeia de acontecimentos que incluam períodos razoáveis de estabilidade entremeados de quantidades certas de desafios e pressões (as idades do gelo parecem ter sido de uma grande ajuda neste domínio), e marcada pela ausência total de verdadeiros cataclismos. Como iremos ver nas páginas que nos faltam, temos muita sorte de estarmos onde estamos.

E com isto, passemos a uma breve panorâmica dos elementos de que somos feitos.

Há 92 elementos naturais na Terra, e ainda cerca de 20 criados em laboratório, mas alguns destes podemos pôr imediatamente de lado – como fazem, de resto, os próprios químicos. Muitos destes elementos químicos terrestres são muito pouco conhecidos. O ástato, por exemplo, raramente é objecto de estudo. Tem um nome e uma localização na tabela periódica (ao lado do polónio de Marie Curie), mas pouco mais do que isso. O problema não reside na indiferença científica mas sim na sua escassez. Há muito pouco ástato por aí. O elemento mais difícil de conseguir, contudo, parece ser o frâncio, por ser tão raro. Pensa-se que devem existir, na totalidade, menos de 20 átomos de frâncio no planeta inteiro, em qualquer dado momento. No total, somente 30 elementos naturais são abundantes na Terra, encontrando-se um pouco por todo o lado, e apenas meia dúzia são de importância central para a vida.

O oxigénio é, como já deve calcular, o nosso elemento mais abundante, responsável por pouco menos de 50 por cento da crosta da Terra, mas depois dele, os outros elementos relativamente abundantes causam uma certa surpresa. Quem poderia adivinhar, por exemplo, que o silício é o segundo elemento mais comum na Terra, ou que o titânio é o décimo? Mas a sua quantidade não é directamente proporcional à frequência com que os encontramos, nem à sua utilidade. Muitos dos elementos mais obscuros são na verdade mais comuns do que os mais conhecidos. Há mais cério do que cobre na Terra, mais neodímio e lantânio do que cobalto ou azoto. O estanho vem mesmo no fim da lista dos primeiros 50, eclipsado por elementos tão menos conhecidos como o praseodímio, o samário, o gadolínio e o disprósio.

A abundância tem também pouco que ver com a facilidade de detecção. O alumínio é o quarto elemento mais comum na Terra, representando quase um décimo de tudo o que temos debaixo dos nossos pés, mas nem sequer se suspeitava da sua existência até ser descoberto por Humphry Davy, no século XIX, e, durante muito do tempo que se seguiu, foi tratado como um elemento raro e precioso. O Congresso chegou a considerar forrar o topo do Washington Monument com uma reluzente folha de alumínio, para mostrar como nos tínhamos transformado numa nação próspera e de primeira categoria, e, na mesma altura, a família imperial francesa pôs de lado a baixela de prata oficial, substituindo-a por uma de alumínio. A moda era acutilante, mesmo que as lâminas das facas não o fossem.

A abundância também não está forçosamente relacionada com a importância do elemento. O carbono é apenas o 15.º elemento mais comum, responsável por uns modestos 0,048 por cento da crosta terrestre, mas sem ele estaríamos perdidos. Aquilo que diferencia o carbono dos outros elementos é a sua desavergonhada promiscuidade. É o folião do mundo atómico, atracando-se a muitos outros átomos, (inclusive aos seus próprios) e agarrando-se com toda a força, formando "comboios" moleculares altamente robustos – exactamente o truque da Natureza necessário à construção das proteínas e do ADN. Como escreveu Paul Davies: "Se não fosse o carbono, a vida tal como a conhecemos seria impossível. Provavelmente até qualquer tipo de vida seria impossível." No entanto, o carbono não é assim tão abundante, nem sequer nos humanos, que tanto dependem dele para viver. Em cada 200 átomos do nosso corpo, 126 são de hidrogénio, 51 de oxigénio, e somente 19 de carbono.*

Os outros elementos são fundamentais, não para a criação de vida mas para a sua manutenção. Precisamos de ferro para fabricar hemoglobina, e sem ele morreríamos. O cobalto é necessário para a criação da vitamina B12. O potássio e um pouco de sódio são óptimos para os nervos. O molibdénio, o manganês e o vanádio ajudam a manter as enzimas prontas a entrar em acção. O zinco – abençoado seja – oxida o álcool.

Ao longo da nossa evolução, aprendemos a utilizar ou a tolerar estas coisas – se não não estávamos aqui –, mas mesmo assim vivemos numa faixa de tolerância muito estreita. O selénio é vital para todos nós, mas basta exceder um bocadinho a dose, e será a última coisa que fazemos na vida. O grau de necessidade ou de tolerância dos organismos a certos elementos é um vestígio da sua evolução. Ovelhas e vacas pastam agora lado-a-lado, mas na verdade têm necessidades minerais bem diferentes. O gado bovino moderno precisa de muito cobre, porque evoluiu em locais da Europa e Ásia onde o cobre era abundante. Por outro lado, as ovelhas evoluíram em locais da Ásia Menor pobres em cobre. De maneira geral, e não é surpreendente que assim seja, a nossa tolerância aos elementos é directamente proporcional à sua abundância na crosta terrestre. A nossa evolução dá-se no sentido de contarmos com as minúsculas quantidades de elementos raros, que se acumulam na carne ou nas fibras que comemos, e que se tornaram, em alguns casos, indispensáveis. Mas se aumentarmos as doses, às vezes apenas ligeiramente, poderemos ultrapassar um perigoso limiar. Todos estes conhecimentos são ainda muito imperfeitos. Ninguém sabe, por exemplo, se uma ligeira quantidade de arsénio é ou não necessária ao nosso bem-estar. Alguns peritos na matéria dizem que sim, outros que não. Tudo o que sabemos é que uma dose excessiva será fatal para nós.

---

* Dos quatro que faltam, três são de azoto, e o outro divide-se entre todos os outros elementos.

Quando combinadas, as propriedades dos elementos podem tornar-se ainda mais curiosas. O oxigénio e o hidrogénio, por exemplo, são dois dos elementos mais combustíveis que existem, mas se juntarmos os dois obtemos um dos elementos mais incombustíveis: a água.* Uma combinação mais estranha ainda é a do sódio, um dos elemento mais instáveis, com o cloro, um dos mais tóxicos. Deite um pequeno torrão de sódio puro em água vulgar e ele explodirá com força suficiente para matar. O cloro por sua vez é ainda mais perigoso. Apesar de ser útil para matar microrganismos em pequenas concentrações (é justamente o cheiro do cloro que sentimos na lixívia), em grandes quantidades é letal. O cloro foi o elemento escolhido para o fabrico de muitos gases tóxicos utilizados na Primeira Guerra Mundial. E, que o digam os utilizadores de piscinas, sempre de olhos inflamados, mesmo quando muito diluído, não é nada agradável para o corpo humano. Contudo, misturem-se estes dois elementos e o que é que obtemos? Cloreto de sódio – o sal de mesa comum.

De uma maneira geral podemos dizer que se um elemento não encontra naturalmente a forma de entrar no nosso sistema – digamos, se não for solúvel em água – é porque não o toleramos. O chumbo envenena-nos porque nunca tínhamos estado em contacto com ele até o utilizarmos nas latas de comida e nas canalizações. (Não é por acaso que o símbolo químico do chumbo é Pb, do latim *plumbum*, que em inglês é raiz da palavra *plumbing*, que significa canalização). Os antigos Romanos tinham também o hábito de perfumar o vinho com chumbo, razão que poderá muito bem estar na base da queda do Império romano. Como já vimos atrás, o nosso comportamento com o chumbo (para não falar do mercúrio, do cádmio, e de todos os poluentes industriais com que rotineiramente nos aspergimos) não nos deixa muito espaço para sorrisos de troça. Quando os elementos não ocorrem naturalmente na Terra, não desenvolvemos qualquer tolerância em relação a eles, e por isso tendem a tornar-se extremamente tóxicos para nós, como no caso do plutónio. A nossa tolerância ao plutónio é zero: na presença de qualquer nível deste elemento, a única coisa que nos apetece fazer é deitarmo-nos.

---

* O oxigénio não é propriamente combustível; apenas acelera a combustão de outras coisas. E ainda bem, porque se o oxigénio fosse combustível, de cada vez que se acendesse um fósforo, todo o ar à nossa volta começaria a arder. O gás hidrogénio, por outro lado, é extremamente combustível, como demonstrou o dirigível *Hindenburg*, em 6 de Maio de 1937, em Lakehurst, Nova Jérsia, quando o hidrogénio que levava no depósito explodiu em chamas, matando 36 pessoas.

Estou com esta conversa toda só para chegarmos a uma pequena conclusão: uma das grandes razões pela qual a Terra parece ser tão miraculosamente acolhedora e tolerante reside no facto de termos evoluído no sentido de nos adaptarmos a essas condições. Aquilo que nos deixa maravilhados não é o facto de ela ser favorável à vida, mas sim o de ser favorável à *nossa* vida – o que não é surpreendente, para dizer a verdade. Pode ser que muitas das coisas que tornaram a nossa vida tão esplêndida – a proporção certa de sol, uma lua apaixonante, o sociável carbono, quantidades industriais de magma, e tudo o resto – nos pareçam esplêndidas porque já nascemos a contar com elas. Nunca saberemos ao certo.

Pode haver outros mundos capazes de albergar seres que se sintam gratos pelos seus prateados lagos de mercúrio e flutuantes nuvens de amónia. Podem estar encantados por o seu planeta não os abanar até os deixar tontos com as suas placas esmagadoras, nem cuspir sujos jactos de lava para cima das paisagens, existindo antes numa permanente tranquilidade não tectónica. Quaisquer seres de um mundo distante que viessem visitar a Terra ficariam no mínimo divertidos ao ver que vivemos numa atmosfera composta por azoto, um gás arisco e pouco inclinado a reagir com o que quer que seja, e oxigénio, que gosta tanto da combustão que nos obriga a espalhar postos de bombeiros através de todas as nossas cidades para nos protegermos dos seus efeitos mais enérgicos. Mas mesmo que os nossos visitantes fossem bípedes, respirassem oxigénio, tivessem centros comerciais e gostassem de filmes de acção, seria pouco provável que achassem a Terra ideal para viver. Nem sequer lhes podíamos oferecer almoço porque toda a nossa comida contém vestígios de manganês, selénio, zinco e outros elementos, dos quais pelo menos alguns seriam tóxicos para eles. Para eles, a Terra poderia não ser um sítio muito acolhedor.

O físico Richard Feynman costumava dizer uma piada sobre as conclusões *a posteriori*, onde o raciocínio é feito a partir de dados adquiridos, procurando causas possíveis. "Sabe, aconteceu-me esta noite a coisa mais espantosa", dizia. "Vi um carro com a matrícula ARW 357. Já imaginou? De todos os milhões de matrículas que há neste estado, qual era a probabilidade que eu tinha de ver exactamente aquela? Fantástico!" O que ele queria dizer, claro, é que é muito fácil fazer uma situação banal parecer extraordinária, se lhe atribuirmos um cariz de predestinação.

Portanto, é possível que os acontecimentos e condições que levaram ao aparecimento de vida na Terra não sejam tão extraordinários como parecem. No entanto, foram suficientemente extraordinários, e uma coisa é certa: vão ter de servir até encontrarmos algo melhor.

17.

NO INTERIOR DA TROPOSFERA

Graças a Deus que temos atmosfera. É ela que nos mantém quentes. Sem ela, a Terra seria uma bola de gelo sem vida com temperaturas médias inferiores a 50º C negativos. Para além disso, a atmosfera também absorve ou desvia, segundo a necessidade, radiações cósmicas prejudiciais, partículas carregadas, raios ultravioletas, etc. No seu conjunto, o "forro" gasoso fornecido pela atmosfera é equivalente a uma barreira de protecção de cimento de 4,5 metros de espessura, sem a qual esses visitantes invisíveis vindos do espaço nos trespassariam como pequenos punhais. Até as gotas de chuva nos bateriam com força suficiente para nos fazer perder a consciência, se não fosse pelo efeito de desaceleração provocado por esses gases.

O mais curioso sobre a nossa atmosfera é o facto de não ser muito extensa. Prolonga-se em altura cerca de 190 quilómetros, o que pode dar a impressão de ser muito quando se olha cá de baixo, mas se reduzirmos a Terra ao tamanho de um globo terrestre escolar, seria o equivalente a duas camadas de verniz.

Por uma questão de simplificação científica, costuma dividir-se a atmosfera em quatro partes diferentes: troposfera, estratosfera, mesosfera e ionosfera (agora também chamada termosfera). A troposfera é a parte que nos dá mais jeito. Só ela contém o calor e o oxigénio suficientes para nos permitir um bom funcionamento, apesar de se poder tornar rapidamente hostil à vida à medida que vamos subindo através dela. Do nível do solo até ao seu ponto mais alto, a troposfera (ou "esfera que gira") tem cerca de 16 quilómetros de espessura no equador, e não mais de dez ou 11 quilómetros de altura nos climas temperados onde a maior parte de nós vive. Oitenta por cento da massa atmosférica, ou seja, praticamente toda a água, e consequentemente todos os estados do tempo, estão contidos nesta fina e frágil camada. Ou seja, não há muita coisa entre nós e o vazio.

A seguir à troposfera temos a estratosfera. Quando, durante uma tempestade, vemos o cimo de uma nuvem carregada espraiar-se, assumindo a forma típica de uma bigorna, estamos a ver a fronteira entre a troposfera e a estratosfera. Esse tecto invisível é conhecido por tropopausa e foi descoberto em 1902 por um francês que viajava de balão, Léon-Phillipe Teisserenc de Bort. *Pausa* neste sentido não significa uma paragem momentânea, mas sim definitiva; vem da mesma raiz grega presente na palavra *menopausa*. Mesmo no seu ponto de maior altitude, a tropopausa não fica muito distante de nós. Um elevador rápido, dos que se utilizam nos arranha-céus, podia levar-nos até lá em apenas 20 minutos, mas não aconselho o leitor a tentar essa viagem. Uma subida tão rápida e sem a pressurização adequada teria como resultado, no mínimo, graves edemas pulmonares e cerebrais, provenientes de um excesso de fluidos nos tecidos corporais. Quando se abrissem as portas ao chegar ao imaginário miradouro, toda a gente que estivesse lá dentro estaria morta ou moribunda. Mesmo uma subida mais comedida teria muitas e graves consequências. A dez quilómetros de altitude, a temperatura pode descer até aos 57 graus negativos, e qualquer ser humano precisaria de doses suplementares de oxigénio, ou pelo menos ficaria muito feliz se lhas dessem.

Depois de ultrapassarmos a troposfera a temperatura começa rapidamente a subir, desta vez para cerca de 4° C, graças ao poder absorvente do ozono (algo que de Bort também descobriu na sua aventurosa subida de 1902). Em seguida, desce drasticamente para -90° C na mesosfera, disparando depois para 1500° C ou mais na errática termosfera, onde as amplitudes térmicas entre o dia e a noite podem atingir os 500 graus – embora, diga-se de passagem, a esta escala o conceito de "temperatura" passe a ser bem mais abstracto. A temperatura nada mais é do que a medida da actividade das moléculas. Ao nível do mar, as moléculas do ar estão tão compactadas que uma molécula só consegue deslocar-se uma distância mínima – cerca de 8 milionésimos de centímetro, para ser mais preciso – antes de chocar com outra. Como há biliões de moléculas a colidir constantemente, geram-se grandes trocas de calor. Mas à altura da termosfera, a 80 quilómetros ou mais, o ar é tão fino que as moléculas estão separadas por quilómetros de distância, e terão pouquíssimas probabilidades de entrar em contacto. Por isso, embora as moléculas possuam calor, há tão pouca interacção entre elas que a transferência desse calor é quase nula. O que é óptimo para os satélites e naves espaciais, porque, se houvesse maior troca de calor, quaisquer objectos feitos pelo homem que orbitassem a esse nível incendiar-se-iam inevitavelmente.

Apesar de tudo, as naves têm de ter cuidado na atmosfera externa, particularmente nas viagens de regresso à Terra, como tragicamente demonstrou o vaivém *Columbia*, em Fevereiro de 2003. Embora a atmosfera seja muito fina, se uma nave entrar num ângulo demasiado íngreme – superior a seis graus – ou demasiado depressa, pode colidir com um número de moléculas suficiente para gerar um rasto de natureza combustível. Por outro lado, se um veículo entrar na termosfera num ângulo fechado, pode ser relançado para o espaço, como uma pedra que salta quando é lançada paralelamente à água.

Mas não é preciso ir até à fronteira da atmosfera para nos lembrarmos até que ponto somos criaturas terrestres. Como o saberá quem já tenha passado algum tempo numa cidade situada a grande altitude, não é preciso subir muitas centenas de metros acima do nível do mar para que o nosso corpo comece a protestar. Mesmo os alpinistas experimentados, com a preparação física adequada e munidos de garrafas de oxigénio, ficam rapidamente vulneráveis a grandes altitudes, podendo os sintomas variar entre náuseas, confusão mental, exaustão, queimaduras pelo frio, hipotermia, enxaquecas, perda de apetite e muitas outras disfunções. O corpo humano tem centenas de maneiras drásticas de mostrar ao seu dono que não foi feito para funcionar a altitudes tão grandes.

"Mesmo nas circunstâncias mais favoráveis", escreveu o alpinista Peter Habeler sobre as condições no cume do Evereste, "cada passo dado àquela altitude exige uma força de vontade desmedida. Uma pessoa tem de se obrigar a cada movimento, todo e qualquer gesto é uma conquista. Somos continuamente ameaçados por um cansaço de morte, o corpo parece feito de chumbo." No filme *The Other Side of The Everest*, o alpinista e realizador de cinema inglês Matt Dickinson reconstitui o episódio em que Howard Somervell, numa expedição organizada pelos ingleses ao Evereste em 1924, "ia morrendo asfixiado por um bocado de carne infectada que se soltou e lhe bloqueou a traqueia". Num esforço sobre-humano, Somervell conseguiu tossir até desalojar o que lhe obstruía a respiração e que afinal era "todo o revestimento mucoso da sua própria laringe".

Acima dos 7500 metros começam a surgir os sintomas de alarme para o organismo – essa é a área conhecida pelos alpinistas como Zona da Morte – mas muitas pessoas ficam já seriamente doentes, ou mesmo em perigo de vida, a altitudes próximas dos 4500 metros. A susceptibilidade à altitude não tem propriamente a ver com uma boa forma física. Há avozinhas que conseguem saltitar como cabritos em situações de grande altitude, enquanto os membros da sua robusta descendência ficam reduzidos a lamurientos farrapos humanos até que alguém os leve para altitudes mais modestas.

O limite absoluto da tolerância humana para uma vida sustentada parece rondar os 5500 metros, mas mesmo as pessoas habituadas a viver em altitude não conseguem tolerar esses números durante muito tempo. Frances Ashcroft, no seu livro *Life at the Extremes,* diz que apesar de haver minas de enxofre nos Andes a 5800 metros, os mineiros preferem descer todos os dias 460 metros, e voltar a subir a pé no dia seguinte, a permanecer continuamente lá em cima. As pessoas que vivem em zonas de grande altitude passaram milhares de anos a desenvolver caixas torácicas e pulmões desproporcionadamente grandes, aumentando assim em quase um terço a densidade dos glóbulos vermelhos transportadores de oxigénio no sangue, embora haja limites para os níveis de viscosidade que o sangue pode atingir sem se tornar demasiado espesso para circular livremente. Além disso, acima de 5500 metros nem mesmo as mulheres mais bem adaptadas conseguem levar a bom termo a gestação de um feto por não existir a quantidade de oxigénio necessária para tal.

Em 1780, quando se começaram a fazer as primeiras subidas de balão na Europa, o que mais surpreendeu as pessoas foi o frio que fazia à medida que iam subindo. A temperatura desce 1,6° C por cada 1000 metros de altitude. Segundo a lógica, deveríamos aquecer à medida que nos aproximamos de uma fonte de calor. Só que nós não estamos a aproximar-nos do Sol de maneira significativa. O Sol está a 150 milhões de quilómetros de distância. Aproximarmo-nos umas meras centenas de metros é como estar algures em Ohio, dar um passo na direcção de uma fogueira que arde na Austrália, e ficar à espera de sentir o cheiro do fumo. A explicação do fenómeno leva-nos de volta à questão da densidade das moléculas na atmosfera. A luz do Sol fornece energia aos átomos. Aumenta a velocidade a que eles se movimentam, fazendo com que, ao chocarem uns com os outros, libertem calor. Quando sentimos o Sol quente nas costas num dia de Verão, o que estamos realmente a sentir são átomos excitados. Quanto mais alto subimos menos moléculas existem e, consequentemente, menos colisões existem entre elas. O ar é uma coisa ilusória. Mesmo ao nível do mar, temos tendência a pensar que o ar é etéreo e quase sem peso. Mas, na realidade, trata-se de uma matéria bastante volumosa, e esse volume faz-se sentir muitas vezes. Como escreveu o cientista marinho Wyville Thomsom há mais de um século: "Às vezes, quando nos levantamos de manhã e o barómetro subiu 2,5 centímetros, sentimo-nos como se nos tivessem colocado disfarçadamente um peso de meia tonelada em cima durante a noite; mas não é nada de desagradável, pelo contrário: dá-nos uma sensação de euforia, é como se estivéssemos a boiar, porque naquele meio mais denso não é preciso um esforço tão grande para mexermos o corpo." A razão pela qual não nos sentimos esmagados pelo peso dessa meia tonelada de pressão adicional é a mesma que faz com que o nosso corpo não fique esmagado a uma grande profundidade debaixo de água: ele é essencialmente constituído por fluidos incompressíveis que fazem força para fora, equilibrando assim as duas pressões – a interior e a exterior.

Mas basta o ar pôr-se em movimento, como num furacão ou mesmo um vento forte, que logo nos apercebemos da sua massa considerável. Na totalidade, há cerca de 5200 milhões de milhões de toneladas de ar à nossa volta – 10 milhões de toneladas por cada quilómetro quadrado do planeta – o que é um volume considerável. Quando temos milhões de toneladas de atmosfera a passar por nós a 50 ou 60 quilómetros por hora, não é de espantar que os ramos das árvores se partam e os telhados das casas voem. Como diz Anthony Smith, uma frente meteorológica típica pode ser constituída por 750 milhões de toneladas de ar frio presas debaixo de mil milhões de toneladas de ar mais quente. Não é de estranhar que o resultado seja por vezes muito excitante do ponto de vista meteorológico.

De certeza que não há défice energético no mundo situado acima de nós. Uma trovoada pode conter uma quantidade de energia equivalente a quatro dias de consumo de electricidade nos Estados Unidos. Em certas condições, as nuvens carregadas de electricidade podem subir a alturas de dez a 15 quilómetros, chegando a conter correntes de ar ascendentes e descendentes de 150 quilómetros por hora. Estas estão muitas vezes lado a lado, razão pela qual os pilotos se recusam a voar através delas. Sob uma grande agitação interna, as partículas no interior das nuvens captam cargas eléctricas. Por razões um pouco incompreensíveis, as partículas mais leves tendem a ficar com carga positiva, sendo empurradas pelas correntes de ar para a parte superior da nuvem. As partículas mais pesadas permanecem na base, acumulando cargas negativas. Estas partículas de carga negativa são fortemente atraídas para a Terra, que tem carga positiva, causando grandes danos a tudo o que se atravesse no seu caminho. Um relâmpago viaja a uma velocidade de 435 mil quilómetros por hora, podendo aquecer o ar à sua volta até uns enérgicos 28 000° C, temperatura equivalente a várias vezes a da superfície do Sol. A todo o momento desenvolvem-se cerca de 1800 trovoadas em torno do globo – cerca de 40 mil por dia. Em todo o planeta, e a cada segundo do dia e da noite, cerca de cem relâmpagos atingem o solo. O céu é pois um lugar muito animado.

Muitos dos nossos conhecimentos sobre o que se passa lá em cima são surpreendentemente recentes. Os *jet streams*, normalmente localizados entre os nove mil e os dez mil metros de altitude, podem atingir os 300 quilómetros por hora e influenciar grandemente os sistemas climáticos de continentes inteiros, mas ninguém suspeitava sequer da sua existência até os pilotos começarem a voar através deles durante a Segunda Guerra Mundial. Ainda hoje há muitos fenómenos atmosféricos que mal se conhecem. Há um tipo de movimento ondulatório, normalmente conhecido por turbulência em ar limpo que, de vez em quando, anima os nossos voos de avião. Em média, há cerca de 20 incidentes desse tipo por ano que são dignos de referência. Não estão associados a estruturas de nuvens ou qualquer outra coisa detectável, quer visivelmente quer por radar. São apenas bolsas de turbulência súbita no meio de um céu perfeitamente tranquilo. Num incidente característico deste género, um avião que, num voo de Singapura para Sydney, sobrevoava a Austrália central em condições normais, teve uma perda repentina de 90 metros de altitude – o suficiente para fazer com que os passageiros que não tinham os cintos apertados batessem com a cabeça no tecto. Doze pessoas ficaram feridas, uma delas com gravidade. Ninguém sabe o que provoca estes poços de ar.

O processo que faz com que o ar se mova na atmosfera é o mesmo processo que conduz o motor interno do planeta, nomeadamente a convecção. O ar quente e húmido das regiões equatoriais sobe até atingir a barreira da tropopausa para depois se espalhar. À medida que se afasta do equador e arrefece, vai descendo. Quando chega ao chão, parte deste ar procura uma zona de baixa pressão para preencher e regressa ao equador, completando assim o circuito.

O processo de convecção no equador é geralmente estável, coisa que faz com que o tempo seja regular, mas em zonas temperadas os padrões são significativamente mais sazonais, localizados e aleatórios, o que resulta numa guerra sem fim entre os sistemas de altas e baixas pressões. Os sistemas de baixas pressões são criados por ar ascendente, que envia moléculas de água para o céu, formando nuvens, e, ocasionalmente, chuva. O ar quente suporta mais humidade do que o ar frio, razão pela qual as tempestades tropicais e de Verão tendem a ser as mais fortes. Portanto, as zonas baixas estão normalmente associadas a nuvens e chuva, e as altas a sol e bom tempo. Quando os dois sistemas se encontram, as nuvens são as primeiras a acusar o toque. Por exemplo, as nuvens estrato – aqueles indesejáveis mantos sem forma que nos trazem os céus encobertos – ocorrem quando as correntes de ar ascendente carregadas de humidade não conseguem furar através de uma camada de ar mais estável situada acima delas e portanto espalham-se, como o fumo quando chega ao tecto de uma sala. Aliás, se observar uma pessoa a fumar, poderá ter uma ideia muito clara de como as coisas se passam observando o modo como o fumo sobe numa sala sem correntes de ar. Primeiro, sobe em linha recta (se quiser impressionar alguém, fique a saber que se chama a isso um fluxo laminar) e depois espalha-se de forma difusa, numas camadas ondulantes. Nem o melhor computador do mundo, a efectuar medições no ambiente mais cuidadosamente controlado, conseguiria prever as formas que essas fiapos de fumo poderão tomar, portanto imagine as dificuldades dos meteorologistas quando tentam prever este tipo de movimento num mundo ventoso, sempre a girar, e em grande escala.

O que sabemos ao certo é que as diferenças de pressão acontecem porque o calor do Sol não é distribuído uniformemente pelo planeta. O ar não tolera esta situação e por isso está sempre a correr para todo o lado, tentando uniformizar as pressões aqui e ali. O vento é simplesmente isso: o ar a tentar equilibrar as coisas. O ar flui sempre das áreas de alta pressão para as de baixa pressão (como seria de esperar; imagine qualquer coisa com ar sob pressão – um balão ou uma botija de ar comprimido ou um avião sem uma janela – e lembre-se da insistência com que esse ar está constantemente a tentar fugir para outro lado), e quanto maior for a discrepância de pressões, mais veloz é o vento.

A propósito, as velocidades do vento, como a maior parte das coisas que se acumulam, aumentam exponencialmente, o que significa que o vento a soprar a 300 quilómetros por hora não é dez vezes mais forte do que o vento a 30 quilómetros por hora, mas sim cem vezes – sendo, portanto, muito mais destrutivo. Se se introduzir vários milhões de toneladas de ar neste efeito acelerador, o resultado pode ser extremamente energético. Um furacão tropical pode libertar tanta energia em 24 horas como aquela que uma nação de tamanho médio, como a Grã-Bretanha ou a França, consomem num ano inteiro.

Este impulso da atmosfera para procurar o equilíbrio foi sugerido pela primeira vez por Edmond Halley – o homem que estava em todo o lado –, embora a teoria definitiva tenha sido elaborada mais tarde pelo seu colega Briton George Hadley, que reparou que as colunas de ar ascendente e descendente tendiam a produzir "células" (conhecidas desde então como "células de Hadley"). Apesar de ser advogado de profissão, Hadley interessava-se muito pelo clima (não esqueçamos que era inglês), e também sugeriu uma ligação entre as suas células, o movimento giratório da Terra, e os desvios aparentes do ar provocados pelos ventos alísios. No entanto, foi um professor de engenharia da École Polytechnique de Paris, Gustave-Gaspard de Coriolis, que descobriu os pormenores dessas interacções em 1835, pelo que lhe chamamos o efeito Coriolis (Coriolis distinguiu-se também por introduzir os refrigeradores de água, que, ao que parece, ainda se chamam *corios* em França). A Terra gira a uns enérgicos 1675 quilómetros por hora no equador, embora esta velocidade diminua consideravelmente à medida que nos aproximamos dos pólos, de forma que, em Londres ou Paris, essa velocidade já é de cerca de 900 quilómetros por hora. Se pensarmos um pouco, a razão para tal é bastante óbvia. Se estivermos no equador, a Terra em rotação tem de nos fazer percorrer uma grande distância – cerca de 40 mil quilómetros – para nos trazer de volta ao mesmo sítio. Mas, se estivermos no centro do Pólo Norte, bastar-nos-á percorrer pouco mais de um metro para efectuarmos uma volta completa; no entanto, em ambos os casos decorrem sempre 24 horas até voltarmos ao ponto de partida. Portanto, isso significa que, quanto mais perto do equador, mais rápido é o movimento de rotação.

O efeito Coriolis explica por que motivo tudo o que se move através do ar numa linha recta lateralmente ao movimento de rotação da Terra parece, visto de uma certa distância, estar a curvar para a direita no hemisfério norte e para a esquerda no hemisfério sul, enquanto a Terra gira por baixo. A maneira tradicional de visualizar esta imagem é imaginar-se no centro de um grande carrossel a lançar uma bola a alguém que esteja na beira. Quando a bola chegar ao perímetro, a pessoa a quem esta foi lançada já mudou de lugar, pelo que a bola passa por trás dela. Da perspectiva desta última, a bola descreveu uma curva, afastando-se. Isso é o efeito Coriolis, responsável também pelas espirais que surgem nos mapas meteorológicos e que faz com que os furacões girem como piões. O efeito Coriolis também faz com que, ao disparar qualquer arma de artilharia naval, se tenha de corrigir o ângulo de fogo para a direita ou para a esquerda, a fim de compensar os desvios de trajectória; sem isso, um projéctil lançado a 25 quilómetros desviar-se-ia cerca de 90 metros, acabando por cair inofensivamente no mar.

Considerando a importância prática e fisiológica do clima em quase todas as pessoas, é surpreendente que a meteorologia não tenha progredido como ciência até pouco antes da viragem para o século XIX (embora o termo *meteorologia* tenha sido usado pela primeira vez já em 1626, num livro de lógica de um certo T. Granger).

O problema deveu-se em parte ao facto de a meteorologia, para ser eficaz, necessitar de medidas rigorosas das temperaturas, e durante muito tempo houve grandes dificuldades na construção de termómetros eficientes. Para se conseguir uma leitura rigorosa, era necessário fazer uma perfuração extremamente homogénea num tubo de vidro, e semelhante proeza não era fácil. A primeira pessoa a resolver o problema foi Daniel Gabriel Fahrenheit, um fabricante de instrumentos holandês, que conseguiu fazer um termómetro preciso em 1717. No entanto, por razões desconhecidas, calibrou o instrumento fixando o ponto de congelação da água a 32 graus e o ponto de ebulição a 212 graus. Esta excentricidade numérica incomodou muita gente desde o princípio, e em 1742 Anders Celsius, um astrónomo sueco, apresentou uma escala rival. Como prova de que os inventores raramente acertam à primeira, Celsius fixou o ponto de congelação a cem graus e o ponto de ebulição a zero graus, mas isso foi rapidamente corrigido para o inverso.

A pessoa mais frequentemente considerada como o pai da meteorologia moderna foi um farmacêutico inglês chamado Luke Howard, que se tornou famoso no início do século XIX. Howard ficou essencialmente conhecido por ter classificado os vários tipos de nuvens em 1803. Apesar de ser um membro activo e respeitado da Linnaean Society e de ter utilizado os princípios de Lineu no seu esquema, Howard preferiu anunciar o seu novo sistema de classificação na Askesian Society, bastante mais obscura. (Se bem se lembra de um capítulo anterior, os membros desta sociedade eram muito dados aos prazeres do óxido nitroso, portanto resta-nos esperar que tenham recebido a apresentação de Howard com a atenção sóbria que ela merecia. Mas este é um ponto que os especialistas de estudos howardianos, curiosamente, não comentam.)

Howard dividiu as nuvens em três grupos: *estratos*, para as nuvens em camadas, *cúmulos*, para as nuvens fofas (a palavra significa "amontoados" em latim), e *cirros* (que quer dizer "encaracoladas"), para as altas formações finas em forma de pena, que são normalmente presságio de descida de temperatura. A estas juntou mais tarde um quarto termo, *nimbos* (palavra latina que significa "nuvens"), para as nuvens escuras de onde cai a chuva. A vantagem do sistema de Howard era o facto de os constituintes-base poderem ser livremente combinados para descrever a forma e o tamanho de qualquer nuvem – estrato-cúmulo, cirro-estrato, cúmulo-nimbo, etc. Foi um sucesso imediato, e não apenas em Inglaterra. Goethe gostou tanto deste novo sistema que dedicou quatro poemas a Howard.

O sistema de Howard tem sido muito acrescentado ao longo dos anos, de tal forma que o *Atlas Internacional das Nuvens*, uma autêntica enciclopédia na matéria, embora lido por muito poucos, chega a preencher dois volumes com este sistema; mas não deixa de ser curioso que os tipos de nuvem pós-howardianos – entre os quais: *mammatus*, *pileus*, *nebulosis*, *spissatus*, *floccus* e *mediocris*, sendo estes apenas uma amostra da grande variedade proposta – nunca tenham tido grande sucesso no mundo exterior à meteorologia, e, segundo me dizem, só alguns meteorologistas os conhecem. A propósito, a primeira edição do *Atlas*, editada em 1869 e muito mais pequena, dividia as nuvens em dez tipos básicos, dos quais o mais fofo e almofadado era o número nove, a cúmulo-nimbo*. Ao que parece, terá sido esta a origem da expressão "estar na nuvem nove" **.

Tirando a força e a fúria de uma ou outra nuvem carregada, daquelas que trazem as grandes tempestades, as nuvens comuns são inofensivas e surpreendentemente insubstanciais. Uma cúmulo de Verão bem fofa conterá pouco mais de cem a 150 litros de água – "mais ou menos o necessário para encher uma banheira de água" – como lembra James Trefil. Quando atravessamos uma zona de nevoeiro – que, no fundo, é uma nuvem sem capacidade de flutuar no ar –, consegue ter-se a sensação da imaterialidade das nuvens. Para citar Trefil outra vez: "Se andarmos cem metros por dentro de uma camada de nevoeiro vulgar, estaremos em contacto com cerca de dez centímetros cúbicos de água – nem sequer é o suficiente para fazer uma bebida que se veja." Ou seja, as nuvens não são grandes reservatórios de água. De toda a água doce existente na Terra, só 0,035 por cento anda por cima de nós.

Dependendo do sítio donde cai, o prognóstico de uma molécula de água varia muito. Se aterrar em solo fértil, será absorvida pelas plantas, ou então evapora novamente ao fim de algumas horas ou dias. Se se infiltrar e se juntar à água do subsolo, pode não voltar a ver a luz do dia durante muitos anos – milhares até, se for parar a grande profundidade. Quando olhamos para um lago, estamos a olhar para uma colecção de moléculas que está lá, em média, há cerca de uma década. Nos oceanos pensa-se que o tempo de permanência destas moléculas seja da ordem dos cem anos. No total, 60 por cento das moléculas de água de um aguaceiro voltam para a atmosfera dentro de um dia ou

---

* Se por acaso já reparou na nitidez e perfeição de contornos das nuvens cúmulos, comparadas com as outras que tendem a ser mais esborratadas, a razão reside no facto de nas cúmulos existir uma fronteira nítida entre o interior húmido e o exterior seco que a envolve. Qualquer molécula de água perdida para além dessa fronteira é imediatamente sugada pelo ar seco, o que permite que a nuvem mantenha os seus contornos bem definidos. As nuvens cirros, muito mais altas, são constituídas por gelo, e a zona situada entre o contorno da nuvem e o ar circundante não é tão bem definida, razão pela qual tendem a parecer esborratadas.

** Equivalente à expressão portuguesa "estar nas suas sete quintas".

dois. Uma vez evaporadas, permanecem apenas cerca de uma semana – Drury diz que são 12 dias – no céu antes de voltarem a cair sob a forma de chuva.

A evaporação é um processo rápido, como pode facilmente perceber se observar uma poça num dia de Verão. Mesmo uma extensão tão grande como o Mediterrâneo secaria ao fim de mil anos, se não estivesse a reabastecer-se constantemente. Isso já aconteceu há pouco menos de seis milhões de anos, e provocou o que ficou conhecido na ciência pela Crise de Salinidade Messiniana. O que aconteceu foi que o movimento das placas continentais fechou o estreito de Gibraltar. Quando o Mediterrâneo começou a secar, o conteúdo dessa evaporação caiu nos oceanos sob a forma de chuva, de água doce, diluindo ligeiramente a sua salinidade – especificamente, provocou uma diluição suficiente para que a água congelasse em áreas maiores do que o habitual. Este aumento das áreas geladas fez reflectir o calor do Sol, provocando uma idade do gelo na Terra. Ou, pelo menos, é essa a teoria.

O que é sem dúvida verdade é que, tanto quanto podemos dizer, uma pequena mudança na dinâmica da Terra pode ter repercussões que ultrapassam a nossa capacidade de imaginação. Como veremos mais adiante, pode mesmo ter sido um acontecimento deste género que provocou o nosso aparecimento.

Os oceanos são a verdadeira central energética do comportamento da superfície do planeta. Na verdade, os meteorologistas tendem cada vez mais a tratar os oceanos e a atmosfera como um único sistema, razão pela qual nos devemos debruçar um pouco sobre eles neste ponto. A água é um maravilhoso armazém e um precioso condutor de calor. Todos os dias a Corrente do Golfo leva para a Europa uma quantidade de calor equivalente à produção mundial de carvão durante dez anos e é por isso que a Grã-Bretanha e a Irlanda têm invernos tão amenos quando comparados com os do Canadá e da Rússia.

Mas a água também aquece devagar, como se vê pelos rios e lagos, que se mantêm frescos mesmo nos dias mais quentes. É por esse motivo que há sempre um ligeiro atraso entre o início oficial astronómico de uma estação e a nossa sensação de ela já ter realmente começado. Assim, a Primavera pode começar oficialmente em Março no hemisfério norte, mas, na maior parte dos sítios, só lá para Abril é que se começa a senti-la.

Os oceanos não são uma massa uniforme de água. As diferenças de temperatura, salinidade, profundidade, densidade, etc., têm uma grande influência na maneira como o calor se movimenta, coisa que, por sua vez, afecta o clima. O Atlântico, por exemplo, é mais salgado do que o Pacífico. Quanto mais salgada é a água, mais densa fica, e a água densa vai para o fundo. Sem o peso adicional do sal, as correntes do Atlântico continuariam o seu caminho até ao Árctico, aquecendo o Pólo Norte mas privando a Europa de todo esse agradável calor. O agente mais importante na transferência do calor da Terra é aquilo a que chamamos a circulação termo-halina, que tem origem nas correntes lentas e profundas situadas muito abaixo da superfície – processo detectado pela primeira vez pelo cientista e aventureiro conde Von Rumford, em 1797*. O que acontece é que as águas superficiais, quando se aproximam da Europa, adensam e descem a grandes profundidades, começando depois uma lenta viagem de volta ao hemisfério sul. Quando chegam à Antárctida, são apanhadas na Corrente Circumpolar Antárctida, que as empurra para o Pacífico. O processo é muito lento – pode levar 1500 anos para que a água viaje do Atlântico Norte até ao Pacífico médio – mas os volumes de calor e água que se deslocam por este processo são bastante consideráveis, e o seu impacte no clima é simplesmente enorme.

(Quanto à questão de saber como é possível calcular o tempo que uma gota de água leva a ir de um oceano para outro, a solução é relativamente simples: os cientistas conseguem medir alguns componentes que existem na água, como os clorofluorcarbonos, e calcular o tempo decorrido desde que estiveram em contacto com o ar. Comparando muitas medições feitas a diferentes profundidades e localizações, podem traçar com bastante rigor um mapa do movimento da água.)

A circulação termo-halina não só movimenta o calor como também ajuda a agitar os nutrientes à medida que as correntes sobem e descem, aumentando o volume de oceano habitável para os peixes e outras criaturas marinhas. Infelizmente, parece que a circulação também é muito sensível às mudanças. De acordo com simulações feitas em computador, mesmo uma modesta diluição do conteúdo de sal no oceano – por exemplo, proveniente do degelo da Gronelândia – pode perturbar desastrosamente este ciclo.

---

* Pelos vistos, o termo significa coisas diferentes para diferentes pessoas. Em Novembro de 2002, Carl Wunsch, do MIT, publicou um artigo na *Science*, "O Que é a Circulação Termo-Halina?", no qual dizia que a expressão já fora utilizada em publicações de destaque com pelo menos sete significados diferentes (circulação ao nível abissal, circulação provocada por diferenças de densidade ou capacidade de flutuação, "inversão meridional da circulação de massa", etc.) – apesar de todos terem a ver com circulação oceânica e transferência de calor, que foi o sentido cuidadosamente vago e abrangente que utilizei neste contexto.

Os oceanos fazem-nos outro enorme favor: absorvem enormes volumes de carbono, providenciando assim o seu armazenamento seguro. Mais uma estranha característica do nosso sistema solar é o facto de a luz do Sol ser agora 25 por cento mais intensa do que quando o sistema solar era ainda recente, o que deveria ter como resultado uma Terra muito mais quente. Na verdade, como disse o geólogo inglês Aubrey Manning: "Esta mudança colossal deveria ter tido um efeito absolutamente catastrófico na Terra e, no entanto, parece que o nosso mundo mal foi afectado por ela."

Então o que é que mantém o globo terrestre estável e fresco?

A vida. Biliões e biliões de organismos marinhos mínimos que a maior parte das pessoas nunca ouviu falar – foraminíferos e cocolitos e algas calcárias – capturam o carbono atmosférico sob a forma de dióxido de carbono quando este cai na água da chuva, e utilizam-no (em combinação com outras coisas) para fazer as suas minúsculas conchas. Ao manter o carbono nas suas conchas, impedem que ele volte para a atmosfera, onde poderia acumular-se de forma perigosa, causando efeito de estufa. Eventualmente, os foraminíferos e cocolitos acabam por morrer, caindo para o fundo dos oceanos, onde, sob o efeito da compressão, se transformam em calcário. É espantoso pensar, quando olhamos para um monumento natural como os White Cliffs[NT] de Dover, em Inglaterra, que ele é inteiramente composto por minúsculos organismos marinhos mortos, mas é ainda mais extraordinário pensar na quantidade de carbono que ali se encontra aprisionada. Um cubo de 15 centímetros de giz de Dover pode conter mais de mil litros de dióxido de carbono comprimido, cuja única utilidade é a que acabamos de descrever. No total, há cerca de 20 mil vezes mais carbono armazenado nas rochas terrestres do que na atmosfera. Muito desse calcário vai acabar por alimentar os vulcões, altura em que o carbono regressará à atmosfera, caindo depois na Terra sob a forma de chuva, razão pela qual se chama a este processo o ciclo longo do carbono. É um processo moroso – cerca de meio milhão de anos para um átomo de carbono típico – mas, na ausência de outras perturbações, funciona muito bem como factor de estabilização do clima.

Infelizmente, os seres humanos adoram perturbar este ciclo, atirando quantidades adicionais de carbono para a atmosfera sem o mais pequeno cuidado, quer os foraminíferos estejam prontos quer não. Segundo uma estimativa

---

[NT] À letra: Penhascos Brancos, famosa formação rochosa à entrada do porto de Dover que se tornou no símbolo daquela cidade inglesa.

recente, calcula-se que, desde 1850, tenhamos lançado na atmosfera cerca de cem mil milhões de toneladas de carbono adicional, total que todos os anos aumenta em cerca de sete mil milhões de toneladas. Na totalidade, até nem é assim tanto. A natureza – essencialmente através das matérias ejectadas pelos vulcões e da decomposição das plantas – lança cerca de 200 mil milhões de toneladas de dióxido de carbono na atmosfera por ano, quase 30 vezes mais do que nós, com os nossos carros e as nossas fábricas. Mas basta olharmos para a névoa que cobre as grandes cidades ou mesmo para o Grand Canyon ou até, às vezes, para os White Cliffs de Dover, para ver a diferença que faz o nosso contributo.

Pelas amostras tiradas de gelo muito antigo, sabemos que o nível "natural" de dióxido de carbono na atmosfera – isto é, antes de o inflaccionarmos com a actividade industrial – é de cerca de 280 partes por milhão. Em 1958, quando os investigadores começaram a preocupar-se com isso, o nível já tinha subido para 315 partes por milhão. Hoje é de mais de 360 partes por milhão, e continua a subir mais ou menos 0,25 por cento por ano. No final do século XXI prevê-se que tenha subido para cerca de 560 partes por milhão.

Até agora, os oceanos e florestas da Terra (que também armazenam muito carbono) têm conseguido salvar-nos de nós próprios, mas, como diz Peter Cox, do British Meteorological Office: "Há um limiar crítico a partir do qual a biosfera natural deixa de nos servir de amortecedor contra os efeitos das nossas emissões, começando em vez disso a amplificá-los." O grande receio é que haja um aumento galopante e incontrolável do aquecimento da Terra. Não conseguindo adaptar-se, muitas árvores e outras plantas acabariam por morrer, libertando as suas reservas de carbono e aumentando ainda mais o problema. Já houve ciclos deste tipo no passado, mesmo sem a contribuição humana. Mas, felizmente, a natureza até nisto nos surpreende pela positiva. É quase certo que o ciclo do carbono acabaria por se reequilibrar, devolvendo à Terra a sua estabilidade e bem-estar. A última vez que isso aconteceu, demorou apenas 60 mil anos.

18.

A IMENSIDÃO DAS ÁGUAS

Imagine tentar viver num mundo dominado por um composto sem cheiro ou sabor e de propriedades tão variáveis que tanto pode ser geralmente benigno como rapidamente letal, o óxido de dihidrogénio. Dependendo do seu estado, pode escaldar ou congelar. Na presença de certas moléculas orgânicas pode formar ácidos carbónicos tão maléficos que deixam as árvores sem uma única folha, e corroem as cabeças das estátuas. Em grandes quantidades, se estiver agitado, pode destruir com uma força tal que nenhuma construção feita pelo homem aguentaria. Mesmo para os que aprenderam a viver com ele, pode tornar-se numa substância letal. Chama-se água.

A água está em todo o lado. Uma batata tem 80 por cento de água, uma vaca 74 por cento, uma bactéria 75 por cento. Um tomate pouco mais tem para além dos 95 por cento de água. Até os humanos são constituídos por 65 por cento de água, o que nos torna mais líquidos do que sólidos a uma proporção quase de dois para um. A água é uma coisa estranha. Não tem forma, é transparente, e no entanto apetece-nos estar sempre perto dela. Não tem sabor, e no entanto adoramos saboreá-la. Viajamos grandes distâncias e pagamos pequenas fortunas só para a ver brilhar ao sol. E apesar de sabermos que é perigosa, e que afoga milhares de pessoas todos os anos, estamos sempre mortos por mergulhar nela.

Por ser tão ubíqua, temos tendência a não lhe dar valor enquanto substância extraordinária que é. Não há quase nada nela que sirva para fazer previsões fiáveis sobre as propriedades dos outros líquidos, e vice-versa. Se não soubesse nada sobre a água e baseasse as suas conclusões no comportamento dos compostos quimicamente mais parecidos – nomeadamente, seleneto de hidrogénio ou sulfureto de hidrogénio – seria de esperar que fervesse a 57° C, e que, à temperatura ambiente, estivesse no estado gasoso.

A grande maioria dos líquidos, quando congelados, sofrem uma contracção da ordem dos dez por cento. A água também, mas só até certo ponto. Quando está mesmo a chegar ao ponto de congelação, começa – de forma perversa, traiçoeira e improvável – a expandir-se. Quando já está sólida, passa a ter quase mais um décimo do volume do que tinha antes. Como se dilata, o gelo flutua na água – "uma propriedade extremamente bizarra", segundo John Gribbin. Se não fosse tão maravilhosamente caprichoso, o gelo afundar-se-ia e, consequentemente, os lagos e oceanos congelariam de baixo para cima. Sem uma superfície de gelo para reter a temperatura, o calor da água irradiaria para o exterior, deixando-a ainda mais fria e criando ainda mais gelo. Depressa os oceanos congelariam e quase de certeza permaneceriam assim por muito tempo, provavelmente para sempre – o que não são bem as condições ideais para promover a vida. Felizmente para nós, a água parece não ter a noção das regras da química nem das leis da física.

Toda a gente sabe que a fórmula da água é H_2O, o que significa que é constituída por um átomo de oxigénio maior ligado a dois átomos de hidrogénio mais pequenos. Os átomos de hidrogénio agarram-se com unhas e dentes ao seu oxigénio anfitrião, mas também se ligam de forma mais ligeira a outras moléculas de água. Por natureza, cada molécula de água dança com outra molécula de água, emparelhando por um breve instante e depois passando a outra, como numa quadrilha em que os pares vão mudando constantemente, para citar a elegante frase de Robert Kunzig. Por muito pouco animado que pareça um copo de água, o facto é que cada molécula de água dentro dele está a mudar de parceira biliões de vezes por segundo. É por isso que as moléculas de água se mantêm juntas, formando poças e lagos, mas não tão fortemente ligadas que não se possam separar facilmente, como quando, por exemplo, damos um mergulho numa piscina. Em qualquer dado momento, apenas 15 por cento delas estão realmente em contacto.

De certa maneira, a ligação é muito forte – é por isso que as moléculas de água sobem quando são sujeitas a uma passagem estreita, como um sifão, e que as gotas de água que caem na capota de um carro mostram sempre um grande empenho em acoplar-se às suas parceiras. É também por isso que a água tem tensão superficial. As moléculas de superfície são mais atraídas pelas companheiras que se encontram por baixo e ao lado delas do que pelas moléculas de ar que estão por cima. Isto cria uma espécie de membrana suficientemente forte para suportar os insectos e as pedrinhas que saltam à superfície quando são lançadas no ângulo certo. E é o que causa a dor aguda na pele quando damos um mergulho de chapão.

Não preciso de sublinhar que, sem ela, estaríamos perdidos. Sem água, o corpo humano deteriora-se rapidamente. Em poucos dias, os lábios desaparecem "como que amputados, as gengivas ficam negras, o nariz diminui para metade do comprimento, e a pele contrai-se de tal forma à volta dos olhos que não se consegue pestanejar". A água é tão vital para nós que facilmente desprezamos o facto de que toda a que existe na Terra, à excepção de uma pequeníssima porção, nos pode envenenar – até à morte – por causa dos sais que contém.

Precisamos de sal para viver, mas só em quantidades muito pequenas, e a água do mar contém bastante mais – cerca de 70 vezes mais – do que a quantidade que conseguimos metabolizar com segurança. Um litro de água do mar contém em média 2,5 colheres de chá de sal comum – do tipo que pomos na comida –, mas quantidades muito maiores de outros elementos, compostos e outros sólidos dissolvidos a que damos a designação geral de sais. A proporção destes sais e minerais existentes nos nossos tecidos é surpreendentemente parecida com a da água do mar – nós suamos e choramos água do mar, como disseram Margulis e Sagan –, mas, curiosamente, não a toleramos se for introduzida no nosso corpo. Se absorvermos muito sal, o nosso metabolismo entra rapidamente em crise. As moléculas de água saem imediatamente de cada célula para, tal como bombeiros que se precipitam para apagar um fogo, diluir e retirar essa quantidade excessiva de sal. Isto deixa as células perigosamente desprovidas da água de que precisam para continuar as suas funções normais. Ficam, numa palavra, desidratadas. Em situações extremas a desidratação leva a convulsões, inconsciência e danos cerebrais. Entretanto, as atarefadas células do sangue levam o sal para os rins, que por sua vez ficam saturados e deixam de trabalhar. Sem os rins a funcionar, a pessoa morre. É por isso que não bebemos água do mar.

Existem 1,3 mil milhões de quilómetros cúbicos de água na Terra, e nunca vamos ter mais do que isso. É um sistema fechado: em termos práticos, não se pode acrescentar nem tirar nada. A água que bebemos tem andado por aí a cumprir o seu dever desde a juventude da Terra. Há 3,8 mil milhões de anos, os oceanos já tinham (mais ou menos) atingido o seu volume actual.

O reino das águas é conhecido por hidrosfera, e é, na sua esmagadora maioria, constituído por oceanos. Noventa e sete por cento de toda a água da Terra está nos mares, e a maior parte no Pacífico, que é maior do que todas as massas terrestres juntas. Na sua totalidade, o Pacífico retém um pouco mais de metade de toda a água dos oceanos (51,6 por cento); o Atlântico tem 23,6 por cento, e o Índico 21,2 por cento, o que deixa apenas 3,6 por cento para todos os outros mares. A profundidade média de um oceano é de 3,86 quilómetros, sendo o Pacífico, em média, cerca de 300 metros mais fundo do que o Atlântico e o Índico. No total, 60 por cento da superfície do planeta é constituída por oceano com mais de 1,6 quilómetros de profundidade. Como diz Philip Ball, seria mais correcto chamar ao nosso planeta Água do que Terra.

Dos três por cento da água da Terra que é doce, a maior parte encontra-se sob a forma de lençóis de gelo. Apenas uma porção ínfima – 0,036 por cento – se encontra nos lagos, rios e reservatórios naturais, e uma parte ainda mais pequena – 0,001 por cento – nas nuvens ou sob a forma de vapor. Quase 90 por cento do gelo do planeta está na Antárctida, e a maior parte do resto na Gronelândia. Se for até ao Polo Sul, terá por baixo dos pés cerca de 3,5 quilómetros de gelo, e no Polo Norte apenas 4,5 metros. Só a Antárctida tem 25 milhões de quilómetros cúbicos de gelo – o suficiente para os oceanos se elevarem mais 60 metros, se derretesse. Mas se toda a água da atmosfera caísse sob a forma de chuva, homogeneamente, os oceanos só subiriam um par de centímetros.

A propósito, o nível do mar é, na prática, um conceito meramente abstracto. Os mares não têm um nível fixo. As correntes, os ventos, a força de Coriolis e outros efeitos alteram os níveis de água consideravelmente de um oceano para outro, e mesmo dentro do mesmo oceano. O Pacífico tem cerca de 45 centímetros a mais de altura ao longo da sua costa ocidental – consequência da força centrífuga criada pela rotação da Terra. Tal como quando saltamos para uma banheira cheia de água e ela tende a fugir para a outra extremidade, como se estivesse relutante em seguir o nosso movimento, assim a rotação da Terra para leste faz com que a água se acumule nas margens ocidentais dos oceanos.

Considerando a importância que os mares têm tido para nós desde o início das eras, é espantoso o tempo que o mundo levou a ter por eles um interesse científico. Já o século XIX ia adiantado quando a maior parte dos conhecimentos que o homem tinha sobre os oceanos era baseado no que vinha dar à costa com as marés, ou era arrastado nas redes de pesca, e quase tudo o que se escrevia sobre eles era baseado mais em histórias pessoais e suposições do que em provas físicas. Na década de 1830, o naturalista inglês Edward Forbes dedicou-se a inspeccionar os leitos oceânicos ao longo do Atlântico e do Mediterrâneo, e declarou não haver vida nos mares abaixo dos 600 metros. Parecia uma conclusão razoável. Não havia luz a essa profundidade, portanto não havia plantas, e sabia-se que as pressões da água eram extremas. E assim, quando, em 1860, um dos primeiros cabos telegráficos transatlânticos foi içado de mais de três quilómetros de profundidade para ser reparado, foi um espanto total quando descobriram que vinha cheio de corais, bivalves e outros resíduos de seres vivos.

A primeira investigação sobre os mares verdadeiramente organizada só se realizou em 1872, quando uma expedição conjunta do British Museum, da Royal Society e do Governo Britânico saiu de Portsmouth num antigo navio de guerra chamado *HMS Challenger*. Durante três anos e meio navegaram pelo mundo, retirando amostras de água, pescando peixes e dragando sedimentos. Era, sem dúvida, um trabalho fatigante. Num total de 240 cientistas e tripulação, um em cada quatro abandonaram o navio, e mais oito morreram ou enlouqueceram – "com o espírito alienado e entorpecido pela rotina de anos inteiros de dragagem", nas palavras da historiadora Samantha Weinberg. Mas percorreram quase 70 mil milhas marítimas, recolheram mais de 4700 espécies de organismos marinhos, juntaram informação suficiente para produzir um relatório de 50 volumes (que levaram 19 anos a elaborar), e dar ao mundo o nome de uma nova disciplina científica: *oceanografia*. Também descobriram, através de medições em profundidade, que, aparentemente, havia montanhas submersas no meio do Atlântico, o que levou alguns cientistas mais empolgados a aventar a hipótese de se ter descoberto o continente perdido da Atlântida.

Como, na sua maior parte, o mundo institucional ignorava os oceanos, tiveram de ser os amadores devotados – e muito esporádicos – a dizer-nos o que havia lá em baixo. A investigação moderna das águas profundas começa com Charles William Beebe e Otis Barton, em 1930. Apesar de serem parceiros ao mesmo nível, Beebe, o mais exótico, foi sempre objecto de mais trabalhos escritos. Nascido em 1877 numa família abastada de Nova Iorque, Beebe estudou zoologia na Universidade de Columbia, e depois trabalhou como tratador de pássaros na New York Zoological Society. Quando se cansou, resolveu adoptar uma vida de aventura e, durante o quarto de século seguinte, fez grandes viagens pela Ásia e pela América do Sul, sempre acompanhado de uma série de atraentes assistentes femininas cujas funções eram criativamente definidas como "historiadora e técnica" ou "assistente em problemas piscícolas". Estas actividades eram financiadas por uma série de livros comerciais com títulos do género *Orla da Floresta*, ou *Dias da Floresta*, apesar de ter também escrito alguns livros respeitáveis sobre vida selvagem e ornitologia.

Em meados dos anos 1920, numa viagem às ilhas Galápagos, descobriu "as delícias de baloiçar", como costumava chamar ao mergulho. Pouco depois formou equipa com Barton, que vinha de uma família ainda mais abastada, que também tinha andado na Columbia e também sonhava com aventuras. Apesar de ser quase sempre Beebe a receber os louros, foi Barton quem desenhou a primeira batisfera (da palavra grega que significa "fundo") e financiou os 12 mil dólares necessários à sua construção. Era uma câmara pequena mas com a robustez necessária, feita de ferro fundido com 3,8 centímetros de espessura e com duas pequenas escotilhas feitas de blocos de quartzo de 7,5 centímetros de espessura. Podia levar dois homens, mas somente se estivessem preparados para uma grande intimidade. Era uma tecnologia muito pouco sofisticada, mesmo para aquela época. A esfera não tinha qualquer possibilidade de manobra – ficava simplesmente suspensa da extremidade de um cabo comprido – e possuía um sistema de respiração muito primitivo: abriam latas de gasosa de limão para neutralizar o próprio dióxido de carbono, e, para absorver a humidade, abriam uma pequena tina de cloreto de cálcio, sobre a qual abanavam por vezes folhas de palmeira para incentivar as reacções químicas.

Mas a pequena batisfera sem nome cumpriu o papel que se esperava dela. Na primeira descida, em Junho de 1930, nas Baamas, Barton e Beebe estabeleceram um recorde mundial, descendo a 183 metros. Em 1934 já tinham aumentado o recorde para mais de 900 metros, que permaneceria inalterado até depois da guerra. Barton achava que o aparelho podia descer com segurança até aos 1400 metros, apesar de se ouvir perfeitamente cada junta e rebite a estalar de cada vez que desciam uma única braça. Era um trabalho corajoso e arriscado, fosse qual fosse a profundidade. A 900 metros de profundidade, as pequenas escotilhas já estavam sujeitas a uma pressão de três toneladas por centímetro quadrado. A essa profundidade, a morte seria instantânea, como Beebe nunca deixou de referir nos seus muitos livros, artigos e emissões de rádio. A sua maior preocupação, no entanto, era que o guincho a bordo, sujeito ao peso da bola de metal e duas toneladas de cabo de aço, se quebrasse, atirando os dois homens para o fundo do mar. Se isso acontecesse, nada os poderia salvar.

A única coisa que as suas descidas não produziram foi grande conhecimento científico válido. Apesar de terem encontrado muitas criaturas que nunca tinham sido vistas, os limites de visibilidade e o facto de nenhum dos intrépidos aquanautas ser um oceanógrafo competente significava que poucas vezes conseguiam descrever as suas descobertas com os detalhes de que os verdadeiros cientistas estavam sequiosos. A esfera não tinha iluminação externa, apenas uma lâmpada de 250 watts que encostavam à janela, mas a escuridão era quase impenetrável a partir de 150 metros, e eles estavam a espreitar por um vidro de 7,5 centímetros de espessura, o que significava que aquilo que estivessem interessados em ver tinha de estar igualmente interessado em vê-los. Assim, a única coisa que conseguiram contar foi que havia coisas muito estranhas lá em baixo. Numa descida em 1934, Beebe ficou espantado ao ver uma serpente gigante "com mais de seis metros de comprimento e muito larga". Passou tão depressa que lhe pareceu pouco mais do que uma sombra. O que quer que fosse, nunca se tinha avistado antes. Devido a tais imprecisões, os seus relatórios foram quase sempre ignorados pelos académicos.

Depois da sua descida recorde em 1934, Beebe perdeu o interesse pelo mergulho e lançou-se noutras aventuras, mas Barton continuou. Verdade seja dita, Beebe dizia sempre a quem lhe perguntasse que o cérebro por detrás da iniciativa era Barton, mas este não parecia capaz de se fazer notar. Também ele escreveu relatos emocionantes sobre as suas aventuras debaixo de água, e chegou a participar num filme de Hollywood chamado *Titãs das Profundezas*, que incluía uma batisfera e muitos encontros excitantes e largamente fantasiosos, com agressivos polvos gigantes e outras criaturas do género. Até fez anúncios aos cigarros Camel ("Não me põem a tremer"). Em 1948, Barton aumentou em 50 por cento o recorde de descida, com um mergulho de 1370 metros no Pacífico, perto da Califórnia, mas o mundo parecia determinado em ignorá-lo. Um crítico cinematográfico, falando sobre *Titãs das Profundezas*, pensava mesmo que a estrela do filme era Beebe. Hoje em dia só por sorte é feita uma referência a Barton.

De qualquer forma, ele ia ser totalmente eclipsado por uma equipa suíça de pai e filho, Auguste e Jacques Picard, que andavam a conceber um novo aparelho de investigação submarina chamado batiscafo (significa "barco fundo"). Baptizado com o nome de *Trieste,* em honra da cidade italiana onde fora construído, o novo aparelho manobrava sozinho, mas fazia pouco mais do que subir e descer. Numa das suas primeiras descidas, no princípio de 1954, foi abaixo dos 4000 metros, quase três vezes o recorde de Barton obtido seis anos antes. Mas esta actividade exigia um grande e dispendioso apoio, e os Picard estavam aos poucos a ir à falência.

Em 1958, fizeram um acordo com a Marinha norte-americana, segundo o qual eles cediam a propriedade do batiscafo à Marinha, mas continuavam a deter o seu controlo. Agora que já tinham um financiamento generoso, os Picard construíram um novo modelo, com paredes com quase 13 centímetros de espessura e escotilhas reduzidas para apenas cinco centímetros de diâmetro – pouco maiores do que um buraco para espreitar. Mas agora já tinha força suficiente para suportar pressões realmente grandes, e em Janeiro de 1960

Jacques Picard e o tenente Don Walsh, da Marinha norte-americana, desceram lentamente até à ravina mais profunda do oceano, a fossa das Marianas, a cerca de 400 quilómetros ao largo de Guam, no Pacífico ocidental (que fora descoberta, não por acaso, por Harry Hess com o seu fatómetro). Levaram apenas quatro horas a descer a 10 918 mil metros. Apesar de a pressão a essa profundidade ser quase de 1200 quilos por centímetro quadrado, repararam com surpresa que tinham incomodado ligeiramente uma solha ao bater no fundo. Não tinham condições para a fotografar, pelo que não existem registos visuais do acontecimento.

Depois de passarem 20 minutos no ponto mais profundo do mundo, regressaram à superfície. Foi a única ocasião em que seres humanos desceram tão fundo.

Quarenta anos mais tarde, a pergunta que naturalmente ocorre é: porque é que ninguém lá voltou desde então? Para começar, o vice-almirante Hyman G. Rickover, um homem de temperamento quente, ideias muito definidas, e, o que é ainda mais pertinente, encarregado de controlar as despesas do respectivo departamento, opôs-se vivamente a quaisquer outros mergulhos. Achava que a investigação marinha era um desperdício de recursos, e sublinhou que a Marinha não era um instituto de investigação. Além disso, a nação começava a preocupar-se com as viagens espaciais e a tentativa de pôr um homem na Lua, o que fazia com que a investigação submarina perdesse a importância e parecesse antiquada. Mas o que os fez tomar a grande decisão foi o facto de, na realidade, a descida do *Trieste* não ter alcançado grandes resultados. Como explicou mais tarde um oficial da Marinha: "não se aprendeu grande coisa com aquilo, a não ser que era viável. Para quê voltar a fazê-lo?" Resumindo, era uma grande viagem só para se encontrar uma solha, e, ainda por cima, saía caro. Para repetir o exercício hoje, calcula-se que fossem precisos pelo menos cem milhões de dólares.

Quando os investigadores submarinos perceberam que a Marinha não estava interessada em continuar um programa de exploração que lhes fora prometido, o descontentamento foi geral. Em parte para apaziguar os ânimos, a Marinha forneceu o financiamento para um submersível mais avançado, cujo funcionamento ficou a cargo da Woods Hole Oceanographic Institution do Massachusetts. Chamava-se *Alvin*, forma contraída do nome do oceanógrafo Allyn C. Vine, e destinava-se a ser um minissubmarino totalmente manobrável apesar de nem de longe conseguir alcançar uma profundidade tão grande como o *Trieste*. Só havia um problema: os seus desenhadores não conseguiam encontrar quem o quisesse construir. Segundo William J. Broad, no seu livro *The Universe Below:* "As grandes companhias como a General Dynamics, que fazia submarinos para a Marinha, não queriam comprometer-se com um projecto menosprezado tanto pelo Gabinete de Navegação como pelo Almirante Rickover, os deuses do patrocínio naval." Finalmente, o que não deixou de ser inesperado, o *Alvin* acabou por ser construído pela General Mills, a companhia de produtos alimentares, na mesma fábrica onde a empresa mandava fazer as máquinas que produziam os cereais de pequeno-almoço.

Quanto ao que mais haveria lá em baixo, as pessoas tinham mesmo muito pouca ideia. Já nos anos 1950, os melhores mapas disponíveis para os oceanógrafos eram na sua esmagadora maioria baseados em alguns detalhes agrafados de estudos dispersos, realizados em 1929, ou seja, um autêntico mar de palpites. A Marinha tinha mapas excelentes pelos quais guiava os seus submarinos através de ravinas e em torno dos *guyots*[NT], mas não queria que essa informação caísse nas mãos dos soviéticos, e manteve-a secreta. Os académicos, por conseguinte, tinham de se governar com observações pouco precisas e antiquadas, ou então confiar optimisticamente em meras conjecturas. Ainda hoje, o nosso conhecimento do fundo dos oceanos continua a ser muito aproximado. Se olhar para a Lua com um telescópio de trazer por casa, consegue ver crateras importantes – Fracastorious, Blancanus, Zach, Planck e muitas outras, familiares para qualquer cientista lunar –, que seriam desconhecidas se estivessem no fundo dos nossos oceanos. Temos melhores mapas de Marte do que dos nossos próprios leitos marinhos.

Ao nível da superfície, as técnicas de investigação também têm sido pouco consistentes. Em 1994, caíram de um cargueiro coreano 34 mil luvas de hóquei no gelo, durante uma tempestade no Pacífico. As luvas foram dar à costa por todo o lado, de Vancouver ao Vietname, o que ajudou os oceanógrafos a delinear as correntes marinhas com maior rigor do que tinha sido feito até então.

O *Alvin* tem hoje quase 40 anos, mas continua a ser o principal navio de pesquisa marinha dos Estados Unidos. Ainda não há submersíveis que possam descer sequer perto da fossa das Marianas, e apenas cinco, incluindo o *Alvin*, conseguem alcançar as "planícies abissais" – o leito marinho profundo – que cobre mais de metade do planeta. O funcionamento de um submersível típico custa, em média, cerca de 25 mil dólares por dia, portanto não são postos

---

[NT] Planaltos existentes no fundo do mar, assim chamados em honra do geólogo americano que os descobriu, A. H. Guyot (1807-84).

na água por um mero capricho, e muito menos lançados aleatoriamente nos oceanos na esperança de encontrarem qualquer coisa de interesse. É como se a nossa experiência directa do mundo da superfície fosse baseada no trabalho de cinco indivíduos que andassem a explorar montados em tractores de jardim, depois de escurecer. Segundo Robert Kunzig, os humanos podem ter explorado "talvez um milionésimo ou um bilionésimo da escuridão dos mares. Talvez menos. Talvez muito menos".

Mas os oceanógrafos são muitíssimo aplicados e têm feito várias descobertas importantes dentro dos seus recursos limitados – incluindo, em 1977, uma das maiores e mais importantes descobertas biológicas do século XX. Nesse ano, o *Alvin* descobriu densas colónias de grandes organismos que vivem sobre, e em torno de, fontes hidrotermais no mar alto, ao largo das ilhas Galápagos – vermes tubulares com mais de três metros de comprimento, amêijoas com 30 centímetros de largura, camarões e mexilhões em grande quantidade, vermes retorcidos em forma de esparguete. Todos deviam a sua existência a vastas colónias de bactérias que, por sua vez, iam buscar energia e sustento aos sulfuretos de hidrogénio – compostos altamente tóxicos para as criaturas de superfície – que eram libertados constantemente e em grande quantidade pelas chaminés . Era um mundo independente da luz do Sol, do oxigénio ou de qualquer outra coisa normalmente associada à vida. Este sistema vivo baseava-se na quimiossíntese em vez da fotossíntese, combinação que os biólogos teriam imediatamente considerado impossível e ridícula, se por acaso alguém tivesse tido imaginação suficiente para a sugerir.

Destas fontes saem grandes quantidades de energia e calor. Duas dúzias de chaminés juntas podem produzir tanta energia como uma grande central eléctrica, e a amplitude térmica à sua volta é enorme. A temperatura pode atingir os 400° C na saída, enquanto a uma distância de pouco mais de dois metros pode descer para dois ou três graus acima do ponto de congelação. A viver na orla destas chaminés, encontrou-se um tipo de verme da família Alvinellidae, num local onde a temperatura da água está 78° C mais quente na cabeça do que na cauda. Até então, pensava-se que nenhum organismo complexo pudesse sobreviver a temperaturas superiores a 54° C, e aqui estava um que não só aguentava temperaturas mais altas como *ainda* suportava um frio extremo. A descoberta mudou radicalmente os conhecimentos que tínhamos sobre os requisitos indispensáveis para haver vida.

Também respondeu a um dos grandes quebra-cabeças da oceanografia – algo que muitos não tinham sequer percebido que era um quebra-cabeças

– nomeadamente, a razão pela qual os oceanos não ficam cada vez mais salgados com o tempo. Sem querer parecer o Sr. De la Palisse, diria que há muito sal no mar – o suficiente para enterrar toda a terra do nosso planeta a uma profundidade de 150 metros. Há milhões de litros de água doce que se evaporam dos oceanos todos os dias, deixando os sais para trás, pelo que seria lógico que os mares ficassem cada vez mais salgados com o passar dos anos, mas não. Há qualquer coisa que retira da água o sal equivalente ao que lhe é acrescentado. Durante muito tempo, ninguém conseguiu descobrir o que poderia ser responsável por isso.

A descoberta das fontes hidrotermais em alto mar, feita pelo *Alvin*, forneceu a resposta. Os geofísicos perceberam que elas funcionavam como os filtros de um aquário. À medida que a água penetra na crosta, são-lhe retirados os sais, e a água que volta a sair por estes conjuntos de chaminés já vem limpa de sais. O processo é lento – pode levar até dez milhões de anos a limpar um oceano – mas é maravilhosamente eficiente, desde que não se esteja com pressa.

Talvez não haja nada que ilustre melhor a nossa ignorância sobre as profundezas dos oceanos do que o objectivo proposto pelos oceanógrafos durante o Ano Internacional de Geofísica de 1957-58, que era, nomeadamente, estudar "a utilização do fundo dos oceanos para depósito dos resíduos radioactivos". Não se tratava de uma tarefa secreta, entenda-se, mas de um anúncio público feito com todo o orgulho. Na realidade, apesar de não ser muito publicitada, em 1957-58 essa prática já era exercida, e com alarmante entusiasmo, há mais de uma década. Desde 1946 que os Estados Unidos transportavam barris de 200 litros de lixo radioactivo para as ilhas Fallarone, a cerca de 50 quilómetros ao largo da costa da Califórnia, perto de São Francisco, e aí, pura e simplesmente, atirava-os borda fora.

Era um processo extraordinariamente desmazelado. A maior parte dos barris era do género que vemos a ganhar ferrugem nas traseiras das bombas de gasolina ou fora das fábricas, sem qualquer tipo de revestimento de protecção. Quando não afundavam, o que acontecia quase sempre, os atiradores da Marinha crivavam-nos de balas para deixar entrar a água (e, claro, deixar sair o plutónio, o urânio e o estrôncio). Até à sua proibição, em 1990, os Estados Unidos despejaram muitas centenas de milhar de barris em cerca de 50 sítios diferentes do oceano – quase 50 mil só nas Fallarones. Mas não eram os únicos. Entre os outros entusiastas do método encontravam-se também a Rússia, a China, o Japão, a Nova Zelândia e quase todas as nações da Europa.

E que efeito poderá ter tudo isto na vida dos oceanos? Pouco, esperamos, mas a verdade é que não fazemos ideia. Sofremos de uma ignorância surpreendente, sumptuosa e radiante sobre a vida debaixo dos mares. Até as criaturas mais imponentes dos oceanos são mal conhecidas por nós – incluindo a maior de todas elas, a grande baleia azul, uma criatura de proporções tão monstruosas que (para citar David Attenborough), "só a sua língua pesa tanto como um elefante, o coração tem o tamanho de um carro e algumas das suas veias são tão largas que podíamos nadar ao longo delas". É o animal mais gigantesco que a Terra alguma vez produziu, ainda maior do que o mais pesado dos dinossauros. No entanto, a vida das baleias azuis é para nós um mistério. Na maior parte do tempo, não sabemos onde estão – aonde vão para se reproduzir, por exemplo, ou que rotas seguem para lá chegar. O pouco que sabemos vem quase tudo do que escutamos dos seus cantos, mas até esses são um mistério. As baleias azuis, por vezes, interrompem um canto e retomam-no, seis meses mais tarde, no mesmo ponto onde o deixaram . Às vezes aparecem com novos cantos, que nenhum membro da sua comunidade pode ainda ter ouvido, mas que todos já conhecem. Como fazem isto, é algo que ninguém consegue compreender. E estes são animais que vêm frequentemente à superfície para respirar.

Para os animais que não precisam de subir à superfície, o mistério é ainda mais denso. Pensem, por exemplo, na lula gigante das fábulas. Embora não seja da mesma escala da baleia azul, é um animal decididamente considerável, com olhos do tamanho de bolas de futebol, e tentáculos que podem alcançar comprimentos de 18 metros. É o maior invertebrado da Terra, e pesa cerca de uma tonelada. Se atirasse uma para uma piscina caseira, não haveria lugar para muito mais. No entanto, não houve ainda nenhum cientista – nem ninguém, tanto quanto sabemos – que tenha visto uma lula gigante viva. Houve zoólogos que dedicaram as suas carreiras a tentar capturar, ou mesmo só ver, uma lula gigante viva, mas todos falharam. Sabe-se que existem, essencialmente por darem à costa – em especial, nas praias da South Island, da Nova Zelândia, por razões que ignoramos. Devem existir em grande quantidade, porque constituem a parte mais importante da dieta do cachalote, e o cachalote gosta de comer muito.*

* As partes indigeríveis da lula gigante, em especial os bicos, acumulam-se nos estômagos dos cachalotes, formando uma substância chamada âmbar cinzento, que é usado como fixador nos perfumes. Da próxima vez que usar Chanel n.º 5 (se o fizer), pense que está a aspergir-se com o destilado de um monstro marinho invisível.

De acordo com uma estimativa, pode haver à volta de 30 milhões de espécies animais a viver no mar, estando a maior parte ainda por descobrir. O primeiro indício dessa enorme abundância de vida no fundo dos mares só surgiu nos anos 1960, com a invenção da draga epibentónica, um mecanismo destinado a capturar não só organismos existentes sobre os fundos oceânicos como também os que se encontram enterrados na camada de sedimentos subjacente. Numa hora de dragagem ao longo da plataforma continental, a uma profundidade de quase 1,5 quilómetros, os oceanógrafos de Woods Hole Howard Sandler e Robert Hesler capturaram mais de 25 mil criaturas nas redes – vermes, estrelas-do-mar, holotúrias e outros – representativos de 365 espécies. Mesmo a uma profundidade de quase cinco quilómetros, encontraram cerca de 3700 exemplares, representativos de quase 200 espécies de organismos. Mas a draga só captava organismos lentos ou estúpidos de mais para fugir. No final dos anos 1960, um biólogo marinho chamado John Isaacs teve a ideia de fazer descer uma câmara fotográfica com um isco preso a ela, e encontrou ainda mais, principalmente enxames compactos de enguias de casulo, uma espécie de enguia primitiva, mas também velozes cardumes de granadeiros. Quando de repente aparece uma boa fonte de alimento – por exemplo, quando uma baleia morre e afunda até ao leito marinho – chegaram a encontrar-se 390 espécies de seres marinhos a alimentarem-se dela. O curioso é que muitos deles, veio a descobrir-se, vinham de condutos situados a mais de mil milhas de distância. Estes incluíam mexilhões e amêijoas, que não são propriamente conhecidos por serem grandes viajantes. Hoje em dia, pensa-se que as larvas de certos organismos podem deixar-se arrastar ao sabor das águas até que, por qualquer processo químico desconhecido, detectam que chegaram a um local onde há comida, e aí se deixam ficar.

Então, se os mares são tão vastos, porque é que é tão fácil esgotarem-se alguns dos seus recursos? Bem, para começar, os mares do mundo inteiro não são uniformemente generosos. Na totalidade, menos de um décimo do oceano é considerado naturalmente produtivo. A maior parte das espécies aquáticas gosta de águas pouco profundas, onde há calor e luz e abundância de matéria orgânica para iniciar a cadeia alimentar. Os recifes de coral, por exemplo, constituem bem menos de um por cento do espaço oceânico, mas neles vivem cerca de 25 por cento dos seus peixes.

Noutros locais, o oceano não é nem de longe tão rico. A Austrália, por exemplo, com 36 735 quilómetros de costa e mais de 23 milhões de quilómetros quadrados de águas territoriais, tem mais mar a banhar-lhe a costa do que qualquer outro país, e no entanto, como sublinha Tim Flannery, nem sequer se inscreve entre as 50 maiores nações pesqueiras de peixe do mundo. Na verdade, a Austrália é uma das grandes importadoras de peixe. A razão reside no facto de as águas australianas serem, como grande parte da própria Austrália, essencialmente desertas. (Uma notável excepção é o Grande Recife de Coral, ao largo de Queensland, *habitat* sumptuosamente fecundo.) Como o solo é pobre, a parcela arrastada pelas águas tem também poucos nutrientes.

Mesmo nos sítios onde a vida é abundante, esta é, normalmente, muito sensível às perturbações. Nos anos 1970, vários pescadores da Austrália e alguns da Nova Zelândia descobriram cardumes de um peixe pouco conhecido que vive a uma profundidade de cerca de 800 metros na sua plataforma continental. Deram-lhe o nome de olho-de-vidro-laranja, era delicioso e existia em grande quantidade. Ao fim de pouco tempo, as frotas de pesca andavam a apanhar 40 mil toneladas de olho-de-vidro por ano. Foi então que os biólogos marinhos fizeram algumas descobertas alarmantes. Os olho-de-vidro têm uma duração de vida muito grande e levam muito tempo a atingir o estado adulto. Alguns podem chegar aos 150 anos; qualquer olho-de-vidro que já tenha comido pode muito bem ter nascido no tempo da rainha Vitória. Os olho-de-vidro-laranja adoptaram este estilo de vida incrivelmente lento porque as águas que habitam são muito pobres em recursos. Neste tipo de águas, há peixes que se reproduzem apenas uma vez em toda a sua vida. São claramente populações que não suportam grandes perturbações. Infelizmente, quando se percebeu isto, as reservas já estavam severamente reduzidas. Mesmo com uma gestão cuidadosa, vão ser precisas muitas décadas até que as populações sejam restabelecidas, se isso ainda vier a acontecer.

Noutros locais, a má utilização dos oceanos tem sido mais desenfreada do que descuidada. Há muitos pescadores que cortam as barbatanas aos tubarões e voltam a lançá-los ao mar, deixando-os a morrer. Em 1998, as barbatanas de tubarão vendiam-se no Extremo Oriente por mais de 110 dólares o quilo. Em Tóquio, uma sopa de barbatana de tubarão custa cem dólares. Em 1994, o World Wildlife Fund calculou que o número de tubarões mortos por ano está entre os 40 e os 70 milhões.

Em 1995, havia cerca de 37 mil barcos de pesca industrial, mais cerca de um milhão de barcos mais pequenos, que, entre eles, retiravam dos mares o dobro dos peixes daqueles que pescavam 25 anos antes. Hoje em dia, os arrastões são quase tão grandes como os cruzeiros, puxando atrás de si redes suficientemente grandes para conter uma dúzia de aviões *Jumbo*. Alguns até usam aviões de reconhecimento para localizar os cardumes de peixes a partir do ar.

Calcula-se que cerca de um quarto do conteúdo de cada rede de pesca puxada consiste em captura acessória – ou seja, peixe que não chega a ser levado para terra por ser muito pequeno, ou do tipo errado, ou ainda pescado na estação errada. Como disse um observador à revista *The Economist*: "Ainda estamos na Idade Média. Limitamo-nos a lançar uma rede ao mar e a ver o que ela traz." O peixe rejeitado que todos os anos é devolvido ao mar, na maior parte sob a forma de cadáver, talvez atinja os 22 milhões de toneladas. Por cada quilo de camarão pescado, há cerca de quatro quilos de peixe ou de outras criaturas marinhas que são destruídos.

Há grandes áreas do fundo do mar do Norte que chegam a ser totalmente varridas por arrastões umas sete vezes por ano, um nível de perturbação que nenhum ecossistema consegue suportar. Segundo várias estimativas, há pelo menos dois terços das espécies do mar do Norte cujas capturas estão a exceder os limites. E do outro lado do Atlântico as coisas não vão melhor. O alabote, que antes abundava de tal maneira na costa da Nova Inglaterra que havia barcos que conseguiam pescar quase nove toneladas por dia, está hoje completamente extinto ao largo da costa nordeste da América.

Nada se compara, no entanto, ao caso do bacalhau. No final do século XV, o explorador John Cabot encontrou bacalhau em quantidades inacreditáveis nos bancos de areia da costa leste da América do Norte – águas rasas muito apreciadas pelos peixes que se alimentam nos fundos marítimos, como o bacalhau. O peixe existia em tal quantidade, escreveu Cabot surpreendido, que os pescadores recolhiam-nos aos baldes. Alguns destes bancos eram vastos. Por exemplo, o Georges Bank, ao largo de Massachusetts, é maior do que o estado propriamente dito. Os Grand Banks, ao largo da Terra Nova, são ainda maiores, e, durante séculos, o bacalhau pululava nas suas águas. Pensava-se que eram reservas inesgotáveis. É claro que eram tudo menos isso.

Por volta dos anos 1960, o número de bacalhaus em desova no Norte do Atlântico baixara para 1,6 milhões de toneladas. Em 1990, este número desceu para as 22 mil toneladas. Em termos comerciais, o bacalhau estava extinto. "Os pescadores", escreveu Mark Kurlansky na sua história fascinante *Cod*, "tinham-nos apanhado todos." É possível que o bacalhau tenha desaparecido para sempre do Atlântico ocidental. Em 1992, a pesca do bacalhau foi completamente proibida nos Grand Banks, e no Outono de 2002, segundo um artigo da *Nature*, as reservas ainda não tinham planeado o seu regresso. Kurlansky observou que o peixe utilizado nos filetes e outros produtos alimentares era inicialmente o bacalhau, mas depois foi substituído por arinca, depois por *redfish*[NT], e ultimamente por pescada. Hoje em dia, comenta laconicamente, "peixe", é "aquele que sobrar".

O mesmo se pode dizer de muitos outros peixes e mariscos. Nos bancos de pesca ao largo da Rhode Island, na Nova Inglaterra, era frequente apanharem-se lagostas de nove, por vezes mesmo 13 quilos. Se não forem incomodadas, as lagostas podem viver décadas – pensa-se que até 70 anos – e nunca param de crescer. Hoje em dia, poucas são as lagostas que pesam mais de um quilo quando são apanhadas. "Os biólogos", diz o *New York Times*, "calculam que 90 por cento das lagostas são apanhadas no ano seguinte àquele em que atingem o tamanho mínimo legal, que é por volta dos seis anos." Apesar de as capturas serem cada vez menos frequentes, os pescadores da Nova Inglaterra continuam a receber incentivos fiscais estatais e federais no sentido de os encorajar – nalguns casos, quase de os obrigar – a adquirir barcos maiores e a explorar ainda mais os recursos piscícolas. Hoje em dia, os pescadores do Massachusetts limitam-se a pescar a horrenda enguia de casulo, para a qual ainda há algum mercado no Extremo Oriente, mas até esses números estão a decair actualmente.

É espantoso o pouco que sabemos sobre a dinâmica que preside à vida nos mares. Enquanto a vida marinha está mais pobre do que devia estar nas áreas que têm sido sobreexploradas, nalgumas águas naturalmente empobrecidas há muito mais vida do que seria de esperar. Os oceanos austrais em torno da Antárctida produzem apenas cerca de três por cento do fitoplâncton mundial – o que, aparentemente, é de longe muito pouco para suportar um ecossistema complexo, e no entanto consegue fazê-lo. Focas que comem caranguejo são uma espécie animal de que a maior parte de nós nunca ouviu falar, mas o facto é que talvez sejam a segunda grande espécie mais numerosa à face da Terra, depois dos seres humanos. Pensa-se que deve haver qualquer coisa como 15 milhões delas a viver na camada de gelo existente à volta da Antárctida. Também deve haver cerca de dois milhões de focas-weddell[NT], pelo menos meio milhão de

---

[NT] Este peixe, que não tem tradução em português, é da família do cantarilho e do rascasso, que se lhe assemelham na cor e na forma.

[NT] Tipo de focas que vivem no mar de Weddell, assim designado em honra do baleeiro inglês James Weddell (1787-1834), que descobriu esta zona do Atlântico a leste da península Antárctida em 1832.

pinguins-imperador, e talvez algo como quatro milhões de pinguins-adelie. A cadeia alimentar é portanto irremediavelmente desiquilibrada, mas o facto é que funciona. Curiosamente, ninguém sabe como.

Tudo isto é uma maneira muito floreada de chegar ao fulcro da questão – ou seja, a nossa tremenda ignorância sobre o maior sistema existente na Terra. Mas também, como veremos nas páginas que nos restam, quando começamos a falar sobre a vida, verificamos que há muita coisa que não sabemos, entre as quais, e para começar, como é que ela surgiu.

19.

O NASCIMENTO DA VIDA

Em 1953, Stanley Miller, um estudante licenciado da Universidade de Chicago, pegou em dois frascos – um com um pouco de água, representando um oceano primordial, e outro com uma mistura de gases de metano, amónia e gases de sulfureto de hidrogénio, representando a atmosfera primitiva da Terra – ligou-os um ao outro com tubos de borracha e introduziu faíscas eléctricas para simular os relâmpagos. Ao fim de alguns dias, a água ficou verde e amarela, transformando-se num poderoso caldo de aminoácidos, ácidos gordos, açúcares e outros compostos orgânicos. "Se Deus não fez assim", observou, encantado, o supervisor de Miller e detentor de um Nobel, Harold Urey, "perdeu uma bela oportunidade."

A imprensa da altura dava a entender que, praticamente, a única coisa que faltava era alguém dar um grande abanão aos frascos, e a vida brotaria sem mais delongas. Como o tempo acabou por demonstrar, não era assim tão simples. Não obstante ter havido mais meio século de estudos, não estamos mais perto de sintetizar a vida do que estávamos em 1953, e estamos ainda mais longe de pensar que conseguimos. Hoje em dia, os cientistas têm quase a certeza de que a atmosfera primitiva nada tinha a ver com a mistela gasosa imaginada por Miller e Urey, sendo antes uma mistura muito menos reactiva de azoto e dióxido de carbono. A repetição das experiências de Miller com o conhecimento destes dados, que constituem um maior desafio, só produziu, até agora, um aminoácido bastante primitivo. De qualquer forma, o verdadeiro problema não é criar aminoácidos. O problema são as proteínas.

As proteínas são aquilo que se obtém ao encadear aminoácidos, mas são precisos muitos aminoácidos. Ninguém tem bem a certeza, mas deve haver cerca de um milhão de tipos diferentes de proteínas no corpo humano, e cada um deles é um pequeno milagre. Segundo todas as leis das probabilidades, as proteínas nem sequer deviam existir. Para fazer uma proteína é preciso juntar aminoácidos (a que, segundo uma longa tradição, sou obrigado a referir-me aqui como "blocos de construção da vida") numa determinada ordem, da mesma maneira que se juntam letras de uma certa forma para criar uma palavra. O problema é que as letras no alfabeto dos aminoácidos são normalmente muito longas. Para soletrar *colagénio*, o nome de uma proteína comum, precisamos de nove letras dispostas na ordem certa, mas para *fazer* colagénio precisamos de ordenar 1055 aminoácidos numa sequência absolutamente rigorosa. Mas – e este é um ponto óbvio mas crucial – não o *podemos* fazer. Ele faz-se a si próprio, espontaneamente, sem instruções, e é aqui que surgem as improbabilidades.

As probabilidades de uma molécula com uma sequência de 1055 como o colagénio se formar espontaneamente são, na verdade, zero. É simplesmente impossível que aconteça. Para perceber como funciona, imagine uma *slot-machine* vulgar de Las Vegas e aumente-a muito – para 27 metros, para ser mais preciso – de forma a acondicionar 1055 rodas giratórias em vez das três ou quatro do costume, e com 20 símbolos em cada roda (um para cada aminoácido comum*). Durante quanto tempo teria de puxar a manivela até aparecer a sequência dos 1055 símbolos na ordem certa? Provavelmente, para sempre. Mesmo que reduzisse o número de rodas para 200, que é na verdade um número de aminoácidos mais comum para uma proteína, a probabilidade de os 200 calharem na sequência fixada são de um em 10^{260} (ou seja, 1 seguido de 260 zeros). Esse, em si próprio, é já um número maior do que todos os átomos do universo.

Resumindo, as proteínas são entidades complexas. A cadeia de hemoglobina contém apenas 146 aminoácidos, o que faz dela uma autêntica rafeira no reino das proteínas, e no entanto até ela oferece 10^{190} combinações de aminoácidos, razão que fez com que o químico Max Perutz, da Universidade de Cambridge, demorasse 23 anos – o tempo de uma carreira – a desvendá-la. Que acontecimentos fortuitos venham a produzir uma só proteína parece uma total improbabilidade – como um pé-de-vento que passasse por um ferro velho e deixasse montado atrás de si um avião *Jumbo*, para usar a colorida imagem sugerida pelo astrónomo Fred Hoyle.

---

* Na realidade, conhecem-se 22 aminoácidos de origem natural na Terra, e é possível que outros estejam por descobrir, mas só são necessários 20 para nos produzir a nós e à maior parte dos outros seres vivos. O vigésimo segundo, chamado pirrolisina, foi descoberto em 2002 por investigadores da Universidade de Ohio, e só se encontra num único tipo de arquebactéria (uma forma de vida básica que discutiremos mais adiante) chamada *Methanosarcina barkeri.*

E, contudo, estamos a falar de várias centenas de milhar de tipos de proteínas, talvez um milhão, cada uma única em si própria, e, tanto quanto sabemos, vital para manter um indivíduo são e feliz. E é daí que tudo parte. Para ser útil, uma proteína precisa não só de reunir aminoácidos na sequência certa, como também de se lançar numa espécie de *origami* químico, dobrando-se a articulando-se numa forma muito específica. Mas mesmo depois de conseguir esta complexidade estrutural, uma proteína de nada serve se não se conseguir copiar a si própria, e o facto é que não consegue. Para isso é preciso o ADN. O ADN é um mágico da replicação – pode fazer uma cópia de si mesmo em segundos – mas não pode fazer praticamente mais nada. Portanto, temos aqui uma situação paradoxal. As proteínas não podem existir sem ADN, e o ADN não serve para nada sem as proteínas. Devemos então concluir que eles aparecem simultaneamente com o objectivo de se apoiarem mutuamente? Se assim é, é espantoso!

E ainda há mais. O ADN, as proteínas e os outros componentes da vida não poderiam subsistir sem uma membrana que os protegesse. Nenhum átomo ou molécula consegue adquirir vida sozinho. Retire um átomo do seu corpo, e verá que, sozinho, tem tanta vida como um grão de areia. É só quando se juntam dentro do refúgio nutritivo de uma célula que estes diversos tipos de matéria podem tomar parte na dança maravilhosa a que chamamos vida. Sem a célula, nada mais são do que interessantes substâncias químicas. Mas sem os químicos, a célula também não tem sentido. Como diz o físico Paul Davies: "Se todas as coisas precisam de todas as outras, como é que surgiu a comunidade de moléculas, para começar?" É quase como se todos os ingredientes da sua cozinha se juntassem, transformando-se num bolo – mas num bolo que, ainda por cima, se conseguisse dividir sempre que necessário para fazer *mais* bolos. Não é para admirar que lhe chamemos o milagre da vida. E também não admira que só agora comecemos a entendê-lo.

Então quem é o responsável por esta misteriosa complexidade? Bem, há uma possibilidade de talvez não ser tão – pelo menos não *tão* – misteriosa como parece à primeira vista. Vejamos, por exemplo, as tais proteínas espantosamente improváveis. O mistério que vemos na forma como se juntam reside especialmente no facto de partirmos do princípio de que elas entram em cena já completamente formadas. E se as cadeias de proteínas não se articulassem todas num único instante? E se, na grande *slot-machine* da criação, se pudessem parar algumas rodas, como um jogador que conseguisse imobilizar uma série de cerejas promissoras? E se, por outras palavras, as proteínas não surgissem de repente do nada, sendo antes o resultado de uma *evolução?*

Imagine que tinha todos os componentes que formam um ser vivo – carbono, hidrogénio, oxigénio, etc. – e os punha num recipiente com água, dava-lhes uma vigorosa mexidela, e aparecia-lhe uma pessoa completa. Seria fantástico. No fundo, é basicamente o que Hoyle e outros (incluindo muitos criacionistas fervorosos) afirmam, quando sugerem que as proteínas se formaram espontaneamente num único momento. Mas isso não é possível. Como argumenta Richard Dawkins em *The Blind Watchmaker*, deve ter havido uma espécie de processo cumulativo de selecção que permitiu que os aminoácidos se juntassem aos bocados. Talvez dois ou três se tenham juntado com um qualquer objectivo simples, e depois, ao fim de algum tempo, tenham encontrado outro conjunto semelhante, e "descoberto" que, juntos, melhoravam bastante.

Na realidade, as reacções químicas associadas à vida são bastante banais. Pode ser impossível para nós fabricá-las em laboratório, à moda de Stanley Miller e Harold Urey, mas o universo encarrega-se disso. Há muitas moléculas na natureza que se juntam para formar longas cadeias chamadas polímeros. Os açúcares juntam-se constantemente para formar amidos. Os cristais podem fazer muitas coisas parecidas com a vida – replicar-se, reagir a estímulos ambientais, formar um padrão complexo. Nunca criaram vida em si, claro, mas repetidamente demonstram que a complexidade é um fenómeno natural, espontâneo e completamente banal. Pode ou não haver muita vida no universo em geral, mas não há falta de autoagrupamentos ordenados em tudo, desde a simetria enfeitiçante dos cristais de gelo aos elegantes anéis de Saturno.

Este impulso natural para se juntarem é tão forte que os cientistas acreditam agora que a vida pode ser mais inevitável do que pensamos – ou seja, nas palavras do bioquímico belga Christian de Duve, premiado com o Nobel, "uma manifestação obrigatória da matéria, que surge inevitavelmente sempre que existam as condições adequadas". De Duve acha provável que essas condições se reúnam talvez um milhão de vezes em cada galáxia.

Com certeza que não há nada de particularmente exótico nas substâncias químicas que nos animam. Se quiséssemos criar outro ser vivo, seja um peixinho dourado, uma alface ou um ser humano, só seriam realmente necessários quatro elementos: carbono, oxigénio, hidrogénio e azoto, além de pequenas quantidades de alguns outros, principalmente enxofre, fósforo, cálcio e ferro. Se juntássemos estes elementos numas três dúzias de combinações de modo a formar alguns açúcares, ácidos e outros compostos básicos, poderíamos criar qualquer tipo de ser vivo. Como salientou Dawkins: "Não há nada de especial nas substâncias de que são feitos os seres vivos. Os seres vivos são apenas colecções de moléculas, tal como tudo o resto."

Concluindo, a vida é espantosa e agradável, talvez mesmo miraculosa, mas não tem nada de impossível – como repetidamente atestam as nossas modestas existências. Sem dúvida que há muitos detalhes relacionados com a origem da vida que continuam a ser bastante imponderáveis. Qualquer dos cenários que nos tenha sido apresentado sobre as circunstâncias necessárias à vida passa pela existência de água – desde o "laguinho morno" onde Darwin supôs que a vida tinha começado, até às borbulhantes chaminés oceânicas que hoje são os candidatos favoritos ao início da vida –, mas tudo isto subestima o facto de que a transformação de monómeros em polímeros (ou seja, o início da criação das proteínas) pressupõe aquilo que é conhecido em biologia como "reacções de desidratação". Como se afirma num importante texto de biologia, talvez com um ligeiro toque de embaraço, "os investigadores concordam que as reacções desse tipo não terão sido energeticamente favoráveis no oceano primitivo, ou em qualquer outro meio aquoso, devido à lei da acção das massas". É um pouco como colocar açúcar num copo de água e vê-lo transformar-se num cubo. Não deveria acontecer, mas o facto é que, na natureza, isso acontece. Compreender a forma como tudo isto se processa a nível químico é tarefa demasiado especializada para o que nos propomos aqui, mas basta saber que os monómeros em solução aquosa não se transformam em polímeros – excepto quando a vida foi criada na Terra. Uma das grandes perguntas sem resposta da biologia é saber como e porquê isso aconteceu apenas nessa altura e em mais nenhuma.

Uma das maiores surpresas das ciências geológicas nas recentes décadas foi a descoberta de que a vida surgiu muito cedo na história da Terra. Já a década de 1950 ia bastante avançada e ainda se acreditava que a vida tinha menos de 600 milhões de anos. Nos anos 1970, algumas almas aventureiras acharam que talvez recuasse até aos 2,5 mil milhões de anos. Mas a data de 3,85 mil milhões de anos actualmente estabelecida aponta para um aparecimento espantosamente precoce. A superfície terrestre nem sequer era *sólida* até há cerca de 3,9 mil milhões de anos.

"De uma tal rapidez só podemos inferir que não é 'difícil' para a vida à escala bacteriana evoluir nos planetas, desde que existam as condições adequadas", observou em 1996 Stephen Jay Gould no *New York Times*. Ou, como afirmou noutra ocasião, é difícil não concluir que "a vida, tendo surgido assim que pôde, estava quimicamente destinada a existir".

De facto, a vida surgiu tão rapidamente que alguns autores crêem que houve uma ajuda – talvez mesmo uma grande ajuda. A ideia de que a vida terrestre pode ter chegado do espaço tem uma história surpreendentemente longa, e por vezes mesmo distinta. O próprio Lorde Kelvin levantara já esta hipótese em 1871, numa reunião da Associação Britânica para o Avanço da Ciência, ao sugerir que "os germes da vida podem ter sido trazidos para a Terra por algum meteorito". Mas a ideia pouco mais foi do que um conceito marginal até um domingo de Setembro de 1969, quando dezenas de milhar de australianos foram apanhados de surpresa por uma série de enormes estrondos acompanhados pela visão de uma bola de fogo a atravessar velozmente o céu de este para oeste. A bola de fogo fez um estranho som crepitante ao passar, deixando atrás de si um cheiro que algumas testemunhas compararam com o do álcool desnaturado, e outras descreveram como simplesmente horrível.

A bola de fogo explodiu sobre Murchison, uma vila com 600 habitantes no vale Goulburn, a norte de Melbourne, provocando uma chuva de detritos, alguns chegando a pesar mais de cinco quilos. Felizmente, ninguém ficou ferido. O meteorito era de um tipo raro conhecido como condrito carbonáceo, e os habitantes da vila ajudaram a recolher cerca de 90 quilos. O momento não podia ter sido melhor. Menos de dois meses antes, os astronautas da *Apolo 11* tinham regressado à Terra com um saco cheio de rochas lunares e pelo mundo fora os laboratórios estavam preparados para receber as rochas de origem extraterrestre, para não dizer ansiosos por elas.

Verificou-se que o meteorito de Murchinson tinha 4,5 mil milhões de anos e estava crivado de aminoácidos – de 74 tipos diferentes na totalidade, oito dos quais estão presentes na formação das proteínas terrestres. Em finais de 2001, mais de 30 anos após a sua colisão, um grupo de investigadores do Ames Research Center, na Califórnia, anunciou que o meteorito de Murchinson também continha cadeias complexas de açúcares, chamados polióis, que até então nunca tinham sido encontrados fora da Terra.

Desde então, outros condritos carbonáceos têm chegado à Terra – um deles, que aterrou perto do lago Tagish, na região Yukon do Canadá, em Janeiro de 2000, foi visto em diversas regiões da América do Norte – e também eles confirmaram que o universo é realmente rico em compostos orgânicos. Hoje crê-se que o cometa *Halley* contém cerca de 25 por cento de moléculas orgânicas. Se uma parte suficiente grande dessa matéria cair num lugar adequado – na Terra, por exemplo – teremos os elementos básicos necessários para que haja vida.

Há dois problemas com as noções da panspermia, como é conhecida a teoria da origem extraterrestre da vida. A primeira é que ela não responde a nenhuma das questões sobre a forma como surgiu a vida, limitando-se a transferir a responsabilidade para outro lado. A outra é que, por vezes, a panspermia incentiva até os seus mais respeitáveis aderentes a níveis de especulação que podemos seguramente classificar de imprudentes. Francis Crick, codescobridor da estrutura do ADN, aventou, juntamente com o seu colega, Leslie Orgel, a hipótese de a Terra ter sido "deliberadamente semeada com vida por alienígenas inteligentes", ideia que Gribbin considera estar "nos últimos limites da respeitabilidade científica" – ou, dito de outra forma, uma noção que teria sido considerada completamente louca se não fosse proferida por um detentor do Prémio Nobel. Fred Hoyle e o seu colega Chandra Wickramasinghe ainda minaram mais o entusiasmo pela panspermia, sugerindo, como já foi referido no capítulo 3, que o espaço não nos trouxe apenas a vida, mas também muitas doenças, como a gripe e a peste bubónica, ideias que foram facilmente refutadas pelos bioquímicos.

O que quer que tenha causado o início da vida só aconteceu uma vez. Este é o facto mais extraordinário da biologia, talvez mesmo o facto mais extraordinário que conhecemos. Tudo o que tem vivido desde então, planta ou animal, surgiu do mesmo espasmo primordial. Num dado momento de um passado inimaginavelmente distante, houve um pequeno saco de substâncias químicas impacientes que se converteu em vida. Absorveu alguns nutrientes, palpitou suavemente, teve uma existência breve. Isto pode ter acontecido antes, talvez muitas vezes. Mas esse pacote ancestral fez algo mais de extraordinário: dividiu-se a si mesmo e produziu um herdeiro. Uma minúscula trouxinha de material genético passou de uma entidade viva para outra, e desde então nunca mais parou. Foi o momento da criação para todos nós. Os biólogos chamam-lhe, por vezes, o *Big Birth* (Grande Nascimento).

"Onde quer que vamos no mundo, qualquer que seja o animal, planta, insecto ou gota para que olhemos, se tiver vida, utilizará o mesmo dicionário e conhecerá o mesmo código. Toda a vida é uma só", afirma Matt Ridley. Todos nós somos o resultado de um só truque genético passado de geração em geração desde há quase quatro mil milhões de anos, de tal forma que se pode pegar num fragmento de uma instrução genética humana, introduzi-lo numa célula incompleta de levedura, e esta pô-lo-á a trabalhar como se fosse dela própria. E, num sentido bem real, é *mesmo* seu.

O início da vida – ou algo de muito semelhante – encontra-se numa prateleira do escritório de uma simpática geoquímica de isótopos, Victoria Bennett, no edifício das Ciências Terrestres da Australian National University (ANU), em Camberra. Esta americana foi da Califórnia para a ANU em 1989 com um contrato de dois anos, e por lá ficou desde então. Quando a visitei em finais de 2001, ela colocou-me na mão um pedaço de rocha mais ou menos denso, composto por finas riscas alternadas de quartzo branco e de um material cinzento-esverdeado chamado clinopiroxeno. A pedra veio da ilha Akilia, na Gronelândia, onde em 1997 se encontraram pedras de rara antiguidade. As pedras tinham 3,85 mil milhões de anos, e representam os mais antigos sedimentos marinhos alguma vez encontrados.

"Não podemos ter a certeza de que aquilo que tem nas mãos já conteve organismos vivos, porque para o saber teríamos de o reduzir a pó", disse-me Bennett. "Mas provém do mesmo depósito de onde se escavou a vida mais antiga, portanto, *provavelmente*, teve vida nele." Também não se conseguiriam encontrar micróbios fossilizados, por mais cuidadosos que fôssemos a procurá-los. Infelizmente, todos os organismos simples terão sido calcinados pelo mesmo processo que transformou o lodo oceânico em pedra. Em vez desses organismos, o que veríamos seriam os resíduos químicos deixados por eles – isótopos de carbono e um tipo de fosfato chamado apatite, os quais, em conjunto, são uma poderosa prova de que, em tempos, a pedra conteve colónias de seres vivos. "Temos de nos limitar a imaginar o aspecto desse organismo", disse Bennett. "Provavelmente era a forma de vida mais básica possível, mas o facto é que era vida. Viveu. Propagou-se."

E, eventualmente, evoluiu até nós.

Para quem está interessado em pedras muito antigas, e Bennett está-o indubitavelmente, a ANU é há muito tempo o lugar ideal para se estar. Isto é em grande parte devido à engenhosidade de um homem chamado Bill Compston, que se encontra actualmente reformado, mas que, nos anos 1970, construiu a primeira microssonda iónica de alta resolução (Sensitive High Resolution Ion Micro Probe) – ou SHRIMP ("camarão"), a afectuosa sigla por que é mais conhecida. Trata-se de um instrumento que mede a velocidade de decaimento do urânio em minúsculos minerais chamados zircões. Os zircões existem na maior parte das rochas excepto no basalto, e são extremamente duráveis, sobrevivendo a todos os processos naturais, com excepção da subducção. A maior parte da crosta terrestre terá deslizado de novo para o interior a determinado momento, mas ocasionalmente – na Austrália ocidental e na Gronelândia, por exemplo – os geólogos têm encontrado grupos de rochas que sempre permaneceram à superfície. O aparelho de Compston permitiu datar essas rochas com uma precisão sem paralelo. O protótipo SHRIMP foi construído e testado nos próprios cursos práticos do departamento de Ciências Terrestres, e tinha o aspecto de uma geringonça construída com peças sobressalentes e com um orçamento apertado, mas o certo é que funcionava muito bem. No seu primeiro teste formal, em 1982, datou o objecto mais antigo alguma vez encontrado – uma rocha da Austrália ocidental com 4,3 mil milhões de anos.

"Na altura provocou grande agitação", disse-me Bennett, "encontrar uma coisa tão importante, tão rapidamente, e com uma tecnologia absolutamente nova."

Bennett guiou-me pelo corredor para ver o modelo actual, o SHRIMP II. Trata-se de um volumoso e pesado aparelho em aço inoxidável, talvez com 3,5 metros de comprimento e 1,5 metros de altura, e tão solidamente construído como uma sonda para profundidades oceânicas. Sentado a uma consola em frente dele, e vigiando as sucessivas séries de números que iam aparecendo no respectivo ecrã, estava Bob, da Universidade de Canterbury, na Nova Zelândia. Disse-me que estava ali desde as quatro horas da manhã. Passava pouco das nove horas da manhã, e Bob ia ficar na máquina até ao meio-dia. O SHRIMP II trabalha 24 horas por dia: há muitas rochas para datar. Pergunte a um par de geoquímicos como é que funciona uma coisa destas e eles começarão a falar de abundâncias de isótopos e níveis de ionização com um entusiasmo que chega a enternecer, mas que não esclarece grande coisa. O que interessa é que a máquina, através do bombardeamento de uma amostra de rocha com correntes de átomos carregados, consegue detectar diferenças subtis nas quantidades de chumbo e de urânio contidas nas amostras de zircão, permitindo assim um cálculo rigoroso da idade das rochas. Bob disse-me que leva cerca de 17 minutos a ler um zircão, e que é necessário ler dúzias deles em cada rocha para que os dados sejam fiáveis. Na prática, o processo parece implicar o mesmo nível de actividade dispersa e de estímulo exigido por uma visita à lavandaria. No entanto, Bob parecia estar muito contente; mas a verdade é que isso acontece frequentemente com os neo-zelandeses.

O conjunto de edifícios das Ciências Terrestres constitui uma estranha combinação – em parte escritórios, em parte laboratórios e em parte casas de máquinas. "Costumávamos construir tudo aqui", disse ela. "Chegámos a ter o nosso próprio soprador de vidro, mas já se reformou. Mas ainda dispomos de dois homens para partir rocha, a tempo inteiro." Ela reparou no meu olhar meio surpreendido. "Analisamos *imensas* pedras. E elas têm de ser preparadas muito cuidadosamente. Temos que ter a certeza de que não há contaminação de amostras anteriores – nem poeiras, nem nada. É um processo bastante meticuloso." Ela mostrou-me as máquinas para esmagamento das rochas, que, na verdade, estavam imaculadamente limpas, embora os homens que as manobravam tivessem aparentemente saído para tomar café. Ao lado das máquinas havia grandes caixas contendo pedras de todos os tamanhos e feitios. Não há dúvida de que analisam muitas rochas na ANU.

De regresso ao escritório de Bennett, no final da nossa visita, reparei que, pendurado na parede, estava um *poster* com a imaginativa e colorida interpretação feita por um artista do aspecto hipotético da Terra há 3,5 mil milhões de anos, quando a vida estava a começar, no período conhecido na história da Terra como Arcaico. O *poster* mostrava uma paisagem surrealista com enormes vulcões muito activos e um mar vaporoso cor de cobre, por baixo de um céu vermelho-forte. No primeiro plano, estromatólitos, uma espécie de rochas bacterianas, preenchendo as águas rasas. Não parecia tratar-se de um lugar muito promissor para criar e sustentar a vida. Perguntei-lhe se o quadro estava correcto.

"Bem, há uma escola de pensamento que diz que fazia mesmo frio naquela altura, porque o Sol era muito mais fraco." (Mais tarde soube que os biólogos, quando lhes dá para a brincadeira, referem-se a isto como o "problema do restaurante chinês" – porque tínhamos um *dim sun*[NT].) "Sem atmosfera, os raios ultravioleta provenientes do Sol, mesmo de um sol fraco, terão tido tendência para decompor quaisquer ligações incipientes feitas pelas moléculas. Contudo, nestes aqui – e bateu com os dedos nos estromatólitos – temos organismos quase à superfície. É um enigma".

"Então não sabemos como era o mundo nessa altura?"

"Pois não", concordou ela pensativa.

"De qualquer forma, não parece muito propenso à criação de vida."

Ela anuiu em concordância. "Mas deve ter havido qualquer coisa que se ajustou bem à vida. De outra forma não estaríamos aqui."

Mas de certeza que nós não nos teríamos ajustado bem. Se fossemos até esse antigo mundo arcaico numa máquina do tempo e puséssemos um pé lá fora, voltaríamos para o interior da máquina muito rapidamente, porque a

---

[NT] *Dim sun* significa "sol fraco" em inglês. O trocadilho vem do facto de haver um prato chinês com o mesmo nome.

Terra tinha tanto oxigénio nessa altura como Marte tem hoje em dia. Também continha imensos vapores nocivos de ácido clorídrico e sulfúrico, suficientemente fortes para destruir a roupa e deixar a pele cheia de bolhas. Nem nos teria oferecido as brilhantes paisagens a perder de vista que se viam no *poster* do escritório de Victoria Bennett. A sopa química que constituía a atmosfera de então não teria permitido que bastante luz solar atingisse a superfície terrestre. O pouco que se conseguisse ver seria brevemente iluminado por clarões frequentes e intensos. Em suma, era a Terra, mas uma Terra que não reconheceríamos como sendo a nossa.

No Arcaico, as festas de aniversário eram escassas, e com grandes intervalos entre si. Durante dois mil milhões de anos, os organismos bacterianos eram as únicas formas de vida. Viveram, reproduziram-se, proliferaram, mas não mostraram nenhuma inclinação particular no sentido de evoluírem para um nível de existência mais sofisticado. Em dado momento, durante os primeiros mil milhões de anos de vida, as cianobactérias, ou algas azuis, aprenderam a viver à custa de um recurso disponível sem restrição – o hidrogénio, que existe na água com espectacular abundância. Absorviam as moléculas de água, fixavam o hidrogénio e libertavam o oxigénio como desperdício, inventando assim a fotossíntese. Como Margulis e Sagan sublinham, a fotossíntese é "sem dúvida a inovação metabólica individual mais importante na história da vida no planeta" – e foi inventada não pelas plantas, mas pelas bactérias.

À medida que as cianobactérias proliferavam, o mundo encheu-se de O_2, para consternação dos organismos para os quais o oxigénio era venenoso – e que, nessa altura, eram todos. Num mundo anaeróbio (que não utiliza oxigénio), o oxigénio é extremamente venenoso. De facto, os nossos glóbulos brancos utilizam oxigénio para matar as bactérias invasoras. O facto de o oxigénio ser fundamentalmente tóxico constitui muitas vezes uma grande surpresa para aqueles de nós que o acham absolutamente fundamental para o bem-estar, mas isso é apenas porque nós evoluímos no sentido de o saber explorar. Para outras coisas, o oxigénio é um terror: é ele que faz a manteiga ficar rançosa e que faz o ferro enferrujar. Mesmo nós só conseguimos tolerá-lo até certo ponto. O nível de oxigénio existente nas nossas células é de, apenas, cerca de um décimo daquele que se encontra na atmosfera.

Os novos organismos utilizadores de oxigénio tinham duas vantagens. O oxigénio era um meio mais eficiente de produção de energia, e vencia os organismos competidores. Alguns regressaram ao lamacento mundo anaeróbio dos pântanos e do fundo dos lagos. Outros fizeram o mesmo, mas mais tarde (muito mais tarde) migraram para o aparelho digestivo de seres como o leitor e eu. Um número considerável destas entidades primitivas estão vivas no interior do seu corpo neste preciso momento, ajudando a digerir os alimentos, mas abominando a mais pequena quantidade de O_2. Grandes quantidades de outras não conseguiram adaptar-se e morreram.

As cianobactérias tiveram um sucesso imparável. No princípio, o excedente de oxigénio que produziram, em lugar de se acumular na atmosfera, combinou-se com o ferro, formando óxidos de ferro que foram descendo, depositando-se no leito dos oceanos primitivos. Durante milhões de anos, o mundo literalmente, enferrujou – fenómeno claramente registado nos depósitos de ferro que hoje fornecem a maior parte do minério de ferro. Durante muitas dezenas de milhões de anos não aconteceu muito mais do que isto. Se regredíssemos até ao primitivo mundo proterozóico, não encontraríamos muitos sinais promissores para a futura vida na Terra. Talvez aqui e ali, em pequenas poças abrigadas, encontrássemos uma película de espuma de matéria viva, ou uma camada luzidia de verdes e castanhos nas rochas das costas, mas, para além disso, a vida permaneceria invisível.

Mas há cerca de 3,5 mil milhões de anos, houve algo de mais categórico que se tornou aparente. Onde quer que os mares fossem pouco profundos, começaram a aparecer estruturas visíveis. Enquanto percorriam as suas rotinas químicas, as cianobactérias tornaram-se muito ligeiramente pegajosas, o que lhes permitiu reter micropartículas de poeira e areias que, ao ligarem-se, deram origem a estruturas um pouco estranhas mas sólidas – os estromatólitos, que apareciam nos pântanos do *poster* pendurado na parede do escritório de Victoria Bennett. Os estromatólitos assumiam diversas formas e tamanhos. Às vezes pareciam-se com enormes couves-flor, outras vezes como colchões fofos (*estromatólito* vem de uma palavra grega que significa "colchão"), outras vezes apareciam sob a forma de colunas, elevando-se dezenas de metros acima da superfície da água – por vezes atingindo os cem metros. Em todas as suas manifestações, eram uma espécie de rocha viva, e representavam a primeira experiência de cooperação do mundo, com algumas variedades de organismos primitivos a viverem à superfície e outras imediatamente por baixo, cada uma delas tirando partido das condições criadas pela outra. O mundo tinha o seu primeiro ecossistema.

Já há muitos anos que os cientistas sabiam da existência dos estromatólitos através das formações fósseis, mas em 1961 tiveram uma verdadeira surpresa com a descoberta de uma comunidade de estromatólitos vivos em Shark Bay, na remota costa noroeste da Austrália. Foi uma descoberta absolutamente inesperada – na realidade, tão inesperada que só passados alguns anos é que os cientistas se aperceberam do que realmente tinham encontrado. Hoje, contudo, Shark Bay é uma atracção turística – ou, pelo menos, tanto quanto pode sê-lo um lugar que está a dúzias de quilómetros de qualquer outro e a centenas de quilómetros de um minimamente habitado. Construíram-se pontões pela baía dentro, a fim de permitir que os visitantes passeiem calmamente sobre a água enquanto observam de perto os estromatólitos, que respiram suavemente logo abaixo da superfície. São cinzentos e sem brilho, e, como disse num livro anterior, parecem-se com grandes poias de vaca. Mas é um momento curiosamente atordoante, aquele em que damos connosco a olhar para vestígios vivos da Terra, tal como ela era há 3,5 mil milhões de anos. Como disse Richard Fortey: "Isto é viajar no tempo no verdadeiro sentido do termo, e se o mundo estivesse sintonizado para as suas verdadeiras maravilhas, esta visão seria tão conhecida como a das pirâmides de Guiza". Apesar de não darem nada ideia disso, estas rochas sem graça palpitam de vida, calculando-se (claro, é apenas um cálculo) que haja 3,5 mil milhões de organismos individuais por cada metro quadrado de rocha. Às vezes, quando se olha atentamente, podem ver-se pequenas fiadas de bolhas a subir à superfície, à medida que vão libertando oxigénio. Em dois mil milhões de anos, foram estes pequenos esforços que aumentaram para 20 por cento o nível de oxigénio na atmosfera terrestre, preparando o caminho para o próximo e mais complexo capítulo da história da vida.

Tem sido posta a hipótese de as cianobactérias de Shark Bay serem os organismos terrestres de evolução mais lenta, não há dúvida de que, actualmente, estão entre os mais raros. Tendo preparado o caminho para formas de vida mais complexas, a sua existência foi varrida em quase toda a parte pelos próprios organismos a que deram origem. (Existem em Shark Bay, porque as águas são demasiado salinas para os seres que normalmente se alimentariam delas.)

Uma das razões pela qual a vida demorou tanto tempo a tornar-se mais complexa foi o facto de o mundo ter de esperar até que os organismos mais simples oxigenassem suficientemente a atmosfera. "Os animais não conseguiam reunir energia suficiente para funcionar", como disse Fortey. Demorou cerca de dois mil milhões de anos, em números redondos 40 por cento da história da Terra, para que os níveis de oxigénio atingissem mais ou menos os actuais níveis de concentração na atmosfera. Mas depois de atingido este estádio, surgiu, de forma bastante súbita, um tipo completamente novo de célula – uma célula com núcleo e outras pequenas estruturas designadas por *organelos* (da palavra grega que significa "pequenas ferramentas"). Pensa-se que o processo se iniciou quando uma bactéria indiscreta ou aventureira invadiu outra bactéria, ou foi capturada por ela, e esse facto acabou por convir a ambas. Pensa-se que a bactéria cativa se transformou numa mitocôndria. Esta invasão mitocondrial (ou fenómeno endossimbiótico, como os biólogos gostam de lhe chamar) tornou possível a vida complexa. (Nas plantas, uma invasão semelhante produziu os cloroplastos, que possibilitam a fotossíntese nas plantas).

As mitocôndrias utilizam o oxigénio de forma a libertar energia a partir das substâncias alimentares. Sem este passo engenhoso a facilitar o processo, a vida na Terra hoje limitar-se-ia a um lamaçal de simples micróbios. As mitocôndrias são muito pequenas – um milhão delas ocupa o mesmo espaço que um grão de areia – mas têm também muita fome. Quase todos os nutrientes que absorvemos vão direitinhos para as alimentar.

Não poderíamos viver dois minutos sem elas, e contudo, mesmo depois de mil milhões de anos, elas comportam-se como se achassem que as coisas ainda poderiam correr mal entre nós. Continuam a ter o seu próprio ADN, ARN e ribossomas. Reproduzem-se num tempo diferente do da sua célula hospedeira. Parecem-se com bactérias, dividem-se como bactérias, e às vezes reagem aos antibióticos tal como as bactérias. Nem sequer seguem a mesma linguagem genética da célula em que vivem. Em suma, estão sempre de malas feitas. É como ter um estranho em casa, mas um estranho que já lá está há mil milhões de anos.

O novo tipo de célula é conhecido como eucariota (o que significa "verdadeiramente nucleada"), em contraste com o tipo antigo, que é conhecido como procariota (pré-nucleada), e parece ter aparecido subitamente no registo fóssil. Os mais antigos eucariotas conhecidos, chamados *Grypania*, foram descobertos em sedimentos de ferro retirados no Michigan, em 1992. Estes fósseis foram encontrados apenas uma vez, e não se sabe da existência de mais nenhum durante os 500 milhões de anos seguintes.

A Terra tinha dado o primeiro passo no sentido de se tornar um planeta verdadeiramente interessante. Comparados com os novos eucariotas, os antigos procariotas eram pouco mais do que "sacos de químicos", nas palavras do geólogo britânico Stephen Drury. Os eucariotas eram maiores – eventualmente, chegavam a ser dez mil vezes maiores – do que os seus primos mais simples e possuíam uma quantidade de ADN que chegava a ser mil vezes superior. Gradualmente, graças a estas conquistas, a vida tornou-se complexa e criou dois tipos de organismos – aqueles que expelem oxigénio (como as plantas) e aqueles que o consomem (como nós).

Os eucariotas unicelulares foram antes chamados *protozoários* (pré-animais), mas esse termo está em crescente desuso. Hoje, o termo corrente para os designar é *protistas*. Comparados com as bactérias que existiam anteriormente, estes novos protistas são maravilhas de concepção e sofisticação. A simples ameba, uma eminente célula única sem nenhuma ambição que não seja a de existir, contém 400 milhões de *bits* de informação genética no seu ADN – o suficiente, como disse Carl Sagan, para preencher 80 livros de 500 páginas cada.

Finalmente, os eucariotas acabaram por aprender um truque ainda mais raro. Demorou muito tempo – qualquer coisa como mil milhões de anos – mas revelou ser óptimo, quando finalmente o conseguiram. Aprenderam a agrupar-se, transformando-se em seres multicelulares complexos. Graças a esta inovação, surgiram entidades grandes, complicadas e visíveis, como nós. O planeta Terra estava pronto a avançar para a sua fase ambiciosa seguinte.

Mas antes que nos entusiasmemos demasiado com isso, vale a pena recordarmos que o mundo, como vamos ver a seguir, continua a ser dos muito pequenos.

20.

O MUNDO É DOS PEQUENOS

Talvez não seja grande ideia ter um interesse excessivo pelos nossos micróbios. Louis Pasteur, o grande químico e bacteriologista francês, preocupava-se tanto com eles que acabou por analisar cada prato que lhe apresentavam com uma lupa, hábito que, provavelmente, não lhe angariou muitos convites para jantar.

Na realidade, não vale a pena tentarmos fugir das nossas bactérias, porque elas estão sempre em cima de nós e à nossa volta, e em números tais que nem conseguimos imaginar. Se estivermos de boa saúde e formos medianamente cuidadosos com a nossa higiene, teremos uma multidão de cerca de um bilião de bactérias a pastar nas planícies do nosso corpo – cerca de cem mil em cada centímetro quadrado de pele. Elas estão lá para se alimentarem dos cerca de dez mil milhões de flocos de pele que soltamos todos os dias, além das saborosas gorduras e revigorantes elementos minerais que eliminamos pelos poros e fissuras. Para as bactérias somos um restaurante por excelência, com as vantagens adicionais do calor e da constante mobilidade que o nosso corpo lhes oferece. Como agradecimento, elas oferecem-nos o odor corporal.

E estas são apenas as bactérias que habitam a pele. Há mais uns biliões enfiados nas suas entranhas e vias nasais, agarrados ao seu cabelo e pestanas, a nadar na superfície dos seus olhos e a escavar no esmalte dos seus dentes. O seu aparelho digestivo, só por si, alberga mais de uma centena de biliões de micróbios, de pelo menos 400 tipos diferentes. Uns tratam dos açúcares, outros dos amidos, outros atacam outras bactérias. Há um número surpreendente deles, como as ubíquas espiroquetas intestinais, que não têm sequer uma função identificável. Parece apenas que gostam de estar connosco. Qualquer corpo humano é composto por cerca de dez mil biliões de células e hospeda cerca de cem mil biliões de células bacterianas. Em resumo, elas são uma grande parte de nós. E, claro, do ponto de vista das bactérias, nós somos uma pequena parte delas.

Uma vez que nós, os seres humanos, somos suficientemente grandes e inteligentes para produzir e utilizar antibióticos e desinfectantes, é fácil convencermo-nos de que conseguimos banir as bactérias para as franjas da existência. Mas não acredite nisso. As bactérias podem não construir cidades e não ter uma vida social interessante, mas ainda vão estar por cá quando o Sol explodir. Este planeta pertence-lhes, e nós estamos cá apenas porque elas nos deixam.

Nunca nos esqueçamos de que as bactérias sobreviveram biliões de anos sem nós. E nós não poderíamos sobreviver nem um dia sem elas. Elas processam os nossos desperdícios, tornando-os reutilizáveis; se não fossem tão diligentes a mastigar, nada apodreceria. Elas purificam a nossa água e mantêm os nossos solos produtivos. As bactérias sintetizam vitaminas nos nossos intestinos, convertem aquilo que comemos em açúcares e polissacáridos úteis, e vão à guerra contra os micróbios estranhos que escorregam pelas nossas goelas.

Dependemos totalmente das bactérias para fixar o azoto do ar e convertê-lo nos nucleótidos e aminoácidos tão úteis para nós. É uma proeza espantosa e muito simpática. Como sublinham Margulis e Sagan, para fabricar industrialmente a mesma coisa (como quando se produzem fertilizantes), os produtores têm de aquecer os materiais originais a 500 graus centígrados e comprimi-los a uma pressão 300 vezes superior à normal. As bactérias fazem-no a toda a hora sem qualquer alarde, e ainda bem, porque nenhum organismo de maiores dimensões poderia sobreviver sem o azoto que elas fornecem. Acima de tudo, os micróbios continuam a proporcionar-nos o ar que respiramos e a manter a atmosfera estável. São os micróbios, incluindo as versões modernas das cianobactérias, que proporcionam a maior parte do oxigénio respirável do planeta. As algas e outros organismos minúsculos que fervilham no mar libertam cerca de 150 mil milhões de quilos de oxigénio por ano.

E são surpreendentemente prolíficos. As mais despachadas conseguem produzir uma nova geração em menos de dez minutos; o *Clostridium perfrigens*, o pequeno organismo desagradável que causa a gangrena, consegue reproduzir-se em nove minutos e começar imediatamente a dividir-se de novo. A esta velocidade, uma única bactéria pode teoricamente produzir em dois dias uma descendência superior à quantidade de protões existentes no universo. "Com um fornecimento adequado de nutrientes, uma única célula bacteriana pode gerar 280 biliões de indivíduos num só dia", de acordo com o bioquímico belga Christian de Duve, detentor do Prémio Nobel. No mesmo período, uma célula humana consegue realizar à justa uma única divisão.

Cerca de uma vez em cada milhão de divisões, as bactérias produzem um mutante. Em geral, isso significa pouca sorte para o mutante – uma mudança é sempre arriscada para um organismo – mas, ocasionalmente, a nova bactéria surge dotada de uma qualquer vantagem acidental, tal como a capacidade de evitar ou de ignorar um ataque de antibióticos. A esta capacidade de evoluir rapidamente acresce uma outra vantagem, esta ainda mais assustadora. As bactérias partilham informações. Qualquer bactéria pode receber partes do código genético de qualquer outra. Essencialmente, como dizem Margulis e Sagan, todas as bactérias nadam num único lago genético. Qualquer vantagem adaptativa que surja numa área do universo bacteriano pode alastrar para qualquer outra. É como se um ser humano pudesse obter de um insecto o código genético necessário para adquirir asas ou caminhar no tecto. Significa que, do ponto de vista genético, as bactérias se tornaram num único superorganismo – minúsculo, disseminado, mas invencível.

As bactérias vivem e desenvolvem-se em quase tudo o que se entorna, goteja, ou se solta. Dê-se-lhes apenas um pouco de humidade – como quando se passa um pano húmido por cima de um balcão – e elas irrompem por todos os lados, como se fossem criadas do nada. Comem madeira, a cola do papel de parede, os metais por baixo da tinta. Cientistas australianos encontraram micróbios conhecidos como *Thiobacillus concretivorans* que só conseguem viver em concentrações de ácido sulfúrico suficientemente fortes para dissolver metal. Uma espécie chamada *Micrococcus radiophilus* foi encontrada a viver alegremente nos tanques de resíduos de reactores nucleares, devorando plutónio e tudo o mais que lá encontrava. Algumas bactérias decompõem substâncias químicas, das quais, tanto quanto se sabe, não retiram qualquer benefício.

Têm-se encontrado bactérias a viver em poças de lama a ferver e lagos de soda cáustica, no interior de rochas, no fundo do mar, em piscinas escondidas de água gelada nos McMurdo Dry Valleys da Antárctida, e a 11 quilómetros de profundidade no oceano Pacífico, onde as pressões são mais de mil vezes superiores às da superfície, ou seja, equivalentes ao peso de 50 aviões *Jumbo* empilhados. Algumas parecem ser praticamente indestrutíveis. A *Deinococcus radiodurans* é, de acordo com o *The Economist*, "quase imune à radioactividade". Se destruirmos o respectivo ADN por radiação, os fragmentos obtidos reconstituir-se-ão imediatamente "como os membros irrequietos de um morto-vivo nos filmes de terror".

Talvez a mais extraordinária proeza de sobrevivência até hoje conhecida pertença a uma bactéria *Streptococcus* que foi recuperada da lente selada de uma máquina fotográfica deixada na Lua durante dois anos. Em suma, há poucos ambientes em que as bactérias não estejam preparadas para viver. "Estão agora a descobrir que, quando se introduzem sondas no interior de chaminés oceânicas tão quentes que as sondas começam a fundir, mesmo aí encontram-se bactérias", contou-me Victoria Bennett.

Nos anos 1920, dois cientistas da Universidade de Chicago, Edson Bastin e Frank Greer, anunciaram ter isolado, de poços de petróleo, estirpes de bactérias que tinham vivido a profundidades de 600 metros. A ideia foi abandonada como fundamentalmente absurda – não havia nada que sustentasse a vida a *essa* profundidade – e durante 50 anos partiu-se do princípio de que as respectivas amostras tinham sido contaminadas com micróbios da superfície. Sabemos agora que há muitos micróbios que vivem nas profundezas da Terra, muitos dos quais não têm absolutamente nada a ver com o mundo orgânico convencional. Alimentam-se de rochas ou melhor, de matéria existente nas rochas – ferro, enxofre, manganês, etc. E também respiram substâncias estranhas – ferro, crómio, cobalto, até urânio. Esses processos podem ter servido de instrumento na concentração do ouro, cobre e outros metais preciosos, e possivelmente depósitos de petróleo e de gás natural. Até já foi sugerido que foram as suas incansáveis comezainas que criaram a crosta terrestre.

Actualmente, alguns cientistas pensam que poderá haver até cem biliões de toneladas de bactérias a viver debaixo dos nossos pés, naquilo a que chamamos ecossistemas microbianos litoautotróficos subterrâneos. Thomas Gold, da Universidade de Cornell, calculou que se retirássemos todas as bactérias do interior da Terra e as depositássemos à superfície, o planeta ficaria coberto por uma camada de 15 metros de espessura, o equivalente a um prédio de quatro andares. Se esses cálculos estiverem correctos, então talvez haja mais vida debaixo da Terra do que ao cimo dela.

Em profundidade, as bactérias diminuem de tamanho e tornam-se extremamente preguiçosas. A mais energética de todas poderá dividir-se apenas uma vez por século, e algumas talvez mesmo uma vez em cada 500 anos. Como comenta o *The Economist:* "A chave para uma longa vida, ao que parece, está em não fazer grande coisa." Quando as condições se tornam realmente difíceis, as bactérias estão preparadas para desligar todos os sistemas e esperar por melhores dias. Em 1997, os cientistas conseguiram activar esporos de *antrax* adormecidos há 80 anos na vitrina de um museu em Trondheim, na Noruega. Houve outros microrganismos que regressaram à vida após terem sido libertados de uma lata de carne com 118 anos e de uma garrafa de cerveja com 166 anos. Em 1996, cientistas da Academia Russa de Ciência anunciaram que tinham conseguido ressuscitar bactérias congeladas nos eternos gelos da Sibéria durante três milhões de anos. Mas o recorde de durabilidade reivindicado até agora pertence a Russell Vreeland e seus colaboradores, da Universidade de West Chester, na Pensilvânia, quando em 2000 anunciaram ter ressuscitado bactérias com 250 milhões de anos, chamadas *Bacilllus permians*, que tinham ficado presas em depósitos de sal a 600 metros de profundidade em Carlsbad, no Novo México. Se assim for, este micróbio é mais velho do que os continentes.

Este anúncio foi recebido com algum cepticismo compreensível. Muitos bioquímicos alegaram que, durante um período tão longo, os componentes do micróbio ter-se-iam degradado, passando a ser inúteis, a menos que a bactéria acordasse de tempos a tempos. Contudo, mesmo que a bactéria se tenha agitado de vez em quando, não haveria uma fonte plausível de energia interna que pudesse ter durado tanto tempo. Os cientistas mais cépticos sugeriram que a amostra poderia ter sido contaminada, ou durante a sua recolha, ou enquanto estava ainda enterrada. Em 2001, uma equipa científica da Universidade de Telavive fez notar que o *B. permians* era praticamente idêntico a uma estirpe actual de bactérias, o *Bacillus marismortui,* encontrada no mar Morto. Apenas duas das sequências genéticas eram diferentes, e mesmo assim muito ligeiramente.

"Deveremos acreditar", escreveram os investigadores israelitas, "que em 250 milhões de anos o *B. permians* acumulou a mesma quantidade de diferenças genéticas que se poderia obter em apenas três a sete dias no laboratório?" Em resposta, Vreeland sugeriu que "as bactérias evoluem mais rapidamente no laboratório do que no mundo natural".

Talvez.

É um facto notável que, já em plena era espacial, a maior parte dos compêndios escolares dividissem o mundo dos seres vivos em apenas duas categorias – plantas e animais. Os microrganismos raramente eram mencionados. As amebas e os organismos unicelulares semelhantes eram designados como proto-animais, e as algas como proto-plantas. As bactérias apareciam normalmente misturadas no grupo das plantas, embora toda a gente soubesse que não pertenciam a esse grupo. Já nos finais do século XIX o naturalista alemão Ernst Haeckel sugeriu que as bactérias mereciam ser classificadas num reino à parte, a que chamou Monera, mas a ideia só pegou entre os biólogos a partir dos anos 1960, e mesmo assim apenas entre alguns deles. (Faço notar que o meu fiável dicionário *American Heritage*, de 1969, não inclui o termo.)

Muitos organismos do mundo visível ficaram também mal servidos pela divisão tradicional. Os fungos, grupo que inclui cogumelos, bolores, míldios, leveduras e tortulhos, eram quase sempre tratados como objectos botânicos, quando na realidade quase nada neles – a forma como se reproduzem e respiram e as estruturas que desenvolvem – corresponde ao encontrado no mundo das plantas. Estruturalmente, assemelham-se mais ao reino animal, na medida em que constroem as suas células a partir da quitina, material que lhes confere a sua textura específica. Trata-se da mesma substância que constitui as carapaças dos insectos e as garras dos mamíferos, apesar de não ser tão saborosa num escaravelho como num carnudo míscaro. Acima de tudo, ao contrário das plantas, os fungos não fazem fotossíntese, não têm clorofila e, portanto, não são verdes. Em vez disso, crescem directamente na sua fonte alimentar, constituída por quase tudo. Os fungos tanto comem o enxofre de uma parede de betão como matéria em decomposição que encontrem entre os seus dedos dos pés – duas coisas que nenhuma planta fará. A única característica que os fungos têm em comum com as plantas é a de criarem raízes.

Ainda menos fácil de classificar era o peculiar grupo de organismos formalmente designados por mixomicetes, também conhecidos por fungos mucosos. O nome está certamente relacionado com a sua misteriosa identidade. Uma designação que revelasse algo mais dinâmico – por exemplo, "protoplasma autoactivante ambulante" – e menos parecido com aquele muco nojento que encontramos quando enfiamos a mão num esgoto entupido, teria quase de certeza chamado a estes seres extraordinários uma atenção mais condigna, porque os fungos mucosos encontram-se, sem sombra de dúvida, entre as mais interessantes criaturas da natureza. Quando as coisas lhes correm bem, existem como indivíduos unicelulares, parecidos com as amebas. Mas quando as condições pioram, rastejam sem excepção em direcção a um ponto de encontro central e transformam-se, quase por milagre, numa lesma. A lesma não é propriamente uma beldade, e não consegue ir muito longe – normalmente só vai do fundo de uma pilha de folhas mortas até ao cimo, onde fica numa posição ligeiramente mais exposta – mas, durante milhões de anos, isso pode muito bem ter sido o truque mais habilidoso do universo.

E não acaba aqui. Tendo trepado para um local mais favorável, o fungo mucoso transforma-se mais uma vez, adquirindo a forma de uma planta. Graças a um curioso processo ordenado, as células reconfiguram-se, como os membros de uma pequena banda em marcha, formando um caule no cimo do qual se forma um bolbo, denominado esporângio. Dentro dessa cápsula encontram-se milhões de esporos que, no momento apropriado, são libertados e levados pelo vento, formando organismos unicelulares capazes de recomeçar o processo uma vez mais.

Durante anos, os mixomicetes foram classificadas como protozoários pelos zoólogos e como fungos pelos micólogos, apesar de ser bastante óbvio que não pertenciam a nenhum dos grupos. Quando começaram os primeiros testes genéticos, os técnicos ficaram surpreendidos ao descobrir que os fungos mucosos eram tão diferentes e peculiares que não tinham qualquer relação directa com nada que existisse na natureza, e, por vezes, nem mesmo entre si.

Em 1969, numa tentativa de pôr alguma ordem nas crescentes deficiências do sistema de classificações, um ecologista da Universidade Cornell, chamado R. H. Whittaker, publicou na revista *Science* uma proposta de divisão da vida em cinco ramos principais – reinos, como são conhecidos – a que chamou Animalia, Plantae, Fungi, Protista e Monera. Protista era a variação de um termo anterior, *Protoctista*, sugerido um século antes por um biólogo escocês chamado John Hogg, destinado a descrever qualquer organismos que não fosse nem planta nem animal.

Apesar de o novo esquema de Whittaker constituir um grande avanço, o grupo Protista continuava a carecer de uma definição consistente. Alguns taxonomistas reservaram este conceito para grandes organismos unicelulares – os eucariotas –, mas outros trataram-no como uma espécie de "gaveta das meias sem par" da biologia, colocando aí tudo o que não se encaixasse noutros grupos. Incluía (dependendo do texto que se consultasse) fungos mucosos, amebas e até algas, entre muitos outros. Segundo um cálculo, chegou a incluir cerca de 200 mil diferentes espécies de organismos. São muitas meias sem par.

Ironicamente, no mesmo momento em que a classificação dos cinco reinos de Whittaker começava a constar dos compêndios escolares, um modesto académico da Universidade de Ilinóis desbravava o caminho de uma descoberta que iria pôr tudo em causa. O seu nome era Carl Woese (lê-se *vôze*) e desde meados da década de 1960, ou o mais cedo que foi possível fazê-lo, andava discretamente a estudar as sequências genéticas das bactérias. Nesta época, tratava-se de um processo extremamente lento e trabalhoso. Estudar uma só bactéria podia facilmente durar um ano. Nessa altura, de acordo com Woese, conheciam-se apenas cerca de 500 espécies de bactérias, um número inferior ao das espécies que o leitor tem na boca. Actualmente, o número é cerca de dez vezes maior, embora esteja ainda muito aquém das 26 900 espécies de algas, das 70 mil de fungos, e das 30 800 de amebas e organismos afins, cujas biografias preenchem os anais da biologia.

Não é por simples indiferença que este total se mantém reduzido. As bactérias podem ser exasperantemente difíceis de isolar e estudar. Só cerca de um por cento se digna desenvolver-se num meio de cultura. Considerando a sua desenvolta capacidade de adaptação na natureza, é estranho que o único sítio em que parecem não gostar de viver seja numa placa de petri. Coloque-as sobre uma camada de ágar-ágar e, por muito que as encha de mimos, a maior parte delas vai deixar-se ficar para ali, desprezando todo e qualquer incentivo para se desenvolver. Qualquer bactéria que prospere em laboratório é por definição excepcional, e no entanto, estes eram, quase exclusivamente, os organismos estudados pelos microbiólogos. Era como se, dizia Woese, "quiséssemos aprender sobre os animais exclusivamente com visitas aos jardins zoológicos".

Os genes, contudo, permitiram a Woese abordar os microrganismos de uma outra perspectiva. À medida que ia trabalhando, Woese apercebeu-se de que havia mais divisões fundamentais no mundo microbiano do que alguém suspeitara até então. Muitos organismos pequenos que pareciam bactérias e se comportavam como tal constituíam na verdade algo completamente diferente – algo que se tinha separado das bactérias há muito tempo. Woese chamou a estes organismos arquebactérias.

Há quem diga que as características que distinguem as bactérias das arquebactérias não são nada que desperte grande interesse no comum dos mortais – só mesmo num biólogo. Teoricamente a diferença reside na constituição dos lípidos e na ausência de uma substância chamada peptidoglicano. Mas, na prática, a diferença é abissal. A diferença que separa as arquebactérias das bactérias é maior do que aquela que o separa a si ou a mim de um caranguejo ou uma aranha. Woese descobriu, sozinho, uma divisão da vida de que ninguém suspeitara, e tão fundamental que chegou a situar-se acima do reino no topo da Árvore Universal da Vida, termo por que é respeitosamente conhecida.

Em 1976, ele espantou o mundo – ou, pelo menos, a pequena parte dele que estava atenta a estas coisas – ao redesenhar a árvore da vida de forma a incorporar, não cinco grandes divisões, mas 23. Agrupou-as sob três novas categorias principais – Bacteria, Archaea e Eucarya – a que chamou domínios.

A nova organização era a seguinte:

Bacteria: cianobactérias, bactérias púrpura, bactérias gram-positivas, bactérias verdes não-sulfurosas, flavobactérias e thermotogales.

Archaea: arquebactérias halofílicas, *methanosarcina*, *methanobacterium*, *methanoncoccus*, *thermoceler*, *thermoproteus* e *pyrodictium*

Eucarya: diplomonas, tricomonas, microsporídios, entamebas, flagelados, ciliados, mixomicetes, fungos, plantas e animais

As novas divisões de Woese não revolucionaram o mundo biológico. Alguns abandonaram-nas por darem demasiada importância ao mundo microbiano. Muitos limitaram-se a ignorá-las. Segundo Frances Ashcroft, Woese "ficou amargamente desiludido". Mas, pouco a pouco o seu novo esquema começou a vingar entre os microbiólogos. Os botânicos e zoólogos levaram muito mais tempo a admirar as suas virtudes. Não é difícil perceber porquê. No modelo de Woese, os mundos da botânica e da zoologia ficam limitados a dois míseros galhos do extremo do ramo Eucarya. Tudo o resto diz respeito aos seres unicelulares.

"Esta gente aprendeu a classificar em termos de semelhanças e diferenças morfológicas grosseiras", disse Woese a um entrevistador em 1996. "A ideia de fazer isto em termos de sequências moleculares é um bocado difícil para alguns deles engolirem." Resumindo, se não conseguiam ver a diferença com os seus próprios olhos, não gostavam. E foi assim que persistiram na classificação mais convencional dos cinco reinos – uma solução que Woese classificou de "não muito útil" nos seus momentos mais suaves e de "positivamente enganosa" durante quase todo o resto do tempo. "A biologia, tal como a física antes dela", escreveu Woese, "mudou-se para um nível onde os objectos de interesse e as suas interacções não são, frequentemente, perceptíveis pela observação directa".

Em 1998, o ilustre e idoso zoólogo de Harvard, Ernst Mayr (que na altura tinha 94 anos e, no momento em que escrevo este livro, está quase nos cem e sem vontade de parar por aí) colocou mais uma acha na fogueira, ao declarar que deveria haver apenas duas divisões principais da vida – "impérios", como lhes chamou. Num artigo publicado nos *Proceedings of The National Academy of Sciences*, Mayr disse que as descobertas de Woese eram interessantes mas, ao fim e ao cabo, tinham sido mal dirigidas, notando ainda que "Woese não teve formação de biólogo e, naturalmente, não conhece muito bem os princípios da classificação", que é talvez a forma mais delicada de um distinto cientista afirmar que um colega não percebe nada do que está a dizer.

Os pormenores específicos da crítica de Mayr são demasiado técnicos para os desenvolvermos aqui – passam por questões relacionadas com a sexualidade meiótica, a cladística hennigiana, e as interpretações controversas do genoma da *Methanobacterium thermoautrophicum*, entre muitas outras coisas – mas, essencialmente, argumenta que a divisão de Woese desequilibra a árvore da vida. O reino das bactérias, nota Mayr, inclui apenas alguns milhares de espécies, enquanto as arquebactérias não abrangem mais de que umas meras 175 espécies identificadas, havendo ainda talvez mais uns milhares por descobrir, "mas nunca mais do que isso". Em contraste, o reino dos eucariotas – isto é, os organismos complicados com células nucleadas, como nós – já ronda os milhões. Atendendo ao "princípio do equilíbrio", Mayr propôs que se combinassem os organismos simples numa só categoria, os Procariotas, e se colocassem os restantes mais complexos e "altamente evoluídos" no império dos Eucariotas, que ficaria assim em pé de igualdade com os primeiros. Dito de outra forma, ele argumenta para manter as coisas mais ou menos na mesma. Esta divisão entre as células simples e as complexas "é justamente onde reside a grande diferença do mundo vivo".

O que a nova divisão de Woese acaba por nos ensinar sobre a vida é que ela é muito variada, e que a maior parte dessa variedade é pequena, unicelular e pouco familiar. É um impulso humano natural pensar na evolução como uma longa cadeia de melhoramentos, de um interminável avanço no sentido do maior e mais complexo – ou seja, na nossa direcção. Elogiamo-nos a nós mesmos. Mas deixemo-nos de vaidades. A maior parte da verdadeira diversidade evolutiva tem vindo a ocorrer na pequena escala. Nós, as coisas grandes, somos um feliz acaso – um interessante ramo secundário. Das 23 grandes divisões da vida, apenas três – plantas, animais e fungos – são suficientemente grandes para serem observadas pelo olho humano, e mesmo estas contêm espécies microscópicas. Na verdade, segundo Woese, se somássemos toda a biomassa existente no planeta – todos os seres vivos, incluindo as plantas – os micróbios representariam pelo menos 80 por cento de tudo quanto existe, talvez mais. O mundo pertence aos mais pequenos – e tem sido assim desde há muito tempo.

Então, acabamos por perguntar a certa altura das nossas vidas, porque é que os micróbios querem tantas vezes fazer-nos mal? Que satisfação pode ter um micróbio ao ver-nos arder em febre ou gelados, ou desfigurados com feridas, ou, acima de tudo, mortos? Ao fim e ao cabo, um hospedeiro morto não vai poder albergá-los durante muito tempo.

Para começar, é bom lembrar que a maior parte dos microrganismos é neutra ou mesmo benéfica para o bem-estar humano. O organismo mais devastadoramente infeccioso à face da Terra, uma bactéria chamada *Wolbachia*, não ataca de todo o ser humano – nem sequer qualquer outro vertebrado – mas, se fossemos um camarão, um verme ou uma mosca da fruta, podia fazer com que desejássemos nunca ter nascido. Na totalidade, apenas um micróbio em cada mil é patogénico para os humanos, segundo a *National Geographic* – apesar de, sabendo o que alguns deles podem fazer, será desculpável acharmos que esse número já chega e sobra. Mesmo sendo na sua maior parte benignos, os micróbios representam a terceira causa de morte no mundo ocidental, e mesmo aqueles que não nos matam fazem-nos lamentar profundamente a sua existência.

Fazer adoecer um hospedeiro traz certos benefícios ao micróbio. Os sintomas de uma doença ajudam muitas vezes a sua propagação. Vómitos, espirros, diarreia, são excelentes maneiras de sair de um hospedeiro e embarcar noutro. A estratégia mais eficaz de todas consiste em recrutar a ajuda de um terceiro elemento dotado de mobilidade. Os organismos infecciosos adoram mosquitos, porque a sua picada injecta-os directamente na corrente sanguínea, onde podem lançar imediatamente mãos à obra antes que os mecanismos de defesa da vítima tenham tempo de perceber o que lhes aconteceu. É por esta razão que existem tantas doenças graves – malária, febre amarela, febre do dengue, encefalite e mais uma centena de outras menos conhecidas mas muitas vezes fatais – que começam com uma picada de mosquito. É uma autêntica sorte para nós que o HIV, o agente da sida, não faça parte desse número – pelo menos por enquanto. Qualquer HIV que um mosquito possa sugar nas suas muitas andanças é dissolvido pelo próprio metabolismo do mosquito. Quando chegar o dia em que o vírus adquira uma mutação capaz de lhe resolver este problema, aí é que vão ser elas.

Contudo, é um erro considerar o assunto sob o ponto de vista lógico, porque tudo faz crer que os microrganismos não são entidades muito racionais. Importam-se tão pouco connosco como nós nos importamos com as devastações que causamos quando os matamos aos milhões com um belo banho com sabão ou uma passagem de desodorizante. A única vez em que a duração do nosso bem-estar tem alguma importância para um organismo patogénico é quando nos mata depressa de mais. Se nos eliminarem antes de concluir o que estavam a fazer, podem vir eles próprios a morrer. A história, nas palavras de Jared Diamond, está cheia de doenças que "causavam epidemias terríveis e depois desapareciam tão misteriosamente como tinham surgido." Ele cita a "febre inglesa dos suores", que alastrou de 1485 a 1552, matando dezenas de milhar à sua passagem, até se esgotar a si própria. O excesso de eficácia não traz grandes vantagens aos organismos infecciosos.

Há muitas doenças que surgem, não devido ao que o organismo provoca em nós, mas por aquilo que o nosso corpo está a tentar fazer ao organismo. Por vezes, com o intuito de livrar o organismo de agentes patogénicos, o sistema imunitário destrói células ou danifica tecidos vitais, e, frequentemente, quando nos sentimos doentes, aquilo que sentimos não deriva propriamente dos agentes patogénicos, mas sim das nossas próprias reacções imunitárias. De qualquer forma, o acto de adoecer é uma resposta adequada à infecção. As pessoas doentes recolhem-se na cama, passando assim a ser uma ameaça menor para o resto da comunidade.

Como há tantas coisas por aí que potencialmente nos podem fazer mal, o nosso corpo contém muitas variedades de glóbulos brancos defensores – cerca de dez milhões de tipos ao todo, cada um deles concebido para identificar e destruir um tipo específico de invasor. Na prática, a manutenção de dez milhões de diferentes tipos de exércitos prontos a atacar seria impossível, por isso cada variedade de glóbulos brancos mantém apenas alguns batedores de serviço. Quando um agente infeccioso – aquilo que é conhecido por antigénio – invade o organismo, os batedores certos identificam o atacante e lançam o alarme, chamando reforços do tipo adequado. Enquanto o nosso corpo fabrica esses reforços, o mais natural é sentirmo-nos péssimos. A recuperação começa oficialmente quando as tropas finalmente se lançam ao ataque.

Os glóbulos brancos são impiedosos, perseguindo e matando até ao último agente patogénico que conseguirem encontrar. Para evitar a extinção, os atacantes desenvolveram dois tipos de estratégia. Ou atacam rapidamente e passam a um novo hospedeiro, como acontece com as doenças infecciosas comuns como a gripe, ou então disfarçam-se de forma a que os glóbulos brancos não consigam identificá-los, como acontece com o HIV, o vírus responsável pela sida, que pode deixar-se ficar, inóquo e despercebido, nos núcleos das células durante anos antes de entrar em acção.

Um dos aspectos mais estranhos das infecções verifica-se quando micróbios que normalmente não causam qualquer dano entram numa parte errada do organismo e "ficam meio-malucos", para citar o Dr. Bryan Marsh, especialista de doenças infecciosas no Centro Médico Dartmouth-Hitchcock de Lebanon, em New Hampshire. "Está sempre a acontecer nos acidentes de carro, quando as pessoas têm lesões internas. Micróbios que normalmente são inofensivos no intestino penetram noutras partes do corpo – na corrente sanguínea, por exemplo – e causam perturbações terríveis."

A doença bacteriana mais assustadora e incontrolável da actualidade é a chamada fascite necrosante, na qual as bactérias, essencialmente, destroem a vítima de dentro para fora, devorando os tecidos internos e deixando atrás de si um resíduo polposo e altamente nocivo. Os doentes aparecem com sintomas relativamente ligeiros – normalmente, febre e erupções cutâneas – mas logo a seguir o seu estado agrava-se drasticamente. A cirurgia revela que estão pura e simplesmente a ser consumidos. O único tratamento é aquilo a que se chama "cirurgia excisional radical" – ou seja, retirar todas as porções da área infectada. Setenta por cento das vítimas morre; muitas das que sobrevivem ficam terrivelmente desfiguradas. A fonte da infecção é uma família de bactérias muito cosmopolita chamada Estreptococos do Grupo A que, em circunstâncias normais, se limitam a causar dores de garganta. Muito ocasionalmente, por razões que não se conhecem, algumas destas bactérias atravessam o revestimento da garganta e passam para o resto do corpo, onde causam as mais terríveis devastações. São completamente resistentes aos antibióticos. Surgem cerca de mil casos por ano nos Estados Unidos, e ninguém pode garantir que esse número não venha a aumentar.

Acontece exactamente a mesma coisa com a meningite. Pelo menos dez por cento dos jovens adultos, e talvez 30 por cento dos adolescentes, alojam na garganta o meningococo letal, onde permanece sem causar qualquer dano. Só ocasionalmente – em cerca de um jovem em cada cem mil – é que passa para a corrente sanguínea e o deixa gravemente doente. Nos casos piores, o paciente pode morrer ao fim de 12 horas. É de uma rapidez assustadora. "Podemos ter uma pessoa perfeitamente saudável ao pequeno almoço, e vê-la morrer ao fim da tarde", diz Marsh.

Teríamos muito mais sucesso com as bactérias se não fôssemos tão generosos com a nossa melhor arma contra elas: os antibióticos. O mais espantoso é que, segundo uma estimativa, 70 por cento dos antibióticos utilizados no mundo desenvolvido são ministrados a animais de criação, muitas vezes rotineiramente incluídos nas rações, simplesmente para incentivar o seu crescimento ou como prevenção contra infecções. Esse tipo de aplicações proporciona às bactérias boas oportunidades para desenvolver uma resistência contra eles, e elas agarraram-nas com todo o entusiasmo.

Em 1952, a penicilina era totalmente eficaz contra todas as estirpes de estafilococos, de tal forma que no início dos anos 1960 o Bastonário da Ordem dos Médicos nos Estados Unidos, William Stewart, sentiu-se suficientemente confiante para declarar: "Chegou a altura de virar a página sobre as doenças infecciosas. Basicamente, conseguimos eliminar as infecções nos Estados Unidos." Contudo, no mesmo momento em que falava, cerca de 90 por cento dessas estirpes já estavam a desenvolver imunidade à penicilina. Em breve, uma dessas novas estirpes, o *Staphylococcus aureus* resistente à meticilina, começou a aparecer nos hospitais. Apenas um único tipo de antibiótico, a vancomicina, continuou a ser eficaz contra ele, mas, em 1997, um hospital de Tóquio anunciou o aparecimento de uma estirpe capaz de resistir também a esse. Num espaço de meses, já se tinha propagado a seis outros hospitais do Japão. Um pouco por todo o lado, os micróbios estão a ganhar outra vez a guerra: só nos hospitais americanos há cerca de 14 mil pessoas por ano que morrem de infecções contraídas no próprio hospital. Como sublinhou James Surowiecki num artigo do *New Yorker*, entre a produção de antibióticos, que as pessoas vão tomam todos os dias durante duas semanas, ou de antidepressivos, que são tomados todos os dias para sempre, não é de espantar que a indústria farmacêutica opte pela segunda hipótese. Embora alguns antibióticos tenham sido um pouco reforçados, a indústria farmacêutica não apresenta no mercado um antibiótico inteiramente novo desde os anos 1970.

O nosso descuido tornou-se mais alarmante quando se descobriu que muitos outros distúrbios poderiam ser de origem bacteriana. O processo de descoberta começou em 1983, quando Barry Marshall, médico em Perth, na Austrália ocidental, descobriu que muitos cancros do estômago e a maior parte das úlceras gástricas são causados por uma bactéria chamada *Helicobacter pylori*. Embora as suas descobertas fossem fáceis de comprovar, o conceito era tão radical que iria passar mais de uma década até ser aceite entre a comunidade médica. Os Institutos Nacionais de Saúde dos Estados Unidos, por exemplo, só subscreveram oficialmente a ideia em 1994. "Devem ter morrido desnecessariamente centenas, mesmo milhares de pessoas com úlceras", disse Marshall a um repórter da *Forbes* em 1999.

Desde então, outras investigações têm revelado que há ou pode muito bem haver um componente bacteriano em toda a espécie de outras perturbações – doenças cardíacas, asma, artrite, esclerose múltipla, vários tipos de perturbações mentais, muitos cancros, e até, como já foi sugerido (em nada mais, nada menos, do que na revista *Science*), a obesidade. Pode não estar muito longe o dia em que precisaremos desesperadamente de um antibiótico eficaz e não poderemos recorrer a um único.

Talvez sirva de parca consolação saber que as próprias bactérias podem adoecer. Por vezes, são infectadas por bacteriófagos (ou, simplesmente, fagos), um tipo de vírus. Um vírus é uma entidade estranha e pouco simpática – "um bocado de ácido nucleico rodeado de más-notícias", na memorável frase de Peter Medawar, laureado com o Prémio Nobel. Mais pequenos e mais simples do que as bactérias, os vírus não estão propriamente vivos. Isolados, são inertes e inofensivos. Mas introduzam-nos num hospedeiro adequado, e hei-los que irrompem, cheios de energia, para a vida. Conhecem-se cerca de cinco mil tipos de vírus, e muitos deles conseguem fazer-nos a vida negra com muitas centenas de doenças, desde a gripe ou a vulgar constipação até às mais nocivas para a saúde humana: varíola, raiva, febre amarela, febre de Ébola, poliomielite e sida.

Os vírus prosperam através do sequestro do material genético de uma célula viva, utilizando-o para produzir mais vírus. Reproduzem-se desenfreadamente, e depois partem em todas as direcções, em busca de mais células para invadir. Como não são propriamente organismos vivos, podem dar-se ao luxo de ser muito simples. Muitos deles, incluindo o HIV, têm dez genes ou menos, enquanto a mais simples bactéria necessita de vários milhares. São também minúsculos, demasiado pequenos para serem vistos com um microscópio convencional. Só em 1943, com a invenção do microscópio electrónico, é que os cientistas conseguiram vê-los pela primeira vez. Mas podem produzir estragos imensos. Só no século XX, calcula-se que a varíola tenha matado cerca de 300 milhões de pessoas.

Têm também uma capacidade enervante de irromper neste mundo sob novas e assustadoras formas, e desaparecer logo em seguida, tão depressa quanto surgiram. Em 1916, num caso semelhante, começaram a aparecer pessoas na Europa e na América com uma estranha doença do sono que ficou conhecida por encefalite letárgica. As suas vítimas adormeciam e não conseguiam voltar a acordar. Não era muito difícil acordá-las para comer ou ir à casa de banho, e respondiam com coerência às perguntas que se lhes fazia – sabiam quem eram, e onde estavam – mas ficavam num estado permanente de apatia. Contudo, assim que lhes era permitido descansar, voltavam a mergulhar num sono profundo, e assim ficavam enquanto as deixassem. Alguns doentes ficavam assim durante meses, até que finalmente morriam. Alguns – muito poucos – sobreviveram e recuperaram a consciência, mas não a vivacidade que tinham antes. Viviam num estado de apatia profunda, "como vulcões extintos", nas palavras de um médico. Em dez anos, a doença matou cerca de cinco milhões de pessoas, e depois, discretamente, desapareceu. Não gozou de uma atenção muito prolongada porque, entretanto, outra epidemia ainda pior – melhor dizendo, a pior de sempre – avassalou o mundo.

Chamam-lhe por vezes a grande epidemia da gripe suína e por vezes a grande epidemia da gripe espanhola, mas em qualquer dos casos, foi feroz. A Primeira Guerra Mundial matou 21 milhões de pessoas em quatro anos; a gripe suína conseguiu o mesmo só nos primeiros quatro meses. Quase 80 por cento das baixas americanas na Primeira Guerra Mundial foram causadas não pelo fogo inimigo, mas pela gripe. Nalgumas unidades, a taxa de mortalidade atingiu os 80 por cento.

A gripe suína surgiu como uma gripe normal, não letal, na Primavera de 1918, mas nos meses seguintes – ninguém sabe como ou onde – sofreu uma mutação que a transformou numa coisa mais grave. Um quinto das vítimas apresentava apenas sintomas ligeiros, mas o resto adoecia gravemente, e muitos morriam. Alguns sucumbiam ao fim de poucas horas; outros conseguiam aguentar-se durante alguns dias.

Nos Estados Unidos, as primeiras mortes registaram-se entre marinheiros de Boston no fim de Agosto de 1918, mas a epidemia depressa se espalhou a todas as partes do país. As escolas fecharam, encerraram-se os lugares públicos de diversão, por todo o lado havia gente com máscaras. Não valeu de muito. Entre o Outono de 1918 e a Primavera do ano seguinte morreram 548 452 pessoas com a gripe na América. O número de vítimas em Inglaterra foi de 220 mil, e registaram-se números semelhantes em França e na Alemanha. Ninguém sabe exactamente o número total de vítimas, visto que os registos no Terceiro Mundo eram pouco fiáveis em muitos casos, mas não foram com certeza menos de 20 milhões, e provavelmente chegaram aos 50 milhões. Algumas estimativas apontam mesmo para um total global de cem milhões.

Numa tentativa de descobrir uma vacina, as autoridades médicas efectuaram testes em voluntários de uma prisão militar de Deer Island, em Boston Harbor. Prometeu-se a libertação aos prisioneiros que sobrevivessem a uma série de testes. Eram testes severos, para dizer o mínimo. Primeiro eram injectados com tecido de pulmões infectados removidos dos cadáveres, e depois eram pulverizados nos olhos, nariz e garganta com aerossóis infecciosos. Se mesmo assim sobrevivessem, passavam-lhes na garganta uma zaragatoa com fluidos retirados dos doentes e moribundos. Se tudo o mais falhasse, mandavam-nos ficar de boca aberta enquanto um doente grave lhes tossia para cima.

Dos 300 homens que se ofereceram, número apesar de tudo espantoso, os médicos escolheram 62 para os testes. Nenhum apanhou a gripe – nem um único. A única pessoa que adoeceu foi o médico da enfermaria, que morreu ao fim de pouco tempo. A explicação para este fenómeno reside provavelmente no facto de a epidemia ter passado pela prisão algumas semanas antes e todos os voluntários, tendo sobrevivido a esse primeiro surto, possuírem já uma imunidade natural.

Há muitas coisas misteriosas, ou mesmo incompreensíveis, relativamente a esta gripe de 1918. Uma delas é a razão pela qual terá aparecido tão subitamente em todo o lado ao mesmo tempo, em zonas separadas por oceanos, cadeias de montanhas, e outros obstáculos geológicos. Um vírus consegue apenas sobreviver algumas horas fora do corpo do hospedeiro, portanto, como era possível que aparecesse em Madrid, Bombaim e Filadélfia na mesma semana?

É provável que por ter sido incubado e espalhado por pessoas que apenas apresentavam sintomas ligeiros, ou inexistentes. Mesmo em surtos normais, cerca de dez por cento das pessoas apanham a gripe, mas não o sabem porque não têm quaisquer sintomas da doença. E, como continuam a circular, têm tendência para ser os grandes propagadores da doença.

Isso explicaria a vasta distribuição do surto de 1918, mas continua a não explicar como é que o vírus conseguiu permanecer oculto durante meses até eclodir de repente de uma forma tão violenta em toda a parte, e praticamente ao mesmo tempo. Ainda mais misterioso é o facto de ter feito mais vítimas entre as pessoas que se encontravam na flor da idade. Normalmente, a gripe é mais devastadora para os bebés e para as pessoas idosas, mas no surto de 1918 a grande maioria das vítimas eram indivíduos entre os 20 e os 30 anos. As pessoas mais idosas talvez tenham beneficiado da resistência adquirida durante uma anterior exposição à mesma estirpe, mas não se percebe por que é que os muito novos foram poupados. E o maior mistério de todos é a razão pela qual a gripe de 1918 foi tão mortalmente feroz, quando a maior parte das gripes não o é. Continuamos a não ter a menor ideia.

De tempos a tempos, há certas estirpes de vírus que regressam. Um desagradável vírus russo conhecido como H1N1 causou surtos severos em vastas áreas no ano de 1933, depois novamente nos anos 1950, e mais uma vez nos anos 1970. Por onde andou nos intervalos é que não se sabe. Foi sugerida a hipótese de os vírus se esconderem, sem causar sintomas, em populações de animais selvagens até tentarem a sorte numa nova geração de seres humanos. Não se pode excluir a possibilidade de uma nova investida da gripe suína.

E se isso não se verificar, há outros vírus que poderão atacar de novo. Há sempre novos vírus aterradores a surgir. As febres de Ébola, Lassa e Marburgo surgiram todas de repente e desapareceram da mesma forma, mas ninguém pode ter a certeza de que não estão discretamente a proceder a uma mutação, ou simplesmente à espera da oportunidade certa para eclodir de forma devastadora. Pensa-se agora que a sida está entre nós há muito mais tempo do que se suspeitou no início. Investigadores da Manchester Royal Infirmary, em Inglaterra, descobriram que um marinheiro, que morrera de causas misteriosas e intratáveis, em 1959, sofria afinal de sida. Mas, fossem quaiquer que fossem as causas, a doença permaneceu adormecida durante mais de 20 anos.

O milagre é não ter havido outras doenças semelhantes que se tenham propagado desenfreadamente. A febre de Lassa, que só se detectou em 1969, na África ocidental, é extremamente virulenta e muito pouco compreendida. Em 1969, um médico que trabalhava num laboratório da Universidade de Yale em New Haven, no Connecticut, e que andava a estudar a febre de Lassa, apanhou a doença. Sobreviveu-lhe, mas mais alarmante foi o facto de um técnico de um laboratório próximo, que não esteve directamente exposto ao vírus, também ter contraído a doença, acabando por morrer.

Felizmente, o surto acabou ali, mas não podemos contar sempre com a mesma sorte. O nosso estilo de vida convida às epidemias. As viagens aéreas permitem que os agentes infecciosos se propaguem através do planeta com uma facilidade espantosa. Um vírus de Ébola poderia começar o dia, digamos, no Benin, e acabá-lo em Nova Iorque, ou Hamburgo, ou Nairobi, ou nos três sítios. Significa também que as autoridades médicas precisam, cada vez mais, de estar informadas sobre praticamente todas as doenças que existem em todo o lado, mas, como é óbvio, não estão. Em 1990, um nigeriano que vivia em Chicago ficou exposto à febre de Lassa durante uma visita ao seu país, mas os sintomas só surgiram quando regressou aos Estados Unidos. Morreu num hospital de Chicago, sem diagnóstico e sem que ninguém tivesse tomado quaisquer precauções especiais enquanto o tratava, nunca se apercebendo de que ele tinha uma das doenças mais letais e infecciosas do planeta. Miraculosamente, mais ninguém foi infectado. Mas talvez não tenhamos a mesma sorte da próxima vez.

E com esta nota solene, voltemos ao mundo da vida visível.

21.

A VIDA CONTINUA

Não é fácil ser transformado num fóssil. O destino de quase todos os organismos – mais de 99,9 por cento deles – é decompor-se até ficar reduzido a nada. Quando formos desta para melhor, cada uma das nossas moléculas será mordiscada ou canalizada para que possa ser utilizada noutro sistema. É mesmo assim. Ainda que consiga fazer parte daquele pequeno grupo de organismos que não é devorado, os tais 0,1 por cento, a probabilidade de ser fossilizado é bastante escassa.

Para que um organismo se transforme num fóssil, é preciso que aconteçam várias coisas. Primeiro, é imprescindível morrer no sítio certo. Apenas 15 por cento das rochas conseguem preservar os fósseis, portanto não vale a pena esticar o pernil em terras de futuro granito. Em termos práticos, o falecido deve ficar enterrado em camadas sedimentares onde possa deixar uma impressão, como por exemplo, uma folha em lodo húmido, ou então decompor-se sem qualquer exposição ao oxigénio, permitindo que as moléculas dos ossos e dos tecidos duros (ou mesmo tecidos moles, embora seja mais raro) possam ser substituídas por minerais dissolvidos, produzindo uma cópia petrificada do original. Mais tarde, quando os sedimentos que o preservam são comprimidos, dobrados e empurrados pelos processos naturais da Terra, o fóssil tem de manter uma forma identificável. Finalmente, e acima de tudo, depois de passar dezenas ou até centenas de milhões de anos escondido, é necessário que alguém o descubra e o identifique como sendo um objecto que vale a pena guardar.

Crê-se que apenas um osso em cada mil milhões acabe por fossilizar. Se assim for, isso significa que o total do legado fóssil de todos os americanos actualmente vivos – 270 milhões de pessoas, cada uma com 206 ossos – será apenas de uns 50 ossos, ou seja, um quarto de um esqueleto completo. Já para não dizer, claro, que algum deles seja alguma vez encontrado. Se pensarmos que podem ficar enterrados algures numa área de cerca de 9,3 milhões de quilómetros quadrados, da qual pouca será remexida e muito menos analisada, seria um milagre se fossem de facto encontrados. Os fósseis são extremamente raros. A maior parte de tudo o que já viveu à face da Terra não deixou qualquer vestígio. Segundo uma estimativa, menos de uma espécie em cada dez mil ficou registada no mundo fóssil, o que em si constitui uma proporção ínfima. Porém, se acreditarmos no cálculo geralmente aceite de que na Terra já terá existido ao longo dos tempos um total de 30 mil milhões de espécies, bem como na declaração de Richard Leakley e Roger Lewin (em *The Sixth Extinction*), segundo a qual existem 250 mil espécies de seres no registo fóssil do planeta, essa proporção fica reduzida para uma em cada 120 mil. Em qualquer dos casos, o que nós temos é uma reduzidíssima amostra de toda a vida que a Terra já produziu.

Além disso, o registo que possuímos é irremediavelmente enganoso. A maior parte dos animais terrestres não morre em terrenos sedimentares. Caem simplesmente no chão, onde são devorados ou ficam a apodrecer até serem reduzidos a pó. Portanto, o registo fóssil tende infinitamente mais para o lado dos animais marinhos. Cerca de 95 por cento de todos os fósseis existentes são de animais que viveram no mar, e a maior parte deles em mares pouco profundos.

Isto tudo para explicar a razão pela qual, num cinzento dia de Fevereiro, fui ao Museu de História Natural de Londres para me encontrar com um paleontólogo bem disposto, vagamente desgrenhado e muito simpático, chamado Richard Fortey.

Fortey sabe imensas coisas sobre imensas coisas. É autor de um malicioso e esplêndido livro intitulado *Life: An Unauthorised Biography*, que abrange o cortejo completo da criação animada. Contudo, a sua grande paixão é um tipo de criatura marinha chamada trilobite, que outrora abundou nos mares do Ordovícico e que já não existe há muito tempo, excepto sob a forma fossilizada. O trilobite tinha uma estrutura corporal composta por três partes, ou lobos – cabeça, cauda e tórax – daí a origem do nome. Fortey descobriu o seu primeiro trilobite ainda em miúdo, quando andava a trepar pelas rochas de St. David's Bay, no País de Gales. A partir desse momento, ficou viciado para toda a vida.

Levou-me a uma galeria cheia de altos armários metálicos. Todos os armários estavam repletos de gavetas baixas, e todas as gavetas estavam repletas de trilobites empedernidos – 20 mil espécimes no total.

"Parece muito", concordou ele, "mas não se esqueça de que houve milhões e milhões de trilobites a viver durante milhões e milhões de anos nos mares antigos, portanto 20 mil não é uma quantidade enorme. E a maior parte dos espécimes é apenas parcial. Descobrir um fóssil de trilobite inteiro ainda é um acontecimento maravilhoso para um paleontólogo."

Os trilobites apareceram pela primeira vez – completamente formados e surgidos aparentemente do nada – há 540 milhões de anos, perto do começo da grande explosão de vida complexa geralmente conhecida como a explosão câmbrica, e depois desapareceu, juntamente com muitos outros, na grande e ainda misteriosa extinção pérmica, cerca de 300 mil séculos mais tarde. Como acontece com todas as criaturas extintas, há uma tentação natural em considerá-los como uma espécie falhada, mas o facto é que foi um dos animais mais bem sucedidos que viveu na Terra. O reino do trilobite durou 300 milhões de anos – o dobro da permanência dos dinossauros, que se contam por sua vez entre os grandes sobreviventes da história. O tempo de existência dos humanos, sublinha Fortey, é de apenas 0,5 por cento em relação ao deles.

Com tanto tempo disponível, os trilobites multiplicaram-se prodigiosamente. A maior parte permaneceu pequena, mais ou menos do tamanho de um escaravelho actual, mas outros cresceram até ao tamanho de um prato grande. Na totalidade constituíram pelo menos cinco mil géneros e 60 mil espécies – embora continuem a aparecer sempre mais. Fortey tinha estado recentemente numa conferência na América do Sul, onde foi abordado por uma professora de uma pequena universidade provinciana da Argentina. "Ela tinha uma caixa repleta de coisas interessantes – trilobites que nunca tinham sido vistos até aí na América do Sul, ou mesmo noutro lugar, e muitas outras coisas. Infelizmente, não tinha laboratórios para os estudar, nem subsídios para procurar mais fósseis. Há grandes áreas do mundo que continuam por explorar."

"Está a falar dos trilobites?"

"Não, estou a falar de tudo."

Ao longo do século XIX, os trilobites eram praticamente as únicas formas conhecidas de vida primitiva complexa, e por isso eram assiduamente coleccionadas e estudadas. O grande mistério era a sua aparição repentina. Mesmo hoje em dia, como diz Fortey, pode ser uma experiência espantosa ir à formação rochosa certa, ir escavando as camadas relativas a cada época sem detectar qualquer vestígio de vida, e, de repente, "um *Profallotaspis* ou um *Elenellus* do tamanho de um caranguejo aparece-nos nas mãos". Eram criaturas com membros, guelras, sistema nervoso, antenas exploratórias, "uma espécie de cérebro," como disse Fortey, e os olhos mais esquisitos alguma vez vistos. Feitos de bastões de calcite, o mesmo material encontrado na pedra calcária, foram os primeiros sistemas de visão conhecidos. Além disso, os trilobites mais antigos não constituíam apenas uma só espécie aventureira, mas sim dúzias delas, e não apareceram numa ou duas partes do mundo – apareceram por toda a parte. Muitos intelectuais do século XIX viram nisto uma prova da obra única de Deus e a refutação das ideias evolucionistas de Darwin. Se a evolução se deu lentamente, perguntavam, então como explicava ele o aparecimento repentino de criaturas complexas e completamente formadas? E, de facto, não podia explicá-lo.

Portanto, parecia que as coisas iam continuar assim para sempre, até que um dia, em 1909, três meses antes do 50.º aniversário da publicação de *On the Origin of Species*, de Darwin, um paleontólogo chamado Charles Doolittle Walcott fez uma descoberta extraordinária nas montanhas Rochosas do Canadá.

Walcott nasceu em 1850 e cresceu perto de Utica, Nova Iorque, no seio de uma família modesta, que passou a ser ainda mais modesta com a morte do pai, era Charles ainda criança. Em rapaz, Walcott apercebeu-se de que tinha jeito para encontrar fósseis, nomeadamente trilobites, e reuniu uma colecção de tal qualidade que acabou por ser comprada por Louis Agassiz, para o seu museu em Harvard, por uma pequena fortuna – cerca de 45 mil libras em moeda actual. Apesar de mal ter acabado o liceu e de ser um autodidacta em ciências, Walcott tornou-se perito em trilobites, tendo sido a primeira pessoa a estabelecer que estes eram artrópodes, o grupo que inclui os actuais insectos e os crustáceos.

Em 1879, arranjou um emprego como investigador no terreno no United States Geological Survey, recentemente criado, e empenhou-se de tal forma que, ao fim de 15 anos, chegou ao cargo de director. Em 1907 foi nomeado secretário da Smithsonian Institution, onde permaneceu até à sua morte, em 1927. Apesar das suas obrigações administrativas, continuou a fazer investigação no terreno e a escrever prolificamente. "Os seus livros preenchem facilmente uma prateleira de biblioteca", diz Fortey. E não foi por acaso que também foi director fundador do National Advisory Committee for Aeronautics, que mais tarde passou a chamar-se National Aeronautics and Space Agency, ou NASA, podendo portanto ser justamente considerado como o avô da era espacial.

Mas aquilo por que é recordado hoje é pela astuta e feliz descoberta que fez na Colômbia Britânica, muito acima da pequena vila de Field, no final do

Verão de 1909. A versão habitual da história é que Walcott, acompanhado pela mulher, estava a andar a cavalo num trilho de montanha, quando o cavalo da mulher escorregou numas pedras soltas. Saltando da sela para ajudá-la, Walcott descobriu que o cavalo tinha virado um bloco de argilito que continha fósseis de crustáceos de um tipo especialmente antigo e invulgar. Estava a nevar – o Inverno chega cedo às Rochosas do Canadá – portanto não se demoraram por ali, mas no ano seguinte, na primeira oportunidade, Walcott voltou ao mesmo sítio. Reconstituindo o provável percurso da queda das rochas, subiu uns 250 metros até chegar perto do cume da montanha. Aí, 2500 metros acima do nível do mar, encontrou uma formação de argilito com o comprimento aproximado de um quarteirão contendo gama incomparável de fósseis provenientes do período imediatamente a seguir ao momento em que a vida complexa explodiu em deslumbrante profusão – a famosa explosão câmbrica. O que Walcott acabara de encontrar era o Santo Graal da paleontologia. A formação rochosa passou a ser conhecida como Burgess Shale, que deriva do nome do cume onde foi encontrado, e durante muito tempo foi ela "a nossa única perspectiva sobre o início da vida moderna em toda a sua plenitude", como disse o já falecido Stephen Jay Gould no seu conhecido livro *Wonderful Life*.

Gould, sempre escrupuloso, apercebeu-se pela leitura dos diários de Walcott que a história da descoberta de Burgess Shale parecia ter sido um pouco enfeitada – Walcott não referia nenhum cavalo a escorregar, nem neve a cair –, mas não se pode negar que foi uma descoberta extraordinária.

É quase impossível para nós, cujo tempo na Terra é limitado a umas passageiras décadas, apercebermo-nos da infinidade de tempo decorrida desde a explosão câmbrica. Se pudéssemos voar de volta ao passado à velocidade de um ano por segundo, levaríamos cerca de meia hora para chegar à época de Cristo, e um pouco mais de três semanas para regressarmos ao início da vida humana. Mas só ao fim de 20 anos é que alcançaríamos o início do período câmbrico. Ou seja, foi há muito, muito tempo, e o mundo era então um sítio bem diferente.

Para começar, há mais de 500 milhões de anos, quando Burgess Shale se formou, não estava no topo de uma montanha, mas sim na base. Mais especificamente, era uma bacia oceânica pouco profunda na base de uma falésia íngreme. Os mares dessa época pululavam de vida, mas os animais não deixavam registos porque tinham corpo mole, decompondo-se quando morriam. Porém, em Burgess, a falésia desmoronou e os animais que se encontravam por baixo, sepultados nas lamas do aluimento, foram prensados, tal como flores dentro de um livro, o que fez com que as suas características ficassem preservadas até ao mais espantoso pormenor.

Nas suas viagens anuais de Verão, entre 1910 e 1925 (altura em que já tinha 75 anos de idade), Walcott extraiu dezenas de milhares de espécimes (Gould calcula que fossem 80 mil; os caçadores de dados da *National Geographic*, normalmente infalíveis, dizem 60 mil), e trouxe-os consigo para Washington, a fim de os analisar melhor. A colecção não tinha rival, tanto pela quantidade como pela diversidade. Alguns fósseis tinham conchas, outros não. Algumas criaturas tinham olhos, outras eram cegas. A variedade era enorme, consistindo em 140 espécies, segundo uma contagem. "Burgess Shale abrangia um leque de disparidade de estilos anatómicos nunca mais igualado, nem sequer pela totalidade dos seres que actualmente habitam todos os oceanos", escreveu Gould.

Infelizmente, segundo Gould, Walcott foi incapaz de perceber o significado daquilo que descobrira. "Menosprezando a vitória que tão perto estava do seu alcance", escreveu Gould noutra obra, *Eight Little Piggies*, "Walcott prosseguiu interpretando da forma mais errada possível estes magníficos fósseis." Enquadrou-os em grupos modernos, classificando-os como antepassados dos vermes, alforrecas e outras criaturas, não tendo portanto conseguido aperceber-se da sua natureza excepcional. "Com uma interpretação dessas", suspirou Gould, "a vida teria começado numa simplicidade primordial, tendo evoluído, inexorável e previsivelmente, para mais e melhor."

Walcott faleceu em 1927, e os fósseis de Burgess foram em grande parte esquecidos. Durante quase meio século permaneceram fechados nas gavetas do American Museum of Natural History, em Washington, sendo raramente consultados e nunca questionados. Foi então que, em 1973, um licenciado da Cambridge University, Simon Conway Morris, visitou a colecção. Ficou espantado com o que viu. Os fósseis eram muito mais variados e extraordinários do que Walcott dera a entender nos seus manuscritos. Em taxonomia, a categoria que descreve a configuração estrutural de todos os organismos é o filo, e aqui, concluiu Conway Morris, havia gavetas e gavetas dessas singularidades anatómicas – e nenhuma fora identificada pelo homem que as descobriu, o que era tão espantoso quanto inexplicável.

Com o seu supervisor, Harry Whittington, e o colega de faculdade Derek Briggs, Conway Morris passou os anos seguintes a rever sistematicamente toda a colecção, escrevendo interessantíssimas monografias umas atrás das outras, enquanto as descobertas se sucediam a um ritmo alucinante. Muitos desses seres apresentavam configurações estruturais que não se limitavam a ser simplesmente diferentes de tudo o que se conhecia até então, eram *bizarramente* diferentes. Um deles, a *Opabinia,* tinha cinco olhos e um focinho em bico com garras na extremidade. Outro, um ser em forma de disco chamado *Peytoia*, tinha o aspecto quase cómico de uma fatia de ananás. Um terceiro certamente cambaleara sobre filas de pernas que mais pareciam andas, e era tão esquisito que lhe chamaram *Hallucigenia.* Havia tantas novidades irreconhecíveis na colecção, que se conta que a dado momento, ao abrir mais uma gaveta, Conway Morris terá resmungado: "Oh, merda, outro filo não."

As revisões da equipa inglesa mostraram que o período câmbrico foi de uma inovação e experimentação sem paralelo no que toca às simetrias corporais. Durante quase quatro mil milhões de anos, a vida arrastara-se por aí sem quaisquer ambições detectáveis a caminho da complexidade, e de repente, no espaço de apenas cinco ou dez milhões de anos, criara todas as configurações básicas que ainda hoje se utilizam. Escolha uma criatura, desde um verme nemátoda até à Cameron Diaz, e qualquer um deles utilizará uma arquitectura corporal criada pela primeira vez no período câmbrico.

O mais espantoso, porém, foi perceber que houve muitas formas que, por assim dizer, foram rejeitadas, não tendo deixado descendentes. No total, segundo Gould, havia pelo menos 15, e talvez no máximo uns 20 animais de Burgess que não pertenciam a nenhum filo conhecido. (Esse número em breve aumentou para os cem em alguns relatos populares – muito mais do que os cientistas de Cambridge alguma vez anunciaram.) "A história da vida," escreveu Gould, "é uma história de eliminação maciça seguida de uma diferenciação dentro de algumas linhagens sobreviventes, e não o conto tradicional do aumento gradual e constante de atributos, complexidade e diversidade." O êxito na evolução, pelos vistos, foi uma lotaria.

Mas houve uma criatura que, essa sim, conseguiu passar nas eliminatórias: uma espécie de verme chamado *Pikaia gracilens*, que se descobriu ter uma espinha dorsal primitiva, o que faz dele o primeiro antepassado conhecido de todos os vertebrados, incluindo nós, os humanos. As *Pikaias* não eram de forma alguma abundantes entre os fósseis de Burgess, por isso nunca saberemos se terão estado mesmo à beira da extinção. Numa citação que ficou célebre, Gould não deixa a menor dúvida de que considera o sucesso da nossa linhagem como um felicíssimo acaso: "Rebobinemos a cassete da vida para os primeiros dias de Burgess Shale; voltemos a passá-la a partir de um ponto de partida análogo, e a hipótese de alguma coisa semelhante à inteligência humana aparecer de novo no ecrã é praticamente nula."

O livro de Gould, *Wonderful Life*, publicado em 1989, foi bem recebido pela crítica em geral e teve um grande sucesso comercial. O que muitos não sabiam era que grande parte dos cientistas não concordava nada com as conclusões de Gould, e que as coisas iam em breve ficar muito feias. No contexto câmbrico, o termo "explosão" em breve se identificaria mais com o mau génio moderno do que com antigos fenómenos fisiológicos.

Na verdade, sabemos agora que os organismos complexos já existiam pelo menos cem milhões de anos antes do período câmbrico. Devíamos sabê-lo há muito mais tempo. Quase 40 anos depois de Walcott ter feito a sua descoberta no Canadá, do outro lado do planeta, na Austrália, um jovem geólogo chamado Reginald Sprigg encontrou algo ainda mais antigo e, à sua maneira, igualmente importante.

Em 1946, Sprigg ,um jovem geólogo governamental auxiliar do Estado da Austrália do Sul, foi enviado para fazer um estudo numas minas abandonadas nos montes Ediacaran, da cordilheira Flinders, uma quentíssima região desértica uns 500 quilómetros a norte de Adelaide. O objectivo era ver se algumas das minas poderiam voltar a ser exploradas lucrativamente com o uso de tecnologias novas, portanto ele não andava a estudar rochas de superfície, e muito menos fósseis. Mas um dia, enquanto almoçava, Sprigg pôs-se a brincar distraidamente com um bocado de arenito e ficou espantado – para dizer o mínimo – quando viu que a sua superfície estava cheia de fósseis delicados, semelhantes aos desenhos que as folhas deixam na lama. Essas pedras eram de uma época anterior à explosão câmbrica. Ele estava perante a aurora da vida visível.

Sprigg submeteu um artigo à *Nature*, mas foi rejeitado. Então, resolveu lê-lo na reunião anual seguinte da Australian and New Zealand Association for the Advancement of Science, mas também aí não foi bem recebido pela direcção, que disse que as impressões dos montes Ediacaran eram meras "marcas inorgânicas fortuitas" – padrões feitos por ventos, chuvas ou marés, e não por seres vivos. Recusando-se a desistir, Sprigg foi a Londres apresentar as suas descobertas perante o Congresso Internacional Geológico, de 1948, mas não conseguiu chamar a atenção, e muito menos fazer-se acreditar. Por fim, e à falta de melhor saída, publicou o que descobrira na *Transactions of the Royal Society of South Australia*. Depois despediu-se do seu cargo de funcionário público e dedicou-se à exploração de petróleo.

Nove anos mais tarde, em 1957, um aluno chamado John Mason, que passeava por Charnwood Forest, nas Midlands inglesas, encontrou uma pedra com um fóssil estranho incrustado, semelhante a uma anémona e exactamente igual aos espécimes que Sprigg tinha achado e sobre os quais tentara chamar a atenção do mundo científico. O rapaz entregou-a a um paleontólogo da Universidade de Leicester, que imediatamente a identificou como pré-câmbrica. O jovem Mason teve a sua foto publicada nos jornais e foi tratado como um herói precoce; e ainda é mencionado como tal em muitos livros. O espécime foi chamado em sua honra *Charnia masoni*.

Hoje em dia os espécimes ediacaranos originais de Sprigg, bem como muitos dos outros 1500 encontrados na região da Cordilheira de Flinders desde então, podem ser vistos numa vitrina de uma sala do piso superior do enorme e magnífico South Australian Museum em Adelaide, mas não chamam muito a atenção. Os padrões delicadamente desenhados estão bastante apagados, e são pouco apelativos para olhos pouco treinados. São quase todos pequenos e em forma de disco, às vezes com umas vagas fitas arrastadas. Fortey descreveu-os como "coisas estranhas de corpo mole".

Continua a haver muito pouca concordância sobre a identificação destes organismos e a forma como viveram. Não tinham, pelos vistos, nem boca nem ânus através dos quais pudessem ingerir e descarregar matérias digestivas, nem órgãos internos com que pudessem processá-las durante o percurso. "Quando eram vivos", diz Fortey, "a maior parte limitava-se provavelmente a deixar-se ficar sobre o sedimento arenoso, como solhas moles, sem estrutura e inanimadas." Na sua versão mais expansiva, não eram mais complexos do que as alforrecas. Todos os seres dos montes Ediacaran eram diploblásticos, ou seja, compostos por duas camadas de tecido. Com a excepção das alforrecas, todos os animais actuais são triploblásticos.

Alguns peritos julgam que não eram animais de todo, mas que se assemelhavam mais a plantas ou fungos. Mesmo hoje, a distinção entre os animais e as plantas não é assim tão óbvia. A actual esponja passa toda a sua vida fixada a um único sítio, e não tem olhos, nem cérebro, nem um coração a bater, e contudo é considerada um animal. "Quando recuamos até ao Pré-câmbrico, as diferenças entre animais e plantas eram provavelmente ainda menos evidentes", diz Fortey. "Não há regra que diga que é preciso pertencer manifestamente a uns ou outros."

Também não há consenso quanto ao facto de os organismos ediacaranos serem de alguma forma os antepassados de algum ser vivo actual (à excepção talvez de algumas alforrecas). Alguns cientistas vêem-nos como experiências falhadas, uma tentativa de complexidade que não singrou, possivelmente pelo facto de estes lentos organismos terem sido devorados ou superados pelos animais mais ágeis e sofisticados do período câmbrico.

"Hoje não há nenhum organismo vivo que lhes seja semelhante", escreveu Fortey. "É difícil interpretá-los como antepassados do que viria a seguir."

Crê-se em geral que não terão sido assim tão importantes para o desenvolvimento da vida na Terra. Muitos peritos acreditam que houve uma extinção em massa na fronteira entre os períodos Pré-câmbrico e Câmbrico, e que todos os seres ediacaranos (excepto a duvidosa alforreca) não conseguiram passar para a fase seguinte. Ou seja, o verdadeiro fenómeno da vida complexa começou com a explosão câmbrica. Pelo menos, foi assim que Gould interpretou as coisas.

Quanto à revisão dos fósseis de Burgess Shale, quase imediatamente se começou a duvidar das interpretações, e em particular da interpretação que Gould fez das interpretações. "Logo de início houve alguns cientistas que duvidaram do relato apresentado por Steve Gould, por muito que tivessem admirado a forma como foi apresentado", escreveu Fortey na revista *Life*. E esta foi uma maneira simpática de pôr a questão.

"Se ao menos o Steve Gould conseguisse pensar com a mesma clareza com que escreve!" bradou o professor de Oxford Richard Dawkins, na frase de abertura de uma crítica (publicada no *Sunday Telegraph*), ao livro *Wonderful Life*. Dawkins reconheceu que o livro era "irreprimível" e "um *tour-de-force* literário," mas acusou Gould de se ter lançado numa "grandiloquente e quase dissimulada" adulteração dos factos ao sugerir que as revisões de Burgess tinham espantado a comunidade paleontológica. "O ponto de vista que ele ataca – que a evolução avança inexoravelmente na direcção do apogeu representado pelo homem – já está ultrapassado há 50 anos", vociferou Dawkins.

Esta subtileza não fez parte da análise de muitos críticos. Um deles, no *New York Times Book Review*, sugeriu alegremente que, por terem lido o livro de Gould, "os cientistas têm andado a livrar-se de alguns preconceitos que não analisavam há muitas gerações. Com relutância ou com entusiasmo, estão a aceitar a ideia de que o homem é tanto um acidente da natureza como o produto de um desenvolvimento ordenado".

Não obstante, a maior crítica dirigida a Gould surgiu da convicção de que a maior parte das suas conclusões estava simplesmente errada, ou era pelo menos irresponsavelmente exagerada. Num artigo publicado na revista *Evolution*, Dawkins ataca as afirmações de Gould de que "a evolução no período câmbrico foi um processo de um *tipo* diferente do de hoje", e mostrou-se irritado com as suas repetidas sugestões de que "o Câmbrico foi um período de 'experimentação' evolutiva, um período de 'tentativas goradas' e de 'partidas em falso'... Foi a época fértil em que se inventaram todas as grandes 'configurações estruturais fundamentais'. Actualmente, a evolução limita-se a tocar ao de leve as antigas simetrias corporais. No Câmbrico, surgiram novos filos e novas classes. Hoje, só surgem novas espécies!"

Sublinhando a frequência com que este conceito é invocado – o de não haver novas simetrias corporais –, Dawkins diz: "É como se um jardineiro olhasse para um carvalho e dissesse, com ar de espanto: 'Não é estranho que não apareçam há anos ramos novos nesta árvore? Dá a impressão de que, ultimamente, só têm crescido galhos.' "

"Foi uma época estranha", diz Fortey agora, "especialmente quando pensamos que todas estas discussões se processavam à volta de uma coisa que aconteceu há 500 milhões de anos, mas não há dúvida de que as pessoas se exaltavam muito com isso. Digo por brincadeira num dos meus livros que talvez fosse necessário pôr um capacete de protecção antes de escrever o que quer que seja sobre o Câmbrico, e, efectivamente, a sensação era um pouco essa."

O mais estranho de tudo foi a resposta de um dos heróis de *Wonderful Life*, Simon Conway Morris, que surpreendeu muitos na comunidade paleontóloga com um súbito ataque a Gould num livro de sua autoria, *The Crucible of Creation*. "Nunca encontrei tanto fel num livro de um profissional", escreveu Fortey mais tarde. "Qualquer leitor de *The Crucible of Creation* que não conheça bem a história, nunca poderá aperceber-se de que o ponto de vista do autor já estivera muito próximo (ou que fora até o mesmo) do de Gould."

Quando falei nisso a Fortey, ele disse-me: "Bem, foi muito estranho, bastante chocante para dizer a verdade, porque o retrato que Gould tinha feito dele era muito lisonjeiro. Só posso concluir que o Simon estava envergonhado. Sabe, a ciência muda mas os livros permanecem, e suponho que ele se arrependeu de ficar tão irremediavelmente associado a perspectivas que já não eram bem as dele. Havia aquela cena toda do 'Oh, merda, outro filo não!', e julgo que ele não queria ficar famoso por isso. Ao ler o livro de Simon, nunca nos aperceberíamos de que as suas conclusões foram, em tempos, praticamente idênticas às de Gould."

O que aconteceu foi que os fósseis do Câmbrico inferior começaram a entrar numa fase de reavaliação crítica. Fortey e Derek Biggs – outro dos principais personagens do livro de Gould – utilizaram um método chamado cladística para comparar os vários fósseis de Burgess. Em termos simples, o método consiste em organizar os organismos com base nas características que têm em comum. Fortey dá-nos como exemplo a comparação entre um musaranho e um elefante. Se considerarmos o impressionante tamanho e a enorme tromba do elefante, poderíamos chegar facilmente à conclusão de que não tem nada em comum com o minúsculo e farejante musaranho. Porém, se compararmos os dois com um lagarto, veremos que a simetria corporal do elefante e do musaranho têm muito em comum. Basicamente, o que Fortey quer dizer é que Gould via elefantes e musaranhos enquanto ele e Biggs viam mamíferos. Eles achavam que os seres de Burgess Shale não eram tão estranhos e díspares como pareciam à primeira vista. "Muitas vezes, não eram mais estranhos do que os trilobites", diz Fortey. "O que acontece é que já tivemos um século para nos habituarmos aos trilobites. E, como sabe, a familiaridade gera mais familiaridade."

Devo dizer, porém, que isto não foi resultado de desleixo ou negligência. Interpretar as formas e as relações existentes entre os animais primitivos com base em provas muitas vezes distorcidas ou fragmentadas não é, obviamente, um trabalho fácil. Edward O. Wilson fez notar que, se pegássemos nalgumas espécies seleccionadas de insectos modernos e as apresentássemos como fósseis do género dos de Burgess, ninguém adivinharia que eram todos do mesmo filo, tão diferentes são as respectivas simetrias corporais. O que também contribuiu para o processo de revisão foram as descobertas de mais dois jazigos do Câmbrico inferior, um na Gronelândia e outro na China, para além de outras descobertas dispersas que, reunidas, revelaram mais e melhores espécimes.

A conclusão a que chegamos é que os fósseis de Burgess, afinal, não são assim tão diferentes. Acabou por se concluir que a *Hallucigenia* fora reconstituída de pernas para o ar. As tais patas que pareciam andas eram, afinal, picos ao longo das costas. A *Peytoia*, aquela criatura estranha parecida com uma fatia de ananás, não era um ser em si, mas antes parte de um animal maior chamado *Anomalocaris*. Muitos dos espécimes de Burgess já foram classificados como pertencendo a filos vivos – exactamente como Walcott inicialmente os classificara. Pensa-se que a *Hallucigenia* e alguns outros se relacionam com a *Onychophora*, um grupo de animais do género das lagartas. Outros foram reclassificados como antepassados dos anelídeos actuais. De facto, diz Fortey, "há relativamente poucas configurações câmbricas que sejam completamente originais. Quase sempre acabam por se revelar como interessantes variações de padrões bem conhecidos". Tal como escreveu no seu livro *Life:* "Nenhum era tão estranho como a craca actual, nem tão grotesco como a térmita-rainha."

Afinal de contas, os espécimes de Burgess Shale não eram assim tão espectaculares. Isso não os torna "em nada menos interessantes, ou estranhos, apenas mais explicáveis", escreveu Fortey. Os seus estranhos padrões estruturais eram apenas uma espécie de exuberância juvenil – o equivalente evolucionário ao cabelo espetado dos *punks* ou aos *piercings* na língua, por assim dizer. Eventualmente, as suas formas estabilizaram, atingindo a sóbria e estável meia-idade.

Mas ainda continuava por responder a eterna questão da origem destes animais – como é que tinham aparecido de repente do nada?

De facto, parece que a explosão câmbrica não terá sido assim tão explosiva. Pensa-se agora que os animais do Câmbrico já existiam há muito tempo, só que eram demasiado pequenos para serem vistos. Mais uma vez, foi o trilobite que deu a pista – em particular, aquele aparecimento quase simultâneo de vários tipos de trilobites em regiões do globo muito distantes umas das outras, que tanta confusão engendrou.

À primeira vista, o aparecimento repentino de uma multidão de seres completamente formados e de vários tipos deveria ter sublinhado ainda mais o carácter miraculoso da explosão câmbrica, mas na realidade teve o efeito oposto. Uma coisa é ver um ser completamente formado como o trilobite surgir isoladamente – o que é mesmo um milagre –, mas ver muitos deles, todos diferentes, mas nitidamente relacionados, a surgir simultaneamente no registo fóssil, em lugares tão distantes entre si como a China e Nova Iorque, indica claramente que nos falta conhecer uma grande parte da sua história. Não pode haver maior prova de que tinham simplesmente de ter um antepassado – alguma espécie ancestral que iniciou a linhagem num passado muito mais distante.

Pensa-se agora que a razão pela qual ainda não descobrimos essas espécies mais antigas, é por serem demasiado pequenas para ser preservadas. Diz Fortey: "Não é preciso ser grande para ser um organismo complexo perfeitamente funcional. Hoje, o mar está cheio de pequenos artrópodes que não possuem qualquer registo fóssil." Dá como exemplo o pequeno copépode, cuja população atinge os biliões nos mares actuais e que se agrupa em cardumes tão grandes que chegam a tingir de negro grandes áreas do oceano, e, no entanto, tudo o que conhecemos das suas origens é um único espécime, encontrado no corpo de um antigo peixe fossilizado.

"A explosão câmbrica, se assim se lhe pode chamar, foi provavelmente mais um aumento do tamanho do que um aparecimento repentino de novas configurações estruturais", diz Fortey. "E pode ter acontecido muito rapidamente, portanto, nesse sentido, suponho que se lhe possa chamar uma explosão." Crê-se que, tal como os mamíferos tiveram de esperar durante cem milhões de anos até os dinossauros desaparecerem, surgindo, ao que parece, em grande profusão por todo o planeta, também os artrópodes e outros seres triploblásticos devem ter aguardado, no anonimato semimicroscópico, o desaparecimento dos organismos ediacaranos dominantes. Diz Fortey: "Sabemos que os mamíferos cresceram abruptamente em tamanho após o desaparecimento dos dinossauros – embora, quando digo abruptamente, esteja a falar em sentido geológico. Continuamos a falar de milhões de anos."

A propósito, Reginald Sprigg sempre acabou por receber algum do crédito que lhe era devido. Um dois principais géneros primitivos, a *Spriggina*, foi baptizado em sua honra, assim como várias outras espécies, e o conjunto destes organismos passou a chamar-se fauna ediacarana, que deriva do nome das montanhas exploradas por ele. Nessa altura, porém, os dias de caça aos fósseis de Sprigg já tinham acabado há muito tempo. Após ter deixado a geologia, fundou uma empresa petrolífera bem sucedida e, depois de se reformar, foi viver para uma propriedade situada na sua bem-amada cordilheira Flinders, onde criou uma reserva natural. Morreu rico em 1994.

22.

ADEUS A TUDO ISSO

Se considerarmos a vida sob uma perspectiva humana, e é óbvio que para nós seria difícil fazê-lo de outra maneira, temos de concluir que ela é um fenómeno estranho. Estava mortinha por avançar, mas, depois de ter começado, não pareceu ter grande pressa em continuar em frente.

Vejam os líquenes, por exemplo. Os líquenes são os organismos visíveis mais resistentes do planeta, mas são dos menos ambiciosos. Dão-se por felizes a crescer num cemitério soalheiro, mas dão-se melhor ainda em ambientes onde nenhum outro organismo se instalaria – nos cumes ventosos das montanhas e nas regiões árcticas desertas, onde há apenas rocha, chuva e frio, e quase nenhuma concorrência. Em áreas da Antárctida onde praticamente não cresce mais nada encontram-se vastas extensões de líquenes – 400 tipos diferentes – dedicadamente agarrados a tudo o que seja rocha açoitada pelo vento.

Durante muito tempo, não se compreendeu como é que o faziam. Como crescem sobre as rochas nuas, sem qualquer sinal de nutrição ou produção de sementes, algumas pessoas – mesmo com formação científica – achavam que os líquenes eram pedras em pleno processo de transformação em plantas. "Espontaneamente, uma pedra inorgânica transforma-se numa planta viva!", exclamou jubiloso um observador, um tal Dr. Homschuch, em 1819.

Uma observação mais atenta mostrou que os líquenes eram mais interessantes do que propriamente mágicos. Na verdade, são uma sociedade entre fungos e algas. Os fungos excretam ácidos que dissolvem a superfície da pedra, libertando minerais que as algas convertem em nutrientes em quantidade suficientes para sustentar ambos. Não é um esquema fascinante, mas não há dúvida de que resulta muito bem. Existem no mundo mais de 20 mil variedades de líquenes.

Como a maior parte das coisas que vivem em ambientes hostis, os líquenes crescem devagar. Pode demorar meio século até que um líquen atinja as dimensões de um botão de camisa. Os que são do tamanho de um prato, escreve David Attenborough, são, portanto, "capazes de ter centenas, se não milhares de anos de idade". Seria difícil imaginar uma existência menos interessante. "Limitam-se a existir", acrescenta, "comprovando o facto comovente de que a vida, mesmo ao nível mais simples, é, aparentemente, um fim em si mesma".

É fácil ignorar esta ideia de que a vida existe, e mais nada. Como humanos, temos tendência para achar que a vida tem de ter um objectivo. Temos planos, aspirações e desejos. Queremos estar sempre a tirar vantagem de toda a existência inebriante com que fomos presenteados. Mas o que é a vida para um líquen? E contudo o seu impulso de existir, de ser é tão forte quanto o nosso – talvez mesmo mais forte, embora seja discutível. Se me dissessem que teria de passar décadas como uma formação peluda a forrar uma rocha nas florestas, julgo que me faltaria motivação para continuar. Mas aos líquenes não falta. Como praticamente todos os seres vivos, toleram qualquer dificuldade, suportam qualquer injúria, só para poderem usufruir de mais um momento de existência. A vida, resumindo, quer simplesmente existir. Porém – e aqui está uma ideia interessante –, na maior parte dos casos, não quer ser grande coisa.

Isto talvez seja um pouco estranho, já que a vida tem tido bastante tempo para desenvolver ambições. Se imaginássemos a história da Terra, com os seus 4500 milhões de anos comprimidos num dia normal de 24 horas, a vida começaria muito cedo, por volta das quatro horas da madrugada, com o aparecimento dos primeiros organismos unicelulares simples, mas depois não avança mais durante as 16 horas seguintes. Só quase às 20h30, depois de terem passado cinco sextos do dia, é que o planeta tem alguma coisa concreta para mostrar ao universo, uma fina camada de irrequietos micróbios. Depois, finalmente, aparecem as primeiras plantas marinhas, seguidas, 20 minutos mais tarde, das primeiras alforrecas e da enigmática fauna ediacarana vista pela primeira vez por Reginald Sprigg na Austrália. Às 21h04 entram em cena os trilobites, seguidos mais ou menos imediatamente pelos simétricos seres de Burgess Shale. Pouco antes das 22h00, começam a surgir as plantas em terra. Pouco tempo depois, a menos de duas horas do fim do dia, surgem os primeiros seres terrestres.

Graças a uns dez minutos de clima ameno, às 22h24 a Terra está coberta das grandes florestas carboníferas cujos resíduos nos fornecem todo o nosso carvão, e manifestam-se os primeiros insectos voadores. Os dinossauros aparecem em cena, caminhando pesadamente, pouco antes das 23h00, e aguentam o balanço durante uns três quartos de hora. Aos 21 minutos para a meia-noite desaparecem, e começa a era dos mamíferos. Os humanos surgem um minuto e 17 segundos antes da meia-noite. Nesta escala, a totalidade da nossa existência registada não seria mais do que alguns segundos, e a duração de uma única vida humana apenas um instante. Ao longo deste dia extraordinariamente acelerado, os continentes flutuam de um lado para o outro e colidem a um ritmo positivamente precipitado. Há montanhas que se erguem de repente e outras que se fundem, bacias oceânicas que aparecem e desaparecem, glaciares que avançam e regridem. E ao longo de tudo isto, algures no planeta e três vezes por minuto, há um súbito clarão que assinala o impacte de um meteoro gigantesco do tamanho do de Manson ou ainda maior. É espantoso que alguma coisa consiga sobreviver num ambiente tão massacrado e instável. E a verdade é que não há muitas coisas que sobrevivam durante muito tempo.

Talvez uma forma ainda mais eficaz de compreender até que ponto somos recentes neste quadro com 4,5 mil milhões de anos, seja abrindo os braços ao máximo e imaginando que essa distância corresponde a toda a história da Terra. Nessa escala, segundo John McPhee em *Basin and Range*, a distância entre as pontas dos dedos de uma mão e o pulso da outra é o período pré-câmbrico. A totalidade da vida complexa cabe numa só mão, e "numa só passagem com uma lima de unhas podíamos erradicar toda a história humana".

Felizmente, esse momento ainda não aconteceu, mas há boas hipóteses de vir a acontecer. Não pretendo lançar uma nota lúgubre neste ponto, mas o facto é que a vida na Terra tem uma outra qualidade muito pertinente: extingue-se. Com bastante frequência. Quando pensamos em todos os esforços que as espécies fazem para se reunir e se preservar, é notável a facilidade com que se desmantelam e morrem. E quanto mais complexas se tornam, mais depressa parecem extinguir-se. O que talvez possa explicar a razão pela qual há tanta vida com tão poucas ambições.

Portanto, sempre que a vida faz qualquer coisa ousada, é um grande acontecimento, e poucas ocasiões foram tão movimentadas como aquela em que a vida passou para a fase seguinte da nossa narrativa e saiu do mar.

A Terra tinha um ambiente de respeito: quente, seca, banhada por radiações ultravioleta intensas, sem a possibilidade de flutuação que faz com que os movimentos dentro de água pareçam uma brincadeira de criança. Para viver na Terra, os seres vivos tiveram de alterar completamente as suas anatomias. Se se segurar um peixe pela cabeça e pela cauda, ele descai no meio, porque a sua espinha dorsal é demasiado fraca para o suportar. Para sobreviver fora de água, as criaturas marinhas precisavam de criar novas arquitecturas internas que pudessem suportar o peso – uma adaptação impossível de se realizar de um dia para o outro. Acima de tudo, e por razões óbvias, qualquer criatura terrestre teria que desenvolver uma forma de absorver o oxigénio directamente do ar, em vez de o filtrar através de água. Estes desafios não eram nada fáceis de vencer. Por outro lado, havia um forte motivo para deixar a água: estava a tornar-se um ambiente perigoso. A fusão lenta dos continentes numa só massa terrestre, a Pangeia, significava que passara a haver muito menos zonas litorais do que antes, e, portanto, muito menos *habitats* costeiros. A concorrência era feroz. Havia também um novo e inquietante tipo de predador omnívoro em cena, tão perfeitamente desenhado para atacar que pouco mudou ao longo dos tempos: o tubarão. Não voltaria a surgir um momento tão propício para procurar um ambiente alternativo ao mar.

As plantas começaram o processo de colonização das áreas terrestres há cerca de 450 milhões de anos, acompanhadas de minúsculos gorgulhos e outros organismos de que precisavam para decompor e reciclar matéria orgânica morta em seu proveito. Os animais maiores demoraram mais tempo a emergir, mas há cerca de 400 milhões de anos, também eles começaram a arriscar a saída da água. Vêem-se frequentemente ilustrações que nos levam a crer que o primeiro habitante terrestre foi uma espécie de peixe ambicioso – do género do actual saltão-da-vasa, que consegue saltar de poça em poça durante as secas –, ou mesmo um anfíbio completamente formado. De facto, os primeiros residentes móveis sobre terra seca de que há vestígios eram provavelmente muito mais parecidos com os actuais bichos-de-conta. São aqueles insectos pequenos (crustáceos, na realidade) que entram em pânico e desatam a fugir quando viramos uma pedra ou um tronco.

Para aqueles que aprenderam a respirar o oxigénio do ar, a vida corria-lhes bem. Os níveis de oxigénio nos períodos devónico e carbónico, quando a vida terrestre surgiu pela primeira vez, eram de cerca de 35 por cento (hoje são 20), o que fez com que os animais crescessem muito, e muito depressa.

O leitor poderá perguntar, e com toda a razão, como é que os cientistas sabiam quais eram os níveis de oxigénio há centenas de milhões de anos? A resposta está num domínio pouco conhecido, mas muito engenhoso, a geoquímica de isótopos. Nos antiquíssimos mares dos períodos carbónico e devónico abundava um plâncton minúsculo, que se refugiava dentro de pequenas conchas protectoras. Nessa altura, tal como hoje, o plâncton fabricava as conchas captando oxigénio da atmosfera e combinando-o com outros elementos (especialmente carbono) para formar componentes duráveis como o carbonato de cálcio. É o mesmo truque químico que se processa no ciclo do carbono a longo prazo – um processo que não proporciona uma narrativa muito fascinante, mas que é vital para a criação de um planeta habitável.

Durante este processo, os organismos minúsculos que acabam por morrer descem até ao fundo do mar, onde vão sendo lentamente comprimidos até se transformarem em calcário. Entre as minúsculas estruturas atómicas que o plâncton leva consigo para a sepultura encontram-se dois isótopos muito estáveis – o oxigénio-16 e o oxigénio-18. (Se já se esqueceu do que é um isótopo, não importa. Basta lembrar que é um átomo com um número anormal de neutrões.) E é aqui que entram os geoquímicos, porque os isótopos acumulam-se a ritmos diferentes, conforme a quantidade de oxigénio e dióxido de carbono que existe na atmosfera no momento da sua formação. Comparando as percentagens de deposição das amostras antigas, os geoquímicos conseguem reconstituir com precisão as condições do mundo antigo – níveis de oxigénio, temperaturas do ar e dos oceanos, duração e data das idades do gelo, e muito mais. Combinando as suas descobertas isotópicas com outros resíduos fósseis – níveis de pólen, etc. – os cientistas conseguem, com um considerável grau de confiança, recriar paisagens inteiras que olhos humanos nunca viram.

A razão principal pela qual os níveis de oxigénio conseguiram aumentar até níveis tão altos, ao longo do período correspondente ao início da vida terrestre, encontra-se no facto de a maior parte da superfície terrestre do planeta estar coberta de fetos gigantescos e vastos pantanais, que, graças à muita humidade que continham, perturbavam o processo de reciclagem do carbono. Em vez de apodrecer totalmente, os ramos que caíam das árvores e outras matérias vegetais mortas acumulavam-se, formando sedimentos ricos e húmidos que acabavam por ser comprimidos, dando origem aos vastos jazigos de carvão que ainda hoje sustentam grande parte da actividade económica.

Os altos níveis de oxigénio estimularam claramente um crescimento desproporcionado. A indicação mais antiga encontrada até hoje de um animal de superfície é um rasto deixado há 350 milhões de anos numa rocha da Escócia por uma criatura milípede. O rasto media mais de um metro de comprimento. Antes de findar essa era, alguns milípedes chegariam a ter mais do dobro desse comprimento.

Com seres desses por aí à caça, não é de espantar que os insectos desse período tenham desenvolvido um truque que os mantinha fora do alcance das suas línguas: aprenderam a voar. Alguns habituaram-se com uma tal facilidade a este novo meio de locomoção, que desde então não mudaram de técnica. Nessa altura, tal como hoje, as libelinhas conseguiam voar até 50 quilómetros por hora, parar de repente, ficar a pairar, voar para trás, e subir a altitudes proporcionalmente muito superiores à de qualquer máquina voadora construída pelo homem. "A Força Aérea dos EUA", escreveu um comentador, "já as colocou em túneis de vento para ver como é que elas fazem, mas desesperaram." Também elas se deliciavam com o ar abundante. Nas florestas do Carbónico, as libélulas eram do tamanho de um corvo. As árvores e outra vegetação atingiam também proporções exageradas. As cavalinhas e os fetos chegavam a alcançar alturas de mais de 15 metros e os licopódios erguiam-se a 40 metros do solo.

Os primeiros vertebrados terrestres – ou seja, os primeiros animais terrestres de que supostamente descendemos – são um mistério. Isto é em parte devido à escassez de fósseis relevantes, mas também a um idiossincrático sueco chamado Erik Jarvik, cujas interpretações peculiares e feitio reservado atrasaram os progressos nesta questão durante quase meio século. Jarvik fazia parte de uma equipa de cientistas escandinavos que foi à Gronelândia nos anos 1930 e 1940 à procura de peixes fossilizados. Em particular, andavam à procura de peixes de barbatanas lobadas, do tipo de que provavelmente nós descendemos, tal como todas as outras criaturas ambulantes, e que são conhecidos como tetrápodes.

A maior parte dos animais são tetrápodes, e todos os tetrápodes vivos têm uma coisa em comum: quatro membros, que por sua vez terminam num máximo de cinco dedos. Os dinossauros, as baleias, os pássaros, os humanos, até os peixes – todos são tetrápodes, o que sugere claramente que todos vêm de um único antepassado comum. Partiu-se do princípio de que a pista para este antepassado seria encontrada no período devónico, há cerca de 400 milhões de anos. Antes dessa altura, não havia nada que caminhasse sobre terra, depois, muitos passaram a fazê-lo. Por sorte, a equipa encontrou precisamente a criatura de que andavam à procura, um animal com quase um metro de comprimento chamado *Ichthyostega*. A análise do fóssil coube a Jarvik, que iniciou a investigação em 1948 e não a abandonou durante os 48 anos seguintes. Infelizmente, Jarvik não deixou que mais ninguém estudasse o seu tetrápode. Os paleontólogos do mundo tiveram de se contentar com dois ensaios esquemáticos e provisórios em que Jarvik afirmava que a criatura tinha cinco dedos em cada um dos quatro membros, confirmando assim a sua importância ancestral.

Jarvik morreu em 1998. Após a sua morte, outros paleontólogos lançaram-se entusiasticamente ao estudo do espécime, e descobriram que Jarvik se tinha enganado redondamente na contagem dos dedos – na realidade, havia oito em cada membro – e não se apercebera de que era impossível que o peixe tivesse andado. Uma estrutura de barbatana como aquela teria desabado sob o peso do corpo. Como é óbvio, isto em nada contribuiu para o progresso dos nossos conhecimentos sobre os primeiros animais terrestres. Conhecem-se hoje três tetrápodes primitivos e nenhum deles tem cinco dedos. Resumindo, não sabemos bem de onde viemos.

Mas a verdade é que cá estamos, ainda que o caminho que percorremos até ao nosso presente estado de eminência não tenha sido sempre a direito. Desde que a vida terrestre começou, foram abrangidas quatro megadinastias, como são por vezes chamadas. A primeira consistiu de anfíbios e répteis primitivos com andar pesado e muitas vezes bastante violentos. O animal melhor conhecido desta época era o Dimetrodon, uma criatura com dorso em forma de vela de barco que facilmente se confunde com um dinossauro (até na legenda de uma ilustração do livro *Comet,* de Carl Sagan). Na realidade, o Dimetrodon era um sinapsídeo. Tal como nós também já fomos outrora. Os sinapsídeos constituíam uma das quatro divisões principais dos répteis primitivos, sendo os outros os anapsídeos, os euriapsídeos e os diapsídeos. Estas designações referem-se simplesmente ao número e localização de uns pequenos orifícios situados lateralmente nos respectivos crânios. Os sinapsídeos tinham um orifício nas têmporas inferiores; os diapsídeos tinham dois; os euriapsídeos tinham um, situado mais acima.

Ao longo do tempo, cada um destes grupos formou subdivisões mais pequenas, das quais algumas sobreviveram e outras não. Os anapsídeos deram origem às tartarugas, que durante algum tempo, e talvez contra o que seria de esperar, pareceram dominar como a espécie mais avançada e mortífera do planeta, até que um balanço brusco na sua evolução as levou a optar pela durabilidade em detrimento da dominância. Os sinapsídeos dividiram-se em quatro ramificações, das quais apenas uma sobreviveu para além do período pérmico. Felizmente, era essa a ramificação à qual pertencíamos, e que evoluiu para uma família de protomamíferos conhecidos por terapsídeos. Estes formaram a Megadinastia 2.

Infelizmente para os terapsídeos, os seus primos, os diapsídeos, também estavam a evoluir produtivamente, para dar origem aos dinossauros (entre outras coisas), o que acabou por ser de mais para os terapsídeos. Incapazes de competir directamente com estas novas e agressivas criaturas, os terapsídeos desapareceram de cena, de uma maneira geral. Contudo, alguns – muito poucos – evoluíram para pequenos animais peludos que passavam o tempo a escavar a terra com o focinho, e que permaneceram durante bastante tempo sob a forma de pequenos mamíferos. O maior não ultrapassou o tamanho de um gato doméstico, mas a maior parte era do tamanho de um rato. Este pormenor acabaria por ser a sua salvação, mas teriam de esperar quase 150 milhões de anos até que a Megadinastia 3, a Idade dos Dinossauros, findasse abruptamente, deixando assim lugar para a Megadinastia 4, a nossa Idade dos Mamíferos.

Cada uma destas transformações maciças, tal como muitas outras mais pequenas que ocorreram entretanto, dependeu paradoxalmente de um importante motor de progresso: a extinção. É um fenómeno curioso, que a morte das espécies na Terra, seja, no sentido mais literal, um modo de vida. Ninguém sabe quantas espécies de organismos já existiram desde que a vida começou. Trinta mil milhões é um número muitas vezes aventado, mas já houve quem falasse em quatro biliões. Seja qual for o total, 99,99 por cento das espécies que alguma vez viveram na Terra já não estão entre nós. "Numa primeira aproximação", como gosta de dizer David Raup, da Universidade de Chicago, "todas as espécies estão extintas." No que respeita aos organismos complexos, a duração média de vida de uma espécie é apenas de uns quatro milhões de anos – aproximadamente onde nós estamos neste momento.

A extinção é sempre uma má notícia para as vítimas, é claro, mas parece ser uma coisa positiva para se obter um planeta dinâmico. "A alternativa à extinção é a estagnação", diz Ian Tattersall, do American Museum of Natural History, "e a estagnação é raramente uma coisa boa em qualquer domínio." (Talvez deva sublinhar que estamos a falar da extinção como um processo natural e a longo prazo. A extinção causada pelo desleixo humano é outro assunto totalmente diferente.)

As crises na história da Terra estão invariavelmente associadas a saltos espectaculares nos períodos seguintes. O desaparecimento da fauna ediacarana foi seguida pela explosão criativa do período câmbrico. A extinção do Ordovícico, há 440 milhões de anos, esvaziou os oceanos de uma grande quantidade de seres imóveis que se alimentavam através de filtros e, sem se saber como, criou condições que favoreceram o aparecimento de peixes rápidos e répteis aquáticos gigantes. Estes, por seu turno, estavam numa posição ideal para mandar colonos a terra, quando outra explosão no Devónico superior deu um saudável abanão à vida. E assim tem sido, a intervalos espaçados ao longo da história. Se a maior parte destes acontecimentos não se tivessem processado da maneira como se processaram, quase de certeza que não estaríamos hoje aqui.

A Terra já testemunhou cinco grandes episódios de extinção – ocorridos nos períodos ordovícico, devónico, pérmico, triássico e o cretácico, por esta ordem – e também muitos pequenos episódios. A extinção ordovícica (há 440 milhões de anos) e a devónica (há 365 milhões de anos) fizeram desaparecer cada uma 80 a 85 por cento das espécies. A triássica (há 210 milhões de anos) e a cretácica (65 milhões de anos) destruíram cada uma 70 a 75 por cento das espécies. Mas a verdadeiramente colossal foi a extinção pérmica de há cerca de 245 milhões de anos, que iniciou a longa era dos dinossauros. Foi no Pérmico que pelo menos 95 por cento dos animais conhecidos nos registos fósseis desapareceram para nunca mais voltar. Até mesmo um terço das espécies de insectos foram exterminados – a única ocasião em que desapareceram em massa. Nunca estivemos tão perto da obliteração total.

"Foi uma extinção verdadeiramente maciça, uma matança de uma magnitude nunca vista na Terra até então", diz Richard Fortey. O Pérmico foi particularmente devastador para os seres marinhos. Os trilobites desapareceram totalmente. Os bivalves e ouriços-do-mar quase se extinguiram. Praticamente todas as restantes criaturas marinhas estiveram à beira da destruição total. Na totalidade, calcula-se que a terra e o mar tenham perdido 52 por cento das famílias – o nível que se situa acima do género e abaixo da ordem na grande escala da vida (que vamos tratar no próximo capítulo) – e talvez 96 por cento das espécies. Levaria muito tempo – 80 milhões de anos, segundo uma estimativa – até que a totalidade das espécies fosse recuperada.

Há dois pontos a ter em conta. Primeiro, tudo isto são apenas suposições baseadas em estudos. As estimativas do número de espécies animais que viveram no final do período pérmico variam entre 45 mil e 240 mil. Se não se sabe a quantidade das espécies vivas na altura, é difícil especificar com convicção a proporção que desapareceu. Além disso, estamos a falar do desaparecimento de espécies, não de indivíduos. Em termos individuais, o número de mortes pode ser ainda mais elevado – em muitos casos, praticamente total. As espécies que sobreviveram para a fase seguinte da lotaria da vida devem certamente a sua existência a meia dúzia de sobreviventes aleijados e feridos.

Entre estas grandes matanças, também houve muitos outros episódios de extinção mais pequenos e menos conhecidos – o henfiliano, o frasniano, o fameniano, o rancholabreano, e mais uma dúzia de outros –, que não foram assim tão devastadores em relação aos números totais das espécies, mas que frequentemente incidiam sobre certas populações de forma crítica. Os animais de pasto, incluindo os cavalos, quase desapareceram por completo no episódio henfiliano, há cerca de cinco milhões de anos. Os cavalos ficaram reduzidos a uma só espécie, que aparece tão esporadicamente no registo fóssil que dá a impressão de ter estado à beira da extinção total. Imagine-se a história humana sem cavalos ou quaisquer animais de pasto.

Em quase todos os casos, tanto em relação às grandes extinções como às mais modestas, sabemos muito pouco sobre as suas possíveis causas. Mesmo pondo de parte as ideias mais loucas, acabamos por ter um número mais elevado de teorias sobre as causas das extinções do que o número de extinções. Foram identificadas pelo menos duas dúzias de factores que poderão ter provocado – ou contribuído inicialmente para – as extinções em massa: o aquecimento global, o arrefecimento global, as variações no nível do mar, a redução de oxigénio nos mares (fenómeno conhecido por anoxia), epidemias, fugas gigantescas de metano do leito dos oceanos, impactos de meteoros e cometas, furacões devastadores originados por impactos de asteróides, grandes explosões vulcânicas e erupções solares catastróficas.

Esta última possibilidade é bastante intrigante para nós. Ninguém sabe realmente as dimensões que uma erupção solar pode atingir, porque só começámos a observá-las no início da era espacial, mas o facto é que o Sol é uma máquina potentíssima, e as suas tempestades são proporcionalmente grandes. Uma erupção solar típica – algo de que nem nos daríamos conta na Terra – liberta a energia equivalente a mil milhões de bombas de hidrogénio, e projecta para o espaço cerca de cem mil milhões de toneladas de partículas assassinas de alta energia. A magnetosfera e a atmosfera em conjunto, costumam enxotá-las de novo para o espaço, ou então afastam-nas sem risco em direcção aos pólos (onde produzem as magníficas auroras), mas pensa-se que uma explosão invulgarmente grande, digamos, cem vezes maior do que uma erupção típica, poderia derrotar as nossas etéreas defesas. O espectáculo de luz seria glorioso, mas mataria quase de certeza uma elevada percentagem de tudo o que fosse apanhado nesse calor intenso. Além disso, e a ideia é bastante alarmante, segundo Bruce Tsurutani do Jet Propulsion Laboratory da NASA, "não deixaria o mais pequeno rasto na história".

Tudo isto se traduz, como disse um investigador, em "toneladas de conjecturas e muito poucas provas". O arrefecimento parece estar relacionado com pelo menos três dos grandes episódios de extinção – o ordovícico, o devónico e o pérmico –, mas para além disso não há muito consenso, inclusive sobre o tempo de duração de cada episódio. Por exemplo, os cientistas não conseguem chegar a acordo sobre se a extinção no final do Devónico – o evento que antecedeu a saída dos vertebrados do mar para terra – ocorreu ao longo de milhões de anos, milhares de anos ou até num único dia particularmente animado.

Uma das razões pelas quais é tão difícil encontrar explicações convincentes para as extinções é o facto de ser extremamente difícil exterminar a vida a uma grande escala. Como vimos com o impacto de Manson, é possível sofrer um tremendo abalo e mesmo assim conseguir uma recuperação total, embora presumivelmente instável. Então por que razão, de todos os impactos sofridos pela Terra, o acontecimento KT, que exterminou os dinossauros há 65 milhões de anos, foi tão singularmente devastador? Bem, para começar, foi positivamente atroz. Embateu com uma força de cem milhões de megatoneladas. Uma explosão dessas não é fácil de imaginar, mas, tal como James Lawrence Powell indicou, se detonássemos uma bomba do tamanho da de Hiroshima por cada pessoa viva actualmente na Terra, ainda nos faltariam mil milhões de bombas para chegar ao impacto KT. Mas mesmo assim não terá sido, só por si, o suficiente para aniquilar 70 por cento da vida na Terra, incluindo os dinossauros.

O meteoro KT teve a vantagem adicional – vantagem para os mamíferos, entenda-se – de ter aterrado num mar com apenas dez metros de profundidade, provavelmente no ângulo certo, numa altura em que os níveis de oxigénio eram dez por cento mais elevados do que actualmente, e por isso o mundo era mais combustível. Acima de tudo, o leito do mar onde aterrou era composto por grandes quantidades de rochas ricas em enxofre. O resultado foi um impacto que fez com que uma área de leito oceânico do tamanho da Bélgica se transformasse num gigantesco aerossol de ácido sulfúrico. Durante meses e meses, a Terra esteve sujeita a chuvas suficientemente ácidas para queimar a pele.

De certa forma, uma questão ainda mais importante do que saber o que causou a aniquilação de 70 por cento das espécies existentes naquele tempo é descobrir como sobreviveram os restantes 30 por cento. Porque é que este acontecimento foi tão irremediavelmente devastador para todos os dinossauros, enquanto outros répteis, como as cobras e os crocodilos, conseguiram escapar incólumes? Tanto quanto sabemos, não houve qualquer espécie de sapo, tritão, salamandra, ou outro anfíbio que se tivesse extinguido na América do Norte. "O que fez com que estas criaturas delicadas saíssem ilesas de um desastre incomparável como este?", pergunta Tim Flannery na sua fascinante pré-história da América, *Eternal Frontier*.

No mar foi praticamente a mesma história. Todas as amonites desapareceram, mas os seus primos nautilóides, que tinham um estilo de vida idêntico, persistiram. Entre o plâncton, algumas espécies foram praticamente aniquiladas – 92 por cento dos foraminíferos, por exemplo –, enquanto outros organismos, como as diatomáceas, munidos de uma estrutura semelhante e partilhando o mesmo *habitat*, ficaram relativamente ilesos.

Estas incoerências são difíceis de entender. Como observa Richard Fortey: "Não me parece que seja suficiente chamar-lhes 'sortudos' e deixar as coisas por aí." Se, como é provável, o acontecimento foi seguido de meses de fumo negro e asfixiante, então a sobrevivência de muitos dos insectos torna-se difícil de explicar. "Alguns insectos, como os escaravelhos", diz Fortey, "podem ter-se refugiado na madeira ou noutras coisas que houvesse por ali. Mas então e aqueles que, como as abelhas, se orientam pela luz do Sol e precisam de pólen? Não é assim tão fácil explicar a sua sobrevivência."

Sobretudo, temos os corais. Os corais precisam de algas para sobreviver, e as algas precisam da luz do Sol, e ambos precisam de temperaturas mínimas estáveis. Tem-se falado muito nestes últimos anos da forma como os corais morrem com uma alteração de apenas um grau, ou pouco mais, na temperatura do mar. Se são tão vulneráveis a pequenas alterações, como é que conseguiram sobreviver ao longo inverno que se seguiu ao impacto?

Também há muitas variações regionais difíceis de explicar. As extinções parecem ter sido muito menos severas no hemisfério sul do que no hemisfério norte. A Nova Zelândia, em especial, parece não ter sido grandemente afectada, apesar de a sua fauna quase não incluir seres que escavem buracos. Até a própria vegetação escapou na sua esmagadora maioria, e contudo a escala de conflagração no resto do planeta dá a entender que a devastação foi global. Resumindo, há muita coisa que ignoramos.

Alguns animais prosperaram pura e simplesmente – incluindo, mais uma vez, as tartarugas, o que é algo surpreendente. Como sublinha Flannery, o período imediatamente a seguir à extinção dos dinossauros podia muito bem ser conhecido como a Era das Tartarugas. Houve 16 espécies que sobreviveram na América do Norte, e mais três que surgiram pouco tempo depois.

Era nitidamente uma vantagem dar-se bem em meio aquático. O impacto KT eliminou quase 90 por cento das espécies terrestres, mas só dez por cento das que viviam em água doce. É óbvio que a água ofereceu protecção contra o calor e as chamas, mas, presume-se, terá também fornecido mais sustento durante o período de fome que se seguiu. Todos os animais terrestres sobreviventes tinham o hábito de se refugiar num ambiente mais seguro nos momentos de perigo – dentro de água, ou debaixo da terra –, os quais deve ter fornecido um abrigo considerável contra a destruição que grassava lá fora. Os animais que pilhavam para se sustentar também devem ter usufruído de uma vantagem. Os lagartos eram, e ainda são, altamente resistentes às bactérias existentes nas carcaças em putrefacção. De facto, muitas vezes são positivamente atraídos por elas, e é evidente que, durante muito tempo, houve muitas carcaças podres à disposição.

Diz-se muitas vezes que só os animais pequenos sobreviveram ao evento KT, o que é um erro. De facto, entre os sobreviventes contaram-se os crocodilos, que não só eram grandes como eram três vezes maiores do que os de hoje. Mas, de um modo geral, é verdade que a maior parte dos sobreviventes era pequena e furtiva. De facto, com um mundo escuro e hostil, calhava muito bem ser-se pequeno, de sangue quente, noctívago, flexível no regime alimentar e prudente por natureza – exactamente as qualidades que caracterizaram os nossos antepassados mamíferos. Se a nossa evolução estivesse mais avançada na altura, provavelmente teríamos sido aniquilados. Em vez disso, os mamíferos deram consigo num mundo para o qual estavam mais bem preparados do que qualquer outro ser vivo.

No entanto, não se pode pensar que os mamíferos apareceram aos magotes para preencher todos os nichos. "A evolução poderá odiar o vazio", escreveu o paleobiólogo Steven M. Stanley, "mas normalmente leva muito tempo a preenchê-lo." Durante uns milhões de anos, talvez mesmo dez, os mamíferos permaneceram cautelosamente pequenos. No início do Terciário, bicho que tivesse o tamanho de um gato bravo era rei.

Contudo, assim que ganharam balanço, os mamíferos expandiram-se prodigiosamente – às vezes até proporções absurdas. Durante algum tempo houve porquinhos-da-índia do tamanho de rinocerontes, e rinocerontes do tamanho de uma casa de dois andares. Onde quer que houvesse uma vaga na cadeia predatória, os mamíferos erguiam-se (muitas vezes literalmente) para a ocupar. Os primeiros membros da família dos guaxinins que emigraram para a América do Sul, descobriram uma vaga, e evoluíram para criaturas com o tamanho e a ferocidade de um urso. Os pássaros também aumentaram desproporcionadamente. Durante milhões de anos, um pássaro gigantesco e carnívoro, incapaz de voar, chamado *Titanis*, foi provavelmente a criatura mais feroz que existiu na América do Norte. Foi certamente o pássaro mais assustador da história. Tinha mais de três metros de altura, pesava mais de 350 quilos, e tinha um bico capaz de arrancar a cabeça a praticamente todo e qualquer bicho que o irritasse. A família a que pertencia sobreviveu com as suas formidáveis características durante 50 milhões de anos e contudo, até ser descoberto um esqueleto na Florida em 1963, não tínhamos sequer ideia de que alguma vez existira.

O que nos leva a outra razão para a nossa ignorância sobre as extinções: a pobreza do registo fóssil. Já falámos na improbabilidade de um conjunto completo de ossos conseguir fossilizar-se mas o património fóssil é ainda mais escasso do que se possa imaginar. Vejamos os dinossauros, por exemplo. Os museus dão-nos a impressão de que temos uma abundância global de fósseis de dinossauro. Na verdade, a esmagadora maioria dos fósseis expostos nos museus é artificial. O gigantesco Diplodocus, que domina o átrio do Museu de História Natural, em Londres, e que tem deliciado e informado gerações de visitantes, é feito em gesso – foi construído em Pittsburgh em 1903 e oferecido ao museu por Andrew Carnegie. O átrio do Museu Americano de História Natural, em Nova Iorque, apresenta um cenário ainda mais grandioso: o esqueleto de um enorme Barosaurus a defender o seu filhote do ataque de um Allosaurus de dentes afiados. É uma cena impressionante – o Barosaurus ergue-se talvez uns nove metros em direcção ao tecto –, mas também é completamente falso. Cada um das várias centenas de ossos em exposição é um molde. Em quase todos os grandes museus de história natural do mundo – Paris, Viena, Frankfurt, Buenos Aires, Cidade de México –, o que está à vista do curioso visitante são modelos antigos e não ossos pré-históricos.

A verdade é que não sabemos muito sobre os dinossauros. De toda a Era dos Dinossauros, identificaram-se menos de mil espécies (das quais quase metade é conhecida através de um único espécime), o que representa cerca de um quarto do número de espécies de mamíferos existentes na actualidade. Os dinossauros, não esqueçamos, reinaram na Terra por um período de tempo três vezes maior do que aquele abrangido pelos mamíferos até hoje, portanto, ou os dinossauros eram espantosamente pouco produtivos, ou ainda mal arranhámos a superfície (para utilizar um trocadilho irresistivelmente adequado ao contexto.)

Existe um período de milhões de anos que se inscreve na Era dos Dinossauros para o qual ainda não foi encontrado nenhum fóssil. Mesmo em relação ao Cretácico superior – o período pré-histórico mais estudado, graças ao nosso longo interesse pelos dinossauros e a sua extinção – é possível que cerca de três quartos das espécies que existiram ainda estejam por descobrir. Pode ter havido milhares de animais mais robustos do que o Diplodocus, ou mais assustadores do que o Tiranossauro, que talvez nunca cheguemos a conhecer. Até há muito pouco tempo, tudo o que sabíamos sobre os dinossauros deste período vinha de umas três centenas de espécimes representativas de apenas 16 espécies. A escassez do registo fez com que muitos acreditassem que os dinossauros já estavam a caminho da extinção quando ocorreu o impacto KT.

No final da década de 1980, um paleontólogo do Milwaukee Public Museum, Peter Sheehan, decidiu fazer uma experiência. Com a ajuda de 200 voluntários, procedeu a um censo meticuloso de uma área bem definida, mas também já muito explorada, da famosa formação geológica Hell Creek, no Montana. Peneirando o terreno com todo o cuidado, os voluntários recolheram o que ainda havia em matéria de dentes, vértebras e fragmentos de ossos – tudo o que tivesse sido ignorado pelos escavadores anteriores. O projecto durou três anos. Quando terminaram, deram-se conta de que tinham triplicado o número total de fósseis de dinossauro do Cretácico superior encontrados em todo o planeta. O estudo revelou que os dinossauros existiram em grande número até ao momento do impacto KT. "Não há qualquer razão para pensarmos que os dinossauros se estavam a extinguir gradualmente ao longo dos últimos três milhões de anos do Cretácico", relatou Sheehan.

Estamos tão habituados à ideia de que somos, inevitavelmente, a espécie dominante da vida, que é difícil aceitar a noção de que estamos aqui simplesmente por causa de oportunas explosões extraterrestres, ou outros felizes acasos. Uma coisa que temos em comum com todos os outros seres vivos é o facto de, durante quase quatro mil milhões de anos, os nossos antepassados terem conseguido esgueirar-se por uma série de portas que se fechavam, de cada vez que foi necessário fazê-lo. Stephen Jay Gould exprimiu resumidamente essa ideia numa frase bem conhecida: "Os humanos existem hoje porque a nossa linhagem particular nunca foi interrompida – nem uma única vez, em nenhum dos biliões de pontos em que podíamos ter sido varridos da história."

Começámos este capítulo com três ideias: A vida quer ser; a vida nem sempre quer ser grande coisa; a vida extingue-se de vez em quando. A estas, podemos acrescentar uma quarta: A vida continua. E muitas vezes, como veremos, continua de maneiras decididamente espantosas.

23.

A RIQUEZA DE SER

No Museu de História Natural de Londres, existem, aqui e além, umas portas secretas em lugares recônditos, situados ao longo dos corredores iluminados, ou entre caixas de vidro cheias de minerais, ovos de avestruz e cerca de um século de outras produtivas recolhas arqueológicas – secretas no sentido de não haver nelas nada que possa atrair o olhar do visitante. Ocasionalmente, poderá ver-se alguém, com aquele ar distraído e cabelo revolto universalmente associados aos cientistas, a sair de uma dessas portas e a apressar-se pelo corredor abaixo, provavelmente para desaparecer por uma porta mais adiante, mas isso raras vezes acontece. Quase sempre essas portas mantêm-se fechadas, não dando a mais pequena ideia de que, para além delas, existe um outro Museu, paralelo, de História Natural, tão vasto como o museu conhecido e adorado pelo público, e talvez ainda mais maravilhoso.

O Museu de História Natural contém cerca de 70 milhões de objectos relativos a todos os domínios da vida e recantos do planeta, sendo uns cem mil ou mais acrescentados anualmente à colecção. Mas só nos bastidores é que podemos ter uma noção de quão magnífico é o tesouro do museu. Os seus armários, escritórios e compridas salas repletas de estantes atulhadas abrigam dezenas de milhares de animais conservados em frascos, milhões de insectos espetados em quadrados de cartão, gavetas a abarrotar de moluscos cintilantes, ossos de dinossauros, crânios de humanos primitivos, pastas intermináveis de plantas cuidadosamente comprimidas. É um pouco como se andássemos a passear dentro do cérebro de Darwin. Só o laboratório abrange 24 quilómetros de prateleiras cheias de frascos com animais conservados em álcool desnaturado.

Ali se encontram os espécimes coleccionados por Joseph Banks, na Austrália, Alexander von Humboldt, na Amazónia, Darwin, durante a sua viagem no *Beagle*, e muitas outras coisas que são ou extremamente raras, ou historicamente importantes, ou ambas as coisas. Muita gente adoraria deitar a mão a estes objectos. E já houve quem o fizesse. Em 1954, o Museu adquiriu uma colecção ornitológica impressionante pertencente à herança deixada por um coleccionador devoto, Richard Meinertzhagen, autor de *Birds of Arábia*, entre outras obras académicas. Meinertzhagen fora um fiel visitante do museu durante muitos anos, deslocando-se até lá quase diariamente para tirar apontamentos destinados aos seus livros e monografias. Quando chegaram os caixotes, os curadores abriram-nas entusiasticamente, mortos por ver o que lhes tinha sido deixado. Ficaram estupefactos, para não dizer outra coisa, ao descobrirem que um grande número dos espécimes tinha etiquetas do próprio museu. Ficou assim a saber-se que havia anos que o Sr. Meinertzhagen se andava a servir das suas colecções. Estava também explicada a razão pela qual trazia sempre vestido um grande sobretudo, até quando fazia bom tempo.

Alguns anos mais tarde, um simpático e regular visitante do departamento de moluscos – "um cavalheiro muito distinto", segundo me disseram – foi apanhado a introduzir umas preciosas conchas marinhas nas pernas ocas da sua bengala de quatro pés.

"Suponho que não haja aqui nada que alguém, algures, não cobice", disse Richard Fortey com ar pensativo, enquanto me levava a visitar os bastidores do museu, um mundo extraordinário. Vagueámos por uma confusão de departamentos onde havia pessoas sentadas diante de grandes mesas a investigar atentamente as mais diversas coisas, como artrópodes, folhas de palmeira e caixas com ossos amarelados. Por toda a parte havia um ambiente de meticulosidade sem pressas, de mentes envolvidas num projecto gigantesco que nunca termina, mas que não pode ser apressado. Li algures que, em 1967, o museu publicou o seu relatório sobre a expedição de John Murray, um estudo efectuado no oceano Índico, 44 anos após a conclusão da expedição. Neste mundo, as coisas movem-se ao seu próprio ritmo, incluindo o minúsculo elevador que eu e Fortey partilhámos com um velhote de ar erudito, com quem ele conversou afável e familiarmente enquanto subíamos mais ou menos à velocidade a que se depositam os sedimentos.

Quando o senhor saiu, Fortey disse-me: "Este é um tipo muito simpático chamado Norman, que anda há 42 anos a estudar uma espécie de planta, a erva-de-são-joão. Reformou-se em 1989, mas continua a vir cá todas as semanas."

"Como é que se pode passar 42 anos a estudar uma única espécie de planta?", perguntei.

"É espantoso, não é?", concordou. Pensou durante um momento. "Parece que ele é muito meticuloso." O elevador abriu, e viu-se uma abertura que tinha sido tapada com tijolos. "Que estranho", disse ele, "ali costumava ser a Botânica." Carregou num botão para outro piso, e lá acabámos por chegar à Botânica através de escadarias traseiras, passagens discretas e ainda mais departamentos cheios de investigadores dedicadamente atarefados com coisas que foram outrora seres vivos. Foi então que conheci Len Ellis e o mundo silencioso das briófitas – musgos, para o comum dos mortais.

Quando Emerson poeticamente comentou que os musgos preferem os lados das árvores virados a norte *(The moss upon the forest bark, was pole-star when the night was dark*[*]*)*, estava a referir-se aos líquenes, porque no século XIX não havia distinção entre musgos e líquenes. Os musgos verdadeiros não são esquisitos com o local que escolhem para crescer, portanto, não servem como bússolas naturais. De facto, não servem para grande coisa. "Talvez não haja nenhum grande grupo de plantas com tão pouca utilidade, comercial ou económica, como os musgos", escreveu Henry S. Conrad, talvez com um toque de tristeza, em *How to Know the Mosses and Liverworts*, publicado em 1956, e que ainda se encontra nas prateleiras de muitas bibliotecas quase como única tentativa de popularizar o tema.

Contudo, são prolíferos. Mesmo subtraindo os líquenes, o reino das briófitas continua a ser muito variado, com mais de dez mil espécies distribuídas por cerca de 700 géneros. O volumoso e imponente *Moss Flora of Britain and Ireland*, de A. J. E. Smith, tem 700 páginas e, no entanto, a Grã-Bretanha e a Irlanda estão longe de ser excepcionalmente ricas em musgos. "É nos trópicos que encontramos a maior diversidade", disse-me Len Ellis. Sereno e reservado, há 27 anos que trabalha no museu, sendo curador do departamento desde 1990. "Em sítios como as florestas húmidas da Malásia, encontram-se facilmente novas variedades. Foi o que fiz há pouco tempo. Olhei para o chão e ali estava uma espécie que nunca fora registada."

"Portanto, não sabemos quantas espécies falta ainda descobrir?"

"Não, não temos a mínima ideia."

Pode pensar-se que não haverá muita gente preparada para dedicar a sua vida inteira ao estudo de uma coisa tão discreta, mas o facto é que existem centenas de investigadores de musgo, e todos se orgulham imenso daquilo

---

[*] "O musgo sobre a casca das árvores, era a estrela polar na noite escura."

que fazem. "Ah, sim", disse-me Ellis, "as reuniões às vezes conseguem ser muito animadas."

Pedi-lhe um exemplo de controvérsia.

"Bem, aqui está um provocado por um compatriota seu", disse ele, sorrindo ligeiramente, e abriu um catálogo pesado cheio de ilustrações de musgos, cuja característica mais notável, para os meus olhos de leigo, era a inquietante semelhança que tinham entre si. "Este", disse ele, apontando um musgo, "pertencia ao género *Drepanocladus*. Actualmente está reclassificado em três: *Drepanocladus*, *Wamstorfia*, e *Hamatacoulis*."

"E isso causou celeuma?", perguntei, talvez um pouco esperançoso.

"Bom, fazia sentido. Fazia mesmo muito sentido. Mas implicou muito trabalho de reorganização das colecções, o que desactualizou os livros durante uns tempos, por isso houve uns resmungos, sabe como é..."

Os musgos também nos oferecem mistérios, disse-me ele. Um caso famoso – famoso para os que estudam musgos, pelo menos – diz respeito a um tipo que se pensava estar em vias de extinção, chamado *Hyophila stanfordensis*, e que foi descoberto no recinto da Stanford University, na Califórnia, e mais tarde também na beira de um caminho na Cornualha, no Sudoeste de Inglaterra, mas que nunca se encontrou em lado nenhum entre esses dois lugares. Ninguém percebe como é que foi crescer em dois sítios tão diferentes. "Agora é conhecido por *Hennediella stanfordensis*", disse Ellis. "Outra revisão."

Ambos anuímos pensativamente.

Quando se descobre um musgo novo, é preciso compará-lo com todos os outros musgos para ter a certeza de que ainda não foi registado. Depois tem de se fazer uma descrição oficial, acompanhada por um esboço ilustrado, que mais tarde é publicada num jornal científico idóneo. O processo completo raramente demora menos de seis meses. O século XX não foi dos melhores para a taxonomia dos musgos. Grande parte dele foi dedicada a desenredar as confusões e duplicações herdadas do século XIX.

Essa é que foi a era dourada das colecções de musgos. (Talvez o leitor se lembre que o pai de Charles Lyell era um grande perito em musgos.) Um inglês muito adequadamente chamado George Hunt[NT] "caçava" musgos tão assiduamente que poderá ter contribuído para a extinção de várias espécies. Contudo, é graças a esse esforço que a colecção de Len Ellis é a mais exaustiva do mundo. Cada um dos 780 mil espécimes encontra-se muito bem prensa-

[NT] *Hunt* significa "caçar" em inglês.

do entre grandes folhas de papel grosso dobradas, algumas das quais muito antigas e cobertas com uma esguia e fina caligrafia vitoriana. Algumas, tanto quanto sabemos, até podem ter estado na posse de Robert Brown, o grande botânico vitoriano, que descobriu o movimento browniano e os núcleos das células, que fundou e dirigiu o departamento de botânica do Museu durante os primeiros 31 anos da sua existência, até à sua morte, em 1858. Todos os espécimes se encontram guardados em brilhantes armários de mogno, tão requintados que não resisti a comentar o facto.

"Ah, esses armários eram de Sir Joseph Banks, da casa dele em Soho Square", disse Ellis com displicência, como se estivesse a falar de uma compra recente no Ikea. "Mandou-os fazer para guardar os espécimes que trouxe da viagem que fez com o *Endeavour*." Olhou os armários pensativamente, como se fosse a primeira vez ao fim de muito tempo. "Não sei como é que vieram parar aqui, à briologia", acrescentou.

Foi uma revelação espantosa. Joseph Banks era o mais famoso botânico de Inglaterra, e a viagem no *Endeavour* – ou seja, aquela em que o capitão Cook cartografou o trânsito de Vénus de 1769 e reclamou a Austrália para a Coroa inglesa, entre muitas outras coisas – foi a expedição botânica mais importante da história. Banks pagou dez mil libras, cerca de 600 mil libras actuais, para que o levassem a bordo mais uma equipa de nove pessoas – um naturalista, um secretário, três artistas, e quatro criados – numa aventura de três anos à volta do mundo. Só Deus sabe o que o rude capitão Cook fez com um grupo tão pomposo com tanto veludo, mas parece que se deu bem com Banks, e não pôde deixar de apreciar os seus talentos em botânica – um sentimento partilhado pela posteridade.

Nunca antes, nem depois desta, existiu uma equipa botânica que tenha tido tão grandes triunfos. Em parte, deveu-se ao facto de a viagem incluir visitas a terras novas ou pouco conhecidas – Terra do Fogo, Taiti, Nova Zelândia, Austrália, Nova Guiné – mas também porque Banks era um coleccionador inteligente e criativo. Mesmo quando foi impedido de desembarcar no Rio de Janeiro devido a uma quarentena, aproveitou para examinar um fardo de forragem, enviado de terra para o gado que ia a bordo do navio, e fez novas descobertas. Ao que parece, nada lhe escapava. Na totalidade, trouxe consigo 30 mil espécimes de plantas, incluindo 1400 que nunca tinham sido vistas – o suficiente para aumentar em cerca de 25 por cento o número de plantas conhecidas no mundo até àquela data.

Contudo, a grandiosa recolha de Banks foi apenas uma parte da colheita total, numa época absurdamente dedicada à aquisição. Coleccionar plantas no século XVIII transformou-se numa espécie de mania internacional. A glória e a fortuna esperavam os que conseguiam descobrir espécies novas, e os botânicos e aventureiros iam longe para satisfazer a fome mundial de novidades em horticultura. Thomas Nuttall, o homem que baptizou a *wisteria* em honra de Caspar Wistar, foi para a América como tipógrafo sem formação nesse domínio, mas, quando descobriu que tinha uma paixão por plantas, percorreu metade do país para lá e para cá, coleccionando espécies vegetais nunca antes vistas. John Fraser, que deu o nome ao *Abies fraseri*, uma variedade de abeto, passou muitos anos por montes e vales a recolher espécies ao serviço de Catarina, *a Grande*, tendo regressado para descobrir que a Rússia tinha um novo czar, que o achava louco e se recusou a cumprir o seu contrato. Fraser levou toda a sua colecção para Chelsea, onde abriu um viveiro e ganhou bem a vida a vender rododendros, azáleas, magnólias, trepadeiras, ásteres e muitas outras variedades exóticas das colónias a uma aristocracia inglesa encantada.

Os achados certos rendiam grandes montantes. John Lyon, um botânico amador, passou dois anos difíceis e perigosos a coleccionar espécimes, e recebeu o equivalente a 125 mil libras pelo seu esforço. Muitos, porém, faziam-no simplesmente por amor à botânica. Nutall ofereceu a maior parte dos seus achados aos Jardins Botânicos de Liverpool. Mais tarde, foi director do Jardim Botânico de Harvard e o autor da enciclopédica *Genera of North American Plants* (que não só escreveu mas que também compôs em grande parte).

E isto dizia respeito só às plantas. Também havia toda a fauna das novas terras – o canguru, o kiwi, o guaxinim, o gato selvagem, os mosquitos, e muitas outras formas curiosas que desafiavam a imaginação. O volume da vida na Terra era aparentemente infinito, como Jonathan Swift registou nos seus famosos versos:

> "Assim, observam os naturalistas, uma pulga
> Que tem pulgas mais pequenas que dela vivem
> E estas, têm ainda mais pequenas, que as mordem
> E assim prossegue, *ad infinitum*."

Toda estas novas informações precisavam de ser arquivadas, ordenadas e comparadas com o que já se conhecia. O mundo estava desesperado para encontrar um sistema de classificação viável. Felizmente, havia um homem na Suécia que estava pronto para o fornecer.

Chamava-se Carl Linné (posteriormente mudado, com a devida autorização, para o mais aristocrático *von* Linné), mas hoje é conhecido pelo seu nome latinizado, Carolus Lineu, ou simplesmente Lineu. Nasceu em 1707 na aldeia de Råshult, no Sul da Suécia, filho de um padre luterano pobre mas ambicioso. Era um aluno tão preguiçoso que o pai, exasperado, pô-lo a trabalhar (ou, segundo outras versões, quase chegou a fazê-lo) como aprendiz de sapateiro. Com medo de passar uma vida inteira a pregar tachas em cabedal, o jovem Linné suplicou outra oportunidade, que lhe foi dada, e desde então nunca mais se desviou do caminho da distinção académica. Estudou medicina na Suécia e na Holanda, embora o mundo natural se tenha revelado como a sua verdadeira paixão. No princípio da década de 1730, ainda na casa dos 20, começou a criar catálogos das espécies de fauna e flora do mundo, utilizando um sistema por ele concebido, e a sua fama começou a crescer.

Muita poucas vezes terá existido um homem tão feliz com a sua própria grandeza. Passava grande parte do seu tempo livre desenhando retratos elaborados e lisonjeadores de si próprio, declarando que nunca tinha havido "melhor botânico ou zoólogo", e que o seu sistema de classificação "era a maior realização no domínio da ciência". Modestamente, sugeriu que a sua campa ostentasse a inscrição *Princeps Botanicorum*, "Príncipe dos Botânicos". Não era aconselhável pôr em causa as suas generosas auto-avaliações. Os que o faziam encontravam muitas vezes o seu nome na classificação de ervas daninhas.

Outra característica notável de Lineu era a sua incessante, às vezes mesmo febril, preocupação com o sexo. Ficava especialmente fascinado com a semelhança entre alguns bivalves e os órgãos sexuais femininos. Às diferentes partes de uma espécie de amêijoa atribuiu os nomes de *vulva, labia, pubis, anus,* e *hymen.* Agrupou as plantas segundo a natureza dos seus órgãos reprodutivos, e dotou-as de uma espantosa languidez antropomórfica. As suas descrições de flores e do respectivo comportamento estão cheias de referências a "coito promíscuo", "concubinas estéreis", e "leito nupcial". Na Primavera, escreveu numa passagem frequentemente citada:

> "O amor está a chegar, até mesmo às plantas. Machos e fêmeas... celebram as suas núpcias... mostrando, pela exibição dos seus órgãos sexuais, quais são machos e quais são fêmeas. As folhas das flores servem de leito nupcial, que o Criador tão gloriosamente arranjou, adornou com

tão nobres cortinados, e perfumou com tantos aromas suaves para que o noivo e a noiva aí possam celebrar as suas núpcias com ainda maior solenidade. Assim que o leito estiver preparado, chega o momento de o noivo abraçar a sua amada noiva e de se entregar a ela."

Classificou um género de plantas como *Clitoria.* Como podemos calcular, muitas pessoas achavam-no estranho. Contudo, o seu sistema de classificação era irresistível. Antes de Lineu, as plantas recebiam nomes excessivamente descritivos. O nome comum da cerejeira terrestre era *Physalis amno ramosissime ramis angulosis glabris foliis dentoserratis.* Lineu abreviou-o para *Physalis angulata*, ainda hoje usado. O mundo das plantas estava também desordenado por inconsistências de classificação. Um botânico não podia ter certeza se a *Rosa sylvestris alba cum rubore, folio glabro* era ou não a mesma planta a que outros chamavam *Rosa sylvestris inodora seu canina.* Lineu resolveu o dilema, chamando-lhe simplesmente *Rosa canina.* Para conseguir que estas excisões fossem úteis e consensuais para todos, era necessário ser muito mais do que simplesmente decidido. Era necessário ter um instinto – um génio, melhor dizendo – para distinguir as características proeminentes de uma espécie.

O sistema lineano está de tal forma implantado que é difícil imaginar uma alternativa, mas, antes dele, os sistemas de classificação eram altamente caprichosos. Os animais podiam ser categorizados por serem bravos ou domesticados, terrestres ou aquáticos, grandes ou pequenos, ou até por serem considerados nobres e bonitos, ou simplesmente insignificantes. Buffon classificava os animais segundo a sua utilidade para o homem. As considerações de ordem anatómica quase não contavam. Lineu resolveu corrigir essa deficiência, classificando todos os seres vivos de acordo com os seus atributos físicos. E a taxonomia – ou seja, a ciência da classificação – nunca mais parou.

É evidente que tudo isto levou tempo. A primeira edição do seu grande livro, *Systema Naturae*, em 1735, tinha apenas 14 páginas. Porém, o livro cresceu tanto que, na altura da 12.ª edição – a última que Lineu testemunharia –, já chegara aos três volumes e 2300 páginas. No fim, acabou por classificar e registar 13 mil espécies de plantas e animais. Houve outras obras mais extensivas – na Inglaterra, a *Historia Generalis Plantarum* de três volumes, da autoria de John Ray e editada uma geração antes, abrangia nada menos de 18 625 espécies –, mas faltava-lhes o que Lineu fornecia: consistência, ordem, simplicidade e oportunidade. Embora a sua obra date da década de 1730, só passou a ser universalmente conhecida a partir de 1760, mesmo a tempo de transformar

Lineu numa espécie de modelo para os naturalistas britânicos. Em nenhum outro país o sistema foi tão apreciado como em Inglaterra (razão porque a Linnaean Society tem a sua sede em Londres, e não em Estocolmo).

Mas Lineu não era perfeito. Incluiu nas suas classificações animais míticos e "humanos monstruosos", em cujas descrições, feitas por marinheiros e outros imaginativos viajantes, acreditou piamente. Entre eles encontrava-se um homem selvagem, o *Homo ferus*, que andava em quatro patas e ainda não dominava a arte da fala, e o *Homo caudatus*, "homem com cauda". Mas não esqueçamos que se tratava de uma época mais crédula. Até mesmo o grande Joseph Banks se interessou genuinamente por uma série de supostos avistamentos de sereias perto da costa da Escócia, no final do século XVIII. Em grande parte, contudo, os lapsos de Lineu eram largamente compensados por uma taxonomia sólida, e muitas vezes brilhante. Entre outras proezas, percebeu que a baleia se integrava na ordem Quadrupedia (mais tarde modificado para Mammalia) que inclui vacas, ratos, e outros animais terrestres, coisa que ninguém tinha feito antes dele.

No início, Lineu pretendia atribuir a cada planta apenas um género e um número – *Convolvulus 1, Convolvulus 2,* etc. –, mas em breve se deu conta de que não chegava, e foi então que concebeu o esquema binomial em que o sistema se baseia até hoje. A intenção original era utilizar o sistema binomial para tudo – rochas, minerais, doenças, ventos, tudo o que existisse na natureza. Nem todos adoptaram o sistema com entusiasmo. Muitos ficaram perturbados pela sua tendência para a rudeza, o que era um pouco irónico já que, antes de Lineu, os nomes comuns das plantas e animais eram decididamente ordinários. O dente-de-leão, por exemplo, era há muito tempo conhecido por *pissabed* (mija na cama) devido às suas propriedades diuréticas, e havia outros com nomes do género *peido-de-égua*, *damas-nuas*, *torce-tomates*, *mijo-de-cão*, *cu-aberto* e *toalha-de-rabo*. Ainda se usam uma ou duas destas designações em Inglaterra, sem consciência da sua brejeirice. Por exemplo, *maidenhair* (cabelos-de-donzela), nome que se dá a uma espécie de musgo, *não* se refere à cabeleira da dita donzela. De qualquer forma, há muito que se achava que as ciências naturais seriam consideravelmente dignificadas se fossem rebaptizadas em moldes mais clássicos, pelo que houve uma certa consternação ao descobrir que o autoproclamado Príncipe da Botânica tinha animado os seus textos com designações do género *clitoria, fornicata,* e *vulva.*

Ao longo do tempo, muitas destas designações foram gradual e discretamente eliminadas (mas não todas: um molusco do género da lapa ainda tem a designação oficial de *Crepidula fornicata)*, assim como outros aperfeiçoamentos que se introduziram à medida que as ciências se tornavam mais especializadas. Em particular, o sistema foi reforçado com a introdução gradual de hierarquias adicionais. *Género* e *espécie* já eram utilizados pelos naturalistas um século antes de Lineu. *Ordem, classe* e *família,* no seu sentido biológico, entraram em uso nas décadas de 1750 e 1760. Mas *filo* só foi introduzido em 1876 (pelo alemão Ernst Haeckel), e não se fazia distinção entre *família* e *ordem* até ao princípio do século XX. Durante algum tempo os zoólogos utilizaram *família* no mesmo sentido em que os botânicos utilizavam *ordem*, o que confundia quase toda a gente.*

Lineu dividira o mundo animal em seis categorias: mamíferos, répteis, aves, peixes, insectos e vermes, para tudo o que não se enquadrasse nas primeiras cinco. Desde o princípio tornou-se evidente que não era boa ideia integrar as lagostas e os camarões na categoria dos vermes, pelo que se criaram novas categorias, como moluscos e crustáceos. Infelizmente, as novas classificações não eram aplicadas de modo uniforme em todos os países. Numa tentativa de restabelecer a ordem, em 1842 os britânicos proclamaram uma nova série de regras a que chamaram o Código de Strickland, mas os franceses viram nisto uma atitude arrogante, e a Société Zoologique respondeu com o seu próprio código antagónico. Entretanto, a Amercian Ornithological Society, por razões obscuras, decidiu utilizar a edição de 1758 do *Systema Naturae* como referência básica para a sua nomenclatura, em vez da edição de 1766 usada no resto do mundo, o que teve como consequência as aves americanas passarem o século XIX a ser classificadas em géneros diferentes dos dos seus primos europeus. Só em 1902, na primeira reunião do International Congress of Zoology, é que os naturalistas começaram enfim a mostrar algum espírito de compromisso, adoptando um código universal.

A taxonomia é descrita às vezes como ciência e às vezes como arte, mas, na realidade, é um campo de batalha. Ainda hoje há mais desordem no sistema do que as pessoas possam imaginar. Por exemplo, vejamos a categoria do filo, a divisão que descreve a configuração estrutural básica de todos os organis-

---

* Como exemplo, os humanos pertencem ao domínio eucarya, reino animalia, filo chordata, subfilo vertebrata, classe mammalia, ordem primates, família hominidae, género *homo,* espécie *sapiens.* (Disseram-me que, por convenção, só o género e a espécie se escrevem em itálico, não sendo assim para as divisões superiores.) Alguns taxonomistas empregam ainda outras subdivisões: tribo, subordem, infra-ordem, etc.

mos. Alguns filos são geralmente bem conhecidos, como os moluscos (a que pertencem as amêijoas e os caracóis), artrópodes (insectos e crustáceos), e cordados (nós e todos os animais que possuam espinha dorsal ou proto-espinha dorsal), mas depois tudo começa a ficar muito mais obscuro. Entre os últimos podemos listar os Gnathostomulida (vermes marinhos), os Cnidaria (alforrecas, medusas, anémonas e corais), e os delicados Priapulida (ou "pequenos vermes-pénis"). Familiares ou não, estas divisões são elementares. Porém, surpreendentemente, o consenso é raro quanto ao número de filos existentes, ou que deveriam existir. A maior parte dos biólogos estimam um total de cerca de 30, outros optam por 20 e poucos, enquanto Edward O. Wilson, em *The Diversity of Life,* vai até aos 89. Depende do critério adoptado para as divisões – há os "agrupadores" e os "separadores", como se diz no mundo biológico.

A um nível mais corriqueiro das espécies, as possibilidades de discordância são ainda maiores. Talvez não seja assunto de apaixonada discussão entre leigos saber se uma certa espécie de erva se deve chamar *Aegilops incurva*, *Aegilops incurvata* ou *Aegilops ovata,* mas pode criar grande polémica nos círculos próprios. O problema é que existem cerca de cinco mil espécies de erva e muitas delas são extremamente parecidas, até para os grandes conhecedores. Por consequência, algumas espécies foram descobertas e classificadas pelo menos 20 vezes, e, ao que parece, há muito poucas que não tenham sido identificadas, em diferentes ocasiões, pelo menos duas vezes. Os dois volumes do *Manual of the Grasses of the United States* dedicam 200 páginas compactas ao esclarecimento de todas essas sinonímias, termo utilizado pela comunidade biológica para referir as duplicações, tão involuntárias quanto comuns. E isto diz apenas respeito às ervas de um único país.

Para lidar com as discordâncias a nível global, existe uma associação chamada International Association for Plant Taxonomy que decide sobre questões de prioridade e duplicação. De vez em quando decreta umas regras, declarando por exemplo que a *Zauschneria californica* (uma planta comum em jardins de pedra) passa a ser conhecida por *Epilobium canum* ou que a *Aglaothamnion tenuissimum* pode ser considerada da mesma espécie que a *Aglaothamnion byssoides*, mas não que a *Aglaothamnion pseudobyssoides*. Normalmente, tratam-se de pequenas questões formais que não levantam grande interesse, mas quando tocam as plantas favoritas dos jardins, o que acontece com frequência, são inevitavelmente recebidas com protestos escandalizados. No final dos anos 1980, o crisântemo vulgar foi banido do género do mesmo nome (aparentemente com base em princípios científicos) e relegado para o desenxabido e indesejável género *Dendranthema.*

Os produtores de crisântemos, numerosos e muito orgulhosos da sua actividade, manifestaram o seu protesto junto do Comité das Espermatófitas. (Também existem comités das Pteridófitas, das Briófitas e dos Fungos, tendo todos eles que responder perante um executivo chamado Rapporteur-Général; esta é verdadeiramente uma instituição a preservar). Embora as regras da nomenclatura devam ser aplicadas com todo o rigor, os botânicos também são sentimentais e, em 1995, a decisão foi revogada. Outras adjudicações semelhantes também salvaram as petúnias, os euónimos e uma variedade comum de amarílis de uma despromoção certa, mas não muitas espécies de gerânios, que há uns anos atrás foram transferidas, entre gritos lancinantes, para o género *Pelargonium.* Estas discussões são objecto de um humorístico estudo em *The Potting-Shed Papers*, de Charles Elliott.

As discussões e reclassificações deste género são igualmente evidentes em todos os outros domínios da vida, pelo que manter um registo global não é tão fácil como parece. Consequentemente, e por muito espantoso que seja, o facto é que não temos a menor ideia – "nem sequer até à ordem de grandeza mais aproximada", nas palavras de Edward O. Wilson – do número de seres vivos existentes no planeta. Ainda mais extraordinário, segundo uma reportagem do *The Economist*, é o facto de até 97 por cento das plantas e animais da Terra poderem estar ainda à espera de ser descobertas.

Dos organismos de que *temos* conhecimento, mais de 99 por cento estão descritos de forma sucinta – "um nome científico, um punhado de espécimes num museu e uns fragmentos de descrições em jornais científicos", é como Wilson descreve o estado do nosso conhecimento. Em *The Diversity of Life*, calculou o número de espécies conhecidas de todos os tipos – plantas, insectos, micróbios, algas, tudo – em 1,4 milhões, mas acrescentou que era apenas uma suposição. Outras autoridades calculam um número ligeiramente mais elevado, 1,5 a 1,8 milhões, mas não existe um registo central dessas coisas, portanto não há forma de confirmar. Resumindo, a curiosa posição em que nos encontramos é a de não sabermos bem o que sabemos.

Em princípio, deveríamos poder contactar peritos em cada área de especialidade, perguntar qual o número de espécies existentes nas suas áreas, e depois somar os vários totais. Muitos até já o fizeram. O problema é que raramente há dois peritos da mesma área que dêem o mesmo número. Algumas fontes calculam o número de espécies de fungos em 70 mil, outros em cem mil. Há quem afirme com total confiança que o número de espécies de minhocas registadas é de quatro mil e há também quem afirme, com o mesmo grau de certeza, que é de 12 mil. No que respeita aos insectos, os números variam entre 750 mil e 950 mil espécies. Estes números correspondem, como se compreende, ao número de espécies *conhecidas*. Para as plantas, os números geralmente aceites variam entre 248 mil e 265 mil. Pode não parecer uma grande diferença, mas representa 20 vezes mais do que o número de plantas com flor em toda a América do Norte.

Pôr as coisas por ordem não é tarefa fácil. No início dos anos 1960, Colin Groves, da Australian National University, organizou uma investigação sistemática sobre mais de 250 espécies conhecidas de primatas. Muitas vezes aconteceu descobrir que a mesma espécie fora descrita mais do que uma vez – por vezes mesmo várias vezes – sem que os seus descobridores se tivessem dado conta de que se tratava de um animal já conhecido pela ciência. Foram precisas quatro décadas para Groves conseguir deslindar a meada, e isto aconteceu com um grupo relativamente pequeno de animais facilmente diferenciáveis, em relação aos quais não havia grande controvérsia. Só Deus sabe o que se passaria se alguém tentasse realizar um exercício semelhante com os 20 mil tipos de líquenes, as 50 mil espécies de moluscos, e as mais de 400 mil de escaravelhos.

O que é certo é que existe uma grande abundância de vida por aí, embora as quantidades sejam calculadas com base em extrapolações por vezes demasiado expansivas. Num exercício muito conhecido realizado nos anos 1980, Terry Erwin, da Smithsonian Institution, saturou com insecticida um pavilhão com 19 árvores numa floresta virgem do Panamá e, depois, apanhou com uma rede tudo o que tinha caído da cobertura. Entre as espécies da colheita (ou melhor dizendo, das colheitas, já que repetiu a experiência em várias estações, para ter a certeza que apanhava também as espécies migratórias) havia 1200 tipos de escaravelho. Baseado na distribuição de escaravelhos no mundo inteiro, no número de outras espécies de árvores existentes na floresta, no número de florestas existentes no mundo, no número de outros tipos de insectos, etc., ao longo de toda uma longa cadeia de variáveis, chegou a uma estimativa de 30 milhões de espécies de insectos no planeta inteiro – número que, mais tarde, considerou demasiado moderado. Outros cientistas que utilizaram os mesmos dados, ou dados semelhantes, chegaram a números como 13 milhões, 80 milhões, ou cem milhões de tipos de insectos, o que vem sublinhar a conclusão de que, por muito cuidadosas que sejam as estimativas, inscrevem-se mais no domínio das hipóteses do que da certeza científica.

Segundo o *Wall Street Journal*, existem no mundo "cerca de dez mil taxonomistas activos" – um número bem pequeno, se pensarmos em tudo o que há para ser classificado. Contudo, acrescenta que devido às despesas (cerca de 1250 libras por espécie) e à burocracia necessária, só se registam por ano cerca de 15 mil espécies novas de todos os tipos.

"Não é uma crise de biodiversidade, é uma crise de taxonomistas!", refila o belga Koen Maes, director do departamento de invertebrados do Kenyan National Museum, em Nairobi, com quem tive um breve encontro quando visitei aquele país, no Outono de 2002. Não havia taxonomistas especializados em toda a África, disse-me ele. "Havia um na Costa do Marfim, mas acho que está reformado." São necessários oito a dez anos para formar um taxonomista, mas nenhum vem para África. "Esses é que são os verdadeiros fósseis", acrescentou Maes. Disse-me que ele próprio seria despedido no final do ano. Depois de sete anos no Quénia, não lhe iam renovar o contrato. "Falta de fundos", explicou.

O biólogo britânico G. H. Godfray declarou, num artigo escrito há alguns meses para a revista *Nature*, que há uma "falta crónica de prestígio e recursos" no que respeita aos taxonomistas de todo o mundo. Consequentemente, "muitas espécies são mal descritas e em publicações isoladas, sem que haja qualquer tentativa de relacionar um *taxon** novo com as espécies e classificações existentes". Além disso, grande parte do tempo de um taxonomista não é passado a descrever espécies novas, mas sim a organizar as já existentes. Muitos, segundo Godfray, "passam a maior parte das suas carreiras a tentar interpretar os trabalhos dos sistematicistas do século XIX: descodificando as descrições que publicaram, muitas vezes mal feitas, ou revirando os museus do mundo à procura de material dactilografado, que muitas vezes se encontra em más condições." Godfray sublinha em especial a ausência de interesse pelas vastas possibilidades que a Internet oferece em termos de sistematização. O facto é que, de um modo geral, a taxonomia continua aliada ao papel.

Em 2001, numa tentativa de modernização, Kevin Kelly, um dos fundadores da revista *Wired*, lançou uma iniciativa a que chamou All Species Foundation, cujo objectivo era descobrir todos os organismos vivos e registá-los numa base de dados. Os seus custos foram calculados entre 1,3 e 30 mil milhões de libras. Na Primavera de 2002, a Fundação só tinha 750 mil libras de financiamento e quatro empregados a tempo inteiro. Se, como sugerem os números, ainda há cem milhões de espécies de insectos por descobrir, e se

---

* Palavra formal para uma categoria zoológica, como por exemplo *filo* ou *género*. O plural é *taxa*.

as descobertas continuarem a processar-se ao ritmo actual, saberemos o total definitivo de insectos daqui a pouco mais de 15 mil anos. O resto do reino animal poderá demorar um pouco mais.

Mas então, porque é que sabemos tão pouco? Existem quase tantas razões quanto os animais ainda por contar, mas eis algumas das causas principais:

Grande parte dos seres vivos é de pequenas dimensões, sendo portanto difícil de detectar. Em termos práticos, isso nem sempre é mau. Teríamos um sono menos tranquilo se soubéssemos que o nosso colchão alberga qualquer coisa como dois milhões de ácaros microscópicos, que saem a altas horas cá para fora e se banqueteiam com os nossos óleos sebáceos e os flocos de pele estaladiços que vamos largando à medida que dormimos ou andamos às voltas na cama. Só a almofada pode abrigar cerca de 40 mil dos simpáticos bichinhos. (Para eles, a nossa cabeça é um gigantesco e oleoso bombom.) E não pense que a coisa se resolve com uma almofada limpa. À escala dos ácaros, o entrançado mais apertado das fibras do tecido é equivalente ao cordame de um navio para nós. De facto, calcula-se que, numa almofada com seis anos – aparentemente, é essa a média de idade de uma almofada – um décimo do peso é composto de "pele morta, ácaros vivos e mortos e respectivos excrementos", para citar o homem que fez esse cálculo, o Dr. John Maunder, do British Medical Entomology Center. (Mas, pelo menos, são os *nossos* ácaros. Imaginem quando dormimos numa cama de hotel.)* Estes bichos têm estado connosco desde tempos imemoriais, mas só foram descobertos em 1965.

Se criaturinhas tão intimamente associados a nós só foram descobertas na época da televisão a cores, não é de espantar muito que o resto do mundo microscópico seja praticamente desconhecido. Se entrarmos numa floresta qualquer e apanharmos um punhado de terra, teremos dez mil milhões de bactérias na mão, das quais a maior parte é desconhecida para a ciência. Além disso, a sua amostra vai ainda conter um milhão de leveduras rechonchudas, uns 200 mil fungozinhos peludos conhecidos por mofos, talvez dez mil protozoários (sendo a ameba a mais familiar) e uma diversos rotíferos, vermes achatados e arredondados, e outras criaturas microscópicas conhecidas colectivamente por criptozoários. Grande parte deles será também desconhecida.

---

* A verdade é que estamos a piorar em certos aspectos da higiene. O Dr. Maunder pensa que a tendência para usar detergentes que permitem ciclos de baixa temperatura nas máquinas de lavar tem contribuído para a proliferação dos insectos microscópicos. Como ele diz, "se lavarmos roupa suja a temperaturas baixas, a única coisa que vamos conseguir são piolhos mais limpos".

O catálogo de microrganismos mais extenso, *Bergey's Manual of Systematic Bacteriology,* enumera cerca de quatro mil tipos de bactéria. Nos anos 1980, um par de cientistas noruegueses, Jostein Goksøyr e Vigdis Torsvik, apanharam um grama de terra ao acaso numa floresta de faias perto do seu laboratório em Bergen, e analisaram cuidadosamente o seu conteúdo bacteriológico. Descobriram que só essa pequena amostra continha entre quatro mil e cinco mil espécies de bactérias diferentes, mais do que a totalidade do *Manual* de Bergey. Então, foram a uma região costeira a uns quilómetros de distância, apanharam mais um grama de terra, e descobriram que continha entre quatro mil e cinco mil outras espécies. Como observa Edward O. Wilson: "Se há mais de nove mil tipos de micróbios em duas pitadas de substrato proveniente de duas localidades da Noruega, quantos mais haverá à espera de serem descobertos noutros *habitats* radicalmente diferentes?" Ora bem, segundo uma estimativa, poderão atingir os 400 milhões.

Não procuramos nos lugares certos. Em *The Diversity of Life*, Wilson conta que um botânico que passou uns dias a vaguear por dez hectares de selva em Bornéu descobriu mil espécies novas de plantas floríferas – mais do que existem em toda a América do Norte. As plantas não eram difíceis de encontrar; simplesmente, nunca ninguém tinha pensado em procurá-las aí. Koen Maes, do Kenyan National Museum, contou-me que tinha ido a uma floresta de nuvens no Quénia, nome por que são conhecidas as florestas situadas nos topos das montanhas, e ao fim de meia hora "de procura sem grande esforço" descobriu quatro novas espécies de milípedes, três das quais representam novos géneros, e uma espécie nova de árvore. "Grande árvore", acrescentou, estendendo os braços como se fosse dançar com um parceiro enorme. Estas florestas de nuvens encontram-se nos topos dos planaltos, tendo algumas delas ficado isoladas durante milhões de anos. "Fornecem o clima ideal para a biologia, e quase não estão estudadas", disse ele.

No total, as florestas virgens cobrem apenas seis por cento da superfície da Terra, mas albergam mais de metade dos seus animais e cerca de dois terços das suas plantas floríferas; contudo, a maior parte de toda esta vida continua a ser desconhecida do homem, porque há poucos investigadores a trabalhar nessas regiões. E a verdade é que muitas dessas espécies poderão ser muito valiosas. Pelo menos 99 por cento das plantas floríferas nunca foram testadas pelas suas propriedades medicinais. Como não podem fugir dos seus predadores, as plantas foram obrigadas a fabricar defesas químicas, estando portanto enriquecidas com compostos intrigantes. Ainda hoje, cerca de um quarto de todos os medicamentos receitados são provenientes de apenas 40 plantas, enquanto 16 por cento vêm de animais ou micróbios, pelo que há um sério risco de perdermos possibilidades medicamente vitais a cada hectare de floresta que derrubamos. Utilizando um método chamado química combinatória, os químicos podem fabricar nos laboratórios 40 mil compostos de cada vez, mas esses produtos são aleatórios e frequentemente inúteis, enquanto as moléculas naturais já terão passado por aquilo a que o *The Economist* chama "o programa perfeito de apuramento: mais de 3,5 mil milhões de anos de evolução".

Contudo, procurar o desconhecido não é apenas uma questão de viajar até aos lugares mais remotos ou distantes. No seu livro *Life: An Unauthorised Biography*, Richard Fortey conta que foi encontrada uma bactéria primitiva na parede de um bar do interior "onde os homens tinham urinado durante gerações" – descoberta que, aparentemente, implicou muita sorte e dedicação e, possivelmente, outras qualidades não especificadas...

Não há especialistas suficientes. O inventário de tudo o que está para ser descoberto, examinado e registado exige muito mais do que o número de cientistas disponíveis para o fazer. Considerem-se, por exemplo, os ousados e quase desconhecidos organismos conhecidos como rotíferos bdelóides. São animais microscópicos que conseguem sobreviver a quase tudo. Quando o ambiente fica hostil, enrolam-se numa forma compacta, desligam o metabolismo e aguardam melhores dias. Nestas condições, podem ser postos em água a ferver ou congelados quase até ao zero absoluto – nível a que até os próprios átomos desistem – e, quando termina o tormento e voltam a um ambiente mais agradável, desenrolam-se e vão à sua vida, como se nada tivesse acontecido. Até agora identificaram-se cerca de 500 espécies (há quem diga 360), mas ninguém faz a mínima ideia de quantas haverá na totalidade. Durante anos, quase tudo o que se soube sobre estes animais era devido a um amador dedicado, um empregado de escritório de Londres chamado David Bryce, que os estudava no seu tempo livre. Eles encontram-se em todo a parte e pelo mundo inteiro, mas se o leitor convidasse para jantar todos os peritos de rotíferos bdelóides existentes no planeta, não teria de pedir louça emprestada aos vizinhos.

Mesmo algo tão importante e ubíquo como os fungos – e não há dúvida de que são ambas as coisas – chama pouco a atenção. Os fungos estão por toda a parte, e há-os de todas as cores e feitios – sob a forma de cogumelos, bolores, míldios, leveduras, etc. – e existem em volumes de que a maior parte de nós nem sequer suspeita. Se juntasse todos os fungos que se encontram num hectare de pradaria, teria cerca de 2800 quilos de material. Não são organismos secundários. Sem os fungos não haveria a doença da batata, a grafiose do ulmeiro, o pé de atleta ou outras micoses, mas também não haveria iogurtes, nem cervejas, nem queijos. No total, identificaram-se até hoje cerca de 70 mil espécies de fungos, mas calcula-se que possa haver até 1,8 milhões. Muitos micólogos trabalham na indústria, na produção de queijos e iogurtes, portanto é difícil dizer quantos se dedicam activamente à pesquisa, mas podemos dizer com segurança que há mais espécies de fungos do que pessoas para os encontrar.

O mundo é realmente enorme. Hoje em dia, com a facilidade das viagens aéreas e de outras formas de comunicação, somos tentados a pensar que o mundo não é assim tão grande. Contudo, a nível do solo, que é onde os investigadores precisam de trabalhar, o mundo é efectivamente enorme – suficientemente grande para estar cheio de surpresas. Sabe-se hoje que o ocapi, o parente vivo mais próximo da girafa, existe em grande quantidade nas florestas virgens do Zaire – calcula-se que a população total seja de aproximadamente 30 mil indivíduos –, porém, até ao século XX, não se suspeitava sequer da sua existência. Pensava-se que uma ave terrestre da Nova Zelândia chamada *takahe* estava extinta há 200 anos, quando se descobriu numa região inóspita da South Island. Em 1995, uma equipa de cientistas franceses e britânicos que estava perdida numa tempestade de neve num vale remoto do Tibete cruzou-se com uma raça de cavalos, o *Riwoche*, que até aí só fora visto em gravuras descobertas em cavernas pré-históricas. Os habitantes do vale ficaram espantados quando lhes disseram que o cavalo era considerado uma raridade no resto do mundo.

Algumas pessoas acham que nos esperam surpresas ainda maiores. "Um proeminente etnobiólogo britânico", dizia um artigo do *The Economist* em 1995, "pensa que poderá haver um megatherium, uma espécie de preguiça terrestre capaz de atingir a altura de uma girafa... a vaguear pela vastidão da bacia amazónica". Talvez seja significativo o facto de este cientista não ter sido identificado; e ainda mais significativo o facto de nunca mais se ter falado sobre ele ou a sua preguiça gigantesca. Contudo, ninguém pode dizer categoricamente que não existe tal coisa até se terem investigado todos os recantos possíveis da selva amazónica, e estamos ainda muito longe de poder dizê-lo.

Mas mesmo que preparássemos milhares de investigadores para trabalhar no terreno e os enviássemos para os sítios mais recônditos do mundo, não seria o suficiente, porque, onde quer que seja possível existir vida, ela existe mesmo. A extraordinária fecundidade da vida é assombrosa, mesmo gratificante, mas também problemática. Para a investigar na sua totalidade, teríamos de virar cada pedra, espiolhar de uma ponta à outra o solo de todas as florestas, peneirar quantidades inimagináveis de areia e terra, trepar às copas de todas as árvores e criar métodos mais eficazes para examinar os mares. E ainda assim nos escapariam ecossistemas inteiros. Nos anos 1980, espeleólogos amadores que examinavam, algures na Roménia, uma gruta situada a grande profundidade que esteve selada do mundo exterior durante um longo e incerto período de tempo, descobriram 33 espécies de insectos e outras pequenas criaturas – aranhas, centopeias, piolhos – todos cegos, incolores e desconhecidos da ciência. Alimentavam-se dos micróbios existentes na espuma da superfície dos charcos, que por sua vez se alimentavam do sulfureto de hidrogénio proveniente das nascentes térmicas.

O nosso instinto pode levar-nos a achar que a impossibilidade de descobrir todas as pistas é frustrante, desmotivante, talvez mesmo assustadora, mas também podemos considerar essa perspectiva como terrivelmente excitante. Habitamos um planeta com uma capacidade mais ou menos infinita de nos surpreender. Qual o ser racional que gostaria que fosse de outra maneira?

O que é quase sempre espantoso quando percorremos as diversas disciplinas da ciência moderna é apercebermo-nos da quantidade de pessoas que resolveram dedicar a sua vida às mais sumptuosas linhas esotéricas de investigação. Num dos seus ensaios, Stephen Jay Gould fala sobre um herói seu, chamado Henry Edward Crampton, que passou 50 anos, desde 1906 até a sua morte em 1956, a estudar serenamente um género de caracóis terrestres denominados *Partula*, na Polinésia. Repetidas vezes, ano após ano, Crampton mediu até ao mais ínfimo grau – oito casas decimais – as espirais, arcos e suaves curvas descritos por inúmeros *Partula*, compilando os resultados em tabelas elaboradamente pormenorizadas. Uma única linha de texto na sua tabela podia representar semanas de medidas e cálculos.

Apenas ligeiramente menos dedicado, e sem dúvida mais inesperado, foi Alfred C. Kinsey, que se tornou famoso pelos seus estudos sobre a sexualidade humana nos anos 1940 e 1950. Mas antes de deixar que o sexo lhe invadisse o espírito, por assim dizer, Kinsey fora entomólogo, e muito persistente. Numa expedição que durou dois anos, percorreu 3200 quilómetros para conseguir juntar uma colecção de 300 mil vespas. O número de picadelas que levou durante esse tempo não ficou registado.

Uma coisa que me intrigava era a questão da sucessão nestes misteriosos domínios. É evidente que não existem muitas instituições no mundo inteiro que precisem ou que estejam dispostas a financiar especialistas em lapas ou caracóis do Pacífico. Enquanto me despedia do Museu de História Natural, em Londres, perguntei a Richard Fortey como é que a ciência assegura que haja sempre alguém para preencher os postos que vão ficando desocupados.

Ele riu-se com gosto da minha ingenuidade. "Receio que não seja bem uma questão de termos um grupo de suplentes sentados no banco, à espera de serem chamados para jogar. Quando um especialista se reforma, ou ainda pior, morre, isso pode fazer com que as coisas parem nessa área, às vezes durante muito tempo."

"Suponho então que seja por isso que tanto apreciam uma pessoa capaz de passar 42 anos a estudar uma única espécie de planta, mesmo que não resulte daí nada de especialmente interessante?"

"Precisamente", disse, "precisamente." E pareceu-me que estava a falar a sério.

24.

AS CÉLULAS

Tudo começa com uma única célula. A primeira divide-se em duas, essas duas em quatro, e assim por diante. Depois de apenas 47 duplicações, há dez mil triliões (10 000 000 000 000 000) de células no seu corpo que estão prestes a transformar-se num ser humano.* E cada uma dessas células sabe exactamente o que terá de fazer para o preservar e alimentar desde o momento da concepção até ao seu último suspiro.

Não temos segredos para as nossas células. Conhecem-nos melhor do que nós próprios. Cada uma delas contém uma cópia do nosso código genético completo – o manual de instruções do corpo –, portanto não só sabe fazer o seu trabalho como todos os outros trabalhos do corpo. Nunca precisará de lembrar a uma célula que é necessário vigiar os seus níveis de trifosfato de adenosina, ou que tem de arranjar lugar para mais um esguicho de ácido fólico que surgiu de repente. Ela faz isso sozinha, e milhões de outras coisas.

Cada célula na natureza é um pequena maravilha. Até as mais simples ultrapassam em muito os limites do engenho humano. Para produzir a mais simples célula de levedura, por exemplo, seria necessário miniaturizar o mesmo número de componentes que participam na construção de um *Boeing 777* e encaixá-los numa esfera com apenas cinco mícrones de diâmetro; depois, teria de arranjar maneira de convencer essa esfera a reproduzir-se.

Contudo, as células de levedura não se comparam sequer com as células humanas, que não são apenas mais variadas e complexas, como muitíssimo mais fascinantes, devido às suas complexas interacções.

---

* Na realidade, perdem-se muitas células no processo de desenvolvimento, portanto o número com que acabamos no nosso corpo é apenas uma suposição. Dependendo da fonte que se consulte, esse número varia muito em ordem de grandeza. O número de dez mil triliões foi proposta por Margulis e Sagan, em *Microcosmos*.

As nossas células constituem um país de dez mil biliões de cidadãos, cada um deles intensa e especificamente dedicado ao nosso bem-estar. Não há nada que elas não façam por nós. Deixam-nos sentir prazer e formar pensamentos. Permitem-nos pôr em pé, esticar ou dar cambalhotas. Quando comemos, extraem os nutrientes, distribuem a energia e deitam fora os desperdícios – tudo aquilo que se aprende em biologia na escola –, mas também se lembram de nos dar a sensação de fome e de nos recompensar depois com uma sensação de bem-estar, para que não nos esqueçamos de comer de novo mais tarde. Mantêm-nos o cabelo a crescer, os ouvidos encerados e o cérebro a funcionar. Gerem todos os cantos do nosso corpo. Correm em nossa defesa no instante em que somos ameaçados. Morrem por nós sem hesitação – biliões delas fazem-no diariamente. E nem uma única vez, ao longo de todos os seus anos de vida, agradeceu a uma única que seja. Portanto, paremos agora por um momento para as observar com a admiração e a gratidão que elas merecem.

Sabemos um pouco sobre a sua forma de funcionamento – como depositam gordura, ou fabricam insulina, ou se empenham nos milhares de funções necessárias para manter uma entidade complexa como o ser humano –, mas só um pouco. Existem pelo menos 200 mil tipos diferentes de proteínas a trabalhar dentro de nós, e até agora só compreendemos como funcionam cerca de dois por cento. (Outros calculam 50 por cento; depende, aparentemente, do significado que se atribui à palavra "compreender".)

Estão sempre a surgir surpresas ao nível celular. Na natureza, o óxido nítrico é uma toxina potente e um componente comum da poluição do ar. Portanto, é natural que os cientistas tenham ficado um pouco surpreendidos quando, em meados da década de 1980, descobriram que as células humanas o produziam de forma curiosamente dedicada. Inicialmente, a sua função era um mistério, mas depois os cientistas começaram a encontrá-lo por toda a parte – a gerir o fluxo sanguíneo e os níveis de energia das células, a atacar cancros e outras agentes patogénicos, a regular o sentido olfactivo e até a auxiliar as erecções penianas. Também explicava por que é que a nitroglicerina, o conhecido explosivo, alivia a dor do coração conhecida por angina de peito. (É convertida em óxido nítrico na corrente sanguínea, relaxando o revestimento muscular dos vasos, permitindo assim que o sangue flua com mais facilidade.) Em pouco menos de uma década, esta substância gasosa passou de toxina exterior a elixir omnipresente.

Possuímos "algumas centenas" de células de diferentes tipos, segundo o bioquímico belga Christian de Duve, que variam muito em tamanho e forma, desde as células do sistema nervoso, cujos filamentos podem atingir comprimentos de um metro, até aos pequenos glóbulos vermelhos, em forma de disco, até às fotocélulas em forma de bastão que ajudam a dar-nos a visão. Também existem num leque sumptuosamente vasto de tamanhos – e o momento mais ilustrativo dessa característica é sem dúvida o da concepção, quando um único espermatozóide explorador se depara com um óvulo 85 mil vezes maior do que ele (algo que dá outra perspectiva à noção da conquista masculina). Contudo, em média, uma célula humana tem um comprimento de cerca de 20 mícrones – isto é, apenas dois centésimos de milímetro –, ou seja, demasiado pequena para ser vista, mas com espaço suficiente para abrigar milhares de estruturas complicadas, como mitocôndrias e milhões e milhões de moléculas. No sentido mais literal, as células também variam em vivacidade. As células da pele estão todas mortas. É uma ideia algo arrepiante, pensar que cada centímetro quadrado da nossa superfície está morto. Se for um adulto de tamanho médio, isso significa que carrega consigo mais de dois quilos de pele morta, da qual se desprendem diariamente vários biliões de minúsculos fragmentos. Se passar o dedo sobre uma prateleira poeirenta, o risco que lá deixar será em grande parte constituído por pele velha.

A maior parte das células raramente dura mais de um mês, mas há algumas excepções notáveis. As células do fígado podem sobreviver durante anos, embora os respectivos componentes possam ser renovados com alguns dias de intervalo. As células do cérebro duram a vida inteira. Quando nascemos, são-nos atribuídos cerca de cem mil milhões, e será esse o número que teremos para sempre. Calcula-se que se percam cerca de 500 destas células por hora, portanto, se tiver de pensar muito, é melhor não perder nem mais um segundo. A boa notícia é que os componentes individuais das nossas células do cérebro são renovados constantemente, o que significa, provavelmente, que nenhum dos componentes celulares terá mais de um mês. De facto, já se aventou a hipótese de não haver um único bocadinho de nós – nem sequer uma molécula perdida – que já nos pertencesse há nove anos. Pode não parecer assim, mas a nível molecular somos todos miúdos.

A primeira pessoa a descrever uma célula foi Robert Hooke, que disputara com Isaac Newton a honra de ter inventado a lei do inverso do quadrado da distância. Hooke fez muitas coisas ao longo dos seus 68 anos de vida – era um óptimo teórico, e também tinha um jeitão para fabricar instrumentos úteis e engenhosos –, mas nada lhe valeu tanta admiração como o seu famoso livro

Microphagia: or Some Physiological Descriptions of Miniature Bodies Made by Magnifying Glasses, escrito em 1665. Nele se desvendava a um público fascinado o universo do extremamente pequeno, que se revelou muito mais diverso, denso e refinadamente estruturado do que alguém pudera alguma vez imaginar.

Entre as características microscópicas inicialmente identificadas por Hooke, encontravam-se pequenas câmaras nas plantas, a que chamou "celas", porque lhe lembravam as celas dos frades. Hooke calculou que uma secção de cortiça de uma polegada quadrada (6,25 centímetros quadrados) poderia conter 1 259 712 000 dessas minúsculas câmaras – a primeira vez que surgia um número tão elevado na história ciência. Nessa altura já havia microscópios há cerca de uma geração, mas o que distinguia os de Hooke era a sua supremacia tecnológica. Conseguiam amplifar a imagem até 30 vezes, o que os punha na vanguarda da tecnologia óptica do século XVII.

Por isso, foi de certa forma chocante para Hooke e outros membros da London's Royal Society, quando, uma década mais tarde, começaram a receber desenhos e relatórios de um iletrado negociante de linho holandês, que utilizava ampliações de 275 vezes. Chamava-se Antoni van Leeuwenhoek. Embora tivesse pouca formação escolar e nenhuns conhecimentos de ciência, era um observador perspicaz e dedicado, e um génio da técnica.

Até hoje ainda não se sabe como é que conseguiu ampliações tão magníficas com dispositivos manuais, pouco mais do que uns simples tarugos de madeira com uma pequena ampola de vidro encaixada no meio, muito mais parecidos com lupas do que com a imagem que a maior parte de nós tem de um microscópio, mas que na realidade eram diferentes dos dois. Leeuwenhoek fabricava um novo instrumento para cada experiência que fazia, e era extremamente sigiloso nas suas técnicas, embora por vezes desse uns conselhos aos ingleses sobre a maneira de conseguir obter melhores resoluções.*

Durante um período de 50 anos – que começou, curiosamente, quando já tinha mais de 40 anos – enviou quase 200 relatórios à Royal Society, todas

---

* Leeuwenhoek era grande amigo de outro notável cidadão de Delft, o pintor Jan Vermeer. Em meados do século XVII, Vermeer, que fora até aí um artista hábil mas pouco proeminente, desenvolveu subitamente o domínio da luz e da perspectiva pelo qual é conhecido desde então. Embora nunca tenha sido provado, suspeita-se que utilizava uma *camera obscura*, um dispositivo que projectava imagens numa superfície plana através de uma lente. Esse dispositivo não estava listado entre os seus objectos pessoais depois da sua morte, mas acontece que o testamenteiro dos seus bens era o próprio Antoni van Leeuwenhoek, o mais secreto fabricante de lentes daquele tempo.

escritas num dialecto holandês, a única língua que dominava. Leeuwenhoek não fornecia quaisquer interpretações, apresentava simplesmente os resultados das suas observações acompanhados por desenhos magníficos. Enviava relatórios sobre tudo o que pudesse ser útil examinar – o bolor do pão, o ferrão de uma abelha, células do sangue, dentes, cabelos, a sua própria saliva, excrementos e sémen (estes últimos acompanhados de incomodadas desculpas pela sua natureza ofensiva) – amostras que, na sua maior parte, nunca tinham sido vistas ao microscópio até então.

Quando comunicou ter encontrado alguns "animáculos" numa amostra de molho picante em 1676, os membros da Royal Society passaram um ano com os melhores instrumentos da tecnologia inglesa à procura destes "pequenos animais", até que finalmente conseguiram a ampliação correcta. O que Leeuwenhoek descobrira eram protozoários. Ele calculou que existiriam 8 280 000 destes seres minúsculos numa única gota de água – mais do que a população da Holanda. O mundo fervilhava de vida, de maneiras e em quantidades que ninguém suspeitara até aí.

Inspirados pelas descobertas fantásticas de Leeuwenhoek, muitos outros começaram a espreitar pelos microscópios, e com tanto entusiasmo que às vezes até encontravam coisas que não existiam. Um respeitado observador holandês, Nicolaus Hartsoecker, estava convencido de que via "pequenos homens pré-formados" nas células de esperma. Chamou a esses seres *homunculi*, e durante algum tempo muitas pessoas acreditaram que todos os humanos – de facto, todas as criaturas – eram meras versões imensamente insufladas de minúsculos mas completos precursores. O próprio Leeuwenhoek deixava por vezes levar-se pelo entusiasmo. Numa das suas experiências menos bem sucedidas, tentou estudar as propriedades explosivas da pólvora, observando de perto uma pequena explosão; quase ficou cego no processo.

Em 1683, Leeuwenhoek descobriu as bactérias, mas foi praticamente aí que os progressos pararam durante o século e meio seguinte, devido às limitações da tecnologia do microscópio. Só em 1831 é que se observou pela primeira vez o núcleo de uma célula – descoberta realizada pelo botânico escocês Robert Brown, esse frequente mas sempre obscuro visitante da história da ciência. Brown, que viveu entre 1773 e 1858, deu-lhe o nome de *nucleus,* derivado do latim *nucula*, que significa "caroço" ou "noz pequena". Contudo, só em 1839 é que alguém se iria aperceber de que toda a matéria viva era constituída por células. Foi Theodor Schwann, um alemão, que fez essa descoberta, que não só veio tarde, do ponto de vista científico, como também não foi amplamente acolhida ao princípio. Só por volta de 1860, com as brilhantes experiências de Louis Pasteur, em França, é que se demonstrou de forma definitiva que a vida não pode surgir espontaneamente, mas sim a partir de células preexistentes. Esta crença ficou conhecida como a "teoria celular", e é a base de toda a biologia moderna.

A célula já foi comparada com muitas coisas, desde "uma refinaria química complexa" (pelo físico James Trefil) a "uma metrópole vasta e fervilhante" (pelo bioquímico Guy Brown). Uma célula é ambas as coisas, e nenhuma delas. É como uma refinaria pelo facto de se dedicar à actividade química em grande escala, e como uma metrópole por ser densa, movimentada e repleta de interacções que parecem confusas e entregues ao acaso, mas que assentam nitidamente num sistema organizado. Mas é um lugar muito mais aterrador do que qualquer cidade ou fábrica que possa ter visto. Para começar, não existe parte de cima nem parte de baixo dentro de uma célula (a gravidade não é significativa ao nível celular) e não há espaço, nem que seja do tamanho de um átomo, que não seja utilizado. Há actividade por *toda* a parte, e uma constante palpitação de energia eléctrica. Podemos não nos sentir muito eléctricos, mas o facto é que somos. A comida que ingerimos e o oxigénio que respiramos são convertidos em electricidade nas células. Se não damos choques maciços uns aos outros, nem queimamos o sofá quando nos sentamos, é porque toda esta actividade acontece a uma escala minúscula: uns meros 0,1 volts que percorrem distâncias de nanómetros. Contudo, se aumentarmos a escala, seria equivalente a uma descarga eléctrica de 20 milhões de volts por metro, praticamente a quantidade de carga eléctrica contida no centro de uma tempestade.

Qualquer que seja o seu tamanho ou forma, quase todas as células são construídas fundamentalmente pelo mesmo modelo: têm um revestimento exterior, ou membrana, um núcleo, onde reside a informação genética necessária para nos mantermos vivos, e um espaço activo entre os dois, chamado citoplasma. A membrana não é, como a maior parte de nós imagina, um revestimento durável e elástico, susceptível de se furar com a ponta de um alfinete. Na realidade, é constituída por um tipo de matéria gorda conhecida como lípidos, com a consistência aproximada de um "óleo industrial ligeiro", como disse Sherwin B. Nuland. Se isso lhe parece surpreendentemente insubstancial, não se esqueça que, ao nível microscópico, tudo se passa de forma diferente. À escala molecular, a água transforma-se num gel muito resistente, e um lípido é como ferro.

Se pudesse visitar uma célula, não ia gostar. Ampliada para uma escala em que os átomos seriam do tamanho de ervilhas, uma célula corresponderia a uma esfera com uns 800 metros de diâmetro, suportada por uma complexa estrutura de traves chamada citosqueleto. Por dentro, milhões e milhões de objectos – uns do tamanho de uma bola de basquete, outros do tamanho de um carro – agitar-se-iam a uma velocidade semelhante à das balas. Não haveria um único lugar onde pudéssemos ficar sossegados, sem sermos atingidos a cada segundo e de todas as direcções. Mesmo para os seus residentes permanentes, o interior de uma célula é muito perigoso. Em média, cada cadeia de ADN é atacada ou danificada um vez a cada 8,4 segundos – dez mil vezes por dia – por substâncias químicas ou outros agentes que ou colidem com ela ou a atravessam sem qualquer cuidado, e cada uma destas lesões tem de ser rapidamente suturada para que a célula não sucumba.

As proteínas são particularmente animadas, girando, pulsando e esbarrando umas nas outras até mil milhões de vezes por segundo. As enzimas, um outro tipo de proteína, acorrem a toda a parte, chegando a desempenhar até mil funções por segundo. Tal como formigas muitíssimo aceleradas, elas constroem e reconstroem as moléculas, retirando um bocado aqui, acrescentando outro ali. Algumas vigiam as proteínas que passam, marcando com um químico as que estão irreparavelmente danificadas ou defeituosas. Depois de seleccionadas, estas proteínas condenadas são conduzidas para uma estrutura chamada proteossoma, onde são desmontadas e os seus componentes utilizados para formarem novas proteínas. Alguns tipos de proteína duram menos de meia hora, outros duram semanas, mas todos levam vidas inimaginavelmente frenéticas. Como disse De Duve: "O mundo molecular tem necessariamente de se manter para além da nossa capacidade de imaginação, devido à velocidade incrível a que tudo acontece."

Mas se abrandarmos para uma velocidade a que seja possível observar as interacções, esse mundo torna-se menos enervante. Pode observar-se que uma célula é simplesmente um grupo de milhões de objectos – lisossomas, endossomas, ribossomas, ligandos, peroxissomas, proteínas de todos os tamanhos e feitios – que choca com milhões de outros objectos, enquanto desempenham funções mundanas: extraem energia dos nutrientes, montam estruturas, libertam-se dos resíduos, lutam contra intrusos, enviam e recebem mensagens, fazem reparações. Uma célula típica contém cerca de 20 mil tipos de proteína, dos quais cerca de dois mil estão representados por 50 mil moléculas cada um. "Isto significa", diz Nuland, "que mesmo contando apenas as moléculas existentes em quantidades superiores a 50 mil, o total é, no mínimo, de 100 milhões de moléculas de proteína em cada célula. Este número espantoso dá-nos uma ideia da fervilhante imensidade de actividade bioquímica que existe dentro de nós."

É um processo imensamente exigente. Um coração tem de bombear cerca de 343 litros de sangue por hora, 8000 litros por dia, três milhões de litros por ano – o suficiente para encher quatro piscinas olímpicas –, só para manter todas as células continuamente oxigenadas. (E isto é apenas em repouso. Durante o exercício físico, a taxa pode aumentar para seis vezes mais.) O oxigénio é absorvido pelas mitocôndrias. Estas são as centrais eléctricas da célula, e existem cerca de mil por célula, embora o número varie conforme a função da célula e a quantidade de energia requerida.

Talvez se recorde, de um capítulo anterior, que se pensa que as mitocôndrias têm origem em bactérias cativas e que hoje vivem essencialmente como "hóspedes" nas nossas células, mantendo as suas próprias instruções genéticas, dividindo-se ao seu próprio ritmo e falando o seu próprio idioma. Talvez se recorde também de que estamos à mercê da sua boa vontade. E eis porquê: praticamente todos os nutrientes e oxigénio que entram no corpo são entregues após processamento às mitocôndrias, onde são convertidos numa molécula chamada trifosfato de adenosina, ou ATP.

Pode nunca ter ouvido falar no ATP, mas fique sabendo que é o que o mantém vivo. Estas moléculas funcionam essencialmente como pequenas pilhas que passam por dentro das células, fornecendo energia para toda a sua actividade, que não é nada pouca. A qualquer determinado momento, uma célula do nosso corpo pode conter cerca de mil milhões de moléculas de ATP e ao fim de dois minutos cada uma delas já foi esgotada, chegando outros mil milhões para substituí-las. Todos os dias produzimos e utilizamos um volume de ATP equivalente a metade do peso do nosso corpo. Sinta o calor do seu corpo. É o trifosfato de adenosina a funcionar.

Quando as células já não são necessárias, morrem, com aquilo que se pode chamar uma grande dignidade. Desmontam todas as armações e alicerces que as mantêm, e silenciosamente devoram os seus componentes. O processo é conhecido por apoptose, ou morte celular programada. Todos os dias biliões de células morrem por nós e biliões de outras vêm limpar o campo de batalha. As células também podem morrer violentamente – por exemplo, quando são infectadas – mas, essencialmente, morrem porque recebem essa ordem. De facto, se não lhes ordenarem que vivam – se não receberem qualquer tipo de instruções activas de outra célula – elas matam-se automaticamente. As células precisam de ter a sua confiança permanentemente restabelecida.

Quando, como acontece às vezes, uma célula não morre como estava previsto e em vez disso começa a dividir-se e a proliferar incontrolavelmente, o resultado chama-se cancro. As células cancerosas são, na realidade, apenas células confusas. As células cometem esse erro com bastante regularidade, mas o corpo tem mecanismos elaborados para lidar com o problema. Só muito raramente é que a situação se descontrola. Em média, os seres humanos só sofrem de uma malignidade fatal por cada cem mil biliões de divisões celulares. O cancro é literalmente um azar.

O que é fascinante no mundo das células não é o facto de as coisas correrem mal de vez em quando, e sim a forma como conseguem gerir tudo tão bem durante décadas. Conseguem fazê-lo, enviando e controlando constantemente as correntes de mensagens emitidas de todo o corpo – uma verdadeira cacofonia de mensagens: instruções, inquéritos, correcções, pedidos de assistência, actualizações, ordens para se dividirem ou morrerem. A maior parte das mensagens são entregues por estafetas chamados hormonas, entidades químicas como a insulina, adrenalina, estrogénios e testosterona, que transportam informação de sítios tão longínquos como a tiróide e glândulas endócrinas. Há ainda outras mensagens que chegam por telégrafo do cérebro ou de outros centros regionais, num processo chamado sinalização parácrina. Por fim, as células comunicam directamente com as suas vizinhas, para garantir a coordenação das respectivas acções.

O que talvez seja mais notável é que tudo isto são apenas acções frenéticas ao acaso, uma sequência de encontros intermináveis, dirigidos simplesmente pelas regras básicas da atracção e repulsão. É claro que não há nenhum processo de pensamento por detrás de qualquer acção celular. As coisas simplesmente acontecem, com eficácia, repetidamente e com tanta fiabilidade que raramente nos damos conta disso, e contudo, não se sabe como tudo isto permite não só ordem no interior da célula, como uma harmonia perfeita em todo o organismo. De uma forma que só agora começamos a compreender, há biliões de reacções químicas reflexas que se juntam, proporcionando um ser móvel, pensante, capaz de tomar decisões, como o leitor – ou mesmo num simples escaravelho, um pouco menos pensante mas, ainda assim, incrivelmente organizado. Nunca nos esqueçamos de que cada ser vivo é uma maravilha da engenharia atómica.

De facto, alguns organismos que julgamos serem primitivos possuem um nível de organização celular que faz com que a nossa pareça desoladoramente primária. Se separarmos as células de uma esponja marinha (passando-as por um crivo, por exemplo) e as colocarmos em seguida numa solução, elas arranjarão forma de voltar a reunir-se, formando de novo uma esponja completa. Pode fazer isso as vezes que lhe apetecer, que elas voltarão sempre a reconstituir-se teimosamente, porque, tal como você e eu, e todos os outros seres vivos, elas têm um impulso irresistível: continuar a existir.

E isso é devido a uma molécula curiosa, decidida e mal compreendida que, por si só, não tem vida e que na maior parte das vezes não faz nada de especial. Chamamos-lhe ADN, e para começarmos a compreender a sua importância suprema para a ciência e para nós temos de regredir 160 anos, ou mais, até à Inglaterra vitoriana e ao momento em que o naturalista Charles Darwin teve o que tem vindo a ser classificado como "a melhor ideia que jamais alguém teve" – e que depois, por razões difíceis de explicar, a fechou à chave numa gaveta durante os 15 anos seguintes.

25.

A NOÇÃO SINGULAR DE DARWIN

No fim do Verão ou princípio do Outono de 1859, Whitwell Elwin, redactor da respeitada publicação inglesa *Quarterly Review*, recebeu um exemplar de um novo livro da autoria do naturalista Charles Darwin. Elwin leu-o com interesse e concordou que tinha mérito, mas receou que o assunto fosse demasiado limitado para conseguir atrair um vasto público. Sugeriu ao escritor que, em vez disso, escrevesse sobre pombos. "Toda a gente se interessa pelos pombos", observou, tentando ser prestável.

O prudente conselho de Elwin foi ignorado, e *On the Origin of Species by Means of Natural Selection, or the Preservation of Favoured Races in the Struggle for Life* foi editado no fim de Novembro de 1859, ao preço de 15 xelins. A primeira edição, de 1250 exemplares, esgotou no primeiro dia. Desde então, nunca mais deixou de ser impresso, e simultaneamente controverso – nada mal, para um homem cujo outro interesse principal eram as minhocas e que, à excepção de uma única decisão impetuosa de navegar à volta do mundo, teria tido, muito provavelmente, uma vida anónima de pároco de província, conhecido por... bem, por um interesse pelas minhocas.

Charles Robert Darwin nasceu a 12 de Fevereiro de 1809*, em Shrewsbury, uma pacífica vila rural situada nos Midlands ocidentais, em Inglaterra. O pai era um médico próspero e estimado. A mãe, que morreu quando ele tinha apenas oito anos, era filha de Josiah Wedgwood, ceramista famoso.

Darwin conheceu todas as vantagens da educação, mas estava sempre a desiludir o seu viúvo pai com um medíocre desempenho académico. "Só queres saber de caça, de cães e de apanhar ratazanas, e hás-de ser sempre uma vergonha para a tua família e para ti próprio", escreveu-lhe o pai, comentário

---

* Uma data auspiciosa na história: nesse mesmo dia, Abraham Lincoln nascia no Kentucky.

que quase sempre aparece transcrito em qualquer estudo sobre a juventude de Darwin. Embora tivesse uma paixão pela história natural, tentou estudar medicina na Universidade de Edimburgo, só para agradar ao pai, mas não tolerava o sangue e o sofrimento. A experiência de assistir a uma operação numa criança naturalmente aterrorizada – isto era, claro, nos tempos em que ainda não havia anestesia – deixou-o traumatizado para sempre. Tentou depois seguir direito, mas achou-o insuportavelmente maçador, acabando, mais ou menos por exclusão de partes, por se licenciar em teologia pela Universidade de Cambridge.

A vida num vicariato de aldeia parecia ser o que o esperava quando, de um momento para o outro, chegou uma oportunidade mais tentadora. Darwin foi convidado para viajar no navio de inspecção *HMS Beagle*, essencialmente para se sentar à mesa do comandante, Robert FitzRoy, cuja posição o impedia de socializar com quem não fosse um cavalheiro. FitzRoy, homem extremamente excêntrico, escolheu Darwin em parte por gostar do formato do seu nariz. (Considerava que era indício de profundeza de carácter.) Darwin não era a primeira escolha de FitzRoy, mas foi chamado quando o companheiro favorito deste último desistiu. Numa perspectiva do século XXI, a característica mais notória que Darwin e FitzRoy partilhavam era a extrema juventude dos dois. Na altura da viagem, FitzRoy tinha 23 anos, e Darwin 22.

A missão oficial de FitzRoy era fazer o mapa das águas costeiras, mas o seu passatempo – ou paixão, de facto – era a busca de provas para uma interpretação literal e bíblica do fenómeno da criação. O facto de Darwin ser formado em teologia foi fundamental na decisão de FitzRoy em escolhê-lo para a viagem. Darwin, contudo, viria a provar que não só tinha pontos de vista liberais como, ainda por cima, era pouco fiel aos princípios fundamentais da doutrina cristã, o que viria a ser uma fonte de constantes conflitos entre os dois.

O tempo que Darwin passou a bordo o *HMS Beagle*, entre 1831 e 1836, foi sem dúvida a experiência de formação da sua vida, mas também a mais difícil. Ele e o comandante partilhavam um camarote pequeno, o que não deve ter sido fácil, uma vez que FitzRoy era dado a ataques de fúria, seguidos de longas crises de rancor. Ele e Darwin estavam sempre a lançar-se em discussões, algumas das quais "tocavam as raias da loucura", como Darwin recorda mais tarde. As viagens no oceano tendiam a tornar-se jornadas melancólicas, na melhor das hipóteses – o anterior comandante do *Beagle* suicidara-se com um tiro na cabeça num momento de lúgubre solidão – e FitzRoy vinha de uma família conhecida pelas suas tendências depressivas. O tio, visconde Castlereagh, cortara a própria garganta na década anterior, quando era ministro das Finanças. (FitzRoy suicidar-se-ia pelo mesmo método em 1865.) Mesmo quando estava mais calmo, FitzRoy era estranhamente imprevisível. Darwin ficou espantado quando, no final da viagem, soube que FitzRoy se casara quase logo a seguir com uma jovem de quem estava noivo há muito tempo. Durante os cinco anos que passara na sua companhia, FitzRoy não lhe dissera uma única palavra sobre essa ligação, nem sequer mencionara o nome dela.

Contudo, em todos os outros aspectos a viagem do *Beagle* foi um sucesso. Só nesse período, Darwin teve aventuras que dariam para uma vida inteira, e acumulou hordas de espécimes, suficientes para lhe valer a reputação que viria a conquistar e que o mantiveram ocupado durante anos. Descobriu todo um tesouro de fósseis gigantescos magníficos, incluindo o melhor exemplar de megatherium conhecido até agora; sobreviveu a um terramoto mortal no Chile; descobriu uma nova espécie de golfinho (a que, conscienciosamente, chamou *Delphinus fitzroyi*); dirigiu úteis e diligentes investigações geológicas nos Andes e desenvolveu uma teoria, nova e muito admirada, sobre a formação dos atóis de coral, que dava a entender, e não era por coincidência, que os atóis não podiam levar menos de um milhão de anos a formar-se – o primeiro indício do seu eterno interesse pelos processos terrestres extremamente antigos. Em 1836, com 27 anos, regressou a casa, ao cabo de uma ausência de cinco anos e dois dias. Nunca mais sairia de Inglaterra.

Uma coisa que Darwin não fez durante a viagem foi propor a teoria (ou mesmo, *uma* teoria) da evolução. Para começar, nos anos 1830 a evolução já era um conceito com algumas décadas. O seu próprio avô, Erasmus, já prestara homenagem aos princípios da evolução num poema de inspirada mediocridade chamado *O Templo da Natureza*, ainda alguns anos antes de Darwin nascer. Só quando Darwin regressou a Inglaterra e leu o *Essay on the Principle of Population,* da autoria de Thomas Malthus (que apresentava a teoria de que o aumento da produção de géneros alimentares nunca poderia acompanhar o ritmo de crescimento da população, por razões matemáticas) é que a ideia começou a infiltrar-se-lhe no espírito: a vida era uma luta perpétua, e a selecção natural era o método através do qual algumas espécies prosperavam, enquanto outras falhavam. Especificamente, o que Darwin viu foi que todos os organismos competiam pelos recursos e que os que tinham uma vantagem inata eram os que prosperavam, passando essa vantagem à sua descendência. E assim, as espécies tinham tendência a aperfeiçoar-se constantemente.

Parece uma ideia incrivelmente simples – e é-o, na verdade –, mas o facto é que vinha explicar muita coisa até aí inexplicável, e Darwin estava preparado para lhe dedicar o resto da sua vida. "Que estúpido fui por não me ter lembrado disso!", exclamou T. H. Huxley, quando leu *On the Origin of Species*. É um sentimento que muitos partilharam desde então.

Curiosamente, Darwin não utilizou a expressão *survival of the fittest* ("sobrevivência dos mais aptos") em qualquer parte da sua obra (embora tivesse expresso a sua admiração por ela). A expressão foi inventada cinco anos mais tarde por Herbert Spencer, no seu livro *Principles of Biology*, publicado em 1864. Nem sequer utilizou a palavra *evolução* em texto impresso até a sexta edição do *Origin* (nessa altura já era tão usada que se tornara incontornável), preferindo no seu lugar "descendência com modificações". Nem sequer, acima de tudo, se inspirou nas conclusões retiradas das observações feitas, durante a sua estada nas ilhas Galápagos, da interessante diversidade dos bicos dos tentilhões. Segundo a história tradicionalmente contada, Darwin ia notando, ao viajar de ilha em ilha, que os bicos dos tentilhões estavam espantosamente adaptados à exploração dos recursos locais – numa ilha os bicos eram fortes e curtos, bons para partir nozes, enquanto na ilha seguinte os bicos eram, por hipótese, compridos e finos, facilitando a extracção de comida das fendas – e foi isso que o levou a pensar que talvez os pássaros não tivessem sido criados exactamente assim, de uma certa forma criaram-se a si próprios.

Sim, era verdade, de facto os pássaros tinham-se criado a si próprios, mas não foi Darwin que reparou nisso. Na altura da viagem do *Beagle* Darwin tinha acabado de sair da faculdade, não sendo ainda um naturalista exímio, e não se apercebeu de que os pássaros das Galápagos eram todos do mesmo tipo. Foi o seu amigo John Gould, ornitólogo, que percebeu que o que Darwin tinha encontrado eram muitos tentilhões com talentos diferentes. Infelizmente, na sua inexperiência, Darwin não registou quais os pássaros que correspondiam a cada uma das ilhas. (Cometeu o mesmo erro com as tartarugas.) Levaram anos para desfazer a confusão.

Devido a estes descuidos, e à necessidade de organizar a grande quantidade de espécimes recolhidos na viagem, só em 1842, seis anos depois do regresso a Inglaterra, é que Darwin começou finalmente a esboçar as bases da sua nova teoria. Dois anos depois, tinha um "esboço" de 230 páginas, . E então, fez uma coisa espantosa: guardou os seus apontamentos e durante a década e meia seguintes ocupou-se de outros assuntos. Foi pai de dez filhos, dedicou quase oito anos a escrever um livro exaustivo sobre cracas ("Odeio uma craca mais do que algum homem alguma vez odiou", suspirou compreensivelmente quando terminou o livro), e teve enfermidades estranhas que o deixaram cronicamente desconcentrado, fraco, e "agitado", para usar as suas próprias palavras. Os sintomas quase sempre incluíam náuseas terríveis, geralmente acompanhadas de palpitações, enxaquecas, exaustão, tremores, pontos luminosos nos olhos, falta de ar, tonturas, e, o que não é de espantar, depressão.

A causa da enfermidade nunca foi esclarecida, mas a mais romântica e talvez mais provável é que sofria da doença de Chagas, uma doença tropical crónica que poderá ter contraído através de uma picada de um *Benchuga*, na América do Sul. Uma explicação mais prosaica aponta para uma origem psicossomática. Fosse qual fosse o caso, o sofrimento era real. Muitas vezes não conseguia trabalhar mais de 20 minutos de cada vez, e às vezes nem tanto.

O resto do seu tempo era em grande parte dedicado a uma longa série de tratamentos cada vez mais drásticos – tomava banhos de água gelada, encharcava-se com vinagre, enrolava-se em "correias eléctricas" que lhe transmitiam choques de baixa voltagem. Tornou-se numa espécie de eremita, raramente saindo da sua casa em Kent, a Down House. Uma das primeiras coisas que fez quando mudou para lá foi mandar montar um espelho do lado de fora da janela do seu escritório para poder identificar e, se necessário, evitar os que vinham visitá-lo.

Darwin manteve a teoria em segredo, porque sabia bem a celeuma que iria causar. Em 1844, no ano em que fechou à chave as suas anotações, um livro intitulado *Vestiges of the Natural History of Creation* veio enfurecer grande parte do mundo intelectual, por sugerir que os humanos podiam ter evoluído a partir de um primata inferior, sem a ajuda de um criador divino. Prevendo a indignação geral, o autor tivera o cuidado de esconder a sua identidade, mesmo dos amigos mais íntimos, nos 40 anos que se seguiram. Alguns pensavam que o autor fosse o próprio Darwin. Outros suspeitavam do príncipe Alberto. Na realidade, era Robert Chambers, um editor escocês de sucesso mas modesto, cuja relutância em se revelar tinha razões tanto práticas quanto pessoais: a sua empresa era líder na edição de bíblias*. O *Vestiges* foi veementemente condenado em quase todos os púlpitos da Inglaterra e de todo o mundo, mas também atraiu bastantes e iradas críticas no mundo académico. O *Edinburgh Review* dedicou um número quase inteiro – 85 páginas – a desacreditá-lo. Até

* Darwin foi um dos poucos que adivinhou o autor. Estava de visita a Chambers quando chegou um exemplar preliminar da sexta edição do *Vestiges*. O cuidado com que Chambers fez a revisão terá sido uma pista óbvia, mas, ao que parece, os dois homens não falaram do assunto.

T. H. Huxley, um adepto da evolução, atacou o livro com bastante violência, sem saber que o autor era um amigo seu.

O manuscrito de Darwin poderia muito bem ter ficado fechado à chave até à sua morte, se um golpe alarmante não tivesse chegado do Extremo Oriente no início do Verão de 1858, sob a forma de um pacote contendo uma simpática carta de um jovem naturalista, Alfred Russel Wallace, acompanhada de um rascunho de um artigo, *On the Tendency of Varieties to Depart Indefinitely from the Original Type*, onde delineava uma teoria de selecção natural incrivelmente parecida com as anotações secretas de Darwin. Até na forma de expressão havia semelhanças. "Nunca vi uma coincidência mais extraordinária", disse Darwin, consternado. "Se Wallace tivesse visto o manuscrito que fiz em 1842, não teria feito um resumo melhor."

Wallace não apareceu na vida de Darwin tão inesperadamente como por vezes se sugere. Os dois já se correspondiam antes disso e Wallace, generosamente, enviara-lhe várias vezes algumas espécies que achava que podiam ter interesse para ele. Durante a correspondência, Darwin avisou-o discretamente de que considerava o tema da criação das espécies como seu território exclusivo. "Este Verão marcará o vigésimo aniversário (!) desde o momento em que abri o meu primeiro caderno de apontamentos para estudar a questão de como e de que maneira as espécies e variedades diferem umas das outras", escrevera ele a Wallace alguns tempos antes. "Agora, estou a preparar o meu trabalho para publicação", acrescentou, embora não fosse verdade.

De qualquer forma, Wallace não percebeu o que Darwin estava a tentar dizer-lhe, e, claramente, não fazia a mínima ideia de que a sua teoria era quase idêntica à que Darwin, na realidade, andava a desenvolver há duas décadas.

Darwin foi posto perante um dilema terrível. Se precipitasse a impressão do seu livro para preservar a prioridade sobre Wallace, estaria a aproveitar-se de uma dica inocente de um admirador distante. Mas se se retirasse simplesmente, como exigiam as regras da chamada conduta cavalheiresca, nunca lhe seria atribuída uma teoria que já desenvolvera sozinho. A teoria de Wallace, como ele próprio admitira, fora resultado de um vislumbre inspirado; a de Darwin fora produto de anos de reflexão cuidadosa, penosa e metódica. Era de uma injustiça atroz.

Para tornar as coisas ainda mais difíceis, o filho mais novo de Darwin, também chamado Charles, apanhara escarlatina, e estava em estado crítico. No auge da crise, em 28 de Junho, a criança morreu. Apesar de ter a atenção concentrada na doença do filho, Darwin conseguiu mandar cartas aos seus amigos Charles Lyell e Joseph Hooker, propondo a sua saída de cena, mas acrescentando que isso significaria que todo o seu trabalho, "qualquer que seja o seu valor, será destruído". Lyell e Hooker pensaram numa solução de compromisso: a apresentação de um resumo conjunto das ideias de Darwin e Wallace. Concordaram que o acontecimento deveria ter lugar durante uma reunião da Linnaean Society, que nessa altura lutava para se reafirmar como centro de eminência científica. No dia 1 de Julho de 1858, a teoria de Darwin e Wallace foi desvendada ao mundo. Darwin não estava presente. No dia da reunião, ele e a mulher enterravam o seu filho.

A apresentação de Darwin-Wallace foi uma de sete realizadas nessa noite – uma das outras era sobre a flora de Angola – e se as cerca de 30 pessoas presentes no público tiveram a noção de que estavam a testemunhar o acontecimento científico do século, não deram quaisquer sinais disso. Não houve qualquer debate a seguir. O evento nem sequer atraiu grande atenção fora dali. Mais tarde, Darwin comentou alegremente que uma única pessoa, um tal professor Haughton, de Dublin, mencionara os dois artigos numa publicação, tendo concluído que "tudo o que neles era novo, era falso, e o que era verdade, era antigo".

Wallace, ainda no distante Oriente, só soube de todas estas manobras muito tempo depois, mas foi notavelmente equitativo, parecendo mesmo ter ficado contente pelo facto de ter sido incluído na teoria. Até passou a referir-se a ela desde então como "darwinismo". Muito menos cordato em relação ao direito de prioridade de Darwin foi um jardineiro escocês, Patrick Matthew, que, por estranho que pareça, também descobrira os princípios da selecção natural – para dizer a verdade, exactamente no ano em que Darwin iniciara a sua viagem no *Beagle*. Infelizmente, Matthew publicara as suas ideias num livro intitulado *Naval Timber and Arboriculture*, que não foi lido nem por Darwin nem por mais ninguém no mundo inteiro. Matthew exaltou-se espectacularmente numa carta ao *Gardener's Chronicle* quando viu que Darwin recebia todo o crédito por uma ideia que, no fundo, era dele. Darwin pediu desculpas sem hesitar, embora declarasse oficialmente: "Calculo que ninguém ficará surpreendido pelo facto de nem eu nem qualquer outro naturalista ter tido conhecimento das ideias do Sr. Matthew, tendo em conta a brevidade da sua exposição e o facto de terem aparecido no Apêndice de um livro dedicado a madeiras navais e agricultura."

Wallace continuou a trabalhar durante mais 50 anos como naturalista e filósofo, tendo sido por vezes muito bom em qualquer dos domínios, mas foi perdendo cada vez mais o seu crédito no mundo científico por se ter dedicado a áreas duvidosas, como o espiritualismo e a possibilidade de haver vida noutras partes do universo. Por fim, e essencialmente por exclusão de partes, a teoria acabou por ser atribuída a Darwin.

Darwin nunca deixou de se sentir atormentado pelas suas ideias. Chamava-se a si próprio *Capelão do Diabo*, e dizia que a revelação da teoria fora para ele como "confessar um homicídio". Além de tudo o mais, sabia que ela fazia sofrer a sua devota e bem-amada mulher. Mesmo assim, lançou-se imediatamente ao trabalho de expandir as ideias do seu manuscrito, transformando-as numa obra completa. Provisoriamente, chamou-lhe *An Abstract of an Essay on the Origin of Species and Varieties through Natural Selection* – um título tão tíbio e hesitante que o seu editor, John Murray, optou por uma tiragem de apenas 500 exemplares. Mas depois de ver o manuscrito, e um título ligeiramente mais ousado, Murray reconsiderou, aumentando a primeira edição para 1250 exemplares.

On the Origin of Species foi um sucesso comercial imediato, mas bastante menos apreciado junto da crítica. A teoria de Darwin apresentava duas dificuldades insuperáveis. Exigia que tudo se tivesse passado em muito mais tempo do que lorde Kelvin estava disposto a admitir e o registo fóssil existente mal chegava para a apoiar. Os críticos mais exigentes perguntavam onde estavam as formas de transição de que a sua teoria tão claramente precisava? Se as novas espécies estavam em constante evolução, então devia haver muitas formas intermediárias no registo fóssil, e não as havia.* De facto, o registo que existia na altura (e durante muito tempo depois) não mostrava qualquer sinal de vida até ao momento da famosa explosão câmbrica.

E agora, chegava Darwin, e, sem provas algumas, punha-se a insistir que os mares primitivos *deviam* ter tido vida em abundância e que se ainda não tinham sido encontrados vestígios dela era porque, por qualquer razão, não fora preservada. Não podia ser de outra maneira, afirmava. "O caso, para já, tem de ficar por explicar; e não há dúvida de que pode ser invocado como um argumento válido contra as opiniões aqui descritas", confessou com toda a boa-fé, mas recusou-se a avançar qualquer alternativa. À laia de explicação, especulou – de forma criativa, mas incorrecta –, que talvez os mares pré-

---

* Por coincidência, em 1861, no auge da controvérsia, surgiram exactamente essas provas, quando uns operários da Baviera encontraram os ossos de um antigo arqueoptérix, animal que se situava entre uma ave e um dinossauro. (Tinha penas, mas também tinha dentes.) Foi uma descoberta impressionante e muito útil, e o seu significado foi muito debatido, mas não se podiam tirar grandes conclusões a partir de uma única descoberta.

-câmbricos fossem demasiado límpidos para haver sedimentação, o que teria impedido a preservação de quaisquer fósseis.

Até os seus amigos mais próximos ficavam incomodados com a ligeireza das suas afirmações. Adam Sedgwick, que fora seu professor em Cambridge e o levara consigo numa incursão geológica pelo País de Gales em 1831, disse que o livro lhe trouxera "mais desgosto do que prazer". Louis Agassiz considerou-o sem importância, por achar que se baseava em meras conjecturas. Até Lyell concluiu lugubremente: "Darwin está a ir longe de mais."

T. H. Huxley não gostava da forma como Darwin insistia nas grandes extensões de tempo geológico por ser ele próprio um saltacionista, ou seja, alguém que acredita que a evolução acontece de repente, num "salto", e não gradualmente. Os saltacionistas acreditavam que os órgãos complicados nunca podiam surgir em fases lentas. Afinal, para que serve um décimo de uma asa, ou metade de um olho? Esse tipo de órgão, segundo eles, só faria sentido se aparecesse logo na sua versão concluída.

Era uma crença surpreendente para uma pessoa de espírito tão radical como Huxley, na medida em que se aproximava muito de uma noção religiosa muito conservadora originalmente proposta por William Paley, um teólogo inglês, em 1802, e conhecida como argumento do desígnio. Paley argumentava que, se alguém encontrasse um relógio de bolso no chão, mesmo que nunca tivesse visto nada de semelhante, imediatamente se aperceberia de que o objecto fora feito por uma entidade inteligente. Assim era com a natureza, acreditava ele: a sua complexidade era a prova do seu desígnio. Era uma noção muito enraizada no século XIX, que também perturbava o próprio Darwin. "Os olhos ainda hoje me dão calafrios", contou a um amigo numa carta. No *Origin*, admitia que "parece completamente absurdo, confesso abertamente", que a selecção natural tivesse podido produzir um instrumento desses em passos graduais.

Mesmo assim, e para infinito desespero dos seus apoiantes, Darwin não só insistiu que toda a mudança era gradual, como ainda, em cada edição do *Origin*, aumentava a quantidade de tempo que calculava ser necessário para haver progresso na evolução, o que fez com que as suas ideias se tornassem cada vez mais desfavoráveis. "Eventualmente", segundo o cientista e historiador Jeffrey Schwartz, "Darwin acabou por perder quase todo o apoio que ainda lhe restava entre os seus colegas geólogos e especialistas em história natural."

Ironicamente, considerando que o seu livro se chama *On the Origin of Species*, a única coisa que ele não conseguiu explicar foi como foram originadas as espécies. A sua teoria explicava os mecanismos através dos quais uma espécie podia tornar-se mais forte, melhor ou mais rápida – numa palavra, mais adaptada –, mas não dizia como é que podia dar origem a uma espécie nova. Um engenheiro escocês, Fleeming Jenkin, considerou o problema, e reparou numa falha importante no argumento de Darwin. Darwin acreditava que qualquer característica vantajosa que surgisse numa geração passaria para as gerações posteriores, fortalecendo assim a espécie.

Jenkin observou que uma característica favorável presente num dos pais de qualquer ser não se tornava dominante nas gerações subsequentes, antes se diluia no processo de combinação. Se vertermos uísque num copo de água, não o tornamos mais forte, tornamo-lo mais fraco. Se vertemos essa solução noutro copo de água, ela torna-se ainda mais fraca. Da mesma forma, qualquer característica favorável introduzida por um dos pais seria diluída nos acasalamentos sucessivos, até deixar de aparecer. Portanto, a teoria de Darwin não explicava a mudança, explicava a constância. Podiam surgir alguns acasos felizes de vez em quando, mas teriam tendência a desaparecer em breve, devido ao impulso geral de fazer com que tudo regressasse à normalidade. Para a selecção natural funcionar, era necessário que houvesse algum mecanismo alternativo que ainda não fora descoberto.

Sem que Darwin nem ninguém o soubesse, a mais de mil quilómetros de distância, algures num recanto tranquilo da Europa central, um recatado monge de nome Gregor Mendel estava a descobrir a solução.

Mendel nasceu em 1822 numa humilde família de agricultores, numa região isolada do império austríaco que hoje em dia se situa na República Checa. Os livros escolares já o descreveram como um simples e perspicaz monge de província, cuja descoberta fora em grande parte fruto do acaso – o resultado da observação de alguns interessantes traços hereditários quando transplantava umas ervilhas na horta da cozinha do mosteiro. Mas, na realidade, Mendel era cientista de formação – estudara física e matemática no Instituto Filosófico de Olmütz e na Universidade de Viena – e punha um rigor científico em tudo o que fazia. Além disso, o mosteiro em Brno, onde viveu a partir de 1843, era conhecido como uma instituição erudita. Tinha uma biblioteca com 20 mil livros, e uma tradição de cuidadosa investigação científica.

Antes de iniciar as suas experimentações, Mendel passou dois anos a preparar os seus espécimes de controlo, sete variedades de ervilha, a fim de garantir a fiabilidade da reprodução. Depois, com a ajuda de dois assistentes a tempo inteiro, reproduziu e cruzou repetidamente híbridos provenientes de 30 mil ervilheiras. Era um trabalho delicado, que os obrigava a ter um extremo cuidado para evitar cruzamentos acidentais e a anotar a mais pequena variação no crescimento e aparência das sementes, das vagens, das folhas, dos caules e das flores. Mendel sabia bem o que fazia.

Nunca utilizou a palavra "gene" – o termo só foi proposto em 1913, num dicionário médico inglês – embora tivesse de facto inventado os termos "dominante" e "recessivo". O que ele descobriu é que todos as sementes continham dois "factores" ou *Elemente*, como lhes chamou – um dominante e um recessivo –, e estes factores, quando se combinavam, produziam padrões hereditários previsíveis.

Mendel converteu os resultados em fórmulas matemáticas precisas. Na totalidade, passou oito anos a fazer estas experiências, e depois confirmou os resultados com flores, milho, e outras plantas. Se há alguma coisa a dizer é que Mendel talvez tenha sido *demasiado* científico na sua abordagem, uma vez que, quando apresentou as suas descobertas nas reuniões de Fevereiro e Março da Sociedade de História Natural de Brno, em 1865, o público, composto por umas 40 pessoas, ouviu-o com cortesia mas não se deixou impressionar minimamente, embora a reprodução de plantas fosse assunto de grande interesse prático para muitos dos presentes.

Quando o relatório de Mendel foi publicado, este apressou-se a mandar um exemplar ao grande botânico suíço Karl-Wilhelm von Nägeli, cujo apoio era mais ou menos vital para o sucesso da teoria. Infelizmente, Nägeli não se apercebeu da importância do que Mendel descobrira. Sugeriu-lhe que tentasse reproduzir heras. Mendel, obediente, fez o que lhe foi sugerido, mas depressa se apercebeu de que a hera não tinha qualquer das características necessárias para estudar a hereditariedade. Era claro para ele que Nägeli não lera o relatório com atenção, ou talvez até nem o tivesse lido. Frustrado, Mendel desistiu dos estudos de hereditariedade e passou o resto da vida a cultivar legumes magníficos e a estudar abelhas, ratos e manchas solares, entre outras coisas. Eventualmente, chegou a abade do mosteiro.

A descoberta de Mendel não foi assim tão ignorada como se pensa. Foi objecto de uma brilhante menção na *Encyclopaedia Britannica* – que, na altura, era o grande registo do pensamento científico, mais do que hoje –, e foi repetidamente invocada num importante ensaio da autoria do alemão Wilhelm Olbers Focke. Na verdade, foi devido ao facto de as ideias de Mendel nunca terem sido totalmente esquecidas pelo pensamento científico que foi tão fácil recuperá-las quando o mundo ficou finalmente preparado para as receber.

Juntos, sem se aperceberem, Darwin e Mendel criaram os alicerces de todas as ciências da vida do século XX. Darwin viu que todos os seres vivos estão ligados e que, em última análise, "a sua origem remonta a uma única fonte comum", enquanto o trabalho de Mendel forneceu o mecanismo que explica como isso é possível. Os dois homens podiam ter-se ajudado facilmente um ao outro: Mendel possuía uma edição alemã de *Origin of Species* e sabemos que a leu, portanto, deve ter-se apercebido de que o seu trabalho podia ser útil ao de Darwin, mas, ao que parece, nunca o contactou. Quanto a Darwin, sabe-se que estudou o importante ensaio de Focke, com as suas constantes referências ao trabalho de Mendel, mas não o relacionou com os seus estudos.

Se há coisa que toda a gente pensa que surgia nos argumento de Darwin era a afirmação de que os homens são descendentes dos macacos, e, contudo, ela só existe como uma passageira alusão. Mesmo assim, não foi necessária muita imaginação para perceber o impacte das suas teorias para o desenvolvimento humano, e em breve elas eram assunto de todas as conversas.

O momento conclusivo chegou no sábado, dia 30 de Junho de 1860, numa reunião da British Association for the Advancement of Science, de Oxford. Huxley fora incitado a participar por Robert Chambers, autor do *Vestiges of the Natural History of Creation*, embora na altura não conhecesse ainda a ligação de Chambers a essa obra controversa. Darwin, como sempre, estava ausente. A reunião teve lugar no Museu Zoológico de Oxford. Mais de mil pessoas enchiam a sala; houve centenas que não tiveram lugar. As pessoas sabiam que qualquer coisa de muito importante estava para acontecer, mas primeiro tiveram de aguardar enquanto um orador, John William Draper, da Universidade de Nova Iorque, quase os punha a dormir com duas horas de maçadoras observações sobre "O Desenvolvimento Intelectual da Europa Considerado em Relação às Ideias do Sr. Darwin".

Finalmente, o bispo de Oxford, Samuel Wilberforce, levantou-se para falar. Wilberforce fora instruído nesse sentido (pelo menos é o que se pensa) por Richard Owen, antidarwinista ferrenho, que visitara o bispo na noite anterior. Como acontece com todos os acontecimentos que acabam em escândalo, existem versões muito diferentes sobre o que se passou exactamente. Na versão mais conhecida, Wilberforce, quando já ia lançado no seu discurso, virou-se para Huxley com um sorriso escarninho e perguntou-lhe se achava que descendia dos macacos pela via do avô ou da avó. O comentário foi obviamente feito à laia de graçola, mas foi recebido como um desafio sério. Segundo conta o próprio Huxley, este inclinou-se para o vizinho e murmurou: "O Senhor acaba de mo pôr nas mãos", após o que se ergueu com um certo deleite.

Outros, contudo, lembram-se de um Huxley a tremer de fúria e indignação. De qualquer forma, sabe-se que declarou preferir ser parente de um macaco do que de alguém que abusava do seus estatuto dominante para se pôr a dizer patacoadas sem qualquer fundamento num fórum de cariz científico sério. Uma resposta destas era de uma impertinência escandalosa, além de ser um insulto ao cargo de Wilberforce, e o que devia ser uma pacífica conferência degenerou em tumulto. Houve uma tal Sra. Brewster que desmaiou. Robert FitzRoy, o companheiro de Darwin há 25 anos na viagem do *Beagle*, vagueava pela sala com uma Bíblia erguida, gritando: "O Livro, O Livro!" (Ele estava na conferência para apresentar um ensaio sobre as tempestades na qualidade de director do recentemente criado Departamento Meteorológico). O mais curioso é que, após a escaramuça, cada um dos lados se gabava de ter derrotado o outro.

Darwin acabou por explicitar bem a sua crença no nosso parentesco com os macacos em *The Descent of Man,* publicado em 1871. Foi uma conclusão corajosa, visto não haver nada no registo fóssil que pudesse apoiar a noção. Os únicos restos mortais primitivos conhecidos até então eram as famosas ossadas do homem de Neandertal, encontradas na Alemanha, e alguns incertos fragmentos de maxilares, cuja antiguidade, aliás, era posta em causa por muitas autoridades respeitadas na matéria. Este segundo livro foi muito mais controverso, mas, na altura da sua publicação, o mundo já andava mais calmo e os seus argumentos causaram muito menos polémica.

No entanto, durante a maior parte do tempo, Darwin esteve na sombra dedicando-se a outros projectos, que só tangencialmente tratavam das questões da selecção natural. Passou períodos espantosamente longos a analisar excrementos de pássaros, examinando o seu conteúdo numa tentativa de compreender a forma como as sementes se espalhavam pelos continentes, e também passou anos a estudar o comportamento das minhocas. Uma da experiências que realizou consistiu em tocar piano para elas ouvirem, não como entretenimento mas para observar os efeitos que o som e a vibração tinham sobre elas. Foi um dos primeiros a compreender a importância vital das minhocas para a fertilidade do solo. "É duvidoso que haja outros animais com um papel tão importante na história do mundo", escreveu ele na sua obra sobre o assunto, *The Formation of Vegetable Mould Through the Action of Worms* (1881), que acabou por ser mais popular do que o seu *On the Origin of Species* alguma vez fora. Continuou a publicar livros científicos sobre o mundo natural. Entre os outros livros que escreveu encontram-se *On the Various Contrivances by Which British and Foreign Orchids Are Fertilised by Insects* (1862), *Expressions of the Emotions in Man and Animals* (1872), do qual se venderam quase 5300 exemplares logo no primeiro dia, *The Effects of Cross and Self Fertilisation in the Vegetable Kingdom* (1876) – tema que se aproximou incrivelmente da obra de Mendel, sem contudo chegar nem de perto às mesmas conclusões – e o seu último livro, *The Power of Movement in Plants*. Finalmente, mas não menos importante, dedicou-se a estudar as consequências dos cruzamentos consaguíneos – assunto que lhe interessava pessoalmente. Como casara com a sua própria prima, Darwin suspeitava que algumas fraquezas físicas e mentais presentes nos filhos eram causadas pela falta de diversidade na sua árvore genealógica.

Darwin recebeu vários prémios ao longo da vida, mas nunca por *On the Origin of Species* nem *Descent of Man*. Quando a Royal Society lhe atribuiu a prestigiosa Medalha Copley, foi pelos seus estudos de geologia, zoologia e botânica, e não pelas suas teorias sobre a evolução, e a Linnaean Society também o estimou, sem contudo subscrever as suas noções radicais. Nunca recebeu o título de cavaleiro, embora tenha sido enterrado na Abadia de Westminster – ao lado de Newton. Morreu em Down, em Abril de 1882. Mendel morreu dois anos depois.

A teoria de Darwin não foi amplamente aceite até às décadas de 1930 e 1940, com o aparecimento de uma requintada teoria chamada, com alguma pompa, Síntese Moderna, que combina as ideias de Darwin com as de Mendel e outros cientistas. Para Mendel, a admiração pela sua obra chegou também postumamente, embora um pouco mais cedo. Em 1900, três cientistas a trabalhar em diferentes partes da Europa redescobriram o trabalho de Mendel quase simultaneamente. E foi apenas devido a um deles, um holandês chamado Hugo de Vries, que pretendia reclamar para si a honra das descobertas de Mendel, que um rival resolveu fazer barulho, esclarecendo que era ao discreto monge já esquecido que a humanidade devia a importante revelação.

O mundo estava quase pronto, embora ainda não completamente, para começar a compreender como chegámos até aqui – e como nos fizemos uns aos outros. Não deixa de ser espantoso pensar que, no início do século XX, e durante mais uns anos ainda, nem as mentes científicas mais brilhantes do mundo conseguiam verdadeiramente explicar de onde vinham os bebés.

E esses, lembre-se, eram os homens que julgavam que a ciência estava quase a chegar ao fim.

26.

A MATÉRIA DA VIDA

Se os seus pais não se tivessem unido no momento em que o fizeram – possivelmente ao segundo, possivelmente ao nanossegundo – o leitor não estaria aqui. E se os pais deles não se tivessem unido de uma forma igualmente precisa, também não estaria aqui. E se os avós e bisavós e todos os outros antes deles não o tivessem feito, obviamente e indefinidamente, o leitor não estaria aqui.

Se viajar ao passado, estas dívidas ancestrais aumentam. Volte atrás oito gerações, ao tempo em que nasceram Charles Darwin e Abraham Lincoln, e já nessa altura havia mais de 250 pessoas de cujas ligações oportunas a sua existência depende. Continue a regredir, até ao tempo de Shakespeare e dos peregrinos do *Mayfair*, e não terá menos de 16 384 antepassados trocando material genético zelosamente, de modo a conduzir, eventual e milagrosamente, à sua pessoa.

Há 20 gerações, o número de pessoas que procriaram em nosso proveito ascende aos 1 048 576. Cinco gerações antes disso, houve pelo menos 33 554 432 homens e mulheres de cujas devotadas uniões a nossa existência depende. Há 30 gerações, o número total dos seus antepassados – e lembre-se, estes não são primos e tias e outros parentes casuais, mas apenas pais e pais de pais numa linhagem que caminhou inevitavelmente na sua direcção – é superior a mil milhões (mais precisamente, 1 073 741 824). Se recuarmos ao tempo dos Romanos, há 64 gerações, o número de pessoas de cujos esforços cooperativos a sua existência depende subiu até cerca de um milhão de bilião, que, na realidade, é um número mil vezes superior ao número de pessoas que jamais viveram no mundo.

Obviamente, alguma coisa correu mal com a nossa matemática. A resposta, e talvez lhe interesse saber, é que a sua linhagem não é pura. O leitor nunca poderia estar aqui se não tivesse havido um pouco de incesto – na verdade, bastante incesto –, embora num grau de parentesco geneticamente discreto. Com tantos milhões de antepassados, é provável que tenha havido ocasiões em que algum parente do lado da sua mãe tenha procriado com um primo distante do lado do seu pai. De facto, se tiver uma relação com alguém da sua própria raça e país, há fortes probabilidades de vocês serem, até certo ponto, parentes. Na verdade, se olhar à sua volta num autocarro, ou parque, ou café ou em qualquer outro lugar superpovoado, a maior parte das pessoas que vê são, muito provavelmente, parentes. Quando alguém se gabar de ser descendente de Shakespeare ou de Guilherme, *o Conquistador*, o leitor deverá responder imediatamente: "Também eu!" No sentido mais literal e fundamental, somos todos família.

Nós também somos inquietantemente parecidos um com o outro, embora as diferenças nos pareçam óbvias. Compare os seus genes com os de qualquer outro ser humano e, em média, eles serão 99,9 por cento iguais. É isso que faz com que sejamos uma espécie. As pequenas diferenças que residem nesses 0,1 por cento – "mais ou menos um nucleótido em cada mil", para citar John Sulston, um geneticista britânico – asseguram-nos a nossa individualidade. Muito se tem avançado nos últimos tempos na tentativa de juntar as peças do genoma humano. Na verdade, não existe essa coisa de "o" genoma humano. Cada genoma humano é diferente, caso contrário seríamos todos exactamente iguais. São as infinitas recombinações dos nossos genomas – cada um praticamente idêntico ao outro, mas não totalmente – que produzem aquilo que somos enquanto indivíduos e enquanto espécie.

O que é exactamente isso a que chamamos genoma? E, já agora, o que são os genes? Ora bem, volte de novo à célula. Dentro de cada célula existe um núcleo e dentro de cada núcleo existem os cromossomas – 46 pequenos feixes de complexidade, dos quais 23 provêm da nossa mãe e os outros 23 do nosso pai. Com raras excepções, cada célula do seu corpo – digamos, 99,999 por cento – transporta a mesma totalidade de cromossomas. (As excepções são os glóbulos vermelhos, algumas células do sistema imunitário, e os óvulos e espermatozóides que, por razões de organização, não transportam o pacote genético completo.) Os cromossomas constituem o conjunto completo de instruções necessárias para a nossa criação e manutenção e são feitos de longas cadeias de um químico prodigioso chamado ácido desoxirribonucleico, ou ADN – "a molécula mais extraordinária do mundo", como já foi chamada.

O ADN existe por uma simples razão, para produzir mais ADN, e o leitor transporta uma grande quantidade consigo: cerca de dois metros compactados dentro de quase todas as células. Cada extensão de ADN contém cerca de 3,2 mil milhões de letras de codificação, suficientes para fornecer $10^{3\,480\,000\,000}$ combinações possíveis "garantidamente únicas, contra todas as probabilidades", nas palavras de Christian de Duve. "Seria necessário mais de cinco mil livros de tamanho médio só para imprimir este algarismo", diz De Duve. Olhe-se ao espelho e reflicta sobre o facto de estar a contemplar dez mil biliões de células, cada uma delas contendo dois metros de ADN densamente compactado, e assim começará a aperceber-se da quantidade deste material que transporta consigo. Se todo o seu ADN fosse tecido num fio delgado, haveria quantidade suficiente para esticá-lo da Terra até à Lua e voltar, não uma vez, nem duas vezes, mas vezes sem conta. Na totalidade, segundo uma estimativa, poderá ter até 20 milhões de quilómetros de ADN empacotados e concentrados dentro de si.

Resumindo, o seu corpo gosta muito de produzir ADN e sem ele não poderia sobreviver. Mas o ADN não está propriamente vivo. Nenhuma molécula é viva, mas o ADN, digamos, é completamente mortiço. Está "entre as moléculas menos reactivas e quimicamente mais inertes do mundo vivo", nas palavras do geneticista Richard Lewontin. É por isso que é possível recuperá-lo das manchas secas de sangue ou sémen nas investigações de crimes ou recolhê-lo dos ossos de antigos neandertalenses. Também explica a razão pela qual os cientistas demoraram tanto tempo para compreender como é que uma substância tão apática – isto é, sem vida – poderia estar no centro da vida.

Como entidade conhecida, o ADN existe há mais tempo do que julgamos. Foi descoberto por Johann Friedrich Miescher, em 1869, um cientista suíço que trabalhava na Universidade de Tübingen, na Alemanha. Enquanto observava ao microcópio o pus de pensos cirúrgicos, Miescher encontrou uma substância que não reconheceu e chamou-lhe nucleína (porque se encontrava no núcleo das células). Na altura, Miescher limitou-se a anotar a sua existência, mas a nucleína permaneceu no seu pensamento, porque 23 anos mais tarde, numa carta ao seu tio, levantou a possibilidade de tais moléculas poderem ser os agentes por detrás da hereditariedade. Foi de uma perspicácia enorme, porém muito adiantada para os requisitos científicos daquele tempo, pelo que poucos ou nenhuns lhe deram atenção.

Durante o meio século seguinte, a acepção geral era de que este material – hoje denominado ácido desoxirribonucleico, ou ADN – teria apenas um papel secundário no que dizia respeito à hereditariedade. Era demasiado simples. Tinha somente quatro componentes básicos, chamados nucleótidos, que era como ter um abecedário com quatro letras apenas. Como se poderia escrever a história da vida com este tão elementar abecedário? (A resposta é que se faz da mesma maneira que se criam mensagens complexas em código Morse com simples pontos e traços – combinando-os.) O ADN também não fazia nada de especial, aparentemente. Ficava simplesmente instalado no núcleo, possivelmente ligando o cromossoma de alguma forma, ou adicionando um pingo de acidez sob determinada ordem, ou realizando qualquer outra tarefa que ninguém tinha ainda identificado. A complexidade necessária, pensava-se, teria de existir nas proteínas do núcleo.

Havia, no entanto, dois problemas no acto de dispensar o ADN. Primeiro, existia em grande quantidade – quase dois metros em praticamente todos os núcleos –, por isso, as células com certeza que o consideravam importante. Acima de tudo, insistia em aparecer, como o suspeito de um crime, em todas as experimentações. Em dois estudos em particular, um envolvendo o pneumonococo e outro envolvendo bacteriófagos (vírus que infectam bactérias), o ADN mostrou ter uma importância que só poderia ser explicada se o seu papel fosse mais central do que aquele lhe era atribuído. Os resultados sugeriam que o ADN estava envolvido, de alguma forma, na produção das proteínas, um processo essencial para a vida, mas também era evidente que as proteínas estavam a ser produzidas *fora* do núcleo, muito afastadas do ADN que supostamente estaria a comandar a sua produção.

Ninguém conseguia perceber como é que o ADN conseguia transmitir mensagens às proteínas. A resposta, como sabemos hoje, reside no ARN, ou ácido ribonucleico, que funciona como um intérprete entre os dois. É uma peculiaridade notável da biologia o facto de o ADN e as proteínas não falarem a mesma língua. Durante quase quatro mil milhões de anos eles têm sido o grande dueto do mundo vivo e, apesar disso, respondem a códigos mutuamente incompatíveis, como se um falasse espanhol e o outro hindi. Para conseguir comunicar eles necessitam de um mediador, que existe na forma de ARN. Trabalhando juntamente com uma espécie de secretário químico chamado ribossoma, o ARN traduz a informação do ADN da célula para uma linguagem que as proteínas possam entender e processar.

Contudo, no início do século XX, onde deixámos a história, estava-se bem longe de compreender esse facto, ou qualquer outro facto relacionado com o confuso âmbito da hereditariedade.

Obviamente havia necessidade de uma experimentação inspirada e astuta, e felizmente essa época testemunhou a diligência e aptidão de um jovem chamado Thomas Hunt Morgan, que aceitou o desafio. Em 1904, apenas quatro anos depois da redescoberta oportuna das provas de Mendel com as ervilheiras, e uma década antes de aparecer a palavra *gene*, ele começou a investigar os cromossomas com resultados notáveis.

Os cromossomas tinham sido descobertos por acaso em 1888 e foram assim chamados porque absorviam facilmente o corante e portanto eram visíveis ao microscópio. Por volta de 1900, suspeitava-se de que estavam envolvidos na transmissão das características, mas ninguém sabia como, ou mesmo se eram eles que o faziam.

Morgan escolheu como objecto de estudo uma pequena e delicada mosca, formalmente chamada *Drosophila melanogaster* e vulgarmente conhecida como mosca da fruta. A *Drosophila* é aquele insecto fraco e incolor que parece ter uma vontade incontrolável de se afogar nas nossas bebidas. Como espécimes de laboratório, estas moscas possuíam grandes vantagens: os custos para abrigá-las e alimentá-las eram muito baixos, reproduziam-se aos milhões em garrafas de leite, passavam de ovo para adulto em dez dias ou menos e tinham apenas quatro cromossomas, o que fez com que as investigações fossem simples e precisas.

Trabalhando num laboratório pequeno (que foi inevitavelmente chamado de Sala das Moscas), no edifício Schermerhorn da Universidade de Columbia, em Nova Iorque, Morgan e a sua equipa conceberam um programa de reprodução e cruzamento que envolvia milhões de moscas (um biógrafo escreveu biliões, embora seja provavelmente um exagero). Cada uma delas tinha de ser apanhada com uma pinça para que alguém pudesse examiná-la sob uma lupa de joalheiro de modo a identificar pequenas variações. Durante seis anos os investigadores tentaram produzir mutações utilizando todos os meios possíveis – atacando-as com radiação e raios X, criando-as na claridade forte ou na escuridão total, cozinhando-as delicadamente no forno, fazendo-as nadar à maluca em centrifugadoras –, mas nada resultou. Morgan estava prestes a desistir quando ocorreu uma mutação inesperada e reincidente – uma mosca que tinha olhos brancos em vez do habitual vermelho. Com este resultado, Morgan e os seus assistentes eram agora capazes de gerar deformidades úteis, permitindo-lhes seguir a pista de uma característica através de sucessivas gerações. Desta forma podiam averiguar as correlações entre as características e os cromossomas, conseguindo provar que os cromossomas estavam no centro da herança genética.

Contudo, o segundo nível de complexidade continuava a apresentar-se problemático: os enigmáticos genes e o ADN que os constituía. Estes eram bem mais difíceis de isolar e compreender. Mesmo em 1933, quando Morgan recebeu o Prémio Nobel pelo o seu trabalho, muitos investigadores não acreditavam ainda na existência dos genes. Tal como declarou Morgan na altura, não havia consenso sobre "o que eram os genes e se, de facto, eram verdadeiros ou fictícios". Parece surpreendente que os cientistas tenham dificuldade em aceitar a realidade física de algo tão fundamental para a actividade celular. Segundo Wallace, King e Sanders, no livro *Biology: The Science of Life* (um dos raros manuais escolares de fácil leitura), estamos hoje na mesma situação relativamente a processos mentais como o pensamento e a memória. Sabemos que os temos, sem dúvida, mas não sabemos de que forma existem fisicamente. Assim se passou também com os genes, durante muito tempo. A noção de que alguém pudesse extrair um gene do corpo e examiná-lo com um microscópio era algo de absurdo para muitos colegas de Morgan, seria como se, hoje em dia, alguém pensasse fazer o mesmo com um pensamento isolado.

O que não se podia negar era que *algo* relacionado com os cromossomas dirigia a replicação celular. Por fim, em 1944, após 15 anos de trabalho, uma equipa do Rockefeller Institute em Manhattan, liderada por Oswald Avery, um canadiano brilhante mas reservado, teve sucesso com uma experiência complicada na qual tornava permanentemente infecciosa uma estirpe de bactérias inofensiva. Conseguiram este feito cruzando a bactéria com ADN estrangeiro, provando assim que o ADN era mais do que uma molécula passiva e que era, quase de certeza, o agente activo na hereditariedade. Erwin Chargaff, um bioquímico austríaco, sugeriu mais tarde, com sinceridade, que a descoberta de Avery valia dois prémios Nobel.

Infelizmente, Avery tinha um oponente, um colega seu no instituto, determinado e discordante. Chamava-se Alfred Mirsky e era um entusiasta da proteína, que fez tudo que pôde para desacreditar o trabalho de Avery, diz-se que chegou mesmo ao ponto de pressionar as autoridades do Karolinska Institute para que não atribuíssem o Prémio Nobel a Avery. Avery tinha nessa altura 62 anos e estava cansado. Incapaz de lidar com o *stress* e a controvérsia, demitiu-se e nunca mais chegou perto de um laboratório. Porém, provas recolhidas por outros investigadores continuaram a corroborar as mesmas conclusões e rapidamente se deu início à corrida para descobrir a estrutura do ADN.

Qualquer jogador dos anos 1950 teria ganho se estivesse apostado em Linus Pauling de Caltech, um eminente químico americano, para descobrir a estrutura do ADN. Pauling era inigualável na determinação da arquitectura das moléculas e tinha sido pioneiro no campo da cristalografia por raios X, uma técnica que se revelou fundamental para espreitar o mundo do ADN. Numa carreira cada vez mais brilhante, ganhou dois prémios Nobel (da Química, em 1954, e da Paz, em 1962), todavia convenceu-se de que a estrutura do ADN tinha a forma de uma hélice tripla, não dupla, pelo que nunca conseguiu chegar ao caminho certo. A vitória foi parar inesperadamente a um grupo de quatro cientistas na Inglaterra que nunca trabalharam em conjunto, mal se falavam, e eram principiantes na matéria.

Um deles, Maurice Wilkins, passou grande parte da Segunda Guerra Mundial a trabalhar no projecto da bomba atómica. Outros dois, Rosalind Franklin e Francis Crick, passaram os anos da guerra a estudar minas para o Governo britânico: Crick estudava aquelas que explodiam e Franklin aquelas que produziam carvão.

O menos convencional do grupo era James Watson, um menino prodígio americano que se notabilizou em criança como um dos membros do programa de rádio *The Quiz Kids*, um programa de sucesso na época (e que pode portanto ter inspirado as personagens de alguns membros da família Glass em *Franny and Zooey* e outras obras de J. D. Salinger). Watson entrou na Universidade de Chicago com apenas 15 anos. Doutorou-se com 22 anos e integrou depois a equipa do famoso Laboratório Cavendish, em Cambridge. Em 1951, era um jovem desajeitado de 23 anos com uma cabeleira notavelmente animada que, nas fotografias de arquivo, parece estar a ser atraída por um íman invisível.

Crick, que era 12 anos mais velho e não era doutorado, era muito menos cabeludo e um pouco mais agreste. Segundo Watson, ele era tempestuoso, curioso, alegremente argumentativo, impaciente com quem fosse lento em partilhar ideias, e estava sempre à beira de ser despedido. Nenhum dos dois era formado em bioquímica.

Ambos pressupunham – correctamente, como veio a provar-se – que se determinássemos o formato de uma molécula de ADN, poderíamos observar o modo como ela fazia as coisas que fazia. Ambos esperavam conseguir a proeza com o mínimo esforço possível e fazendo nada mais do que o estritamente necessário. Tal como Watson declarou com alegria e sem subtileza alguma no seu livro autobiográfico *The Double Helix*: "Era minha esperança que o gene pudesse ser descoberto sem eu ter de aprender química." Na realidade, o grupo não foi oficialmente nomeado para a tarefa de analisar o ADN e a dada altura foram até obrigados a parar a investigação. Watson aperfeiçoava ostensivamente a arte da cristalografia; Crick tinha de terminar uma tese sobre a difracção de raios X em moléculas grandes.

Embora Crick e Watson ficassem, para o público em geral, com quase todos os louros por terem solucionado o mistério do ADN, o sucesso deles dependeu fundamentalmente do trabalho experimental feito pelos seus concorrentes, tendo os resultados sido alcançados "fortuitamente", usando um eufemismo da historiadora Lisa Jardine. Mais avançados, pelo menos a princípio, estavam dois académicos do King's College, em Londres, Wilkins e Franklin.

Wilkins, nascido na Nova Zelândia, era um tipo discreto e reservado, quase invisível. No documentário da PBS de 1998 sobre a descoberta da estrutura do ADN, pela qual recebeu o Prémio Nobel em 1962 com Crick e Watson, quase não foi mencionado.

A figura mais enigmática de todas era Franklin. Watson, em *The Double Helix* retratou-a, de uma forma pouco lisonjeira, como uma mulher irracional, sigilosa, nunca cooperativa e – isto parecia irritá-lo bastante – propositadamente malparecida. Chegou a dizer que "não era particularmente feia e podia mesmo ser atraente caso tivesse algum gosto nas roupas que vestia", aspecto em que desiludia todas as expectativas. Nem tão-pouco usava *batôn*, admirava-se ele, enquanto a sua sensibilidade indumentária "revelava a imaginação das adolescentes sabichonas inglesas".*

Contudo, foi ela que conseguiu as melhores imagens da estrutura provável do ADN, utilizando a técnica de cristalografia por raios X, aperfeiçoada por Linus Pauling. A cristalografia tinha sido utilizada com sucesso para localizar os átomos dentro dos cristais (daí "cristalografia"), mas as moléculas de ADN eram uma tarefa muito mais meticulosa. Apenas Franklin conseguia bons resultados através deste processo, mas, para total irritação de Wilkins, recusava-se a partilhá-los.

Não podemos culpar Franklin totalmente pela falta de generosidade com os seus resultados. As alunas do King's College, nos anos 1950, eram tratadas com um desprezo institucionalizado, inaceitável para a sensibilidade actual (ou para qualquer sensibilidade que seja). Mesmo com um estatuto superior e realização profissional, as mulheres não tinham acesso à sala comum dos seniores da faculdade. Em vez disso, tomavam as suas refeições numa sala

---

* Em 1968, a Harvard University Press cancelou a edição de *The Double Helix*, após a queixa de Crick e Wilkins pelas suas caracterizações, que a historiadora científica Lisa Jardine descreveu como "gratuitamente insensíveis". As descrições citadas são a versão corrigida de Watson.

mais utilitária, que até o próprio Watson admitiu ser "escura e suja". Além disso, estava constantemente a ser pressionada – às vezes assediada – para partilhar os resultados com um trio de homens cujo desespero para os obter raramente lhes concedia aquela qualidade mais atraente, o respeito. "Receio que sempre tenhamos adoptado, digamos, uma postura paternalista para com ela." Crick disse mais tarde. Dois destes homens pertenciam a uma instituição concorrente e o outro juntou-se a eles abertamente. Não é para admirar que ela fechasse os resultados à chave.

O facto de Wilkins e Franklin não se darem bem foi algo que Watson e Crick aproveitaram muito bem. Embora transgredissem sem vergonha o território de Wilkins, foi com eles que este decidiu alinhar – talvez devido à forma estranha como Franklin agia nessa altura. Apesar de os seus resultados mostrarem que o ADN existia na forma de hélice, ela insistia que não. Para embaraço de Wilkins, no Verão de 1952, Franklin afixou um anúncio, no departamento de física do John's College, onde se lia: "É com profundo pesar que comunicamos a morte de Hélice A. D. N., na sexta-feira, dia 18 de Julho de 1952. Esperemos que o Dr. M. H. F. Wilkins fale em memória da falecida hélice."

O resultado de tudo isto foi que em Janeiro de 1953, Wilkins mostrou a Watson as imagens de Franklin, "pelos vistos sem o seu conhecimento nem autorização". Chamar-lhe uma ajuda significativa seria minimizar o facto. Anos mais tarde Watson admitiu que "foi o evento-chave... mobilizou-nos". Armados com o conhecimento do formato básico da molécula de ADN, mais alguns elementos importantes sobre as dimensões, Watson e Crick redobraram o esforço. Parecia que tudo ia de vento em popa. A determinado momento, Pauling estava a caminho de uma conferência em Inglaterra onde provavelmente teria conhecido Wilkins e aprendido o suficiente para corrigir as interpretações que o tinham conduzido por uma via incorrecta, contudo, eram os tempos de McCarthy e ele ficou detido no aeroporto de Idlewild, em Nova Iorque, onde lhe confiscaram o passaporte por se considerar que tinha um temperamento demasiado liberal para sair do país. Crick e Watson, muito convenientemente, tinham também a sorte de o filho de Pauling trabalhar nos laboratórios Cavendish que, inocentemente, ia dando notícias do trabalho do pai.

Na possibilidade de serem vencidos a qualquer momento, Watson e Crick aplicaram-se febrilmente à solução do problema. Sabia-se que o ADN tinha quatro componentes químicos – adenina, guanina, citosina e timina – que se emparelhavam de uma maneira particular. Utilizando pedaços de papelão cortados no formato de moléculas, Watson e Crick conseguiram compreender como as peças se encaixavam. A partir daqui construíram um modelo estilo *Meccano* – talvez o mais famoso da ciência moderna – composto por chapas metálicas cavilhadas numa espiral, e convidaram Wilkins, Franklin e o resto do mundo para ver o resultado. Qualquer pessoa informada podia constatar de imediato que eles tinham resolvido o problema. Foi sem dúvida um brilhante trabalho de detective, com ou sem a ajuda da imagem de Franklin.

O número da revista *Nature* de 25 de Abril de 1953, apresentou um artigo de 900 palavras assinado por Watson e Crick, intitulado "A Structure for Deoxyribose Nucleic Acid." A acompanhá-lo estavam artigos separados da autoria de Wilkins e Franklin. Foi uma época muito movimentada – Edmund Hillary estava prestes a chegar ao cume do Everest, enquanto Isabel II seria em breve coroada rainha de Inglaterra –, pelo que a descoberta do segredo da vida não constituiu grande notícia. Foi mencionada no *News Chronicle* e, de resto, foi ignorada.

Rosalind Franklin não partilhou o Prémio Nobel. Morreu de cancro nos ovários em 1958, com apenas 37 anos, quatro anos antes de o prémio ser concedido. Os prémios Nobel não são concedidos postumamente. O cancro surgiu, quase de certeza, devido à sua exposição constante aos raios X no decorrer das suas investigações, mas podia ter sido evitado. Na sua recente e aclamada biografia, Brenda Maddox refere que Franklin raramente vestia o avental de chumbo e muitas vezes caminhava descuidadamente em frente à radiação. Oswald Avery também nunca recebeu o Prémio Nobel e foi grandemente ignorado por quase todos, embora tenha tido a satisfação de viver os anos suficientes para ver o seu trabalho reivindicado. Morreu em 1955.

Na realidade, a descoberta de Watson e Crick não foi confirmada até aos anos 1980. Tal como disse Crick num dos seus livros: "Foram precisos mais de 25 anos para que o nosso modelo de ADN passasse de bastante plausível, para muito plausível... e daí para virtualmente correcto."

Mesmo assim, com a ajuda do conhecimento da estrutura de ADN, o progresso na genética avançou com rapidez, e em 1968 a revista *Science* destacava um artigo intitulado "Essa Era a Biologia Molecular que já Foi", sugerindo – parece impossível, mas é verdade – que o trabalho da genética estava quase a chegar ao fim.

De facto, era apenas o começo. Mesmo hoje, há muito sobre o ADN que mal conhecemos. Por exemplo, por que razão grande parte dele parece não fazer absolutamente nada. Noventa e sete por cento do nosso ADN é composto por longas extensões de material sem sentido – "lixo", ou "ADN não codificante," como os bioquímicos preferem chamar-lhe. Só aqui e ali, espalhadas ao longo de cada cadeia, é que existem secções que controlam e organizam as funções vitais. Essas secções são os curiosos e inacessíveis genes.

Os genes não são mais do que instruções para a produção de proteínas. Fazem-no com uma monótona fidelidade. São como as teclas de um piano, cada uma tocando apenas uma nota, o que faz com que tudo se torne um pouco enfadonho. Porém, se combinarmos os genes, tal como fazemos com as notas no piano, podemos criar acordes e melodias de uma variedade infinita. Se juntarmos todos os genes (continuando a metáfora), temos a grande sinfonia da existência chamada genoma humano.

Há outra maneira de interpretar o genoma humano: como se este fosse um manual de instruções do corpo. Visto assim, os cromossomas seriam os capítulos e os genes as instruções individuais para produzir as proteínas. As palavras com que as instruções são escritas são conhecidas por codões, e as letras por bases. As bases – as letras do abecedário genético – consistem em quatro nucleótidos que já foram mencionadas neste capítulo: adenina, timina, guanina e citosina. Apesar da sua importância, estas substâncias não são compostas por nada de muito exótico. A guanina, por exemplo, é a mesma substância que existe em grandes quantidades no guano (e que lhe dá o nome).

O formato da molécula de ADN, como se sabe, é bastante parecido com uma escadaria em caracol ou com uma escada de corda torcida: a famosa dupla hélice. As moléculas perpendiculares à estrutura são compostas por um tipo de açúcar chamado desoxirribose, e a totalidade da hélice é um ácido nucleico – daí o nome "ácido desoxirribonucleico".

Os degraus são formados por duas bases que se unem no espaço, e podem combinar-se de apenas duas maneiras: a guanina emparelha sempre com a citosina e a timina sempre com a adenina. A ordem pela qual estas letras se dispõem ao longo da escada constitui o código de ADN. A função do Projecto do Genoma Humano é registá-lo.

A genialidade do ADN reside, particularmente, na maneira como se replica. No momento de produzir uma molécula nova, as duas cadeias separam-se pelo centro, tal como o fecho de uma jaqueta, e cada uma cria uma nova parceira. Devido ao facto de cada nucleótido emparelhar com um nucleótido específico, cada cadeia serve como modelo para a criação da cadeia paralela correspondente. Se tivéssemos uma das cadeias simples do nosso ADN, poderíamos reconstruir o seu par usando as combinações necessárias: se o primeiro degrau da cadeia fosse constituído por guanina, o primeiro degrau da cadeia paralela teria de ser citosina. Continuando pela escada, através de todos os pares de nucleótidos, conseguiríamos eventualmente o código para obtenção de uma nova molécula. É isto mesmo que acontece na natureza, só que muito mais rápido – em apenas segundos, uma proeza admirável.

A maior parte das vezes, o ADN replica-se com uma exactidão obediente, mas existem ocasiões – uma vez em cada milhão – em que uma letra se encaixa no sítio errado. Isto é conhecido por polimorfismo de nucleótido simples, ou SNP, conhecido pelos bioquímicos por *snip*. Em geral, estes *snips* estão encaixados em áreas de ADN não codificantes e não têm consequências detectáveis para o corpo humano. Mas às vezes podem fazer toda a diferença. Podem fazer com que fiquemos predispostos a alguma enfermidade, mas também podem fornecer-nos algumas vantagens – pigmentação protectora ou um aumento na produção de glóbulos vermelhos para quem viva em altitudes elevadas. Ao longo do tempo, estas pequenas modificações acumulam-se tanto nos indivíduos como nas populações contribuindo para a distinção de ambos.

Na replicação, o equilíbrio entre exactidão e erro é delicado. Erros a mais fazem com que o organismo não consiga funcionar, mas erros a menos fazem com que não seja adaptável. É também necessário um equilíbrio semelhante entre a estabilidade e a inovação do organismo. Um aumento de glóbulos vermelhos pode proporcionar a um indivíduo, ou grupo, que viva a grande altitude, uma melhor respiração e capacidade de movimentação, porque mais glóbulos vermelhos transportam mais oxigénio. Mas o número de células extra faz com que o sangue fique mais espesso. Adicionar demasiadas células seria "como bombear óleo", disse Charles Weitz, um antropólogo da Temple University. É difícil para o coração. Portanto, as pessoas geneticamente concebidas para viver em altitude têm uma respiração mais eficaz, mas pagam por ela, aumentando o risco de problemas cardíacos. É assim que a selecção natural de Darwin nos protege. Isto também explica por que somos tão similares. A evolução não permite que sejamos assim tão diferentes – a não ser que nos tornássemos outra espécie.

A diferença de 0,1 por cento entre os genes de dois indivíduos deve-se aos *snips*. Se os compararmos com um terceiro indivíduo, existe a mesma correspondência de 99,9 por cento, mas os *snips* estarão localizados em pontos diferentes. Se acrescentarmos mais pessoas na comparação, aparecem mais *snips* em mais sítios diferentes. Para todas as 3,2 mil milhões de bases que determinada pessoa possui no seu ADN, haverá algures no planeta uma pessoa ou grupo de pessoas com uma codificação diferente nessa posição. No sentido literal, não existe "um" genoma humano. Existem seis mil milhões. Somos todos 99,9 por cento iguais, mas da mesma forma, nas palavras do bioquímico David Cox, "podia dizer-se que os humanos não partilham nada, e também estaria correcto".

Ainda temos de explicar por que é que só uma pequena percentagem desse ADN tem a função de nos distinguir. Começa a ser um bocado enervante, mas, na realidade, parece que o objectivo da vida é perpetuar o ADN. Os 97 por cento do nosso ADN vulgarmente chamado "lixo" é composto por conjuntos de letras que, segundo Ridley, "existem pura e simplesmente porque têm boa capacidade para se duplicarem".* Por outras palavras, a grande parte do nosso ADN dedica-se a si própria e não a nós: somos apenas máquinas que trabalham em seu benefício, e não o contrário. A vida, lembremo-nos, quer simplesmente existir, e o ADN faz com que isso seja possível.

Mesmo quando o ADN inclui instruções para a produção de genes – quando os codifica – não o faz para que o organismo funcione eficazmente. Um dos genes mais comuns que temos codifica para uma proteína chamada transcriptase reversa, que não tem uma função identificada que beneficie o corpo humano. Uma das coisas que faz, porém, é facilitar a vida aos retrovírus, como o vírus da sida, permitindo que penetrem despercebidos no organismo humano.

Ou seja, o nosso organismo dedica uma energia considerável à produção de uma proteína que não faz nada de jeito e às vezes até prejudica. O corpo humano não tem escolha possível porque os genes é que mandam. Estamos sujeitos aos caprichos dos genes. Na totalidade, quase metade dos genes humanos – a maior proporção encontrada em qualquer organismo – não fazem nada, a não ser reproduzirem-se a si próprios.

Todos os organismos são, de certa forma, escravos dos seus próprios genes. É por isso que os salmões, as aranhas e outros animais estão preparados

* Este tipo de ADN é útil. É a porção utilizada no "DNA fingerprinting" (impressão digital do ADN). A sua adequação a este propósito foi descoberta por Alec Jeffreys, um cientista na University of Leicester, em Inglaterra. Em 1986, Jeffreys estudava sequências de ADN de marcadores genéticos associados a doenças hereditárias, quando foi abordado pela polícia que lhe perguntou se podia ajudar a ligar um suspeito a dois homicídios. Ele apercebeu-se de que a sua técnica deveria funcionar perfeitamente nas investigações criminais – e assim foi que um jovem padeiro, Colin Pitchfork, foi condenado a passar o resto da vida na prisão pelos seus crimes.

para morrer durante o processo de acasalamento. O desejo de procriar, de disseminar os seus próprios genes, é o impulso mais forte na natureza. Tal como disse Sherwin B. Nuland: "Os impérios caem, os ids explodem, as grandes sinfonias são escritas, e por trás de tudo isso está um único instinto que exige satisfação." Do ponto de vista da evolução, o sexo é, na realidade, um mecanismo estimulante para nos encorajar a entregar o nosso material genético à posteridade.

Os cientistas mal tinham começado a absorver as notícias surpreendentes de que a maioria do nosso ADN não faz nada, quando surgiram outras descobertas ainda mais inesperadas. Primeiro na Alemanha e depois na Suíça, investigadores realizaram ensaios bastante bizarros que produziram resultados curiosamente banais. Num ensaio, colocaram o gene que controlava o desenvolvimento do olho de um rato e inseriram-no numa larva da mosca da fruta. A ideia era produzir algo interessantemente grotesco. Na verdade, o gene para o olho do rato não apenas produziu um olho viável na mosca da fruta, como produziu um olho *de mosca*. Tratava-se de duas criaturas que não partilhavam um antepassado comum há pelo menos 500 milhões de anos, porém conseguiram trocar matéria genética como se fossem irmãs.

A história era sempre a mesma onde quer que os cientistas procurassem. Descobriram que podiam inserir ADN humano em algumas células de moscas e as moscas aceitavam-no como se fosse legitimamente delas. Mais de 60 por cento dos genes humanos são fundamentalmente idênticos aos genes de uma mosca da fruta. Pelo menos 90 por cento correlacionam-se até certo nível com aqueles encontrados nos ratos. (Até temos genes para produzir uma cauda, caso eles fossem activados.) De área em área, os investigadores descobriram que, qualquer que fosse o organismo que observavam – vermes nemátodas ou seres humanos – estavam a estudar essencialmente os mesmos genes. A vida, pelos vistos, foi desenhada de um único conjunto de esquemas.

Outras investigações revelaram a existência de um conjunto de genes governantes, cada um dirigindo o desenvolvimento de uma secção do corpo, designados por genes homeóticos (derivado da palavra grega *homeo* que significa "similar") ou genes hox. Os genes hox resolviam o confuso problema de como biliões de células de um embrião, todas vindo de um único ovo fertilizado e contendo ADN idêntico, podiam saber para onde ir e o que fazer – que umas se devem transformar em células de fígado, outras em neurónios, outras em células do sangue e outras constituintes de uma asa. São os genes hox que controlam essa informação e fazem-no de uma forma idêntica em todos os organismos.

Uma coisa interessante é que a quantidade de material genético, e a forma como é organizado, nem sempre indica o nível de sofisticação da criatura que o possui. Os humanos têm 46 cromossomas, mas alguns fetos têm mais de 600. O peixe pulmonado, um dos animais complexos menos evoluídos, possui uma quantidade de ADN 40 vezes superior à nossa. Até o tritão comum tem cinco vezes mais genes que o ser humano.

Obviamente, não é a quantidade de genes que importa, mas o que fazemos com eles. Isto é bom, porque o número de genes humanos não parece ser assim tão grande como se pensava até agora. Até há pouco tempo, julgava-se que o ser humano tinha pelo menos cem mil genes, possivelmente mais, mas essa quantidade foi bastante reduzida pelos primeiros resultados do Projecto do Genoma Humano, que sugeriu um número situado entre 35 mil a 40 mil genes, o mesmo número de genes encontrado na relva. Foi tanto uma surpresa como uma desilusão.

Não nos esqueçamos que os genes já foram incriminados por muitas fraquezas humanas. Cientistas exultantes declararam já várias vezes ter encontrado os genes responsáveis pela obesidade, esquizofrenia, homossexualidade, criminalidade, violência, alcoolismo, justificando até os roubos nas lojas e a situação dos sem-abrigo. O auge desta fé em biodeterminismo parece ter sido em 1980, quando a revista *Science* publicou um artigo que afirmava que as mulheres eram geneticamente inferiores em matemática. De facto, sabemos hoje, quase nada acerca de si é assim tão complacentemente simples.

Num certo sentido, isto é claramente uma desvantagem, pois se o leitor possuísse genes individuais que determinassem a altura ou a propensão para os diabetes ou a calvície ou qualquer outra característica, seria fácil – relativamente fácil, entenda-se – isolá-los e manipulá-los. Infelizmente, 35 mil genes a funcionarem independentemente não é o suficiente para produzir o tipo de complexidade necessária para um ser humano satisfatório. Claramente, os genes têm de cooperar. Algumas desordens – a hemofilia, a doença de Parkinson, a fibrose quística, por exemplo – são causadas por genes disfuncionais isolados, mas, por regra, os genes problemáticos são destruídos pela selecção natural muito antes de serem permanentemente prejudiciais para uma espécies ou população. Em grande parte, o nosso destino e o nosso conforto – mesmo a cor dos nossos olhos – são determinados não por genes individuais mas por complexos de genes trabalhando em conjunto. Por isso continua a ser tão difícil perceber como tudo isto encaixa, o que significa que também não poderemos fabricar bebés aperfeiçoados assim tão cedo.

De facto, quanto mais aprendemos, mais se complicam as questões. Até o acto de pensar, pelos vistos, afecta a função dos genes. A rapidez com que cresce a barba de um homem, por exemplo, é em parte um indicador do quanto ele pensa em sexo (porque pensar em sexo aumenta o nível de testosterona). No princípio dos anos 1990, os cientistas descobriram que quando destruíam genes supostamente vitais em alguns embriões de ratos, isso não os impedia de nascerem com saúde e, para além disso, chegavam a estar em melhor forma do que os seus irmãos e irmãs que não tinham sido manipulados. Ficou provado que quando alguns genes importantes eram destruídos havia outros que os substituíam. Foi uma excelente notícia para nós enquanto organismos, mas não tanto para o nosso conhecimento sobre a forma como as células funcionam. Este dado veio introduzir mais uma camada extra de complexidade em algo que mal tínhamos começado a deslindar.

Devido a todos estes factores complicados, imediatamente se percebeu que a compreensão do genoma humano estava praticamente no começo. O genoma, tal como disse Eric Lander do Instituto de Tecnologia de Massachusetts (MIT), "é como uma listagem das peças do corpo humano: mostra-nos de que somos feitos, mas não nos diz como funcionamos". O que nos falta é o manual de instruções da fábrica, para que possamos pô-lo a trabalhar. Mas ainda estamos bastante longe disso.

Portanto, as atenções centram-se agora na questão do proteoma humano – um conceito tão novo que o próprio termo *proteoma* não existia há uma década. O proteoma é a biblioteca da informação que cria as proteínas. "Infelizmente", observou a *Scientific American*, na Primavera de 2002, "o proteoma é muito mais complicado do que o genoma".

Esta é uma forma suave de pôr a questão. As proteínas, lembremo-nos, são os operários de todos os sistemas de vida; pelo menos cem milhões podem estar ocupados dentro de cada célula a qualquer momento. Isto é actividade a mais para ser analisada. Pior ainda, o comportamento e função das proteínas dependem não só do seu conteúdo químico, tal como acontece com os genes, mas também das suas estruturas. Para funcionar, uma proteína não precisa apenas dos necessários componentes químicos bem montados, mas tem também de ser "dobrada" de uma forma extremamente específica. *Folding* (dobramento) é o termo utilizado, mas engana por sugerir uma geometria simplificada que, de facto, não existe. As proteínas curvam-se, enrolam-se e enrugam dando origem a estruturas que são ao mesmo tempo extravagantes e complexas.

Além disso, as proteínas são (permitam-me utilizar uma expressão antiquada) os "animadores" do mundo biológico. Dependendo da disposição e circunstância metabólica, elas estão sempre disponíveis para ser fosforiladas, glicosiladas, acetiladas, ubiquitinadas, sulfatadas e ligadas a receptores de glicofosfatidilinositol entre muitas outras coisas. É preciso pouco para as motivar. Se beber um copo de vinho, segundo a *Scientific American*, altera significativamente o número e o tipo de proteínas presentes no seu sistema. É uma ideia agradável para os que bebem, mas não facilita nada a vida aos geneticistas que andam a tentar compreender o funcionamento das coisas.

Começa a parecer terrivelmente complicado e, de certa forma, é terrivelmente complicado. Mas também existe uma simplicidade subjacente a tudo isto, graças a uma unidade elementar no modo como a vida funciona. Todos os minúsculos e hábeis processos químicos que animam as células – o esforço cooperativo dos nucleótidos, a transcrição do ADN em ARN – evoluíram apenas uma vez e mantiveram-se fixos desde então e em toda a natureza. Tal como disse o já falecido geneticista francês, Jacques Monod, em tom de brincadeira: "Tudo o que é verdade para uma *E. coli* deve ser verdade para os elefantes, só que em maior quantidade."

Cada ser vivo é uma elaboração de um único plano original. Enquanto humanos, somos meros incrementos – cada um de nós é um arquivo bolorento de ajustamentos, adaptações, modificações e manipulações providenciais que começaram há cerca de 3,8 mil milhões de anos. Temos, incrivelmente, muita coisa em comum com as frutas e legumes. Cerca de metade das funções químicas que ocorrem numa banana são iguais às que ocorrem dentro de si.

Nunca é de mais dizê-lo: a vida é una. Esta é, e suponho que provará ser sempre, a declaração mais verdadeira e profunda que existe.

VI

O CAMINHO ATÉ NÓS

Descendentes dos macacos! Meu amigo, esperemos
que não seja verdade, mas se for, resta-nos rezar
para que nunca venha a ser do conhecimento público.

Comentário atribuído à mulher do bispo de Worcester,
quando lhe explicaram a teoria da evolução de Darwin.

27.

A IDADE DO GELO

> Tive um sonho, que não era de todo um sonho.
> O Sol chamejante extinguiu-se, e as estrelas
> vaguearam...
>
> Byron, *Darkness*

Em 1815, na ilha de Sumbawa, na Indonésia, uma bela montanha chamada Tambora, que há muito se mantinha silenciosa, explodiu num espectáculo majestoso; cem mil pessoas morreram na explosão e nos tsunamis que se lhe seguiram. Foi a maior explosão vulcânica em dez mil anos – 150 vezes mais forte do que a do monte St. Helens, e equivalente a 60 mil bombas atómicas do tamanho da de Hiroshima.

As notícias não corriam muito depressa naquela altura. Em Londres, *The Times* dedicou-lhe um pequeno artigo – na verdade, era mais uma carta de um comerciante –, sete meses depois do acontecimento. Mas, por essa altura, os efeitos de Tambora já estavam a ser sentidos. Duzentos e quarenta quilómetros cúbicos de cinzas fumegantes, poeiras e detritos vulcânicos tinham-se espalhado na atmosfera, tapando os raios solares e causando um arrefecimento da Terra. Os ocasos passaram a ser excepcionalmente coloridos, mas de um colorido turvo, efeito que ficou para a história memoravelmente captado por J. M. W. Turner, que não podia ter ficado mais satisfeito embora a maior parte do mundo tivesse ficado debaixo de um manto opressivo e fuliginoso. Foi essa obscuridade mortal que inspirou os versos de Byron transcritos acima.

A Primavera não chegou nesse ano e o Verão nunca aqueceu: 1816 passou a ser conhecido como o ano sem Verão. Por todo o lado as colheitas ficaram estragadas. Na Irlanda a fome e com ela uma epidemia de febre tifóide mataram 65 mil pessoas. Na Nova Inglaterra, esse ano passou a ser popularmente conhecido como Mil Oitocentos e Gelar até à Morte. As geadas prolongaram-se até Junho, e não houve praticamente uma única semente que crescesse. Devido à falta de feno, o gado morria ou à fome ou era abatido prematuramente. De todas as formas, foi um ano horrível – de certeza o pior ano agrícola dos tempos modernos. Contudo, a nível global, a temperatura apenas desceu pouco menos de um grau centígrado. O termostato natural da Terra, como os cientistas iriam compreender, é um instrumento extremamente delicado.

O século XIX já foi em si um século de frio. Há 200 anos que a Europa e a América do Norte passavam por uma Pequena Idade do Gelo, como passou a ser conhecida, o que permitia toda a espécie de divertimentos de Inverno – feiras sobre o gelo no rio Tamisa e corridas de patins de gelo ao longo dos canais holandeses –, coisas que agora seriam, na sua maior parte, impossíveis. Foi um período, por outras palavras, em que a frigidez se apoderou dos espíritos. Por isso, talvez possamos desculpar os geólogos do século XIX por terem levado tanto tempo a compreender que o mundo em que viviam era de facto um mundo de clima suave comparado com épocas anteriores, e que a maior parte da terra à sua volta fora modelada por glaciares que chocavam uns contra os outros e por um frio que teria arruinado qualquer uma feira sobre o gelo.

Sabiam que havia qualquer coisa de estranho no passado. A paisagem europeia estava semeada de anomalias inexplicáveis – ossos de renas do Ártico no temperado Sul da França, enormes rochas que tinham ido parar a lugares improváveis – e muitas vezes apareciam com explicações criativas, mas não muito plausíveis. Um naturalista francês chamado De Luc, tentando explicar como é que algumas rochas de granito tinham ido parar ao cimo das encostas calcárias das montanhas do Jura, sugeriu que talvez tivessem sido expelidas pelo ar comprimido contido nas cavernas, tal como as rolhas que saltam de uma garrafa de champanhe. O termo utilizado para uma formação rochosa fora do seu ambiente natural é *errática*, mas no século XIX a expressão parecia aplicar-se mais vezes às teorias do que às rochas propriamente ditas.

O grande geólogo britânico Arthur Hallam sugeriu que se James Hutton, o pai da geologia, tivesse visitado a Suíça, teria compreendido imediatamente o significado dos vales cavados, das estrias polidas, das linhas reveladoras onde os rochedos tinham sido depositados e outras abundantes pistas indicariam a existência de camadas de gelo em deslocação. Infelizmente, Hutton não gostava de viajar. Mas mesmo não tendo mais nada à disposição, para além de informações em segunda mão, Hutton rejeitou imediatamente a ideia de que as grandes formações rochosas tivessem sido arrastadas pelas inundações até quase mil metros pela montanha acima – nem mesmo toda a água do mundo seria capaz de fazer flutuar uma rocha, sublinhou ele – e foi um dos primeiros a argumentar em favor de uma glaciação generalizada. Infelizmente, as suas ideias não foram acatadas e durante mais de 50 anos a maior parte dos naturalistas continuou a insistir que as marcas deixadas nas rochas podiam ser atribuídas às carroças que passavam, ou até aos pregos das solas das botas dos alpinistas.

Os camponeses locais, imunes à ortodoxia científica, sabiam mais do assunto. O naturalista Jean de Charpentier contou que, em 1834, quando passeava por um caminho de terra com um lenhador suíço, começaram a falar das rochas que apareciam ao longo da estrada. O lenhador disse-lhe com ar displicente que as formações rochosas vinham de Grimsel, uma zona de granito a alguma distância dali. "Quando lhe perguntei como é que achava que aquelas rochas tinham ido parar ali, respondeu sem hesitar: O glaciar de Grimsel arrastou-as ao longo dos dois lados do vale, porque nessa altura o glaciar chegava à cidade de Berna."

Charpentier ficou encantado. Ele próprio tinha chegado a essa conclusão, mas quando expôs a teoria nas reuniões científicas, ninguém acreditou. Um dos amigos mais íntimos de Charpentier era outro naturalista suíço, Louis Agassiz, que depois de um certo cepticismo inicial acabou por concordar com a teoria, tendo mesmo acabado por se apropriar dela.

Agassiz estudara com Cuvier em Paris e detinha nessa altura o posto de professor de História Natural na Universidade de Neuchâtel, na Suíça. Outro amigo de Agassiz, um botânico chamado Karl Schimper, foi na realidade o primeiro a usar a expressão idade do gelo (em alemão, *Eiszeit*), em 1837, e a sugerir a existência de indícios inegáveis de gelo em camadas extensas e grossas, não apenas nos Alpes suíços mas sobre grande parte da Europa, da Ásia e da América do Norte. Era uma noção radical. Emprestou os seus apontamentos a Agassiz – e depois acabou por lamentar muito tê-lo feito, à medida que Agassiz cada vez mais recebia os louros por aquilo que Schimper considerava, e com alguma razão, ser a sua teoria. Também Charpentier acabou por transformar-se num amargo inimigo do seu velho companheiro. Alexander von Humboldt, um outro amigo, podia muito bem estar a pensar em Agassiz, pelo menos em parte, quando verificou que há três fases na descoberta científica: primeiro, as pessoas negam que seja verdade; depois, negam que seja importante, e por fim acabam por atribuir o crédito à pessoa errada.

De todas as formas, Agassiz apoderou-se deste domínio. Na sua tentativa de compreender a dinâmica da glaciação, viajou por todo o lado – desceu perigosas fendas e subiu ao topo dos mais íngremes cumes alpinos, muitas vezes, ao que parece, sem se aperceber de que ele e a sua equipa eram os primeiros a escalá-los. Em quase toda a parte, Agassiz encontrou uma relutância inexorável relativamente às suas teorias. Humboldt incitou-o a voltar à sua verdadeira área de especialização, os peixes fossilizados, e a desistir daquela louca obsessão pelo gelo, mas Agassiz era um homem de ideias fixas.

A teoria de Agassiz encontrou ainda menos apoio na Inglaterra, onde a maior parte dos naturalistas nunca tinha visto um glaciar, e muitas vezes não conseguia compreender as forças esmagadoras que um grande bloco de gelo pode exercer. "Como é que ranhuras e polimentos podem ser causados apenas por *gelo?*", perguntou Roderick Murchinson numa reunião em tom trocista, evidentemente imaginando os rochedos cobertos por uma espécie de geada leve e vítrea. Até ao dia em que morreu, exprimiu a sua total incredulidade em relação a esses geólogos "com a mania do gelo", que acreditavam que os glaciares pudessem ser responsáveis por tanta coisa. William Hopkins, professor em Cambridge e um dos principais membros da Sociedade Geológica, subscrevia este ponto de vista, argumentando que a ideia de que o gelo podia transportar formações rochosas pressupunha "disparates do ponto de vista mecânico absolutamente óbvios" que nem sequer merecia a atenção da Sociedade.

Sem se deixar abater, Agassiz viajou sem descanso para promover a sua teoria. Em 1840, fez uma comunicação na reunião da British Association for the Advancement of Science, em Glasgow, durante a qual foi abertamente criticado pelo grande Charles Lyell. No ano seguinte, a Sociedade Geológica de Edimburgo aprovou uma resolução em que admitia algum mérito na teoria geral, mas que certamente nada nela se poderia aplicar à Escócia.

Lyell acabou por ceder. A sua epifania chegou quando se apercebeu de que uma moreia, ou linha de blocos rochosos, existente perto da propriedade da família na Escócia e pelo qual passara centenas de vezes, só podia ser explicado se se partisse do princípio que fora levado para ali por um glaciar. Mas, depois de se converter à teoria, Lyell perdeu a coragem e não se atreveu a apoiar publicamente a ideia da Idade do Gelo. Foi uma altura muito frustrante para Agassiz. O casamento dele estava a chegar ao fim, Schimper não parava de o acusar de lhe roubar as ideias, Charpentier deixou de lhe falar, e o apoio que lhe era dado pelo maior geólogo da época era vacilante e tíbio.

Em 1846, Agassiz foi à América dar uma série de conferências e aí, por fim, encontrou o apoio que tanto desejava. Harvard ofereceu-lhe um lugar de professor, e construiu para ele um museu de primeira classe, o Museum of Comparative Zoology. Foi sem dúvida um factor decisivo para ele passar a viver na Nova Inglaterra, onde os longos invernos incentivavam uma certa simpatia pela ideia de intermináveis períodos de frio. Também ajudou o facto de, seis anos depois da sua chegada, a primeira expedição científica à Gronelândia ter regressado com a notícia de que quase todo aquele semicontinente estava coberto por uma camada de gelo, igual à antiga camada de gelo imaginada na teoria de Agassiz. Finalmente, as suas ideias começavam a angariar seguidores. A falha mais incontornável na teoria de Agassiz era o facto de as suas idades do gelo não terem uma causa. Mas haveria de lhe chegar ajuda de uma origem pouco provável.

Na década de 60 do século XIX, jornais e outras publicações científicas em Inglaterra começaram a receber artigos sobre hidrostática, electricidade e outros assuntos científicos de um certo James Croll, da Universidade Anderson, em Glasgow. Um desses artigos, sobre as variações da órbita terrestre que poderiam ter precipitado as idades do gelo, foi publicado no *Phylosophical Magazine*, de 1864, tendo sido reconhecido imediatamente como um trabalho do mais alto nível. E foi assim que houve alguma surpresa, e talvez até um pouco de embaraço, quando se descobriu que Croll trabalhava na Universidade não como professor, mas como porteiro.

Nascido em 1821, Croll crescera numa família pobre e só frequentara a escola até aos 13 anos. Teve vários tipos de trabalho – como carpinteiro, vendedor de seguros, gerente de um hotel para recuperação de alcoólicos – antes de aceitar o posto de porteiro na Universidade Anderson (agora Universidade de Strathclyde), em Glasgow. Como conseguia – não se sabe bem como – convencer o irmão a fazer grande parte do seu trabalho, tinha tempo para passar muitas noites calmas na biblioteca da universidade, aprendendo física, mecânica, astronomia, hidrostática, e outras ciências que estavam em voga na altura, começando gradualmente a produzir uma série de artigos, com especial ênfase nos movimentos da Terra e nos seus efeitos sobre o clima.

Croll foi o primeiro a sugerir que as alterações cíclicas na forma da órbita terrestre, desde a elíptica (ou seja, ligeiramente oval) até à quase circular, até voltar à elíptica, poderiam explicar o aparecimento e retirada das idades do gelo. Ninguém até aí pensara na hipótese de haver uma explicação astronómica para as variações do clima da Terra. Quase inteiramente devido à teoria convincente de Croll, as pessoas em Inglaterra começaram a reagir melhor à noção de que, algures no passado, algumas partes da Terra tinham ficado aprisionadas no gelo. Quando finalmente foram reconhecidas as suas capacidades e o seu engenho, foi oferecido a Croll um emprego na Geological Survey of Scotland, onde recebeu toda a espécie de honras: passou a ser membro da Royal Society de Londres e da New York Academy of Science, recebendo ainda um doutoramento *honoris causa* da Universidade de St. Andrews, entre muitas outras coisas.

Infelizmente, no momento exacto em que a teoria de Agassiz estava finalmente a encontrar prosélitos europeus, ele andava a dedicar-se a uma área cada vez mais exótica, desta vez na América. Começou a encontrar indícios de glaciares praticamente em todo o lado, incluindo perto do equador. Por fim, acabou por convencer-se de que outrora o gelo já cobrira a Terra inteira, extinguindo toda a espécie de vida, que Deus voltara a recriar no planeta. Nenhuma das provas apresentadas por Agassiz apoiavam esta teoria. Contudo, no seu país de adopção, o seu prestígio aumentara tanto que passou a ser considerado pouco menos do de um deus. Quando morreu, em 1873, Harvard achou necessário nomear três professores para tomar o seu lugar.

Contudo, como por vezes acontece, as suas teorias foram rapidamente ultrapassadas. Menos de uma década após a sua morte, o seu sucessor na cadeira de Geologia de Harvard escreveu que a "chamada época glaciar..., tão popular há alguns anos entre os geólogos, pode agora ser rejeitada sem hesitação".

Parte do problema era o facto de os cálculos de Croll darem a entender que a Idade do Gelo mais recente ocorrera há 80 mil anos, enquanto as provas geológicas indicavam cada vez mais que a Terra passara por um tipo qualquer de perturbação drástica há muito menos tempo do que isso. Sem uma explicação plausível as possíveis causas de uma suposta Idade do Gelo toda a teoria ficava em suspenso. E poderia ter ficado assim durante bastante tempo, não fosse o facto de, nos primeiros anos do século XX, um professor universitário sérvio, de nome Milutin Milankovitch, sem a mais pequena formação em movimentos dos corpos celestes – era formado em engenharia mecânica –, ter desenvolvido um inesperado interesse neste domínio. Milankovitch compreendeu que o problema da teoria de Croll não era estar errada mas sim ser demasiado simples.

À medida que a Terra se desloca através do espaço, fica sujeita não apenas a variações no comprimento e na forma da sua órbita, mas também a desvios rítmicos no ângulo de orientação em relação ao Sol – inclinação, nível e oscilação –, factores que afectam a duração e a intensidade da luz do Sol que incide sobre qualquer extensão de terra. Em especial, fica sujeito a três alterações da sua posição, conhecidas formalmente como obliquidade, precessão e excentricidade, durante longos períodos de tempo. Milankovitch pensou que talvez houvesse uma relação entre estes ciclos complexos e os aparecimentos e desaparecimentos das idades do gelo. A dificuldade residia no facto de os ciclos serem de durações muito diferentes – de aproximadamente 20 mil, 40 mil e cem mil anos, mas variando em cada um dos casos até alguns milhares de anos – o que significava que, para se determinar os seus pontos de intercepção em longos períodos de tempo era necessário fazer uma quantidade quase infinita de cálculos matemáticos. Essencialmente, Milankovitch tinha de descobrir o ângulo e duração da radiação solar que chegava à Terra em cada latitude, em todas as estações, durante um milhão de anos, ajustada a três variáveis em constante modificação.

Felizmente, este era exactamente o tipo de tarefa repetitiva que se coadunava com o carácter de Milankovitch. Nos 20 anos que se seguiram, mesmo quando estava de férias, trabalhou sem cessar com lápis e régua de cálculo, traçando as tabelas dos seus ciclos – trabalho que, hoje em dia, poderia ser feito num dia ou dois utilizando um computador. Os cálculos tinham de ser feitos no seu tempo livre, mas em 1914 Milankovitch passou, de repente, a ter muito tempo livre, porque, quando rebentou a Primeira Guerra Mundial, foi preso devido à sua posição como oficial de reserva do exército sérvio. Passou a maior parte dos quatro anos que se seguiram sob uma prisão domiciliária pouco restrita em Budapeste, com a única obrigação de se apresentar na esquadra da polícia uma vez por semana. O resto do tempo passou-o a trabalhar na Biblioteca da Academia de Ciências Húngara. Foi provavelmente o prisioneiro de guerra mais feliz da História.

O resultado dos seus diligentes rabiscos foi o livro *Mathematical Climatology and the Astronomical Theory of Climatic Changes*, que publicou em 1930. Milankovitch tinha razão quando dizia que havia uma relação entre as idades do gelo e as oscilações planetárias, embora, como a maior parte das pessoas, tenha partido do princípio de que foi um aumento gradual dos invernos rigorosos que levou a estes longos períodos de frio. Foi um meteorologista russo-alemão, Wladimir Köppen – sogro do nosso amigo tectónico Alfred Wegener – que verificou que o processo era mais subtil, e um pouco mais enervante do que isto.

Aquilo que provoca as idades do gelo, decidiu Köppen, deve ser procurado nos verões frescos e não nos invernos rigorosos. Se os verões forem demasiado frescos para conseguirem derreter toda a neve que cai sobre uma determinada área, a luz solar incidente é reflectida pela superfície, exacerbando o efeito de arrefecimento e fazendo com que caia ainda mais neve. O resultado tendia a tornar-se uma "bola-de-neve". À medida que a neve se acumulava numa calote glaciária, a região ia ficando cada vez mais fria, o que levava à acumulação de mais gelo. Como fez notar a glacióloga Gwen Schultz: "Não é necessariamente a *quantidade* de neve que causa as calotes glaciárias, mas o facto de a neve, por muito pouca que seja, ter tendência a perdurar." Crê-se que uma idade do gelo poderia ter início num único Verão pouco quente. A neve que restasse desse Verão reflectiria o calor, exacerbando o efeito de refrigeração. "O processo é auto-agravante, imparável, e, depois de o gelo começar a crescer, desloca-se", diz McPhee. Teríamos glaciares a avançar e uma idade do gelo.

Nos anos de 1950, devido às deficiências nas técnicas de datação, os cientistas não conseguiram fazer a relação entre os ciclos de Milankovitch, cuidadosamente calculados, e as supostas datas das idades do gelo tal como eram conhecidas na altura, por isso Milankovitch e os seus cálculos foram caindo cada vez mais no esquecimento. Morreu em 1958, incapaz de provar que os seus ciclos estavam correctamente calculados. Nessa altura, como escrevem John e Mary Gribbin, "teríamos de nos esforçar muito para encontrar um geólogo ou um meteorologista que considerasse o modelo dele algo mais do que uma curiosidade história". Só na década de 1970, com o aperfeiçoamento do método de datação potássio-árgon, utilizado em antigos sedimentos marinhos, é que as suas teorias finalmente vingaram.

Os ciclos de Milankovitch não são suficientes para explicar os ciclos das Idades do Gelo. Há muitos outros factores concorrentes – dos quais o menos importante não é com certeza a disposição dos continentes, em especial a presença de massas continentais sobre os pólos – mas as especificidades destes não são bem compreendidas. Contudo, já foi sugerido que, se se puxasse a América do Norte, a Eurásia e a Gronelândia apenas 500 quilómetros para norte, teríamos idades do gelo permanentes e incontornáveis. Ao que parece, temos muita sorte em ter bom tempo. Ainda menos compreendidos são os ciclos de tempo comparativamente ameno dentro das idades do gelo, conhecidos como interglaciárias. É um pouco enervante pensarmos que todos os momentos importantes da história da humanidade – o desenvolvimento da agricultura, a criação das cidades, o aparecimento da matemática, da escrita, das ciências e de tudo o mais – tenha ocorrido dentro de um período atípico de bom tempo. Houve períodos interglaciários anteriores que duraram apenas oito mil anos. O nosso já passou o aniversário dos dez mil anos.

O facto é que ainda estamos a viver uma idade do gelo; é apenas uma idade do gelo um pouco encurtada – embora menos encurtada do que muitas pessoas pensam. No auge do último período de glaciação, há cerca de 20 mil anos, quase 30 por cento da superfície terrestre do planeta estava debaixo de gelo. Dez por cento ainda está – e há ainda 14 por cento permanentemente gelada. Três quartos de toda a água doce da Terra estão aprisionados em gelo neste preciso momento e temos calotes glaciárias em ambos os pólos – situação que talvez seja única na História da Terra. Pode parecer muito natural haver invernos com neve na maior parte do mundo, e glaciares permanentes mesmo em lugares temperados como a Nova Zelândia, mas de facto esta é uma situação muito pouco habitual para o planeta.

Durante a maior parte da sua história, até tempos bastante recentes, o padrão-geral da Terra era de calor e sem gelo permanente em parte nenhuma do planeta. A idade de gelo actual – época de gelo, melhor dizendo – começou há cerca de 40 milhões de anos, e já variou entre situações extremamente rigorosas e situações perfeitamente aceitáveis. As idades do gelo têm tendência para apagar os vestígios das idades do gelo anteriores, portanto, quanto mais para trás andamos na História, mais vago se torna o quadro, mas ao que parece já tivemos pelo menos 17 episódios glaciares rigorosos nos últimos 2,5 milhões de anos – período que coincide com o aparecimento do *Homo erectus* em África, seguido do ser humano moderno. Dois dos factores normalmente considerados responsáveis pela presente época são o levantamento dos Himalaias e a formação do istmo do Panamá. O primeiro por ter perturbado os fluxos atmosféricos, e o segundo por ter alterado as correntes oceânicas. A Índia, que já foi uma ilha, entrou dois mil quilómetros no continente asiático nos últimos 45 milhões de anos, o que fez não só com que os Himalaias se erguessem mas também o vasto planalto do Tibete. Pensa-se que estas terras mais altas não só eram mais frias como também desviavam os ventos de tal forma que faziam com que eles corressem para norte, em direcção à América do Norte, tornando-a mais susceptível a longos períodos de frio. Assim, começando há cerca de cinco milhões de anos, o Panamá ergueu-se do nível do mar, fechando o hiato entre a América do Norte e a América do Sul, o que perturbou o fluxo das correntes quentes entre o Pacífico e o Atlântico e mudou os padrões de precipitação em pelo menos metade do mundo. Uma das consequências foi a seca em África, o que fez com que os macacos descessem das árvores e fossem à procura de novas maneiras de sobreviver nas savanas que então começaram a surgir. De todas as maneiras, com os oceanos e os continentes na posição em que estão agora, parece que o gelo vai fazer parte do nosso futuro durante muito tempo. De acordo com John McPhee, prevêem-se mais 50 episódios glaciários, cada um deles com a duração de cerca de cem mil anos, antes de podermos esperar que chegue um período de degelo realmente longo.

Até há 50 milhões de anos, a Terra não tinha idades do gelo regulares, mas quando as tinha a tendência era para serem colossais. Houve um congelamento maciço há cerca de 2,2 mil milhões de anos, seguido de mil milhões de anos de calor. Depois houve outra idade do gelo ainda maior do que a primeira – tão grande, que alguns cientistas se referem agora à época em que ocorreu como o Criogénico, que quer dizer superidade do gelo. Em calão científico, esta época é mais conhecida como a Terra Bola de Neve.

O termo "bola de neve", contudo, não descreve bem a gravidade das condições dessa altura. Segundo esta teoria, houve uma queda na radiação solar em cerca de seis por cento, e uma descida na produção (ou retenção) dos gases de estufa, basicamente a Terra perdeu a sua capacidade de preservar o próprio calor. Tornou-se numa espécie de Antárctida global. As temperaturas chegaram a descer 45 graus centígrados. Toda a superfície do planeta poderá ter ficado congelada, tendo os gelos oceânicos atingido os 800 metros de espessura nas latitudes mais altas, e dezenas de metros mesmo nos trópicos.

Há um aqui problema de difícil resolução, na medida em que os vestígios geológicos indicam a presença de gelo em toda a parte, incluindo à volta do equador, enquanto os indícios biológicos parecem dar a entender, com o mesmo grau de certeza, que deve ter havido água líquida em qualquer parte. Pelo menos, as cianobactérias sobreviveram à experiência, e essas bactérias fotossintetizam. Para isso precisavam de ter luz solar, mas, como o leitor provavelmente saberá, se alguma vez tentou espreitar através do gelo, este torna-se rapidamente opaco e ao fim de alguns metros não deixa passar qualquer tipo de luz. Sugeriram-se duas possibilidades: uma é que um pouco de água oceânica tenha ficado de facto exposta ao ar – talvez devido a uma espécie de aquecimento localizado; a outra é que talvez o gelo se tenha formado de maneira a permanecer translúcido – caso que às vezes se verifica na natureza.

Se a Terra chegou a congelar completamente, resta então a difícil questão de se perceber como é que ela voltou a aquecer. Um planeta gelado deveria reflectir tanto calor que ficaria congelado para sempre. Parece que a salvação terá vindo do nosso interior fundido. Mais uma vez, poderemos dever à tectónica o facto de estarmos aqui. Pensa-se que teremos sido salvos pelos vulcões, que perfuraram a superfície soterrada pelo gelo, expelindo calor e gases suficientes para derreter a neve e voltar a formar a atmosfera. É interessante constatar que o fim deste episódio hiperfrígido foi marcado pela explosão câmbrica – o início da Primavera na história da vida. De facto, talvez não tenha sido assim tão tranquilo. À medida que a Terra ia aquecendo, é provável que tenha tido o clima mais hostil de sempre, com tufões suficientemente violentos para erguer ondas até à altura de arranha-céus, e criar quedas de chuva de uma intensidade indescritível.

Através de tudo isto, os vermes, os bivalves e outras formas de vida agarradas às fontes hidrotermais nas profundidades oceânicas continuaram a sua vida como se nada se passasse, mas todas as outras formas de vida na Terra terão provavelmente chegado muito perto da extinção total. Tudo isto se passou há muito tempo e neste ponto não há simplesmente maneira de o saber.

Comparadas com uma explosão do período criogénico, as idades do gelo dos tempos mais recentes parecem processar-se a uma escala bastante diminuta, mas é evidente que foram imensamente grandes comparativamente ao que se passa hoje na Terra. A calote glaciária do Wisconsin, que cobriu grande parte da Europa e da América do Norte, chegou a ter três quilómetros de espessura nalguns sítios, e avançou a um ritmo de 120 metros por ano. Deve ter sido uma coisa espantosa de se ver. Mesmo na sua frente de avanço, os glaciares podiam chegar a ter 800 metros de espessura. Imagine-se de pé junto à base de uma parede de gelo com essa altura. Para lá desse ponto, numa área que atingiria uns milhões de quilómetros quadrados, não haveria mais do que gelo e apenas alguns cimos de montanhas mais altas a espreitar. Continentes inteiros afundados debaixo do peso de tanto gelo, e ainda hoje, 12 mil anos depois da retirada dos glaciares, continuam a erguer-se novos no seu lugar. As calotes glaciárias não só arrastaram formações rochosas e longas linhas de moreias de cascalho como também deixaram pelo caminho plataformas continentais inteiras – Long Island, Cape Cod e Nantucket, entre outras – à medida que iam avançando lentamente. Não é de espantar que os geólogos anteriores a Agassiz tenham tido dificuldade em compreender a sua capacidade monumental de transformar as paisagens.

Se as calotes glaciárias voltassem a avançar, não há nada no nosso arsenal que nos permitisse desviá-las. Em 1964, na região de Prince William Sound, no Alasca, um dos maiores campos glaciários da América do Norte foi atingido pelo mais forte tremor de terra que alguma vez se registou no continente. Mediu 9,2 na escala de Richter. Ao longo da linha de falha, a terra chegou a erguer-se seis metros. O terramoto foi tão violento que chegou a fazer transbordar lagoas no Texas. E qual foi o efeito que esta explosão sem paralelo teve nos glaciares de Prince William Sound? Nenhum. Absorveram-na, e continuaram calmamente a deslocar-se.

Durante muito tempo, pensou-se que entrávamos e saíamos das idades do gelo de forma gradual, ao longo de centenas de milhares de anos, mas agora sabemos que não tem sido esse o caso. Graças a amostras de gelo colhidas na Gronelândia, temos um registo detalhado do clima ao longo de mais de cem mil anos, e aquilo que se descobriu não é muito reconfortante. Mostra que, na maior parte da sua História recente, a Terra não foi de modo algum aquele lugar tranquilo e estável que a civilização tem vindo a conhecer, mas tem antes andado a ser violentamente submetida a períodos alternados de calor intenso e de frio brutal.

Perto do fim da última grande glaciação, há cerca de 12 mil anos, a Terra começou a aquecer, e muito rapidamente, mas de repente voltou a mergulhar num frio tremendo durante cerca de mil anos, naquilo que passou a ser conhecido pela ciência como *Younger Dryas*, ou *Dryas* recente. (O nome vem da planta do Árctico *Drya*, que é uma das primeiras a recolonizar as terras assim que uma calote recua.) Houve também o período *Older Dryas*, ou *Dryas* antigo, mas não foi tão severo.) Ao fim deste período de mil anos, as temperaturas médias voltaram a subir, às vezes quatro graus em 20 anos, o que não parece muito drástico, mas equivale a trocar o clima da Escandinávia pelo do Mediterrâneo em apenas duas décadas. Localmente, as mudanças foram ainda mais drásticas. As amostras de gelo da Gronelândia revelam que as temperaturas naquela região chegaram a mudar até 15 graus em dez anos, alterando totalmente os padrões de precipitação e as condições de crescimento da vida. Num planeta com pouca população, estes acontecimentos devem ter sido bastante destabilizadores. Hoje, as consequências seriam perfeitamente inimagináveis.

O mais alarmante é que não fazemos a menor ideia – absolutamente nenhuma – de quais os fenómenos naturais que poderiam sacudir tão rapidamente o termómetro da Terra. Como diz Elisabeth Kolbert, num artigo que escreveu para o *New Yorker:* "Não há uma força externa conhecida, nem sequer hipotética, capaz de fazer subir e descer tão violentamente a temperatura, e com tanta frequência, como estas amostras acusam." Acrescenta ainda que parece haver "uma espécie de vasto e terrível ciclo vicioso", que provavelmente se reflectirá nos oceanos e provocará perturbações nos padrões normais de circulação oceânica, mas tudo isto está muito longe de ser conhecido e compreendido.

Segundo uma teoria, um pesado fluxo de água do degelo para os mares, no início do episódio *Younger Dryas*, reduziu a salinidade (e portanto a densidade) dos oceanos do Norte do planeta, o que fez com que a corrente do Golfo inflectisse de repente para sul, como um condutor que tenta evitar uma colisão de veículos. Privadas do calor da corrente do Golfo, as latitudes do Norte voltaram a apresentar condições de clima frio. Mas isto não explica, nem minimamente, por que é que um milhar de anos mais tarde, quando a Terra voltou a aquecer, a corrente do Golfo não voltou à sua antiga direcção. Em vez disso, fomos presenteados com o período de tranquilidade pouco habitual conhecido como Holoceno, que é o período em que vivemos agora.

Não há razão para supor que este período de estabilidade climática deva durar muito mais tempo. Na verdade, algumas autoridades no assunto crêem que o que nos espera é ainda pior. Seria legítimo supor que o aquecimento global servirá de contrapeso útil para a tendência terrestre de voltar a mergulhar em condições glaciárias. Contudo, como Kolbert sublinhou, quando somos confrontados com um clima instável e imprevisível, "a última coisa que queremos é pormo-nos a fazer experiências megalómanas e não controladas com ele". Houve até quem sugerisse, com mais verosimilhança do que seria de esperar, que uma idade do gelo pode na realidade ser induzida por uma subida de temperatura. Segundo esta teoria, um ligeiro aquecimento poderia fazer subir as taxas de evaporação e aumentar a cobertura de nuvens, o que, nas altitudes mais altas, levaria a acumulações mais persistentes de neve. De facto, embora pareça paradoxal, o aquecimento global poderia muito bem levar a um arrefecimento forte e localizado na América do Norte e no Norte da Europa.

O clima é produto de tantas variáveis – subidas e descidas dos níveis de dióxido de carbono, movimentos dos continentes, actividade solar, majestosas oscilações dos ciclos de Milankovitch – que se torna muito difícil compreender os acontecimentos do passado como prever os do futuro. Há muitíssima coisa que não conseguimos compreender. A Antárctida, por exemplo. Durante pelo menos 20 milhões de anos, depois de se ter estabilizado por cima do Pólo Sul, a Antárctida continuou coberta de plantas e sem gelo. Numa perspectiva lógica, isso teria sido impossível.

Não menos intrigantes são os limites do *habitat* de alguns dos últimos dinossauros. O geólogo inglês Stephen Drury diz que as florestas que se estendem até dez graus de latitude do Pólo Norte abrigaram grandes criaturas, incluindo o *Tyrannosaurus rex*. "É estranho", escreve ele, "já que uma latitude tão alta implica a existência de uma noite contínua durante três meses do ano." Além disso, existem agora provas de que estas latitudes elevadas sofrem invernos rigorosos. Os estudos com isótopos de oxigénio sugerem que o clima à volta de Fairbanks, no Alasca, era mais ou menos o mesmo tanto no período cretácico como nos dias de hoje. Então o que é que o tiranosauro estava lá a fazer? Ou migrava sazonalmente, percorrendo enormes distâncias, ou então passava grande parte do ano na escuridão e no meio de nevões. Na Austrália, cuja orientação era nessa altura mais polar, uma retirada para climas mais quentes era impossível. Como é que os dinossauros conseguiram sobreviver nessas condições, é algo que só podemos tentar adivinhar.

Uma ideia a reter é a de que, se as calotes glaciárias começaram de facto a formar-se de novo, seja por que razão for, desta vez há muito mais água para elas se alimentarem. A última idade do gelo não tinha os Grandes Lagos, a baía de Hudson, os inúmeros lagos do Canadá para a fomentar. Na realidade, eles são um produto da idade do gelo.

Por outro lado, a próxima fase da nossa História poderá muito bem ver-nos a derreter muito gelo, em vez de o fabricar. Se todas as calotes fundissem, o nível dos oceanos erguer-se-ia cerca de 60 metros – a altura de um edifício de 20 andares – e todas as cidades costeiras do mundo ficariam inundadas. Mais provável, pelo menos a curto prazo, é o desaparecimento da calote glaciária da Antárctida ocidental. Nos últimos 50 anos, as águas à volta desta região aqueceram 2,5 graus centígrados, e o número de aluimentos tem aumentado drasticamente. Devido à geologia interior da área, é mais do que possível que haja um aluimento de calotes em grande escala. Se assim for, os níveis oceânicos erguer-se-ão em todo o mundo – e muito rapidamente – entre 4,5 e seis metros, em média.

O mais extraordinário é não sabermos qual das coisas será mais provável – um futuro que nos traga eras de gelo mortais, ou um que nos traga igual provisão de calor tórrido. Só podemos ter a certeza de uma coisa. Vivemos no fio da navalha.

A propósito, a longo prazo, as idades do gelo não são de modo algum prejudiciais para o planeta. Trituram as rochas, deixando atrás de si novos solos de uma riqueza sumptuosa, cavando lagos de água doce que fornecem abundantes possibilidades nutritivas para centenas de espécies. Servem de impulso às migrações, e mantêm o dinamismo do planeta. Como disse Tim Flannery: "Há apenas uma pergunta que é preciso fazer a um continente, de forma a determinar o destino dos seus habitantes: Teve uma boa Idade do Gelo?" E, sem nos esquecermos disso, chegou a altura de nos debruçarmos sobre uma espécie de macaco que teve *mesmo* uma idade do gelo em grande.

28.

O MISTERIOSO BÍPEDE

Muito perto do Natal de 1887, um jovem doutor holandês com um nome muito pouco holandês, Eugène Thomas Dubois*, chegou a Samatra, na zona holandesa das Índias Orientais, com a intenção de encontrar os vestígios humanos mais antigos do mundo.

Algumas coisas tornam este facto extraordinário. Para começar, nunca antes se tinham procurado ossos humanos antigos. Tudo aquilo que se tinha encontrado até então acontecera acidentalmente, e nada em Dubois apontava para o candidato ideal para a o processo intencional. Ele era um anatomista profissional, sem qualquer formação em paleontologia. Também não havia nenhuma razão especial para se pensar que as Índias Orientais eram um bom local para procurar vestígios humanas primitivos. A lógica ditava que, se fossem encontrados povos primitivos, seria num território vasto e amplamente povoado e não num arquipélago isolado. O que conduziu Dubois às Índias Orientais foi pouco mais do que um palpite, a possibilidade de emprego e o conhecimento de que Samatra possuía inúmeras cavernas, o tipo de ambiente onde tinha sido encontrada a maior parte dos fósseis de hominídeos.** O mais

* Embora se considere que Dubois era holandês, ele era de Eijsden, uma localidade situada na fronteira com a zona da Bélgica onde se fala a língua francesa.

** Os humanos incluem-se na família Hominidae. Os seus membros, tradicionalmente chamados hominídeos, incluem quaisquer seres (incluindo seres extintos) mais intimamente relacionados connosco do que quaisquer chimpanzés sobreviventes. Os macacos, entretanto, foram agrupados numa família chamada Pongidae. Muitos peritos acreditam que os chimpanzés, os gorilas, e os orangotangos também deveriam ser incluídos nesta família, e os humanos e chimpanzés numa subfamília chamada Hominidae. A conclusão disto tudo é que os seres a que tradicionalmente se chamou hominídeos passaram a ser, sob este novo esquema, Homininos (Leakey e outros insistem nesta designação). Hominoidea é nome da superfamília dos macacos, em que também nós estamos incluídos.

extraordinário de tudo isto – de facto, quase milagroso – é que ele encontrou aquilo que procurava.

Nessa altura, Dubois concebeu um plano para procurar um elo de ligação em falta, pois o registo fóssil era muito escasso: cinco esqueletos incompletos de Neandertal, parte de um maxilar de proveniência incerta e meia dúzia de humanos da idade do gelo, recentemente encontrados por trabalhadores dos caminhos de ferro numa gruta situada num penhasco chamado Cro-Magnon, perto de Les Eyzies, em França. De todos os espécimes de Neandertal, o mais bem conservado estava guardado, sem qualquer identificação, numa prateleira em Londres. Foi encontrado em Gibraltar, em 1848, por trabalhadores que efectuavam uma explosão numa pedreira, e foi um milagre ter sido recuperado, mas infelizmente ainda ninguém se tinha apercebido do que se tratava. Após uma breve descrição feita numa reunião da Gibraltar Scientific Society, o espécime foi enviado para o Museu Hunterian, onde permaneceu tranquilo, a não ser para uma breve limpeza ocasional, durante mais de meio século. A primeira descrição formal foi feita muito depois, em 1907, e nessa altura por um geólogo chamado William Sollas "que possuía uma passageira competência em anatomia".

Assim o nome e o crédito pela descoberta dos primeiros humanos foi para o vale Neander, na Alemanha – convenientemente, por uma estranha coincidência, *neander* em grego significa "novo homem". Nesse local, em 1856, trabalhadores de uma outra pedreira, localizada numa falésia virada para o rio Düssel, encontraram alguns ossos de aspecto curioso, que entregaram a um professor da localidade que sabiam que se interessava por aquele tipo de coisas. Com todo o mérito, o professor Johann Karl Fuhlrott reconheceu que se encontrava ali um novo tipo de humano, embora a sua identificação e a sua excepcionalidade fossem matéria de grande discussão durante muito tempo.

Muitos recusaram acreditar que se tratava efectivamente de ossos antigos. August Mayer, professor na Universidade de Bona e homem influente, insistiu que os ossos seriam simplesmente de um soldado cossaco mongol que teria sido ferido durante uma batalha na Alemanha, em 1814, e que teria rastejado até à gruta, acabando por morrer. Tendo conhecimento disto, em Inglaterra, T. H. Huxley observou secamente quão espantoso seria que o soldado, estando ferido mortalmente, tivesse conseguido subir 20 metros pelo penhasco, despojando-se de todas as suas roupas e outros bens, selado a entrada da gruta e enterrado a si mesmo sob 60 centímetros de terra. Um outro antropólogo, tentando perceber a causa de um forte sulco na fronte do neandertalense, sugeriu que era resultado de um longo franzimento das sobrancelhas, devido a uma fractura mal sarada de um antebraço. (Na sua ânsia de rejeitar a ideia de humanos primitivos, as autoridades estavam frequentemente dispostas a aceitar as possibilidades mais peculiares.)

Mais ou menos na mesma altura em que Dubois estava a preparar-se para ir para Samatra, encontrou-se em Périgueux um esqueleto, logo identificado com toda a certeza como sendo o de um esquimó. A razão pela qual um antigo esquimó foi para ao Sudoeste de França, é que nunca foi muito bem explicada. Na realidade, tratava-se de um esqueleto primitivo de um Cro-Magnon. Foi neste contexto que Dubois iniciou a sua busca de antigas ossadas humanas. Ele próprio não fez quaisquer escavações, em vez disso utilizou 50 prisioneiros, emprestados pelas autoridades holandesas. Durante um ano trabalharam na ilha de Samatra, depois passaram para Java. E aí, em 1891, Dubois – ou melhor dizendo, a sua equipa, porque o próprio Dubois raras vezes visitava o local das escavações – encontraram um fragmento de um antigo crânio humano que hoje é conhecido como a calota craniana de Trinil. Embora seja apenas parte de um crânio, mostrava que o seu dono tivera feições nitidamente não humanas, mas também um cérebro muito maior do que o de qualquer macaco. Dubois chamou-lhe *Anthropithecus erectus* (que mais tarde, por razões técnicas, foi mudado para *Pithecanthropus erectus*), e declarou ser aquele o elo que faltava entre os macacos e os seres humanos. Rapidamente se tornou conhecido como o Homem de Java. Hoje conhecemo-lo sob o nome de *Homo erectus*.

No ano seguinte, os operários de Dubois encontraram um fémur praticamente completo de aspecto surpreendentemente moderno. De facto, muitos antropólogos acham que é moderno, e que não tem nada a ver com o Homem de Java. Se é um osso do *Homo erectus*, não se parece com nenhum dos que foram encontrados desde então. Mesmo assim, Dubois baseou-se no fémur para deduzir – correctamente, como se veio a descobrir – que o *Pithecanthropus* tinha uma postura vertical. Também fabricou, partindo apenas de um fragmento do crânio e de um dente, um modelo do crânio completo, que se veio a comprovar mais tarde estar inusitadamente correcto.

Em 1895, Dubois regressou à Europa, esperando uma recepção triunfal. Na realidade, deparou-se com a reacção quase oposta. A maior parte dos cientistas não gostaram, nem das suas conclusões nem da maneira arrogante como as apresentou. A calota craniana, diziam, era de um macaco, provavelmente um gibão, ou, como também é conhecido, macaco grande da Malásia, e não de qualquer ser humano antigo. Na esperança de defender o seu caso, em 1897 Dubois permitiu que um anatomista respeitado da Universidade de Estrasburgo, Gustav Schwalbe, fizesse um molde da calota craniana. Para grande desgosto de Dubois, Gustav Schwalbe apresentou uma monografia, acolhida com muito mais simpatia do que qualquer coisa alguma vez escrita por Dubois, tendo-se lançado a seguir num ciclo de conferências em que o aclamaram quase com tanto entusiasmo como se tivesse sido ele próprio a encontrar o crânio. Perplexo e amargurado, Dubois refugiou-se numa posição obscura de professor de geologia na Universidade de Amesterdão e, nas duas décadas seguintes, recusou-se a deixar alguém analisar os seus preciosos fósseis. Morreu em 1940, triste e desiludido.

Entretanto, e do outro lado do mundo, no final do ano de 1924, Raymond Dart, o australiano que era também chefe de anatomia na Universidade de Witwatersrand, em Joanesburgo, foi presenteado com um crânio pequeno mas extraordinariamente completo de uma criança com a superfície facial intacta, maxilar inferior, e aquilo que é conhecido como um endomolde – molde natural do cérebro – tirado de uma pedreira de calcário situada na orla do deserto de Calaari, num local arenoso chamado Taung. Dart viu imediatamente que o crânio de Taung não era de um *Homo erectus*, como o Homem de Java de Dubois, mas de uma criatura muito mais antiga, e mais próxima do macaco. Calculou a sua idade em dois milhões de anos, e chamou-lhe *Australopithecus africanus*, o que significa "homem macaco africano do Sul". Num artigo que escreveu para a revista *Nature*, Dart classificou os restos de Taung como "surpreendentemente humanos", e sugeriu que talvez houvesse necessidade de se criar uma família inteiramente nova, o *Homo simiadae* ("os homens-macacos"), para integrar esta descoberta.

As autoridades estavam ainda menos dispostas a apoiar a descoberta de Dart do que tinham estado no caso de Dubois. Quase tudo o que havia na teoria dele – para dizer a verdade, quase tudo o que havia em Dart, ao que parece –, os aborrecia. Primeiro, mostrara-se lamentavelmente presunçoso ao proceder ele próprio à análise, em vez de convocar a ajuda de peritos europeus mais versados na matéria. Até o nome que escolhera, *Australopithecus*, mostrava a falta de preparação científica, visto que combinava na mesma palavra raízes gregas e latinas. Acima de tudo, as conclusões a que chegou iam contra as teorias ortodoxas. Havia um consenso segundo o qual os humanos e os macacos se tinham separado pelo menos há 15 milhões de anos, na Ásia. Se apareciam humanos em África, então isso fazia com que fôssemos todos *negróides*, por amor de Deus! Era como se um investigador dos dias de hoje anunciasse de repente que encontrara os ossos ancestrais de seres humanos digamos, no Missuri. Simplesmente não se encaixava na prática corrente.

O único apoiante de Dart que se pode destacar foi Robert Broom, físico e paleontólogo escocês de intelecto considerável e carácter excêntrico. Era hábito dele, por exemplo, fazer o seu trabalho no terreno completamente nu quando o tempo estava quente, coisa que acontecia com frequência. Também era conhecido por orientar experiências anatómicas duvidosas nos seus doentes mais pobres e mais dóceis. Quando os doentes morriam, o que também acontecia com frequência, enterrava por vezes os seus corpos no quintal, de modo a poder exumá-los mais tarde para estudo.

Broom era um paleontólogo exímio, e como também residia na África do Sul, pôde analisar o crânio Taung logo em primeira-mão. Verificou imediatamente que tinha, de facto, a importância que Dart lhe atribuíra, e manifestou-se vigorosamente a favor de Dart, mas não serviu de nada. Nos 50 anos que se seguiram, a teoria consagrada afirmava que o esqueleto de Taung era de um macaco, não de uma criança humana. A maior parte dos textos nem sequer o mencionavam. Dart passou cinco anos a trabalhar numa tese, mas não encontrou ninguém que a quisesse publicar. Eventualmente, acabou por desistir da publicação (embora tivesse continuado à procura de fósseis). Durante anos, o crânio – hoje reconhecido como um dos supremos tesouros da antropologia – serviu de pisa-papéis na secretária de um colega.

Na altura em que Dart fez a sua declaração, em 1924, só se conheciam quatro categorias de hominídeos antigos – *Homo heidelbergensis*, *Homo rhodesiensis*, os neandertalenses, e o Homem de Java de Dubois – mas tudo isso ia mudar, e de forma drástica.

Primeiro, na China, um talentoso amador canadiano de nome Davidson Black começou a escavar num sítio chamado Dragon Bone Hill, conhecido no local como um bom sítio para encontrar ossadas antigas. Infelizmente, em vez de preservar os ossos para estudo, os chineses costumavam esmagá-los para fazer medicamentos. Deus sabe quantos preciosos ossos de *Homo erectus* acabaram num qualquer equivalente chinês do bicarbonato de soda. O sítio já fora muito batido na altura em que Black lá chegou, mas ainda assim conseguiu encontrar um molar fossilizado, e, com base apenas nisso, anunciou brilhantemente a descoberta do *Sinanthropus pekinenss*, que rapidamente passou a ser conhecido como o Homem de Pequim.

A instâncias de Black, efectuaram-se escavações mais precisas, tendo-se encontrado muitos outros ossos. Infelizmente, perderam-se todos no dia que se seguiu ao ataque japonês a Pearl Harbor, em 1941, quando um contingente de fuzileiros americanos, numa tentativa de fazer sair as ossadas (e eles próprios) do país, foi interceptado e aprisionada pelos japoneses. Ao verem que os caixotes que transportavam só continham ossos, os soldados japoneses deixaram-nos na berma da estrada. Nunca mais ninguém os viu.

Entretanto, de regresso aos velhos prados de Java de Dubois, uma equipa dirigida por Ralph von Koenigswald encontrara outro grupo de antigos seres humanos, que se tornou conhecido como o Povo de Solo, nome tirado do sítio onde foram encontrados, no rio Solo, em Ngandong. As descobertas de Koenigswald podiam ter sido ainda mais espectaculares se não fosse um erro táctico de que só se apercebeu tarde de mais. Ele oferecera aos habitantes locais dez cêntimos por cada pedaço de osso de hominídeo que conseguissem encontrar; veio a descobrir, com horror, que tinham todos andado a partir entusiasticamente os ossos grandes, transformando-os em vários mais pequenos, aumentando assim o seu rendimento. Nos anos seguintes, à medida que se iam encontrando mais ossos e que estes iam sendo identificados, surgiu toda uma torrente de novos nomes – *Homo aurignacensis*, *Australopithecus transvaalensis*, *Paranthropus crassidens*, *Zinjanthropus boisei*, e muitos outros, quase todos pertencentes a um novo tipo de género, bem como a uma nova espécie. Ao chegar a década de 50, o número de tipos hominídeos já classificados tinha-se elevado a mais de cem. Para acrescentar à confusão, havia muitas vezes formas individuais conhecidas por vários nomes diferentes, à medida que os paleoantropólogos aperfeiçoavam, refaziam e até se zangavam por causa das classificações já feitas. A Gente de Solo era conhecida, ora por *Homo soloensis*, *Homo primigenius asiaticus*, *Homo neanderthalensis soloensis*, *Homo sapiens soloensis*, *Homo erectus erectus*, e, por fim, simplesmente *Homo erectus*.

Numa tentativa de introduzir um pouco de ordem nisto tudo, em 1960 F. Clark Howell, da Universidade de Chicago, na sequência de sugestões feitas na década anterior por Ernest Mayr e outros, propôs que se reduzissem a quantidade de géneros a apenas dois – *Australopithecus* e *Homo* – e se racionalizassem muitas das espécies. Tanto o Homem de Java como o de Pequim passaram a ser ambos *Homo erectus*. Durante algum tempo, houve ordem e arrumação no mundo dos hominídeos. Mas não durou muito.

Ao fim de cerca de uma década de relativa calma, a paleoantropologia lançou-se noutro período de descobertas rápidas e prolíferas, que ainda perdura.

Os anos 1960 produziram o *Homo habilis*, que alguns crêem ser o elo que falta entre macacos e humanos, embora outros achem que não se trate de todo de uma espécie à parte. Depois vieram (entre muitos outros) os *Homo ergaster*, *Homo louisleakeyi*, *Homo rudolfensis*, *Homo microcranus* e *Homo antecessor*, bem como uma série de australopitecos: *A. afarensis*, *A. praegens*, *A. ramidus*, *A. walkeri*, *A. anamensis* e outros ainda. No total, reconhecem-se hoje oficialmente cerca de 20 tipos de hominídeos. Infelizmente, não há praticamente dois peritos que reconheçam os mesmos 20.

Alguns continuam a observar os dois géneros de hominídeos sugeridos por Howell em 1960, mas outros colocam alguns dos australopitecos num género separado chamado *Paranthropus*, enquanto outros lhes acrescentam um grupo mais antigo chamado *Ardipithecus*. Alguns inserem o *praegens* no *Australopithecus* e outros numa nova classificação, *homo antiquus*, mas a maior parte não reconhece o *praegens* como uma espécie separada. Não há qualquer autoridade central para regulamentar este tipo de coisas. A única forma de fazer com que um nome seja aceite é através do consenso, e por vezes há muito pouco consenso. Paradoxalmente, uma grande parte do problema é a falta de provas. Desde a aurora dos tempos, já existiram vários biliões de seres humanos (ou humanóides), tendo cada um deles contribuído com um pouco de variabilidade genética para o total do *stock* humano. Deste vasto número, tudo o que sabemos da pré-história humana baseia-se nos vestígios, por vezes demasiado fragmentários, de cerca de cinco mil indivíduos. "Caberiam todos numa camioneta, se não nos importássemos muito de misturar tudo", respondeu Ian Tattersall, um homem afável e senhor de uma bela barba, conservador de antropologia no Museu de História Natural de Nova Iorque, quando lhe perguntei as dimensões do arquivo mundial total das primeiras ossadas humanas e humanóides.

A escassez não seria tão grave se as ossadas estivessem distribuídas homogeneamente no tempo e no espaço, mas é claro que não estão. Aparecem arbitrariamente, por vezes da maneira mais intrigante. O *Homo erectus* andou pela Terra durante mais de um milhão de anos e habitou territórios que iam desde o litoral atlântico da Europa até à costa chinesa do Pacífico, mas se conseguíssemos ressuscitar todos os indivíduos pertencentes ao *Homo erectus* que temos a certeza de terem existido não dariam para encher um autocarro. O *Homo habilis* ainda é mais raro: só existem dois esqueletos parciais, e meia dúzia de ossos de membros. Uma civilização de vida tão curta como a nossa, de certeza que não chegaria para constar sequer do registo fóssil.

"Na Europa", diz Tattersall à laia de exemplo, "temos crânios de hominídeos na Geórgia que datam de há 1,7 milhões de anos, mas depois temos um intervalo de quase um milhão de anos antes de encontrarmos os vestígios seguintes, em Espanha, exactamente do outro lado do continente, e depois existe outro hiato de 300 mil anos antes de chegarmos ao *Homo heidelbergensis,* na Alemanha – e nenhum deles se parece muito com os outros." Sorriu. "É a partir de fragmentos como estes que tentamos descobrir a história de uma espécie inteira. É um desafio enorme. Na realidade, sabemos muito pouco das relações existentes entre muitas espécies antigas – as que conduziram até nós e as que chegaram a um beco sem saída em termos de evolução. Algumas, provavelmente, nem sequer podem ser consideradas como uma espécie autónoma."

É a disparidade do registo que faz com que cada nova descoberta pareça tão súbita e distinta de todas as outras. Se tivéssemos dezenas de milhares de esqueletos distribuídos em intervalos regulares através de todo o registo histórico, haveria bastantes mais degraus intermédios. As espécies totalmente novas não surgem de repente, como parece dar a entender o registo fóssil, mas gradualmente, a partir de outras espécies já existentes. Quanto mais recuamos na direcção do ponto de divergência, mais semelhantes são as espécies, de tal forma que se torna muito difícil, e por vezes impossível, distinguir um *Homo erectus* do último período de um *Homo sapiens* dos primeiros tempos, embora muito provavelmente sejam ambas as coisas e nenhuma delas. Podem muitas vezes surgir desacordos semelhantes sobre questões de identificação a partir de fragmentos de ossadas – decidir, por exemplo, se um osso específico representa um *Australopithecus boisei* fêmea ou um *Homo habilis* macho.

Com tão poucas certezas, os cientistas muitas vezes vêem-se obrigados a tirar conclusões baseadas em outros objectos encontrados por perto, e mesmo assim as conclusões a que chegam nunca poderão ser muito mais do que hipóteses ousadas. Como observam secamente Alan Walker e Pat Shipnam, se relacionarmos a descoberta dos utensílios com a espécie de criatura que na maior parte das vezes encontramos ali por perto, teríamos de concluir que as primeiras ferramentas manuais foram quase todas feitas por antílopes.

Talvez não haja nada que melhor tipifique a confusão do que o fragmentário molho de contradições que foi o *Homo habilis*. Posto de maneira simples: as ossadas do *habilis* não fazem sentido nenhum. Quando as pomos em sequência, mostram machos e fêmeas a evoluir a ritmos diferentes e em direcções diferentes – os homens a transformar-se em seres menos macacóides e mais humanos, enquanto as fêmeas do mesmo período parecem estar a afastar-se da aparência humana e a aproximar-se da dos macacos. Algumas autoridades na matéria não acreditam que o *habilis* seja uma categoria aceitável. Tattersall e o seu colega Geffrey Schwartz consideram-na um simples "caixote do lixo", para onde deu jeito varrer todos os fósseis que não se encaixavam nos outros. Mesmo aqueles que vêem o *habilis* como uma espécie independente ainda não decidiram se pertence ao mesmo género do homem actual ou a um ramo lateral que nunca chegou a evoluir.

Finalmente, mas talvez acima de tudo, a natureza humana é um factor importante em tudo isto. Os cientistas têm uma tendência natural para interpretar as suas descobertas de forma a enaltecê-las pela importância. Raro é o paleontólogo que anuncia ter encontrado um jazigo de ossadas, mas que não são nada de grande interesse. Ou, como sucintamente observa John Reader no seu livro *Missing Links:* "É notável o número de vezes em que as primeiras interpretações de novas descobertas vieram confirmar os preconceitos do seu autor."

Tudo isto deixa muito espaço para debates, claro, e ninguém gosta mais de debater do que os paleoantropólogos. "E de todas as disciplinas da ciência, a paleoantropologia pode gabar-se de ter nas suas fileiras talvez a maior quota de egos inchados – dizem os autores do recente *Homem de Java* – um livro, diga-se em abono da verdade, que também dedica longas e presunçosas passagens a atacar as incorrecções de outros, em especial do ex-colega e amigo íntimo dos autores, Donald Johanson.

Durante os primeiros 99,99999 por cento da nossa história enquanto organismos estivemos sempre na mesma linha ancestral dos chimpanzés. Não se sabe praticamente nada sobre a pré-história dos chimpanzés, mas o que quer que seja que eles tenham sido, nós também fomos. Depois, há cerca de sete milhões de anos, aconteceu qualquer coisa de muito importante. Surgiu das florestas tropicais de África um grupo de novos seres, que começaram a expandir-se pelas savanas.

Eram os australopitecos, e, nos cinco milhões de anos que se seguiram, viriam a ser a espécie hominídea dominante no mundo. (*austral* vem do latim que significa "do Sul", não tendo neste contexto qualquer ligação com o continente da Austrália.) Os australopithécinos surgiram em muitas variedades, alguns graciosos e elegantes, como a criança Taung, de Raymond Dart, outros mais robustos e vigorosos, mas todos capazes de caminhar erectos. Algumas destas espécies existiram durante mais de um milhão de anos, outras durante umas modestas centenas de milhares, mas vale a pena lembramo-nos de que mesmo os que tiveram menos sucesso tiveram uma história muitas vezes mais longas do que a nossa tem sido até agora.

Os restos de hominídeo mais famosos do mundo são os de um australopithécino com 3,18 milhões de anos, encontrado em 1974 em Hadar, na Etiópia, por uma equipa dirigida por Donald Johanson. Inicialmente conhecido como A. L. (iniciais de *Afar Locality*, ou "localização longínqua") 288-1, o esqueleto passou a ser mais familiarmente conhecido por Lucy, em honra da canção dos Beatles *Lucy in the Sky with Diamonds*. Johanson nunca duvidou da sua importância. "Ela é o nosso antepassado mais antigo, o elo que faltava entre o macaco e o homem", disse.

Lucy era minúscula – tinha apenas cerca de um metro de altura. Sabia andar, embora haja discussões sobre a sua habilidade nesta matéria. Era evidentemente uma boa trepadora, também, mas há muitas outras coisas que se ignoram. Faltava quase todo o crânio, portanto, não se podia dizer muito sobre o tamanho do cérebro, embora os fragmentos do crânio encontrados dêem a entender que era pequeno. A maior parte dos livros descrevem o esqueleto de Lucy como estando 40 por cento completo, embora alguns aproximem essa percentagem aos 50 por cento, e o Museu Americano de História Natural descreve Lucy como estando dois terços completa. A série de televisão da BBC *Ape Man* chegou a chamar-lhe "um esqueleto completo", ao mesmo tempo que mostrava tudo menos um esqueleto completo.

Um corpo humano tem 206 ossos, mas muitos deles são repetidos. Se tivermos o fémur esquerdo de uma espécie, não precisamos do direito para saber a sua dimensão. Se tirarmos todos os ossos repetidos, ficamos com um total de 120 – aquilo a que normalmente chamamos meio esqueleto. Mesmo com esta regra, que simplifica bastante a questão, e mesmo contando o mais pequeno fragmento como um osso inteiro, Lucy era constituída apenas por 28 por cento de meio esqueleto (e apenas 20 por cento de um inteiro).

Em *The Wisdom of the Bones*, Alan Walker conta que, uma vez perguntou a Johanson como é que tinha chegado ao valor de 40 por cento. Johanson respondeu jovialmente que descontara os 106 ossos das mãos e dos pés – mais de metade do total do corpo, e também uma metade bastante importante, gostaríamos de pensar, visto que o principal atributo que define Lucy é a utilização dessas mãos e desses pés para lidar com um mundo em mutação. De qualquer forma, sabe-se bastante menos sobre Lucy do que a maior parte das pessoas supõe. Nem sequer temos a certeza de se tratar de uma fêmea. O seu sexo é meramente deduzido do seu minúsculo tamanho.

Dois anos depois da descoberta de Lucy, em Laetoli, na Tanzânia, Mary Leakey encontrou pegadas deixadas por dois indivíduos da mesma família dos hominídeos – pelo menos, assim se pensa. As pegadas tinham sido deixadas por dois australopitecos que caminharam sobre cinzas lamacentas na sequência de uma erupção vulcânica. Essas cinzas tinham endurecido mais tarde, preservando as impressões dos pés deles ao longo de um percurso de mais de 23 metros.

O Museu Americano de História Natural, em Nova Iorque, tem um fascinante diorama que regista o momento da sua passagem. Mostra reconstituições em tamanho natural de um macho e de uma fêmea caminhando lado a lado pela antiga planície africana. São peludos e têm a dimensão de chimpanzés, mas a sua postura e maneira de andar sugerem seres humanos. A característica mais interessante desta exposição é o facto de o macho proteger com o braço esquerdo os ombros da fêmea. É um gesto de ternura e afeição que parece apontar para uma ligação íntima.

A reconstituição é feita com tal convicção que até nos esquecemos de que tudo o que se reconstituiu por cima das pegadas é apenas produto da imaginação. Quase todos os aspectos externos das duas figuras – o grau de pilosidade, os apêndices faciais (se tinham narizes humanos ou narizes de chimpanzés), as expressões, a cor da pele, o tamanho e a forma dos seios da fêmea – é necessariamente hipotético. Nem sequer podemos ter a certeza de serem um casal. A figura feminina até pode ter sido uma criança. Também não temos a certeza de serem australopitecos. Partiu-se do princípio de que o eram porque não há outros candidatos ao título.

Contaram-me que os puseram naquela posição porque, durante a construção do diorama, a figura feminina estava sempre a cair, mas Ian Tattersall insiste com uma risada que isso não é verdade. "É óbvio que não sabemos se o macho tinha o braço à volta da fêmea ou não, mas sabemos, pelas medições feitas nas pegadas, que iam a caminhar lado a lado e bastante juntos – suficientemente juntos para se tocarem. Trata-se de uma área bastante exposta, portanto é provável que se sentissem vulneráveis. É por isso que tentamos dar-lhes expressões ligeiramente preocupadas".

Perguntei-lhe se a liberdade que se tomava ao reconstituir as figuras o perturbava. "É sempre um problema quando se fazem reconstituições", concordou ele imediatamente. "Nem imagina as discussões que se podem ter para decidir pormenores como, por exemplo, se os neandertalenses tinha ou não sobrancelhas. Foi exactamente a mesma coisa com as figuras de Laetoli. Pura e simplesmente, não temos maneira de saber pormenores sobre como eles eram fisicamente, mas *é possível* calcular o seu tamanho e postura, e daí chegar a algumas conclusões razoáveis sobre a sua provável aparência. Se tivesse de o fazer de novo creio que os teria feito um pouco mais parecidos com os macacos, e menos com os homens. Estas criaturas não eram humanas. Eram macacos bípedes."

Até há muito pouco tempo, partia-se do princípio de que descendíamos da Lucy e das criaturas de Laetoli mas, agora, há muitos peritos que não têm tanta certeza. Embora certas características físicas (os dentes, por exemplo) sugiram uma possível ligação connosco, há outras partes da anatomia do australopiteco que são mais intrigantes. No seu livro *Extinct Humans*, Tattersall e Schwartz sublinham que a parte superior do fémur humano é muito parecida com a dos macacos mas não com a dos australopitecos; portanto, se Lucy está numa linha directa entre os macacos e os humanos modernos, isso significa que devemos ter adoptado um fémur do tipo dos australopitecos durante cerca de um milhão de anos, e depois regressámos a um fémur de macaco quando passámos à fase seguinte do nosso desenvolvimento. De facto, eles acreditam que Lucy não é nossa antecessora e que também não terá sido grande andarilha.

"Lucy e os seus semelhantes nem sequer se locomoviam de forma parecida com a dos humanos modernos", insiste Tattersall. "Só quando estes hominídeos tinham de se deslocar entre *habitats* florestais é que andavam sobre os membros inferiores, 'obrigados' como eram a fazê-lo pelas suas próprias anatomias." Johanson não aceita isto. "As ancas de Lucy e a estrutura muscular do seu pélvis", escreveu, "teriam feito com que trepar às árvores fosse tão difícil para ela como para os humanos modernos."

As coisas ficaram ainda menos claras em 2001 e 2002, quando se encontraram quatro novos espécimes excepcionais. Um, descoberto por Meave Leakey, da mesma família famosa pela caça aos fósseis no lago Turkana, no Quénia, chamado *Kenyanthropus platyops* ("cara achatada do Quénia"), data mais ou menos da mesma altura que Lucy, o que cria a possibilidade de ter sido nosso antepassado, enquanto Lucy teria sido um ramo lateral cuja evolução parou. Igualmente encontrados em 2001 foram o *Ardipithecus ramidus kadabba*, a que foi atribuída a idade de 5,2 e 5,8 milhões de anos, e o *Orrorin tugenensis*, que se pensa ter seis milhões de anos, fazendo dele o hominídeo mais antigo alguma vez encontrado – mas só durante algum tempo. No Verão de 2002, uma equipa francesa a trabalhar no deserto Djurab, no Chade (área que até aí nunca revelara quaisquer ossadas antigas) encontrou um hominídeo, com quase sete milhões de anos, a que chamaram *Sahelanthropus tchadensis*. (Alguns críticos pensam que não será um ser humano, mas sim um dos primeiros macacos, devendo portanto chamar-se *Sahelpithecus*.) Todos estes seres são muito antigos e bastantes primitivos, mas andavam sobre os membros inferiores, e já o faziam muito mais cedo do que se julgava.

O bipedismo é uma estratégia exigente e arriscada. Significa que é necessário reestruturar o pélvis, de maneira a transformar-se num instrumento capaz de suportar grandes pesos. Para preservar a força exigida, o canal do parto tem de ser relativamente estreito. Isto traz duas consequências imediatas muito significativas e uma outra a mais longo prazo. Primeiro, significa que qualquer fêmea, ao dar à luz, vai sofrer bastantes dores, além de implicar maior perigo de vida, quer para a mãe quer para o bebé. Além disso, para a cabeça do bebé poder passar num espaço tão estreito, é necessário que ele nasça enquanto o cérebro é ainda pequeno – e, portanto, enquanto o bebé é totalmente indefeso. Isso significa que os cuidados infantis terão de se prolongar bastante, o que por seu turno implica que as relações macho-fêmea tenham de ser sólidas.

Tudo isto já é suficientemente problemático quando somos os líderes intelectuais do planeta, mas quando éramos apenas um australopiteco pequeno e vulnerável, com um cérebro do tamanho aproximado de uma laranja*, o risco deve ter sido enorme.

Então porque é que Lucy e os da sua espécie desceram das árvores, e saíram das florestas? Provavelmente porque não tinham alternativa. A lenta elevação do istmo do Panamá cortara o fluxo das águas do Pacífico para o Atlântico, desviando as correntes quentes para longe do Árctico, o que levou ao início de uma idade do gelo extraordinariamente rigorosa nas latitudes do Norte. Em África, isso deverá ter levado a secas e arrefecimentos sazonais, transformando gradualmente a selva em savana. "A questão não foi bem Lucy e os da sua espécie terem deixado as florestas", escreveu John Gribbin, "e sim as florestas terem-nos deixado a eles."

Mas sair para a savana aberta também deixou certamente os hominídeos mais antigos muito mais expostos. Um hominídeo vertical podia ver melhor,

---

* O tamanho cerebral absoluto não nos diz tudo – ou por vezes nem sequer nos diz muito. Tanto os elefantes como as baleias têm cérebros maiores do que o nosso, mas é evidente que não seria muito difícil levar-lhes a palma em qualquer tipo de raciocínio. O que conta é o tamanho relativo, factor que muitas vezes é ignorado. Como salienta Gould, o *A. africanus* tinha um cérebro de apenas 450 centímetros cúbicos, ou seja, mais pequeno do que o cérebro de um gorila. Mas um *africanus* macho pesava à volta de 30 quilos e a fêmea ainda bastante menos, enquanto os gorilas podem chegar facilmente aos 200 quilos (Gould, pp.181-83).

mas também era visto com mais facilidade. Ainda hoje, como espécie, somos quase ridiculamente vulneráveis quando expostos à natureza. Quase todos os grandes animais, sejam ele quais forem, são mais fortes, mais rápidos, e têm dentes maiores do que os nossos. Na iminência de um ataque, os humanos modernos só têm duas vantagens. Temos um bom cérebro, com o qual podemos inventar estratégias, e temos mãos que nos permitem arremessar ou brandir objectos contundentes. Somos a única criatura que pode causar mal à distância. Assim, podemos dar-nos ao luxo de ser fisicamente vulneráveis.

Pareciam estar reunidos todos os elementos necessários para a rápida evolução de um cérebro potente e, contudo, parece que isso não aconteceu. Durante mais de três milhões de anos, Lucy e os seus colegas australopitecos quase não mudaram. O cérebro não cresceu, e não há qualquer indício de terem sequer utilizado as mais simples ferramentas. O que ainda é mais estranho é o facto de sabermos agora que, durante cerca de um milhão de anos, viveram ao lado de outros hominídeos antigos que, ao contrário deles, usavam ferramentas, e, contudo, os australopitecos nunca tiraram vantagem desta útil tecnologia que os rodeava por todos os lados.

A um determinado momento, entre três e dois milhões de anos atrás, parece que poderá ter havido cerca de seis tipos de hominídeos coexistentes em África. Contudo, só um deles estava destinado a durar: o *Homo*, que emergiu das brumas há cerca de dois milhões de anos. Ninguém sabe exactamente qual era a relação entre o australopiteco e o *Homo*, mas o que se sabe é que coexistiram durante um período superior a um milhão de anos antes de todos os australopitecos, tanto os robustos como os mais frágeis, terem desaparecido misteriosamente, e talvez também abruptamente, há mais de um milhão de anos. Ninguém sabe por que é que desapareceram. "Talvez", sugere Matt Ridley, "nós os tenhamos comido."

Convencionalmente, a linhagem do *Homo* começa com o *Homo habilis*, ser sobre o qual quase nada sabemos, e de quem descendemos, o *Homo sapiens* (literalmente, "o homem que pensa"). Entre esses dois, e dependendo das fontes, terá havido meia dúzia de outras espécies de *Homo:* o *Homo ergaster*, o *Homo neanderthalensis*, o *Homo rudolfensis ou rhodesiensis*, o *Homo heidelbergensis*, o *Homo erectus*, e o *Homo antecessor*.

O *Homo habilis* ("homem hábil") foi baptizado por Louis Leakey e colegas, em 1964, e chamaram-lhe assim por ter sido o primeiro hominídeo a utilizar ferramentas, ainda que muito simples. Era uma criatura bastante primitiva, muito mais chimpanzé do que um ser humano, mas o seu cérebro era 50 por cento maior do que o de Lucy em termos gerais, e não era muito mais pequeno proporcionalmente, podemos portanto considerar que era o Einstein do seu tempo. Nunca se evocou nenhuma razão válida para explicar por que razão os cérebros dos hominídeos começaram de repente a crescer há dois milhões de anos. Durante muito tempo, partiu-se do princípio de que os cérebros grandes e o andar sobre os membros inferiores estavam directamente relacionados – que o movimento de êxodo das florestas necessitara de novas e astutas estratégias que exigiam cérebros mais sofisticados, ou então que os desenvolviam –, e foi por isso que, depois das várias descobertas de tantos bípedes desprovidos de inteligência, apercebemo-nos com surpresa de que, aparentemente, não havia ligação entre as duas coisas.

"Não há nenhuma razão que explique por que é que os cérebros humanos passaram a ser tão grandes", diz Tattersall. Os cérebros grandes são órgãos exigentes: constituem apenas dois por cento da massa corporal, mas devoram 20 por cento da sua energia. São também relativamente esquisitos quanto ao combustível que usam. Se nunca mais comêssemos uma única pitada de gordura, o nosso cérebro não se queixaria porque simplesmente não lhe faz falta. O que ele quer é glucose, e muita glucose, mesmo que isso signifique roubá-la a outros órgãos. Como salienta Guy Brown: "O corpo está em constante risco de esgotamento devido a um cérebro sôfrego, mas não pode dar-se ao luxo de deixar o cérebro passar fome, porque isso levar-nos-ia rapidamente à morte." Um cérebro grande precisa de mais alimento, e mais alimento significa mais risco.

Tattersall crê que o aparecimento de um cérebro desenvolvido poderá ter sido um acidente de evolução. Acredita, tal como Stephen Jay Gould, que, se rebobinássemos a cassete da vida – apenas um pouco para trás, até à alvorada dos hominídeos –, seria "muito pouco provável" que houvesse agora humanos modernos ou qualquer coisa de parecido com eles.

"Uma das ideias mais difíceis de aceitar para os homens", diz ele, "é o facto de não sermos o ponto culminante de nada. O facto de estarmos aqui não tem nada de inevitável. Faz parte da nossa vaidade como seres humanos pensar na evolução como um processo programado para nos produzir. Até os antropólogos tinham tendência para pensar assim até à década de 1970." Na realidade, ainda em 1991, no conhecido livro *The Stages of Evolution*, C. Loring Brace manteve-se teimosamente neste conceito linear, reconhecendo apenas que uma das evoluções levara a um beco sem saída, a dos robustos australopitecos. Tudo o mais representava uma progressão em linha recta – cada espécie de hominídeo transportava o facho do desenvolvimento até uma certa altura, e depois passava-o a um corredor mais jovem e mais fresco. Hoje, contudo, parece quase certo que muitas destas primeiras formas entraram por atalhos sem saída.

Felizmente para nós, houve uma que chegou a algum lado – um grupo de utilizadores de ferramentas, que parece ter surgido do nada e coincidiu no tempo com o obscuro e muito discutido *Homo habilis*. Foi o *Homo erectus*, a espécie descoberta por Eugène Dubois em Java, em 1891. Dependendo das fontes consultadas, ele viveu num período situado entre 1,8 milhões de anos atrás até há apenas 20 mil anos, mais ou menos.

De acordo com os autores de *The Java Man*, o *Homo erectus* é a linha divisória: tudo o que surgiu antes dele tinha carácter macacóide; a partir daí tudo se tornou humanóide. O *Homo erectus* foi o primeiro a caçar, o primeiro a usar o fogo, o primeiro a fabricar ferramentas complexas, o primeiro a deixar vestígios de acampamentos, o primeiro a tomar conta dos fracos e dos doentes. Comparado com tudo o que existira antes dele, o *Homo erectus* era extremamente humano, tanto na aparência física como no comportamento, com membros compridos e magros, muito forte (muito mais forte do que os humanos modernos), e com a força de vontade e inteligência suficientes para se expandir com sucesso em grandes áreas do planeta. Para outros hominídeos, o *Homo erectus* deve ter parecido aterradoramente poderoso, veloz e dotado. O seu cérebro era bem mais sofisticado do que o que se verificara até aí.

O *erectus* foi "o predador mais rápido do seu tempo", de acordo com Alan Walker, da Universidade do Estado da Pensilvânia e uma das grandes autoridades mundiais no assunto. Se olhássemos um deles nos olhos, poderia parecer-nos humano, mas "não haveria comunicação. Para ele, nós seríamos uma mera presa". Segundo Walker, tinha o corpo de um humano adulto, mas o cérebro de um bebé.

Embora o *erectus* já fosse conhecido há quase um século, só o era através de fragmentos dispersos – insuficientes para chegar a um esqueleto completo. Portanto, só quando se fez uma descoberta extraordinária em África, nos anos 1980, é que a sua importância – ou, no mínimo, possível importância – como espécie precursora dos humanos modernos foi totalmente compreendida. O distante vale do lago Turkana (antigo lago Rudolf), no Quénia, é actualmente um dos jazigos mundiais mais férteis em ossadas de homens pré-históricos, mas durante muito tempo ninguém se lembrou de ir lá procurá-los. Foi só quando o avião onde seguia teve de fazer um desvio sobre o referido vale que Richard Leakey se apercebeu de que talvez houvesse ali mais qualquer coisa do que se pensara. Enviaram para lá uma equipa de investigação que a princípio não encontrou nada. Até que um dia, ao fim da tarde, Kamoya Kimeu, o caçador de fósseis mais famoso de Leakey, encontrou um pequeno fragmento da fronte de um hominídeo numa colina muito afastada do lago. Não era provável que esse local contivesse muitas ossadas, mas, por uma questão de respeito pelos instintos de Kimeu, resolveram escavar e, para grande espanto de todos, encontraram um esqueleto quase completo de *Homo erectus*. Era de um rapaz com a idade de nove a 12 anos, que morrera há 1,54 milhões de anos. O esqueleto tinha "uma estrutura corporal inteiramente moderna", diz Tattersall, e apresentava uma forma sem qualquer precedente. O rapaz de Turkana era, "muito decididamente, um dos nossos".

Também encontrado por Kimeu no lago Turkana estava o KNM–ER 1808, uma fêmea com 1,7 milhões de anos, que deu aos cientistas a primeira pista para concluirem que o *Homo erectus* era mais interessante e complexo do que se pensava. Os ossos da mulher estavam deformados e cobertos de caroços ásperos, resultado de uma doença extremamente dolorosa chamada hipervitaminose A, que só pode surgir quando se come fígado de um carnívoro. Antes de mais nada, tratava-se de um indício de que o *Homo erectus* comia carne. Ainda mais surpreendente foi o facto de o número de caroços ter demonstrado que ela sobrevivera semanas, ou até meses, com essa doença. Alguém tinha tomado conta dela. Era o primeiro sinal de ternura na evolução hominídea.

Descobriu-se igualmente que os crânios de *Homo erectus* continham (ou, na opinião de alguns, talvez contivessem) uma área de Broca, que é a região do lóbulo frontal do cérebro associada à fala. Os chimpanzés não têm essa característica. Alan Walker crê que o canal raquidiano não tinha o tamanho e a complexidade necessários para permitir a fala, e que provavelmente eles comunicavam da mesma forma que os chimpanzés actuais. Outros, nomeadamente Richard Leakey, estão convencidos de que falavam.

Durante algum tempo, ao que parece, o *Homo erectus* foi a única espécie hominídea da Terra. Era altamente aventureiro e espalhou-se pelo globo, a uma rapidez aparentemente espantosa. Se interpretarmos à letra o registo fóssil, ficamos com a impressão de que alguns membros dessa espécie chegaram a Java mais ou menos na mesma altura em que saíram de África, ou talvez até um pouco antes. Isto levou alguns cientistas esperançosos a sugerir que talvez os seres humanos modernos não tenham vindo de África, mas sim da Ásia – o que seria notável, para não dizer miraculoso, visto que nunca se encontrou até hoje qualquer espécie precursora fora de África. Os hominídeos da Ásia teriam de aparecer, por assim dizer, de forma espontânea. E, de qualquer forma, uma origem asiática iria simplesmente inverter o problema da sua expansão; nesse caso, teríamos de explicar como é que as pessoas de Java chegaram tão rapidamente a África.

Há outras explicações alternativas mais plausíveis para o facto de o *Homo erectus* ter conseguido aparecer na Ásia tão pouco tempo depois do seu aparecimento em África. Primeiro, a datação dos vestígios dos primeiros homens é muito aproximada. Se a verdadeira idade das ossadas de África se situar no limite máximo da amplitude das estimativas, ou as de Java no limite mínimo, ou ambos, então terá havido muito tempo para o *Homo erectus* africano ter conseguido chegar à Ásia. Também é perfeitamente possível que as ossadas mais antigas do *erectus* estejam ainda à espera de ser descobertas em África. Além do mais, as datas do Homem de Java podem estar completamente erradas.

O que é certo é que há bastante mais de um milhão de anos houve alguns seres erectos novos e relativamente modernos que saíram de África e ousadamente se espalharam por grande parte do globo. Provavelmente fizeram-no com bastante rapidez, aumentando o território conquistado em cerca de 40 quilómetros por ano e durante todo esse tempo tiveram de lidar com cordilheiras montanhosas, rios, desertos, e outros obstáculos, adaptando-se também às diferenças de clima e de fontes alimentares. Um dos principais mistérios é tentar perceber como é que eles passaram ao longo da margem ocidental do mar Vermelho, área que hoje em dia é conhecida pela sua extrema aridez, mas que era ainda mais seca no passado. É uma ironia curiosa o facto de as condições que os levaram a sair de África terem sido as mesmas que tanto dificultaram essa saída. Mesmo assim, de uma forma ou de outra, conseguiram arranjar maneira de contornar todas as barreiras e prosperar nas terras que encontraram e para além delas.

Aqui, lamento dizê-lo, termina o consenso. O que aconteceu a seguir na história do desenvolvimento humano é tema para longos e rancorosos debates, como veremos no próximo capítulo.

Mas vale a pena recordar, antes de continuarmos, que todos estes solavancos evolucionários ao longo de cinco milhões de anos, desde os distantes e perplexos australopitecos até ao ser humano totalmente moderno, produziram uma criatura que, em 98,4 por cento, é ainda geneticamente indistinguível do chimpanzé actual. Há mais diferença entre uma zebra e um cavalo, ou entre um golfinho e uma toninha, do que há entre nós e as criaturas peludas que os nossos distantes antepassados deixaram para trás quando se resolveram a conquistar o mundo.

29.

O MACACO IRREQUIETO

Há cerca de milhão e meio de anos, um génio qualquer esquecido do mundo dos hominídeos fez uma coisa inesperada. Ele (ou talvez ela) pegou numa pedra, e usou-a com todo o cuidado para fazer outra. O resultado foi um simples machado manual em forma de lágrima – ou seja, a primeira peça mundial de tecnologia avançada.

Era tão superior às ferramentas já existentes que em breve outros seguiram o exemplo do inventor e começaram a fazer os seus próprios machados. Acabou por haver comunidades inteiras que, aparentemente, pouco mais fizeram do que isso. "Faziam-nos aos milhares", diz Ian Tattersall. "Há alguns lugares em África onde literalmente não conseguimos andar sem pôr o pé em cima de um. É estranho, porque são objectos bastante difíceis de fazer. Era como se os fizessem por simples prazer."

De uma prateleira do seu soalheiro gabinete de trabalho, Tattersall tirou um molde enorme, com cerca de meio metro de comprimento e 20 centímetros de largura no seu ponto mais largo, e passou-mo para as mãos. Tinha a forma de uma ponta de lança, mas do tamanho de um tabuleiro. Este modelo em fibra de vidro pesava apenas alguns gramas, mas o original, que fora encontrado na Tanzânia, pesava cerca de 13 quilos. "Era completamente inútil como ferramenta", disse Tattersall. "Teriam sido necessárias duas pessoas para o erguer e, mesmo assim, teria sido extremamente fatigante tentar martelar o que quer que fosse com ele."

"Então para que servia?"

Tattersall encolheu os ombros, divertido com o mistério. "Não faço a mínima ideia. Deve ter tido uma importância simbólica qualquer, mas só podemos especular sobre isso."

Os machados passaram a ser conhecidos como os utensílios acheulenses, que deriva do nome de St. Acheul, um subúrbio de Amiens, no Norte de França, onde se encontraram os primeiros exemplares no século XIX, e contrastam com os utensílios mais antigos e mais simples conhecidos como utensílios olduvaienses, encontradas originalmente no desfiladeiro Olduvai, na Tanzânia. Nos livros mais antigos, os utensílios olduvaienses aparecem habitualmente como pedras rombas, arredondadas e com o tamanho da mão. Na realidade, os paleoantropólogos de hoje tendem a acreditar que os utensílios olduvaienses eram fragmentos que saíam espontaneamente destas pedras maiores que podiam ser utilizados para cortar.

Agora chega o mistério. Quando os primeiros humanos modernos – aqueles que haviam de se transformar em nós – começaram a sair de África, há cerca de cem mil anos, os utensílios acheulenses constituíam a tecnologia de ponta. Estes primeiros representantes do *Homo sapiens* também adoravam as suas ferramentas acheulenses. Transportavam-nas ao longo de distâncias enormes. Por vezes até levavam consigo rochas em bruto, para mais tarde as transformar em ferramentas. Numa palavra, gostavam mesmo dessa tecnologia. Mas, embora os utensílios acheulenses tenham sido encontrados em toda a África, Europa e Ásia ocidental e central, quase nunca apareceram no Extremo Oriente. O que é bastante misterioso.

Nos anos 1940, um paleontólogo de Harvard chamado Hallum Movius criou aquilo que veio a ser chamado linha de Movius, dividindo o lado onde se tinham encontrado ferramentas acheulenses do outro onde elas já não apareciam. Essa linha atravessa a Europa em direcção a sudeste, depois corta o Médio Oriente até perto do que é hoje a cidade de Calcutá e o Bangladesh. Para lá da linha de Movius, ao longo de todo o Sudeste da Ásia e de toda a China, só se encontraram os utensílios olduvaienses mais antigos e mais simples. Sabemos que o *Homo sapiens* foi muito além deste ponto, por isso, por que havia de levar uma tecnologia de pedra avançada e apreciada até ao fim do Extremo Oriente, e depois abandoná-la?

"Isso intrigou-me durante muito tempo", recorda Alan Thorne, da Universidade Nacional da Austrália, em Camberra. "Todo o conceito de antropologia moderna foi construído à volta da ideia de que os seres humanos vieram de África em duas vagas – uma primeira de *Homo erectus*, que passou a ser o Homem de Java e o Homem de Pequim e outros semelhantes, e uma outra, mais tardia e mais avançada, de *Homo sapiens*, que desalojou os primeiros. Contudo, para aceitarmos isso, temos de acreditar que o *Homo sapiens* conseguiu chegar tão longe graças à sua tecnologia mais moderna e depois, por uma razão qualquer, desistiu dela. É muito estranho, no mínimo."

Acabou por se descobrir que havia muito mais coisas estranhas, e uma das mais intrigantes descobertas veio precisamente do lado do mundo onde vive Thorne, nas regiões inóspitas da Austrália. Em 1968, um geólogo chamado Jim Bowler andava à procura de pedras no fundo de um lago seco há muito tempo chamado Mungo, numa zona árida e desértica da parte ocidental da Nova Gales do Sul, quando houve algo de muito inesperado que lhe chamou a atenção. Projectando-se de uma crista de areia em forma de crescente, do tipo conhecido como *lunette*, estavam ossadas humanas. Nessa altura, pensava-se que só havia seres humanos na Austrália há oito mil anos, mas a região de Mungo estava seca há 12 mil anos. Então, o que estava aquilo a fazer num lugar tão inóspito?

A resposta, fornecida pela datação de carbono, revelou que o dono das ossadas vivera ali numa altura em que o lago Mungo era um *habitat* muito mais agradável, com 20 quilómetros de comprimento, grande abundância de água e peixe, e rodeado de aprazíveis plantações de casuarinas. Para espanto de toda a gente, revelou-se que os ossos tinham 23 mil anos. Descobriu-se ainda que outros ossos encontrados ali perto chegavam a ter 60 mil anos. Isto era tão inesperado que quase parecia impossível. Desde que os hominídeos apareceram pela primeira vez na Terra a Austrália tem sido uma ilha. E quaisquer seres humanos que lá tenham chegado vieram forçosamente por mar, em número suficientemente para começar uma colonização, e isto depois de atravessarem cem quilómetros ou mais de alto mar, sem terem qualquer maneira de saber que ali perto, mesmo a jeito, os esperava um continente. Depois de desembarcar, o povo de Mungo tinha penetrado mais de três mil quilómetros terra dentro, desde a costa norte da Austrália – que se presume terá sido o seu ponto de entrada –, o que sugere, de acordo com um relatório constante das actas da National Academy of Sciences, "que pode lá ter chegado gente muito antes de há 60 mil anos".

Como lá chegaram, e por que vieram, são questões a que não sabemos responder. De acordo com a maior parte dos textos de antropologia, não há sequer provas de que as pessoas já falassem há 60 mil anos, e muito menos que se lançassem no tipo de esforço e cooperação necessário para construir embarcações capazes de cruzar os oceanos e colonizar ilhas-continentes.

"Há simplesmente muita coisa que não sabemos sobre os movimentos dos seres humanos antes da História escrita", disse-me Alan Thorne quando me encontrei com ele em Camberra. "Sabe que os antropólogos do século XIX, quando chegaram pela primeira vez à Papua-Nova Guiné, encontraram gente nas terras altas do interior, que são uma das zonas mais inacessíveis da Terra, a cultivar batata doce. A batata doce é autóctone da América do Sul. Então como é que ela chegou à Papua-Nova Guiné? Não sabemos. Não temos a menor ideia. Mas o certo é que as pessoas têm andado de um lado para o outro com considerável segurança, e há mais tempo do que nós pensávamos, e quase de certeza que acabaram por partilhar não só genes como informações."

O problema, como sempre, é o registo fóssil. "Há muito poucas partes do mundo que sejam sequer vagamente propícias à preservação de vestígios humanos a longo prazo", diz Thorne, um homem de olhar incisivo, barbicha branca e modos firmes mas afáveis. "Se não fossem algumas áreas produtivas como Hadar e Olduvai, no Leste de África, saberíamos muitíssimo pouco. E quando se olha para outras partes do mundo, aquilo que sabemos é de facto assustadoramente escasso. Em toda a Índia só se encontrou até hoje um fóssil humano antigo, de há cerca de 300 mil anos. Entre o Iraque e o Vietname – ou seja, a uma distância de cerca de cinco mil quilómetros – só se encontraram dois: um na Índia e o de Neandertal, no Usbequistão". Sorriu. "Não é muito para se trabalhar. Tudo o que podemos concluir é que há algumas áreas relativamente férteis em ossadas humanas, como o Great Rift Valley, em África, e o Mungo, aqui na Austrália, e muito pouco entre esses dois. Não é de espantar que os paleontólogos não consigam unir os pontos."

A teoria tradicional que explica os movimentos humanos – aquela que ainda hoje é admitida pela maior parte das pessoas que trabalham neste domínio –, diz que estes se dispersaram ao longo da Eurásia em duas vagas: a primeira consistiu no *Homo erectus*, que saiu de África com uma notável rapidez – mal surgiu como espécie –, e que começou há quase dois milhões de anos. Com o tempo, à medida que se foram instalando em diversas regiões, estes primeiros *erectus* acabaram por evoluir para tipos distintos – para o Homem de Java e o Homem de Pequim, na Ásia, e para o *Homo heidelbergensis* e finalmente o *Homo neanderthalensis*, na Europa.

Depois, há cerca de cem mil anos, surgiu nas planícies africanas uma espécie de criatura mais inteligente, mais adaptável – os antepassados de todos nós, os que existimos hoje – e, numa segunda vaga, começou a irradiar dali. Onde quer que fossem, de acordo com esta teoria, estes novos *Homo sapiens* expulsavam os seus antecessores menos inteligentes e aptos. A forma exacta como o fizeram tem sido sempre tema de discussão. Nunca se encontraram vestígios de carnificinas, por isso a maior parte dos estudiosos crê que os novos hominídeos simplesmente se impuseram aos mais antigos pela sua competência, embora outros factores possam também ter contribuído. "Talvez os tenhamos contaminado com varíola", sugeriu Tattersall. "Não há maneira de saber com exactidão. A única certeza que temos é que nós estamos aqui hoje, e eles não."

Esses primeiros humanos modernos são surpreendentemente obscuros. Sabemos menos sobre nós próprios, curiosamente, do que sobre todas as outras linhas de hominídeos. É de facto estranho, como sublinha Tattersall, "que o acontecimento recente mais importante na evolução humana – o aparecimento da nossa própria espécie – seja talvez o mais obscuro de todos". Ninguém consegue sequer chegar a acordo sobre o momento em que os humanos modernos aparecem pela primeira vez no registo fóssil. Muitos livros colocam o seu início há cerca de 120 mil anos, baseando-se em vestígios encontrados na África do Sul, na foz do rio Klasies, mas nem toda a gente concorda que esses tenham sido seres humanos modernos no sentido da palavra. Tattersall e Schwartz continuam a achar que "ainda estamos à espera de que se esclareça definitivamente se alguns deles, ou todos, representam realmente a nossa espécie".

O primeiro aparecimento indiscutível do *Homo sapiens* verificou-se no Leste do Mediterrâneo, à volta daquilo que é hoje Israel, onde começaram a aparecer há cerca de cem mil anos – mas até aí eles são descritos (por Trinkaus e Schipman) como "estranhos, difíceis de classificar e pouco conhecidos". Os neandertalenses já estavam bem estabelecidos nesta região e tinham um tipo de ferramentas conhecidas como mousterianas, que, pelos vistos, os humanos modernos consideraram suficientemente sofisticadas para as imitar. Não se encontraram quaisquer vestígios de neandertalenses na África do Norte, mas as seus utensílios estão sempre a aparecer por todo o lado. Alguém os deve ter levado para lá, e os únicos candidatos à proeza são os humanos modernos. Também se sabe que os neandertalenses e os humanos modernos coexistiram, não se sabe como, durante dezenas de milhares de anos no Médio Oriente. "Não sabemos se utilizavam os mesmos espaços em *time-share*, ou se viviam mesmo lado a lado", diz Tattersall, mas o facto é que os modernos continuaram a usar alegremente os utensílios dos neandertalenses – o que não parece ser uma prova lá muito convincente de uma superioridade esmagadora. Facto igualmente curioso, encontram-se ferramentas acheulenses no Médio Oriente com mais de um milhão de anos, mas quase não aparecem na Europa até há 300 mil anos atrás. Mais uma vez, continua a ser um mistério porque é que os seres humanos que detinham essa tecnologia não levaram consigo as respectivas ferramentas.

Durante muito tempo, acreditou-se que os cro-magnon, como passaram a ser conhecidos os seres humanos modernos da Europa, foram expulsando os neandertalenses à medida que avançavam através do continente, acabando por forçá-los a refugiar-se na sua orla ocidental, onde essencialmente não tiveram outra alternativa senão ir para o mar ou deixarem-se extinguir. De facto, sabe-se agora que os cro-magnon estiveram no extremo ocidental da Europa, mais ou menos na mesma altura em que estavam também a chegar do Leste. "A Europa era um sítio muito vazio nessa altura", diz Tattersall. "Podem não se ter encontrado uns com os outros muitas vezes, mesmo com tantas idas e vindas." Uma curiosidade da chegada dos cro-magnon é o facto de ter ocorrido numa altura conhecida em paleoclimatologia como o intervalo de Boutellier, quando a Europa estava a sair de um período de relativa amenidade e a mergulhar em mais um longo e rigoroso período de frio. O que quer que tenha sido que os atraiu para a Europa, não foi com certeza a amenidade do clima.

De qualquer forma, a ideia de que os neandertalenses se foram abaixo perante a concorrência dos recém-chegados cro-magnon parece contrariar pelo menos um pouco a evidência das provas. Os neandertalenses eram tudo menos fracos. Durante dezenas de milhares de anos sobreviveram a condições que nenhum ser humano moderno alguma vez experimentou, a não ser meia dúzia de cientistas e exploradores polares. Durante o pior período das idades do gelo, era habitual haver tempestades de neve com ventos ciclónicos. E as temperaturas caíam frequentemente para 45° C negativos. Os ursos polares passeavam-se alegremente pelos vales cobertos de neve do Sul de Inglaterra. É natural que os neandertalenses tenham fugido da parte pior deste rigoroso período de gelo, mas mesmo assim tiveram de suportar um tempo pelo menos tão mau como o moderno Inverno siberiano. Claro que sofreram – qualquer neandertalense que conseguisse viver mais de 30 anos era uma pessoa de sorte –, mas, enquanto espécie, eram espantosamente resistentes e praticamente indestrutíveis. Sobreviveram pelo menos cem mil anos, e talvez duas vezes isso, numa área que se estendia de Gibraltar ao Usbequistão, o que constitui uma bela proeza para qualquer espécie de ser.

Mas continua a ser objecto de desacordo e incerteza saber quem eles eram exactamente, e qual o seu aspecto. Até meados do século XX a visão antropológica tradicional do neandertalense era a de um ser escuro, curvado, a arrastar os pés e com ar simiesco – o homem das cavernas por excelência. Foi um infeliz acidente que levou os cientistas a reconsiderar este ponto de vista. Em 1947, enquanto procedia a trabalho de campo no deserto do Sara, um paleontólogo franco-argelino, chamado Camille Aranbourg, refugiou-se do sol do meio-dia sob a asa do seu avião ligeiro. Enquanto esperava, um dos pneus do avião explodiu com o calor, e o avião inclinou-se de repente para o lado, atingindo-o violentamente no tronco. Mais tarde, em Paris, ao tirar uma radiografia da coluna cervical, reparou que as suas próprias vértebras estavam alinhadas exactamente na posição do curvado e quase corcunda neandertalense. Ou ele era fisiologicamente primitivo, ou a postura do neandertalense tinha sido mal descrita. Descobriu-se que era a segunda hipótese. As vértebras do neandertalense nada tinham de simiesco. Isso mudou completamente a forma como víamos o Neandertal, mas, ao que parece, só às vezes.

Ainda é dizer comum que os neandertalenses não tinham nem a inteligência nem a fibra necessárias para competir em termos iguais com os recém-chegados ao continente, mais esguios e de cérebro mais desenvolvido – o *Homo sapiens.* Transcrevemos uma observação tirada de um livro recente: "Os humanos modernos neutralizaram esta vantagem [o físico consideravelmente mais robusto do neandertalense] com roupas melhores, fogueiras melhores e abrigos melhores; entretanto, os neandertalense tinham de se haver com um corpo demasiado grande, que exigia mais comida para sobreviver." Por outras palavras, os mesmos exactos factores que lhes tinham permitido sobreviver com êxito durante cem mil anos, tornaram-se de repente uma desvantagem insuperável.

Acima de tudo, quase nunca se aflora a questão de os neandertalenses terem um cérebro significativamente maior do que o dos seres humanos modernos – 1,8 litros para os neandertalenses contra 1,4 para o ser humano moderno, segundo um cálculo. É mais do que a diferença entre o moderno *Homo sapiens* e o extinto *Homo erectus,* espécie que gostamos de considerar quase como não humana. O argumento adiantado é que, embora os nossos cérebros fossem mais pequenos, eram, não se sabe como, mais eficazes. Penso dizer a verdade quando observo que foi o único momento na evolução humana em que se utilizou um argumento desses.

Então por que razão, pode muito bem perguntar, se os neandertalense eram tão fortes e adaptáveis e cerebralmente bem dotados, já não estão connosco? Uma resposta possível (mas muito discutida) é que talvez ainda estejam. Alan

Thorne é um dos principais proponentes de uma teoria alternativa, conhecida como a hipótese multirregional, segundo a qual a evolução humana tem sido contínua – ou seja, talvez como os australopitecos evoluíram para o *Homo habilis* e o *Homo heidelbergensis* passou a ser com o tempo o *Homo neandertalensis*, assim o moderno *Homo sapiens* terá simplesmente surgido de formas mais antigas do *Homo*. Sob esse ponto de vista, o *Homo erectus* será não uma espécie separada mas apenas uma fase de transição. Assim, os chineses modernos descendem dos antigos antepassados do *Homo erectus* da China, os modernos europeus dos antigos *Homo erectus* da Europa, e por aí fora. "Excepto que, para mim, não há *Homo erectus*", diz Thorne. "Acho que é um termo que já deixou de ter qualquer utilidade. Para mim, o *Homo erectus* é simplesmente uma fase anterior da nossa evolução. Creio que só uma espécie de humanos alguma vez saiu de África, e essa espécie é o *Homo sapiens*."

Os oponentes da teoria multirregional rejeitam-na, em primeira instância, com base no facto de ser necessária uma improvável quantidade de evoluções paralelas de hominídeos através do Velho Mundo – na África, na China, na Europa, nas ilhas mais distantes da Indonésia, onde quer que fosse que aparecessem. Alguns também acreditam que o multirregionalismo incentiva um ponto de vista racista de que a antropologia resolveu há muito livrar-se. No início dos anos 60, um famoso antropólogo chamado Carleton Coon, da Universidade da Pensilvânia, sugeriu que algumas das raças modernas terão origens diferentes, o que implica que alguns de nós poderão vir de raças superiores a outras. Isto ia reacender desagradáveis recordações de crenças antigas segundo as quais algumas raças modernas, tais como os boximanes (cujo nome correcto é *kalahari san*) e os aborígenes da Austrália, seriam mais primitivas do que outras.

Seja o que for que Coon pensou numa base pessoal, isso implicava para muitas pessoas que algumas raças são inerentemente mais avançadas, e que alguns humanos poderiam essencialmente constituir uma espécie diferente. Esse ponto de vista, hoje tão instintivamente ofensivo, esteve largamente divulgado em muitos lugares respeitáveis até há relativamente pouco tempo. Tenho à minha frente um conhecido livro publicado pela editora Time-Life Publications em 1961, chamado *The Epic of Man*, e baseado numa série de artigos da revista *Life*. Nele podemos encontrar comentários como este: "O homem da Rodésia... viveu há apenas 25 mil anos, e poderá ter sido o antepassado dos negros africanos. O tamanho do seu cérebro era próximo do do

Homo sapiens." Por outras palavras, os negros africanos descendem há pouco tempo de criaturas que eram apenas "próximas" do *Homo sapiens.*

Thorne nega enfaticamente (e creio que também sinceramente) a ideia de que a sua teoria seja de alguma forma racista, e explica a uniformidade da evolução humana sugerindo que talvez tenha havido muita intermovimentação entre culturas e regiões. "Não há razão para supor que as pessoas só iam numa certa direcção", diz ele. "As pessoas deslocavam-se de um lado para o outro, e, quando se encontravam, quase de certeza partilhavam material genético através da interprocriação. Os recém-chegados não substituíam a população indígena, *juntavam-se* a ela. Transformavam-se nela." Ele compara a situação à mesma que surgiu quando exploradores como Cook ou Magalhães encontraram povos remotos pela primeira vez. "Não houve encontros de espécies diferentes, mas apenas da mesma espécie com algumas diferenças físicas."

O que nós vemos mesmo no registo fóssil, insiste Thorne, é uma transição suave e contínua. "Há um famoso crânio de Petralona, na Grécia, que data de há cerca de 300 mil anos, e que tem sido objecto de disputa entre os tradicionalistas, porque por um lado parece ser de *Homo erectus* e por outro de *Homo sapiens.* Bom, eu diria que é exactamente isso que se espera encontrar numa espécie que estava em evolução, e não a extinguir-se para ser substituída por outra."

Um facto que ajudaria a resolver a questão seria a descoberta de indícios de interprocriação, mas a partir de fósseis não é nada fácil comprová-lo, ou desmenti-lo. Em 1999, arqueólogos portugueses encontraram o esqueleto de uma criança com cerca de quatro anos, morta há 24 500 anos. O esqueleto era moderno na sua globalidade, mas com algumas características arcaicas, possivelmente do neandertalense: ossos da perna extraordinariamente fortes, dentes nitidamente em forma de pá, e (embora nem toda a gente concorde) uma mossa na parte posterior do crânio chamada fossa suprainíaca, uma característica exclusiva dos neandertalenses. Erik Trinkaus, da Universidade de Washington em St. Louis, a principal autoridade em neandertalenses, anunciou que a criança era um híbrido: prova de que os humanos modernos e os neandertalenses interprocriaram. Outros, contudo, acharam estranho que as características do neandertalense e as modernas não estivessem mais misturadas. Como disse um crítico: "Se olhamos para uma mula, não vemos uma parte da frente igual a um burro e uma parte de trás igual a um cavalo."

Ian Tattersall declarou que o fóssil nada mais era do que uma "robusta criança moderna". Ele aceita que poderá muito bem ter havido umas "marmeladas" entre os neandertalenses e os modernos, mas não acredita que pudesse ter resultado numa prole bem sucedida a nível reprodutor.* "Não conheço qualquer par de organismos, em qualquer ramo da biologia, que sejam tão diferentes, e mesmo assim se classifiquem na mesma espécie", diz ele.

Sendo o registo fóssil de tão pouca utilidade, os cientistas viraram-se cada vez mais para os estudos genéticos, especialmente para o que dizia respeito ao ADN mitocondrial. O ADN mitocondrial só foi descoberto em 1964, mas, na década de 80, umas almas engenhosas da Universidade da Califórnia, em Berkeley, já tinham percebido que possui duas características que lhe conferem uma utilidade especial, fazendo dele uma espécie de relógio molecular: é transmitido apenas por via feminina, o que significa que não se mistura com o ADN paterno em cada nova geração, e sofre mutações cerca de 20 vezes mais depressa do que o ADN nuclear normal, o que faz com que seja mais fácil detectar e seguir padrões genéticos ao longo do tempo. Através do registo das taxas de mutação, conseguiram descobrir a história e as relações genéticas de grupos inteiros de pessoas.

Em 1987, a equipa de Berkeley, dirigida pelo falecido Allan Wilson, procedeu a uma análise do ADN mitocondrial a partir de 147 indivíduos, e declarou que o aparecimento dos humanos anatomicamente modernos surgiu em África nos últimos 140 mil anos, e que "todos os humanos actuais descendem dessa população". Foi um golpe duro para os multirregionalistas. Mas depois começou-se a olhar com um pouco mais de atenção para esses dados. Um dos pontos mais extraordinários – quase demasiado extraordinário para se lhe dar crédito – era o facto de os "africanos utilizados no estudo serem na realidade afro-americanos, cujos genes tinham sido obviamente sujeitos a consideráveis interferências nas últimas centenas de anos. Também em breve surgiram dúvidas sobre as taxas de mutação estabelecidas pelo estudo. Em 1992, esse estudo já estava largamente desacreditado. Mas as técnicas de análise genética continuaram a aperfeiçoar-se, e em 1997 vários cientistas da Universidade de Munique conseguiram extrair e analisar ADN do osso do braço do homem de Neandertal original, e desta vez as provas eram inabaláveis. O estudo de

---

* Há a hipótese de os neandertalenses e os cro-magnon terem números diferentes de cromossomas, complicação que surge muitas vezes quando se juntam duas espécies próximas mas não completamente idênticas. No mundo equino, por exemplo, os cavalos têm 64 cromossomas e os burros 62. Se juntarmos os dois, conseguiremos um ser com 63 cromossomas sem capacidade para se reproduzir. Ou seja, uma mula estéril.

Munique descobriu que o ADN do neandertalense era diferente de qualquer ADN hoje existente na Terra, o que sugere fortemente que não havia qualquer ligação genética entre os neandertalenses e os humanos modernos. Isto é que foi *realmente* um duro golpe para o multirregionalismo.

Depois, nos finais do ano 2000, a revista *Nature* e outras publicações apresentaram artigos sobre um estudo do ADN mitocondrial feito na Suécia a 53 pessoas, que parecia sugerir que todos os humanos modernos tinham vindo de África nos últimos cem mil anos, derivando de uma população reprodutora de apenas dez mil indivíduos. Pouco tempo depois, Eric Lambert, director do Whitehead Institute/Massachusetts Institute of Technology Center for Genome Research, anunciou que "os europeus modernos, e talvez povos de outros continentes, descendem de umas centenas de africanos que saíram do seu continente apenas há 25 mil anos".

Como já afirmámos noutra passagem deste livro, os seres humanos modernos exibem uma variedade genética espantosamente reduzida – "há mais diversidade num grupo social de 55 chimpanzés do que na totalidade da população humana", como disse uma autoridade no assunto –, e aí estaria uma explicação. Como somos descendentes recentes de uma população fundadora pequena, não houve tempo suficiente, ou pessoas suficientes, para dar origem a uma grande variedade. Parecia ser um golpe duro para o multirregionalismo. "Depois disto", disse um investigador da Universidade Estadual da Pensilvânia ao *Washington Post*, "as pessoas não vão preocupar-se muito mais com a teoria do multirregionalismo, da qual há muito poucas provas".

Mas tudo isto passa por ignorar a quase infinita capacidade de surpreender oferecida pelos antigo povo de Mungo, na parte ocidental da Nova Gales do Sul. No início de 2001, Thorne e os seus colegas da Universidade Nacional Australiana comunicaram ter retirado ADN dos espécimes mais antigos de Mungo – que nessa altura já tinham sido identificados como tendo 62 mil anos – e que este ADN provou ser "geneticamente diferente".

O homem de Mungo, de acordo com estas descobertas, era anatomicamente moderno – como qualquer um de nós –, mas possuía uma linhagem genético extinto. O seu ADN mitocondrial já não se encontra nos seres humanos vivos hoje, tal como deveria ser se, como todas as pessoas do mundo actual, ele descendesse de povos que tivessem saído de África num passado recente.

"Isto veio virar tudo outra vez de pernas para o ar", diz Thorne, com um mal disfarçado prazer.

Então começaram a surgir anomalias ainda mais curiosas. Rosaline Harding, geneticista de populações no Instituto de Antropologia Biológica de Oxford, quando estava a estudar genes de beta-globina em seres humanos modernos, descobriu duas variantes que são comuns entre os asiáticos e os indígenas da Austrália, mas que praticamente não se encontram em África. Ela tem a certeza de que essas variantes do gene surgiram há mais de 200 mil anos, não em África mas no Leste da Ásia – muito antes de o moderno *Homo sapiens* ter chegado a essa região. A única forma de os explicar é partir do princípio de que os antepassados dos povos que agora vivem na Ásia incluíam hominídeos arcaicos – como o Homem de Java e outros. O mais interessante é que este mesmo gene – o gene do Homem de Java, por assim dizer – surge em modernas populações do Oxfordshire.

Confuso, fui visitar Harding no Instituto, que está instalado numa velha casa de tijolo em Banbury Road, em Oxford, mais ou menos no bairro em que Bill Clinton viveu nos tempos de estudante que lá passou. Harding é uma australiana pequena e viva, nascida em Brisbane, e que tem o raro talento de ser ao mesmo tempo brincalhona e séria.

"Não sei", disse ela logo, com um grande sorriso, quando lhe perguntei como era possível que houvesse pessoas em Oxfordshire com sequências de beta-globina que não deveriam ter no corpo. "De uma maneira geral", continuou, mais séria, "o registo genético apoia a hipótese de terem vindo de África. Mas depois encontramos uns agrupamentos anómalos, que a maior parte dos geneticistas prefere não comentar. Há *enormes* quantidades de informação de que poderíamos dispor se ao menos fôssemos capazes de a entender, mas ainda não somos. Ainda mal começámos." Recusou-se a dar qualquer interpretação sobre o significado da existência de genes de origem asiática em Oxfordshire, para além do facto de ser uma situação claramente complicada. "Tudo o que podemos dizer nesta fase é que é muito inesperado, e não fazemos ideia de qual seja a causa."

Na altura do nosso encontro, no início de 2002, outro cientista de Oxford chamado Bryan Sykes acabara de escrever um livro de grande êxito chamado *The Seven Daughters of Eve* no qual, utilizando estudos de ADN mitocondrial, declarava ter conseguido encontrar as origens de quase todos os europeus actuais numa população fundadora de apenas sete mulheres – as filhas de Eva do título – que viveram entre dez mil e 45 mil anos atrás, na era conhecida pela ciência como Paleolítico. A cada uma destas mulheres Sykes atribuiu um nome – Úrsula, Xénia, Jasmine, etc. – e até uma história pessoal detalhada.

(“Úrsula era a segunda criança que a mãe tivera. O primeiro, um rapaz, fora levado por um leopardo quando tinha apenas dois anos...”)

Quando falei a Harding no livro, ela fez um sorriso largo mas cauteloso, como se não tivesse a certeza sobre a resposta que deveria dar. “Bom, é um facto que lhe devemos conceder algum mérito por ajudar a tornar conhecido um assunto complexo”, disse, e fez uma pausa, pensativa. “E até há uma *remota* possibilidade de ele ter razão.” Riu-se, e depois continuou, mais concentrada: “Os dados recolhidos de um único gene não podem de facto dizer-nos nada de tão definitivo. Se pegarmos no ADN mitocondrial e o investigarmos regressivamente, leva-nos até um certo sítio – a uma Úrsula, ou uma Tara, ou qualquer uma dessas. Mas se pegarmos em qualquer *outra* amostra de ADN, qualquer gene que seja, e investigarmos *esse* regressivamente, leva-nos pura e simplesmente a um sítio totalmente diferente.”

Segundo percebi, era como se seguíssemos uma estrada qualquer que partisse de Londres e descobríssemos que ia dar a casa de um tal John O’Groats, e concluir, a partir daí, que qualquer pessoa que viva em Londres terá de ter vindo do Norte da Escócia. Claro que *podia* ter vindo de lá, mas também pode ter vindo de centenas de outros sítios. Neste sentido, de acordo com Harding, cada gene é uma estrada diferente, e nós ainda mal começámos a fazer o respectivo mapa. “Um único gene nunca lhe poderá contar a história toda”, disse.

Então não podemos confiar nos estudos genéticos?

“Ah, pode confiar bastante, de uma forma geral. No que não podemos confiar é nas conclusões precipitadas que as pessoas muitas vezes tiram deles.”

Ela acha que a teoria da origem africana dos seres humanos está ”provavelmente correcta em 95 por cento”, mas acrescenta: “Acho que nenhum dos lados prestou grande serviço à ciência, ao insistir que tinha de ser uma coisa ou outra. É possível que se chegue à conclusão de que as coisas não são tão lineares como ambas as partes gostariam de fazer acreditar. As provas começam claramente a apontar para a possibilidade de ter havido múltiplas migrações e dispersões em diferentes partes do mundo e em todos os tipos de direcção, o que acabou por misturar consideravelmente a bagagem genética do ser humano. Nunca vai ser fácil esclarecer esse assunto.”

Exactamente nessa altura houve igualmente vários relatórios que punham em causa a fiabilidade da recuperação de ADN muito antigo. Um académico, autor de um artigo publicado na revista *Nature*, contou que um paleontólogo, quando um colega lhe perguntou se achava que um velho crânio estava ou não envernizado, passou a língua pelo topo e declarou que estava. "Nesse processo", dizia o artigo, "grandes quantidades de ADN moderno terão sido transferidos para o crânio", tornando-o inútil para estudos futuros. Perguntei a Harding o que achava disto. "Ah, quase de certeza que já estava contaminado", disse. "Os ossos ficam contaminados só de lhes pegarmos. Ou de respirarmos para cima deles. A maior parte da água dos nossos laboratórios também os contamina. Andamos todos a nadar em ADN alheio. Para se conseguir um espécime suficientemente limpo para podermos confiar nele, tem de o desenterrar em condições de esterilidade, e analisá-lo no terreno. É a coisa mais difícil do mundo, não contaminar um espécime."

"Então essas afirmações devem ser tratadas com algum cepticismo?", perguntei.

Harding anuiu solenemente. "Com muito, mesmo", disse.

Se quiser compreender imediatamente por que sabemos tão pouco sobre as origens humanas, posso indicar-lhe um sítio óptimo para visitar. Encontra-se um pouco para lá dos montes Ngong, no Quénia, a sul e a oeste de Nairobi. Saia da cidade pela auto-estrada principal que leva ao Uganda, e de repente será surpreendido por um momento de beleza deslumbrante, quando o terreno desce largamente e deparamos com uma paisagem digna de um voo de asa-delta, uma perspectiva a perder de vista da planície africana, de um verde-pálido sem fim.

É o Great Rift Valley, que se prolonga num arco de 4800 quilómetros ao longo da África oriental, marcando a ruptura tectónica que fez a África começar a afastar-se da Ásia. Aqui, talvez a uns 65 quilómetros de Nairobi, no fundo tórrido do vale, há um lugar muito antigo chamado Olorgesailie, que outrora se ergueu em frente a um grande e aprazível lago. Em 1919, muito depois de o lago ter desaparecido, um geólogo chamado J. W. Gregory andava a fazer prospecção de minerais em toda a área, quando chegou a uma extensão de terra a céu aberto literalmente semeada de estranhas pedras escuras, claramente fabricadas por mãos humanas. Encontrara um dos grandes pontos de manufactura dos utensílios acheulenses de que me falara Ian Tattersall.

Inesperadamente, no Outono de 2002, dei comigo a visitar esse sítio extraordinário. Fora ao Quénia por um assunto totalmente diferente, para visitar alguns projectos da CARE internacional, mas os meus anfitriões, sabedores do meu interesse pelos seres humanos para efeitos do presente livro, inseriram no meu programa uma visita a Olorgesailie.

Depois de ser descoberto por Gregory, Olorgesailie permaneceu intocado durante mais de duas décadas, até a famosa equipa de Louis e Mary Leakey, marido e mulher, ter começado uma escavação que ainda hoje não está terminada. O que os Leakeys encontraram foi uma jazida arqueológica que se estendia por quase cinco hectares e onde se tinham feito ferramentas em números incalculáveis durante mais ou menos um milhão de anos, desde há cerca de 1,2 milhões de anos até há 200 mil anos. Hoje, as jazidas encontram-se abrigadas dos elementos mais violentos por grandes telheiros de zinco, e protegidas a toda a volta por rede de capoeira, a fim de desincentivar a caça às recordações de eventuais visitantes oportunistas, mas, tirando isso, os utensílios encontram-se exactamente no sítio onde os seus criadores as largaram e os Leakeys as encontraram.

Jillani Ngalli, um jovem dinâmico do Museu Nacional do Quénia, que viera connosco para servir de guia, disse-me que nunca se encontraram no fundo do vale as rochas de quartzo e de obsidiana de que eram feitos os machados. "Tiveram de trazer as pedras dali", disse, apontando para duas montanhas que se destacavam ao longe na neblina, em lados opostos da jazida arqueológica: Olorgesailie e Ol Esakut. Cada uma delas se encontrava a cerca de dez quilómetros de distância – o que é bastante para se carregar com uma data de pedras nos braços.

Claro que só podemos tentar adivinhar porque é que a gente de Olorgesailie se deu a esse trabalho. Não só tiveram de transportar pedras enormes, e a grandes distâncias, mas, o que é talvez ainda mais notável, tiveram de organizar o local de trabalho. As escavações dos Leakeys revelaram que havia áreas em que se faziam os machados, e outras em que se afiavam os machados já rombos. Resumindo, Olorgesailie era uma espécie de fábrica – que se manteve em funcionamento durante um milhão de anos.

Várias réplicas mostraram que os machados eram objectos complicados que exigiam muito trabalho – mesmo com prática levava horas a fazer um –, e contudo, curiosamente, não eram especialmente eficazes a partir, a cortar, a raspar ou a desempenhar qualquer uma dessas tarefas para as quais deveriam ter sido feitos. Por isso, temos de concluir que, durante um milhão de anos – muito, muito mais do que a existência da nossa espécie, para não falar do período em que se tem dedicado a qualquer esforço de cooperação – os povos antigos vieram para este sítio em especial, a fim de fazer um número espantosamente vasto de ferramentas que, aparentemente e por estranho que pareça, não terão servido para grande coisa.

E quem eram esses povos? Na verdade, não fazemos ideia. Pensamos que terão sido *Homo erectus*, porque não se conhecem quaisquer outros candidatos, o que significa que no seu auge – no seu *auge* –, os operários de Olorgesailie terão tido o cérebro de um bebé actual. Mas não há provas físicas para sustentar esta conclusão. Apesar de 60 anos de investigação, não se encontraram quaisquer ossadas humanas em Olorgesailie, nem tão-pouco na vizinhança. Por muito tempo que lá tivessem passado a talhar pedras, parece que, para morrer, foram para outro sítio.

"É tudo um mistério", disse-me Jillani Ngalli, sorrindo satisfeito.

O povo de Olorgesailie desapareceu de cena há cerca de 200 mil anos, quando o lago secou e o Rift Valley se começou a transformar no lugar escaldante e inóspito que é hoje. Mas por essa altura, os seus dias enquanto espécie estavam contados. O mundo ia receber o seu primeiro verdadeiro dono, o *Homo sapiens*. E nunca mais iria ser o mesmo.

30.

ADEUS

No início da década de 1680, mais ou menos na mesma altura em que Edmond Halley e os seus amigos Christopher Wren e Robert Hooke se reuniam num café de Londres para se lançarem na aposta fortuita que acabaria por resultar no *Principia*, de Isaac Newton, no cálculo do peso da Terra, por Henry Cavendish, e em muitas das outras empresas inspiradas e meritórias que nos ocuparam na maior parte das últimas 400 páginas, ultrapassava-se um marco pouco menos glorioso nas ilhas Maurícias, situadas no oceano Índico, a cerca de 1300 quilómetros da costa leste de Madagáscar.

Aí, um qualquer marinheiro – ou o seu cão, ou o seu gato – perseguiu e matou o último dos dodós, o famoso pássaro não voador cuja natureza triste mas confiante, aliada à falta de força nas pernas, o transformava num alvo irresistível para os jovens marujos de licença em terra. Milhões de anos de pacífico isolamento não o tinham preparado para enfrentar o comportamento errático e altamente irritante dos seres humanos.

Não sabemos quais foram as circunstâncias precisas, nem sequer o ano, dos últimos momentos do último dodó, por isso não sabemos qual chegou primeiro – um mundo com um *Principia,* ou um mundo sem dodós – mas sabemos que ambos surgiram mais ou menos na mesma altura. Creio que será difícil encontrar uma associação de acontecimentos que melhor ilustre a natureza simultaneamente divina e delinquente do ser humano – um organismo capaz de arrancar aos céus os seus maiores segredos, ao mesmo tempo que, sem qualquer motivo para isso, persegue até à extinção uma pobre criatura que nunca lhe fez mal algum, e que nem de longe conseguiu perceber o que lhe estavam a fazer no instante em que o fazem. Na realidade, os dodós eram tão desprovidos de inteligência que, segundo dizem, para se caçar todos os dodós de uma certa área bastava apanhar um e pô-lo a grasnar, para que todos os outros viessem a correr ver o que se passava.

As indignidades cometidas contra esse pobre dodó não acabaram exactamente aí. Em 1755, cerca de 70 anos após a morte do último da espécie, o director do Ashmolean Museum, em Oxford, decidiu que o dodó empalhado daquela instituição estava a ficar coberto de um desagradável bolor, pelo que ordenou que o atirassem para uma fogueira. Foi uma decisão surpreendente, visto ser o único dodó existente na altura em todo o planeta, empalhado ou não. Um empregado do museu que ia a passar, horrorizado, tentou salvar o bicho, mas só conseguiu recuperar a cabeça e parte de um membro.

Como resultado disto e de outras atitudes que nada ficaram a dever ao senso comum, hoje em dia não sabemos bem como era um dodó vivo. Temos muito menos informações sobre ele do que crê a maior parte das pessoas – meia dúzia de descrições sumárias feitas por "viajantes não científicos, três ou quatro quadros a óleo, e alguns fragmentos ósseos espalhados", nas palavras algo agastadas de H. E. Strickland, um naturalista do século XIX. Como melancolicamente observou, temos mais vestígios de alguns antigos monstros marinhos e saurópodes pesadões do que de um pássaro que sobreviveu até aos tempos modernos e que, para continuar vivo, a única coisa que precisava que lhe fizessem era deixá-lo em paz.

Portanto, eis o que sabemos do dodó: viveu nas ilhas Maurícias, era gorducho mas nada saboroso, e foi o maior membro conhecido da família dos pombos, embora o seu tamanho exacto nunca tenha sido registado com exactidão. Extrapolações feitas a partir dos "fragmentos ósseos" de Strickland, associadas aos modestos vestígios sobreviventes do Museu Ashmolean, parecem indicar que não teria mais de 75 centímetros de altura, e mais ou menos a mesma dimensão desde o bico até à cauda. Como não podia voar, fazia o seu ninho em terra, deixando os ovos e os filhotes tragicamente à mercê dos porcos, cães e macacos trazidos para a ilha pelos estranhos que a visitavam. Pensa-se que se terá extinguido em 1683, mas sabe-se de certeza que já não havia nenhum em 1693. Para lá disso, não se sabe quase nada, exceptuando o facto de nunca mais podermos ver nenhum. Nada sabemos dos seus hábitos de reprodução, nem o que comia, nem por onde costumava parar, nem os sons que fazia quando estava sossegado ou quando se assustava. Não temos um único ovo de dodó.

Do princípio até ao fim, o nosso contacto com o dodó vivo limitou-se a 70 anos. É um período incrivelmente curto – embora se deva dizer que, neste ponto da nossa história, já tínhamos milhares de anos de prática em matéria de eliminações irreversíveis. Ninguém sabe até que ponto o ser humano consegue ser destrutivo, mas é um facto que, no decurso dos últimos 50 mil anos, mais ou menos, onde quer que tenhamos ido, os animais têm tido tendência a desaparecer, muitas vezes em números surpreendentemente avassaladores.

Na América, 30 géneros de animais grandes – alguns mesmo muito grandes – desapareceram praticamente do dia para a noite depois da chegada dos seres humanos ao continente, entre dez mil e 20 mil anos atrás. Na totalidade, a América do Norte e a do Sul perderam cerca de três quartos dos seus animais de grandes dimensões depois da chegada do homem-caçador, com as suas lanças de pederneira aguçada e altas capacidades organizadoras. A Europa e a Ásia, onde os animais tiveram mais tempo para desenvolver uma útil desconfiança dos seres humanos, perderam entre um terço e metade da sua fauna de grandes dimensões. A Austrália, pelas razões exactamente opostas, perdeu nada menos do que 95 por cento.

Como as primeiras populações de caçadores eram relativamente pequenas, e as dos animais verdadeiramente monumentais – pensa-se que haverá qualquer coisa como dez milhões de carcaças de mamute congeladas só na tundra do Norte da Sibéria –, alguns peritos pensam que haverá outras explicações, talvez relacionadas com mudanças no clima, ou, então, epidemias generalizadas. Como disse Ross MacPhee, do Museu Americano de História Natural: "Não há qualquer benefício material em caçar animais perigosos mais vezes do que é necessário – há limites para o número de bifes de mamute que se conseguem comer." Outros crêem que terá sido quase criminosamente fácil apanhar e chacinar presas. "Na Austrália e nas Américas", diz Tim Flannery, "os animais provavelmente não sabiam o suficiente para poderem fugir."

Algumas das criaturas perdidas eram simplesmente espectaculares, e seria preciso um certo cuidado se ainda andassem por aí. Imaginem preguiças terrestres que conseguissem espreitar por uma janela do primeiro andar, tartarugas quase do tamanho de um pequeno Fiat, lagartos de sete metros de comprimento a apanhar sol nas bermas das auto-estradas desérticas do Oeste da Austrália. Infelizmente, todos esses animais se foram, e vivemos agora num planeta muito reduzido em termos de tamanho dos seus habitantes. Hoje, em todo o mundo, só sobrevivem quatro tipos de animais terrestres verdadeiramente pesados (uma tonelada ou mais): elefantes, rinocerontes, hipopótamos e girafas. Há dezenas de milhões de anos que a vida na Terra não era tão modesta em tamanho e em força.

A questão que se põe é se os desaparecimentos da Idade da Pedra e os dos tempos mais recentes serão de facto parte de um único evento de extinção – resumindo, se os seres humanos são inerentemente prejudiciais aos outros seres vivos. Infelizmente, parece que poderá ser bem esse o caso. De acordo com o paleontólogo da Universidade de Chicago David Raup, a taxa-base de extinção na Terra ao longo da história biológica tem sido, em média, de perda de uma espécie de quatro em quatro anos. De acordo com um Richard Leakey e Roger Lewin, em *The Sixth Extinction*, as extinções provocadas pelos seres humanos podem ter atingido um número 120 mil vezes mais elevado.

Em meados da década de 1990, o naturalista australiano Tim Flannery, que hoje em dia é director do Museu da Austrália do Sul, em Adelaide, ficou espantado quando se apercebeu do pouco que aparentemente se sabia sobre as extinções, incluindo algumas relativamente recentes. "Onde quer que investigássemos, parecia haver hiatos nos registos – partes que faltavam, como era o caso do dodó, ou então coisas que nem sequer tinham sido registadas", disse-me, quando me encontrei com ele em Melburne há cerca de um ano.

Flannery convocou os serviços do seu amigo Peter Schouten, um pintor também australiano, e, juntos, lançaram-se numa análise vagamente obsessiva das grandes colecções mundiais, a fim de fazerem o levantamento do que se perdera, do que ficara, e do que nunca se soubera. Passaram quatro anos a vasculhar peles antigas, espécimes bolorentos, velhos desenhos e descrições escritas – tudo o que apanhavam. Schouten pintou em tamanho natural todos os animais que conseguiram mais ou menos reconstituir, e Flannery escreveu o texto. O resultado foi um livro extraordinário chamado *A Gap in Nature*, que constitui o mais completo – e, diga-se de passagem, comovente – catálogo dos animais extintos nos últimos 300 anos.

Em relação a alguns animais, os registos eram bons, mas ninguém fizera grande coisa com eles, às vezes durante anos, outras nunca. A vaca-marinha de Steller, animal semelhante a uma morsa e aparentado com o dugongo, foi um dos últimos animais realmente grandes a extinguir-se. Era verdadeiramente enorme – um adulto conseguia atingir comprimentos de quase nove metros, e pesar dez toneladas –, mas só soubemos da sua existência porque, em 1741, houve uma expedição russa que naufragou por acaso no único sítio onde ainda sobreviviam alguns desses animais, as remotas e nebulosas ilhas Comander, no mar de Bering.

Felizmente, na expedição seguia um naturalista, Georg Steller, que ficou fascinado com o animal. "Tirou notas copiosíssimas", diz Flannery. "Até lhe mediu o diâmetro dos bigodes. A única coisa que não descreveu foram os genitais do macho – embora, por qualquer razão, não se tenha importado nada de descrever os da fêmea. Até ficou com um pedaço de pele, para termos uma boa ideia da sua textura. Mas nem sempre tivemos essa sorte."

A única coisa que Steller não conseguiu salvar foi a própria vaca-marinha. Já perseguida até ao limiar da extinção, acabaria por desaparecer totalmente nos 27 anos que se seguiram à sua descoberta por Steller. Houve, contudo, muitos outros animais que não puderam ser incluídos, por não se saber o suficiente sobre eles. O rato-saltador de Darling Downs, o cisne das ilhas Chatham, o codornizão não voador das ilhas Ascension e pelo menos cinco tipos de tartarugas grandes, todos se perderam para sempre; só nos ficaram os nomes.

Muitas das extinções, descobriram Flannery e Schouten, nem sequer foram cruéis ou violentas, mas simplesmente de uma estupidez atroz. Em 1894, quando se construiu um farol num rochedo solitário chamado Stephens Island, situado no tempestuoso estreito entre as Ilhas Norte e Sul da Nova Zelândia, o gato do faroleiro passava a vida a trazer-lhe uns estranhos passarocos que apanhava lá fora. Consciencioso, o faroleiro enviou alguns espécimes ao Museu de Wellington. Aí, houve um conservador que ficou entusiasmadíssimo, porque o pássaro pertencia a uma espécie-relíquia de carriça não voadora – o único exemplo de pássaro de poleiro incapaz de voar que alguma vez se encontrara. Partiu imediatamente para a ilha, mas quando lá chegou o gato já os tinha matado todos. Tudo o que temos hoje são 12 espécimes empalhados da carriça não voadora de Stephens Island.

Pelo menos, temos esses. Acontece muitas vezes não nos sairmos muito melhor a preservar as espécies depois de extintas do que quando ainda estavam entre nós. Vejamos o caso do lindíssimo periquito da Carolina. De corpo verde-esmeralda e cabeça amarela, era talvez uma das aves mais bonitas e espectaculares que alguma vez houve na América do Norte – os papagaios não se aventuram normalmente até latitudes tão ao norte, como o leitor já deve ter notado – e, no seu auge, existia em vastos números, só ultrapassados pelo *passenger pigeon*.[NT] Mas o periquito da Carolina era também considerado uma praga pelos lavradores, e era fácil de caçar, devido ao hábito de voar em

---

[NT] Variedade norte-americana de pombo *(Ectopistes migratorius)*, de cauda estreita e mais comprida do que as asas. Outrora muito abundante, está extinto desde 1914.

formações cerradas, de se levantar em revoadas ao ouvir o som de um tiro (até aqui, nada de extraordinário), mas também de voltar quase imediatamente ao local do crime, para ajudar os companheiros caídos.

No seu clássico *Ornitologia Americana*, escrito no início do século XIX, Charles Wilson Peale descreve uma altura em que repetidamente descarrega uma caçadeira sobre uma árvore em que se abrigam dezenas dessas aves:

> A cada descarga sucessiva, embora caíssem chuvas deles, a afeição dos sobreviventes parecia crescer ainda mais; porque, após alguns circuitos à volta do local, voltavam a descer perto de mim, olhando para os companheiros mortos com tais manifestações de compaixão e angústia que conseguiram desarmar-me por completo.

Ao chegar a segunda década do século XX, estes pássaros tinham sido tão sistematicamente perseguidos que já só havia alguns espécimes vivos em cativeiro. O último, de nome *Inca*, morreu no Jardim Zoológico de Cincinnati, em 1918 (menos de quatro anos depois de ter morrido no mesmo Zoológico o último *passenger pigeon)*, tendo sido respeitosamente empalhado. E onde teríamos de ir agora para ver o pobre *Inca?* Ninguém sabe. O Jardim Zoológico perdeu-o.

O que é mais espantoso e intrigante nesta história é o facto de Peale ser apaixonado por pássaros e, contudo, não ter hesitado em matá-los em grande número, pela única razão de estar interessado em ver o que acontecia. É verdadeiramente incrível que, durante tanto tempo, as pessoas que estavam mais interessadas nos seres vivos deste mundo tenham sido igualmente aquelas que mais dispostas se mostravam a destruí-los.

O maior representante desta postura ("maior" em todos os sentidos da palavra) foi Lionel Walther Rothschild, o segundo barão de Rothschild. Herdeiro da grande família de banqueiros, Rothschild era um tipo estranho e solitário. Passou toda a vida, de 1868 a 1937, na ala das crianças da sua casa em Tring, em Buckinghamshire, usando sempre a mobília da sua infância – até dormia na cama que tinha em criança, embora tivesse chegado a pesar 135 quilos.

A sua paixão era a história natural, tendo-se tornado um dedicado acumulador de objectos. Enviou hordas de homens com formação especial – chegaram a ser 400 de uma só vez – a cada canto do globo, escalando montanhas e atravessando florestas densas à procura de novos espécimes – em especial, tudo o que voasse. Depois punham-nos em contentores, ou caixotes, e enviavam-nos para a propriedade de Rothschild em Tring, onde ele próprio, com o auxílio de um batalhão de assistentes, registava e analisava exaustivamente tudo o que lhe aparecia pela frente, produzindo um fluxo constante de livros, estudos e monografias – cerca de 1200 ao todo. No total, a fábrica de história natural de Rothschild processou bem mais do que dois milhões de espécimes, e acrescentou cinco mil espécies de seres vivos ao arquivo científico.

É curioso verificar que o trabalho de recolha de Rothschild não foi nem o mais extensivo nem o mais bem financiado do século XIX. Esse título pertence quase de certeza a um coleccionador inglês um pouco anterior a Rothschild, mas senhor de uma fortuna semelhante, de nome Hugh Cuming, que se dedicou de tal forma à acumulação de objectos que mandou construir um grande transatlântico e contratou uma tripulação para navegar constantemente à volta do mundo, recolhendo tudo o que conseguisse encontrar – pássaros, plantas, animais de toda a espécie, e especialmente conchas. Foi a sua inigualável colecção de cracas que passou para Darwin e lhe serviu de base para o seu estudo original.

Contudo, Rothschild pode ser facilmente considerado o mais científico coleccionador do seu tempo, embora também o mais letal, infelizmente, visto que, na década de 90 do século XIX resolveu interessar-se pelo Hawai, que talvez constitua o ambiente mais tentador e vulnerável de toda a Terra. Milhões de anos de isolamento permitiram que no Havai se desenvolvessem 8800 espécies únicas de animais e plantas. Os coloridos pássaros típicos da região, muitas vezes agrupados em pequeníssimas populações que viviam em áreas extremamente específicas, atraíram especialmente a atenção de Rothschild.

Para muitos pássaros havaianos, a tragédia foi o facto de não só serem diferentes, desejáveis e raros – o que, mesmo na melhor das circunstâncias, constitui uma combinação perigosa – mas também desoladoramente fáceis de apanhar. O tentilhão-*koa* grande, um inócuo membro da família dos insectívoros, vivia timidamente escondido nas copas das árvores *koa*, mas, se alguém imitasse o seu canto, imediatamente abandonava o seu abrigo e voava até à pessoa, numa demonstração de boas-vindas. O último da espécie desapareceu em 1896, morto pelo coleccionador-campeão de Rothschild, Harry Palmer, cinco anos após o desaparecimento do seu primo, o tentilhão-*koa* pequeno, tão sublimemente raro que só um foi visto alguma vez: o que foi morto para a colecção de Rothschild. No total, durante a década que correspondeu ao período mais intenso da recolha de espécimes por ele promovida, desapareceram pelo menos nove espécies de aves havaianas, mas talvez tenham sido mais.

Rothschild não estava de modo nenhum sozinho no seu zelo de capturar pássaros fosse a que preço fosse. Para dizer a verdade, houve outros mais impiedosos do que ele. Em 1907, quando um conhecido coleccionador chamado Alanson Bryan se apercebeu de que tinha matado os últimos três espécimes de *mamos* negro, uma variedade de pássaro das florestas que só fora descoberto na década anterior, escreveu que a notícia o enchera de "alegria".

Foi, resumindo, uma época difícil de imaginar – uma altura em que quase qualquer animal podia ser perseguido, se fosse considerado minimamente incómodo. Em 1890, o Estado de Nova Iorque emitiu mais de cem licenças de caça para pumas da região leste, embora fosse mais do que evidente que esses animais, alvo de caça intensiva, já estavam no limiar da extinção. Até aos anos 40 do século XX, muitos estados continuaram a emitir licenças de caça para quase todo e qualquer tipo de animal predador. A Virgínia ocidental dava uma bolsa de estudo universitária anual a quem entregasse o maior número de flagelos mortos – e "flagelos", neste contexto, tinha a vasta acepção de toda e qualquer criatura que não fosse criada em quintas, ou em casa, como animal doméstico.

Talvez não haja nada que melhor descreva a peculiaridade daquela época como o destino da pequena e encantadora ave canora de Bachman. Autóctone do Sul dos Estados Unidos, este pássaro era famoso pelo seu magnífico canto, mas o seu número, que nunca foi abundante, foi baixando gradualmente até que, nos anos 1930, desapareceu completamente, e durante muitos anos nunca mais ninguém o viu. Depois, em 1939, por uma feliz coincidência, dois entusiásticos ornitólogos, em locais muito distantes um do outro, encontraram dois sobreviventes isolados com apenas dois dias de diferença. Ambos mataram as pobres aves, e nunca mais se viu uma canora de Bachman sobre a face da Terra.

Este impulso para matar não era de modo algum exclusivo dos americanos. Na Austrália, emitiam-se licenças de caça para o tigre-da-Tasmânia (cujo nome científico é tilacino), animal semelhante ao cão mas com umas riscas características no dorso, até pouco tempo antes de o último ter morrido, abandonado e sem nome, num jardim zoológico particular de Hobart, capital da Tasmânia, em 1936. Se for hoje ao Museu da Tasmânia e pedir para ver o último da espécie – o único grande marsupial carnívoro que sobreviveu até aos tempos modernos – não poderão mostrar-lhe mais do que fotografias. O último sobrevivente dos tilacinos foi atirado para o lixo quando morreu.

Contei tudo isto só para explicar que, se tivéssemos de conceber um organismo destinado a salvaguardar a vida no nosso solitário cosmos, a vigiar a sua evolução e a manter um registo dos sítios por onde passou, o ser humano não seria o mais indicado para essa tarefa.

Mas aí chegamos a um ponto muito importante: fomos escolhidos, pelo destino, ou pela providência, ou o que lhe quisermos chamar. Tanto quanto sabemos, somos o melhor que há. Talvez sejamos mesmo a única coisa que há. É irritante pensar que talvez sejamos a realização suprema do universo, e ao mesmo tempo o seu pior pesadelo.

Graças à nossa fantástica falta de jeito para tomar conta das coisas, tanto vivas como mortas, não fazemos ideia – nenhuma, mesmo – do número de coisas que poderão ter desaparecido permanentemente, ou que poderão desaparecer em breve, ou que talvez nunca desapareçam, nem sobre o papel que possamos ter desempenhado em qualquer fase do processo. Em 1979, no livro *The Sinking Ark*, o seu autor, Norman Meyers, sugere que as actividades humanas poderão ter causado duas extinções por semana à face do planeta. No início dos anos 1990, elevou esse número para 600 por semana. (Estamos a falar de extinções de todos os tipos – plantas, insectos, etc., bem como animais de maiores dimensões.) Outros aventaram um número ainda mais alto – bem mais de mil por semana. Um relatório das Nações Unidas publicado em 1995, por outro lado, calculava o número total de extinções conhecidas nos últimos 400 anos em pouco menos de 500 para os animais e ligeiramente acima de 650 para as plantas – embora acrescentasse que esse número era quase de certeza uma "estimativa por baixo", em especial no que respeita às espécies tropicais. Alguns intérpretes pensam que a maior parte dos números relativos às espécies extintas são grandemente exagerados.

O facto é que não sabemos. Não temos a mais pequena ideia. Não sabemos quando começámos a fazer muitas das coisas que fizemos. Não sabemos o que estamos a fazer neste momento, nem como as nossas acções presentes irão afectar o futuro. O que sabemos de certeza é que só temos um planeta para fazer isso tudo, e uma única espécie capaz de mudar significativamente as coisas. Edward O. Wilson expressou a ideia com um laconismo insuperável no seu livro *The Diversity of Life:* "Um planeta, uma experiência."

Se há uma lição a tirar deste livro, é que temos uma sorte enorme em estar aqui – e quando digo "temos", estou a referir-me a todo o ser vivo. Ao que parece, conseguir ter qualquer tipo de vida neste planeta é uma grande proeza. Claro que, como seres humanos, temos sorte a dobrar: não só gozamos o privilégio de existir como ainda temos a extraordinária capacidade de apreciar a vida e até, de muitas maneiras diferentes, de a melhorar. É um talento de que só muito recentemente começámos a ter consciência.

Chegámos a esta posição eminente num período espantosamente curto. Os seres humanos modernos em termos de comportamento – ou seja, pessoas capazes de falar, de criar arte e organizar actividades complexas – só existem há um período correspondente a 0,0001 por cento da história da Terra. Mas sobreviver, mesmo nesse curto período, tem exigido uma cadeia quase infinita de momentos de sorte.

Estamos, na verdade, no início de tudo. O difícil, agora, é termos o cuidado de nunca chegar ao fim. E isso, quase de certeza, vai exigir muito mais do que simples sorte.

BIBLIOGRAFIA

Aczel, Amir D., *God's Equation: Einstein, relativity and the Expanding Universe,* Piatkus Books, Londres, 2002.

Alberts, Bruce, Dennis Bray, Alexander Johnson, Julian Lewis, Martin Raff, Keith Roberts e Peter Walter, *Essential Cell Biology: An Introduction to the Molecular Biology of the Cell,* Garland Publishing, Nova Iorquee Londres, 1998.

Allen, Oliver E., *Atmosphere,* Time-Life Books, Alexandria, 1983.

Alvarez, Walter, *T. Rex and the Crater of Doom,* Nova Jérsia, Princeton University Press, 1997.

Annan, Noel, *The Dons: Mentors, Eccentrics and Geniuses,* HarperCollins, Londres, 2000.

Ashcroft, Frances, *Life at the Extremes: The Science of Survival,* HarperCollins, Londres, 2000.

Asimov, Isaac, *The History of Physics,* Walker & Co., Nova Iorque, 1966.

— *Exploring the Earth and the Cosmos: The Growth and Future of Human Knowledge,* Penguin, Londres, 1984.

— *Atom: Journey Across the Subatomic Cosmos,* Truman Talley/Dutton, Nova Iorque, 1991.

Atkins, P. W., *The Second Law,* Scientific American, Nova Iorque, 1984.

— *Molecules,* Scientific American, Nova Iorque, 1987.

— *The Periodic Kingdom,* Weidenfeld & Nicolson, Londres, 1995.

Attenborough, David, *Life on Earth: A Natural History,* Collins, Londres, 1979.

— *The Living Planet: A Portrait of the Earth,* Collins, Londres, 1984.

— *The Private Life of Plants: A Natural History of Plant Behaviour,* BBC Books, Londres, 1984.

Baeyer, Hans Christian von, *Taming the Atom: The Emergence of the Visible Microworld,* Viking, Londres, 1993.

Bakker, Robert T., *The Dinossaur heresies: New Theories Unlocking the Mystery of the Dinossaurs and their Extinction,* William Morrow, Nova Iorque, 1986.

Ball, Philip, *H_2O: A Biography of Water,* Phoenix/Orion, Londres, 1999.

Ballard, Robert D., *The Eternal Darkness: A Personal History of Deep-Sea Exploration,* Princeton University Press, Nova Jérsia, 2000.

Barber Lynn, *The Heyday of Natural History: 1820-1870,* Jonathan Cape, Londres, 1980.

Barry, Roger G., e Richard J. Chorley, *Atmosphere, Weather and Climate,* Routledge, Londres, 7.ª 1998.

Biddle, Wayne, *A Field Guide to the Invisible,* Henry Holt, Nova Iorque, 1998.

Bodanis, David, *The Body Book,* Little Brown, Londres, 1984.
— *The Secret House: Twenty-four Hours in the Strange and Unexpected World in Which We Spend our Nights and Days,* Simon & Schuster, Nova Iorque, 1984.
— *The Secret Family: Twenty-four Hours inside the Mysterious World of Our Minds and Bodies,* Simon & Schuster, Nova Iorque, 1984.
— *E=mc²: A Biography of the World's Most Famous Equation,* MacMillan, Londres, 2000.
Bolles, Edmund Blair, *The Ice Finders: How a Poet, a Professor and a Politician Discovered the Ice Age,* Counterpoint/Perseus, Washington DC, 1999.
Boorse, Henry A., Loyd Motz and Jefferson Hane Weaver, *The Atomic Scientists: A Biographical History,* John Wiley & Sons, Nova Iorque, 1989.
Boorstin, Daniel J., *The Discoverers,* Penguin, Londres, 1986.
— *Cleopatra's Nose: Essays on the Unexpected,* Random House, Nova Iorque, 1994.
Bracegirdle, Brian, *A History of Microtechnique: The Evolution of the Microtome and the Development of Tissue Preparation,* Heinemann, Londres, 1978.
Brenn, Michael, *The Koreans: Who They Are, What They Want, Where Their Future Lies,* Texere, Londres, 1998.
Broad, William J., *The Universe Below: Discovering the Secrets of the Deep Sea,* Simon & Schuster, Nova Iorque, 1997.
Brock, William H., *The Norton History of Chemistry,* W.W. Norton, Londres, 1993.
Brockman, John e Katinka Matson (eds.), *How Things Are: A Science Tool-Kit for the Mind,* Weidenfeld & Nicolson, Londres, 1995.
Brookes, Martin, Fly: *The Unsung Hero of Twentieth-Century Science,* Phoenix, Londres, 2002.
Brown, Guy, *The Energy of Life,* Flamingo/HarperCollins, Londres, 2000.
Browne, Janet, *Charles Darwin: A Biography,* vol. 1, Jonathan Cape, Londres, 1995.
Burenhult, Goran (org.), *The First Americans: Human Origins and History to 10 000 bC,* HarperCollins, Londres, 1993.
Cadbury, Deborah, *Terrible Lizard: The First Dinossaur Hunters and the Birth of a New Science,* Henry Holt, Nova Iorque, 2000.
Calder, Nigel, *Einstein's Universe,* BBC Books, Londres, 1979.
— *The Comet Is Coming! The Feverish Lagacy of Mr. Haley,* BBC Books, Londres, 1980.
Canby, Courtlandt (org.), *The Epic of Man,* Time-Life Books, Nova Iorque, 1961.
Carey, John (org.), *The Faber Book of Science,* Faber & Faber, Londres, 1995.
Chorlton, Windsor, *Ice Ages,* Time-Life Books, Nova Iorque, 1983.
Christianson, Gale E., *In The Presence of the Creator: Isaac Newton and his Times,* Free Press/Macmillan, Nova Iorque, 1984.
— *Edwin Hubble: Mariner of the Nebulae,* Institute of Physics Publishing, Bristol, 1995.
Clark, Ronald W., *The Huxleys,* Heinemann, Londres, 1968.
— *The Survival of Charles Darwin: A Biography of a Man and an Idea,* Daedalus Books, Londres, 1995.
— *Einstein: The Life and Times,* HarperCollins, Londres, 1971.
Coe, Michael, Dean Snow e Elizabeth Benson, *Atlas of Ancient America,* Equinox/Facts on File, Nova Iorque, 1986.
Colbert, Edwin H., *The Great Dinossaur Hunters and Their Discoveries,* Dover Publications, Nova Iorque, 1984.

Cole, K.C., *First You Build a Cloud: And Other Reflections on Physics as a Way of Life,* Harvest/Harcourt Brace, San Diego, 1999.
Conard, Henry S., *How to Know the Mosses and Liverworts,* William C. Brown Co., Iowa, 1956.
Conniff, Richard, *Spineless Wonders: Strange Tales from the Invertebrate World,* Henry Holt, Londres e Nova Iorque, 1996.
Corfield, Richard, *Architects of Eternity: The New Science of Fossils,* Headline, Londres, 2001.
Coveney, Peter, e Roger Highfield, *The Arrow of Time: The Quest to Solve Science's Greates Mystery,* Flamingo, Londres, 1991.
Cowles, Virginia, *The Rotschilds: A Family of Fortune,* Futura, Londres, 1975.
Crick, Francis, *Life Itself: Its Origin and Nature,* MacDonald, Londres, 1982.
— *What Mad Pursuit: A Personal View of Scientific Discovery,* Penguin Press, Londres, 1990.
Cropper, William H., *Great Physicists: The Life and Times of Leading Physicists from Galileo to Hawking,* Oxford University Press, Oxford, 2002.
Crowther, J. G., *Scientists of the Industrial Revolution,* Cresset, Londres, 1962.
Darwin, Charles, *On the Origins of Species by Means of Natural Selection, or the Preservation of Favoured Races in the Struggle for Life* (facsímile), AMSPR, Londres, 1972.
Davies, Paul, *The Fifth Miracle: The Search for the Origin of Life,* Penguin, Londres, 1999.
Dawkins, Richard, *The Blind Watchmaker,* Penguin, Londres, 1988.
— *River Out of Eden: A Darwinian View of Life,* Phoenix, Londres, 1996.
— *Climbing Mount Improbable,* Viking, Londres, 1996.
— e Dean, Dennis R., *James Hutton and the History of Geology,* Cornell Univesity Press, Ithaca, NY, 1992.
De Duve, Christian, *A Guided Tour of the Living Cell,* 2 vols., Scientific American/Rockefeller University Press, Nova Iorque, 1984.
Dennett, Daniel C., *Darwin's Dangerous Idea: Evolution and the Meanings of Life,* Penguin, Londres, 1996.
Dennis, Jerry, *The Bird in the Waterfall: A Natural History of Oceans, Rivers and Lakes,* HarperCollins, Londres e Nova Iorque, 1996.
Desmond, Adrian, e James Moore, *Darwin,* Penguin, Londres, 1992.
Dewar, Elaine, *Bones: Discovering the First Americans,* Random House Canada, Toronto, 2001.
Diamond, Jared, *Guns, Germs and Steel: The Fates of Human Societies,* Norton, Nova Iorque, 1997.
Dickinson, Matt, *The Other side of everest: Climbing the North Face Through the Killer Storm,* Times Books, Nova Iorque, 1997.
Drury, Stephen, *Stepping Stones: The Making of Our Home World,* Oxford University Press, Oxford, 1999.
Durant, Will e Ariel, *The Age of Louis XIV,* Simon & Schuster, Nova Iorque, 1963.
Dyson, Freeman, *Disturbing the Universe,* Harper & Row, Londres e Nova Iorque, 1979.
Easterbrook, Gregg, *A Moment on the Earth: The Coming Age of Environmental Optimism,* Penguin, Londres, 1995.
Ebbing, Darrel D., *General Chemistry,* Houghton Mifflin, Boston, 1996
Elliot, Charles, *The Potting-Shed papers: On Gardens, Gardeners and Garden History,* Lyons Press, Guilford, 2001
Engel, Leonard, *The Sea,* Time-Life Books, Nova Iorque, 1969.

Erickson, Jon, *Plate Tectonics: Unravelling the Mysteries of the Earth,* Facts on File, Londres e Nova Iorque, 1992.

Fagan, Brian M., *The Great Journey: The Peopling of Ancient America,* Thames & Hudson, 1987.

Fell, Barry, America B.C, *Ancient Settlers in the New World,* Random House, 1976.

— *Bronze Age America,* Little Brown, Londres e Boston, 1982.

Ferguson, Kitty, *Measuring the Universe: The Historical Quest to Quantify Space,* Headline, Londres, 1999.

Ferris, Timothy, *The Mind's Sky: Human Intelligence in a Cosmic Context,* Bantam Books, Nova Iorque, 1992.

— *The Whole Shebang: A State of the Universe(s) Report,* Phoenix, Londres, 1998.

— *Seeing in the Dark: How Backyard Stargazers Are Probing Deep Space and Guarding Earth from Interplanetary Peril,* Simon & Schuster, Nova Iorque, 2002.

— *Coming of Age in the Milky Way,* HarperCollins, Londres, 2003.

Feynman, Richard P., *Six Easy Pieces,* Penguin, Londres, 1998.

Fisher, Richard V., Grant Heiken e Jeffrey B. Hulen, *Volcanoes: Crucibles of Change,* Princeton Universuty Press, Nova Jérsia, 1997.

Flannery, Timothy, *The Future Eaters: An Ecological History of the Australian Lands and People,* W. W. Norton, Londres, 1995.

— *The Eternal Frontier: An Ecological History of North America and its Peoples,* Heinemann, Londres, 2001.

— e Peter Schouten, *A Gap in Nature: Discovering the World's Extinct Animals,* Heinemann, Londres, 2001.

Fortey, Richard, *Life: An Unauthorised Biografy,* Flamingo/HarperCollins, Londres, 1998.

— *Trilobite! Eyewitness to Evolution,* HarperCollins, Londres, 2000.

Frayn, Michael, *Copenhagen,* Methuen, Londres, 1998; Anchor Books, Nova Iorque, 2000.

Gamow, George e Russel Stannard, *The New World of Mr. Tompkins,* Cambridge University Press, Cambridge, 2001.

Gawande, Atul, *Complications: A Surgeon's Notes on an Imperfect Science,* Metropolitan Books/Henry Holt, Nova Iorque, 2002.

Giancola, Douglas C., *Physics: Principles with Applications,* Prentice-Hall, Londres, 1997.

Gjertsen, Derek, *The Classics of Science: A Study of Twelve Enduring Scientific Works,* Lilian Barber Press, Nova Iorque, 1984.

Godfrey, Laurie R. (org.), *Scientists Confront Creationism,* W. W. Norton, Nova Iorque, 1983.

Goldsmith, Donald, *The Astronomers,* St. Martin's Press, Nova Iorque, 1991.

Gordon, Mrs., *The Life and Correspondence of William Buckland, D. D.,* F.R.S, John Murray, Londres, 1894.

Gould, Stephen Jay, *Ever since Darwin: Reflections in Natural History,* Deutsch, Londres, 1978.

— *The Panda's Thumb: More Reflections in Natural History,* W. W. Norton, Londres e Nova Iorque, 1980.

— *Hen's Teeth and Horse's Toes,* Penguin, Londres, 1984.

— *The Flamingo's Smile: Reflections in Natural History,* W.W. Norton, Nova Iorque, 1985.

— *Wonderful Life: The Burgess Shale and the Nature of History,* Hutchinson Radius, Londres, 1990.

— *Bully for Brontossaurus: Reflections in Natural History,* Hutchinson Radius, Londres, 1991.

— *Time's Arrow, Time's Cycle: Myth and Metaphor in the Discovery of Geological Time,* Harvard University Press, Massachussets, 1978.
— (org.) *The Book of Life,* Ebury, Londres, 1993.
— *Eight Little Piggies: Reflections in Natural History,* Penguin, Londres, 1994.
— *Dinosaur in a Haystack: Reflections in Natural History,* Jonathan Cape, Londres, 1996.
— *Leonardo's Moutain of Clams and the Diet of Worms: Essays on Natural History,* Jonathan Cape, Londres, 1998.
— *The Living Stones of Marrakech: Penultimate Reflections in Natural History,* Jonathan Cape, Londres, 2000.
Green, Bill, Water, *Ice and Stone: Science and Memory on the Antarctic Lakes,* Harmony Books, Nova Iorque, 1995.
Gribbin, John, *In the Beginning: The Birth of the Living Universe,* Penguin, Londres, 1994.
— *Almost Everyone's Guide to Science: The Universe, Life and Everything,* Phoenix, Londres, 1998.
— e Mary Gribbin, *Being Human: Putting People in an Evolutionary Perspective,* Phoenix/Orion, Londres, 1993.
— *Fire on Earth: Doomsday, Dinosaurs and Humankind,* St. Martin's Press, Nova Iorque, 1996.
— *Ice Age,* Allen Lane, Londres, 2001.
— e Jeremy Cherfas, *The First Chimpanzee: In Search of Human Origins,* Penguin, Londres, 2001.
Grinspoon, David Harry, *Venus Revealed: A New Look Below the Clouds of our Mysterious Twin Planet,* Helix/Addison-Wesley, Massachussets, 1997.
Guth, Alan, *The Inflactionary Universe: The Quest for a New Theory of Cosmic Origins,* Jonathan Cape, Londres, 1997.
Haldane, J.B.S., *Adventures of a Biologist,* Harper & Brothers, Nova Iorque, 1937.
— *What is Life?,* Boni & Gaer, Nova Iorque, 1947.
Hallam, A., *Great Geological Controversies,* Oxford University Press, Oxford, 1989[2a].
Hamblynn, Richard, *The Invention of Clouds: How an Amateur Meteorologist Forged the Language of the Skies,* Picador, Londres, 2001.
Hamilton-Paterson, James, *The Great Deep: The Sea and its Thresholds,* Random House, Londres, 1992.
Hapgood, Charles H., *Earth's Shifting Crust: A Key to Some Basic Problems of Earth Science,* Pantheon Books, Nova Iorque, 1958.
Harrington, John W., *Dance of the Continents: Adventures with Rocks and Time,* J. P. Archer, Inc., Los Angeles, 1983.
Harrison, Edward, *Darkness at Night: A Riddle of the Universe,* Harvard University Press, Massachussets, 1987.
Hartmann, William K., *The History of Earth: An Illustrated Chronicle of an Evolving Planet,* Workman Publishing, Londres, 1991.
Hawking, Stephen, *A Brief History of Time: From the Big Bang to Black Holes,* Bantam Books, Londres, 1988.
— *The Universe in a Nutshell,* Bantam Press, Londres, 2001.
Hazen, Rombert M., e James Trefil, *Science Matters: Achieving Scientific Literacy,* Doubleday, Nova Iorque, 1991.

Heiserman, David L., *Exploring Chemical Elements and their Compounds,* McGraw Hill, Blue Ridge, 1992.
Hitchcock, A. S., *Manual of the Grasses of the United States,* Peter Smith, Londres, 1971[2ª].
Holmes, Hannah, *The Secret Life of Dust,* John Wiley & Sons, Londres, 2001.
Holmyard, E. J., *Makers of Chemistry,* Clarendon Press, Oxford, 1931.
Horwitz, Tony, *Blue Latitudes: Boldly Going Where Captain Cook Has Gone Before,* Bloomsbury, Londres, 2002.
Hough, Richard, *Captain James Cook,* Coronet, Londres, 1995.
Jardine, Lisa, *Ingenious Porsuits: Building the Scientific Revolution,* Little Brown, Londres, 1999.
Johanson, Donald, e Blacke Edgar, *From Lucy to Language,* Weidenfeld & Nicholson, Londres, 2001.
Jolly, Alison, *Lucy's Legacy: Sex and Inteligence in Human Evolution,* Harvard University Press, Massachussets, 1999.
Jones, Steve, *Almost Like a Whale: The Origins of Species Updated,* Doubleday, Londres, 1999.
Judson, Horace Freeland, *The Eighth Day ao Creation: Makers of the Revolution in Biology,* Penguin, Londres, 1995.
Junger, Sebastian, *The Perfect Storm: A True Story of Men Against the Sea,* Fourth Dimension, Londres, 1997.
Jungnickel, Christa, e Russel McCormmach, *Cavendish: The Experimental Life,* Bucknell Press, Bucknell, 1999.
Kaku, Michio, *Hyperspace: A Scientific Odyssey Through Parallel Universes, Time Wraps, and the Tenth Dimension,* Oxford University Press, Oxfrod, 1999.
Kastner, Joseph, *A Species of Eternity,* Knopf, Nova Iorque, 1977.
Keller, Evelyn Fox, *The Century of the Gene,* Harvard University Press, Massachussets, 2000.
Kemp, Peter, *The Oxford Companion to Ships and the Sea,* Oxford University Press, Londres, 1979.
Kevles, Daniel J., *The Physicists: The History of a Scientific Community in Modern America,* Random House, Londres, 1978.
Kitcher, Philip, *Abusing Science: The Case Against Creationism,* MIT Press, Massachussets, 1982.
Kolata, Gina, *Flu: The Story of the Great Influenza Pandemic of 1918 and the Search for the Virus that Caused It,* Pan, Londres, 2001.
Krebs, Robert E., *The History and Use of our Earth's Chemical Elements,* Greenwood, Westport, 1998.
Kunzig, Robert, *The Restless Sea: Exploring the World Beneath the Waves,* W. W. Norton, Nova Iorque, 1999.
Kurlansky, Mark, *Cod: A Biography of the Fish that Changed the World,* Vintage, Londres, 1999.
Leakey, Richard, *The Origin of Humankind,* Phoenix, Londres, 1995.
— e Roger Lewin, *Origins,* E.P. Dutton, Nova Iorque, 1977.
— *The Sixth Extinction: Biodiversity ant its Survival,* Weidenfeld & Nicholson, Londres, 1996.
Leicester, Henry M., *The Historical Background of Chemistry,* Dover, Nova Iorque, 1971.
Lemmon, Keneth, *The Golden Age of Plant Hunters,* Phoenix House, Londres, 1968.
Lewin, Roger, *Bones of Contention: Controversies in the Search for Human Origins,* University of Chicago Press, Chicago, 1997.
Lewis, Cherry, *The Dating Game: One Man's Search for the Age of the Earth,* Cambridge University Press, 2000.

Lewis, John S., *Rain of Iron and Ice: The Very Real Threat of Comet and Asteroid Bombardment,* Addison-Wesley, Massachussets, 1996.
Lewontin, Richard, *It Ain't Necessarily So: The Dream of the Human Genome and Other Illusions,* Granta, Londres, 2001.
Little, Charles E., *The Dying of the Trees: The pandemic in America's Forests,* Viking, Nova Iorque, 1995.
Lynch, John, *The Weather,* Firefly Books, Toronto, 2002.
McGhee Jr., George R., *The Late Devonian Mass Extinction: The Frasnian/Famennian Crisis,* Columbia University Press, Nova Iorque, 1996.
McGrayne, Sharon Bertsch, *Prometheans in the Lab: Chemistry and the Making of the Modern World,* McGraw Hill, Londres, 2002.
McGuire, Bill, *A Guide to the End of the World: Everything You Never Wanted to Know,* Oxford University Press, Oxford, 2002.
McKibben, Bill, *The End of Nature,* Viking, Londres, 1990.
McPhee, John, *Basin and Range,* Farrar, Strauss & Giroud, Nova Iorque, 1980.
— *In Suspect Terrain,* Noonday Press/Farrar, Strauss & Giroud, Nova Iorque, 1983.
— *Rising from the Plains,* Farrar, Strauss & Giroud, 1987.
— *Assembling California,* Farrar, Strauss & Giroud, Nova Iorque, 1993.
McSween, Harry Y., Jr., *Stardust to Planets: A Geological Tour of the Solar System,* St. Martin's Press, Nova Iorque, 1993.
Maddox, Brenda, *Rosalind Franklin: The Dark Lady of DNA,* HarperCollins, Londres, 2002.
Margulis, Lynn, e Dorian Sagan, *Microcosmos: Four Billion Years of Evolution from Our Microbial Ancestors,* Londres, HarperCollins, 2002.
Marshall, Nina L., *Mosses and Lichens,* Doubleday Page & Co., Nova Iorque, 1908.
Matthiessen, Peter, *Wildlife in America,* Penguin, Londres, 1995.
Moore, Patrick, *Fireside Astronomy: An Anecdotal Tour through the History and Lore of Astronomy,* John Wiley & Sons, Chichester, 1992.
Moorehead, Alan, *Darwin and the Beagle,* Hamish Hamilton, Londres, 1969.
Morowitz, Harold J., *The Thermodynamics of Pizza,* Rutgers University Press, Nova Jérsia, 1991.
Musgrave, Toby, Chris Gardner e Will Musgrave, *The Plant Hunters: Two Hundred Years of Adventure and Discovery Around the World,* Wrad Lock, Londres, 1999.
Norton, Trevor, *Stars beneath the Sea: The Extraordinary Lives of the Pioneers of Diving,* Arrow Books, Londres, 2000.
Novacek, Michael, *Time Traveler: In Search of Dinosaurs and Other Fossils from Montana to Mongolia,* Farrar, Strauss & Giroud, Nova Iorque, 2001.
Nuland, Sherwin B., *How We Live: The Wisdom of the Body,* Vintage, Londres, 1998.
Officer, Charles, e Jake Page, *Tales of the Earth: Paroxysms and Perturbations of the Blue Planet,* Oxford University press, nova Iorque, 1993.
Oldroyd, David R., *Thinking about the Earth: A History of Ideas in Geology,* Athlone, londres, 1996.
Oldstone, Michael B. A., *Viruses, Plagues and History,* Oxford University Press, Nova Iorque, 1998.
Overbye, Dennis, *Lonely Hearts of the Cosmos: The Scientific Quest for the Secret of the Universe,* Macmillan, Londres, 1991.
Ozima, Minoru, *The Earth: Its Birth and Growth,* Cambridge University Press, Cambridge, 1981.

Parker, Ronald B., *Inscrutable Earth: Explorations in the Science of Earth,* Charles Scribner's Sons, Nova Iorque, 1984.

Pearson, John, *Serpents and Stags: The Story of the House of Cavendish and the Dukes of Devonshire,* Macmillan, Londres, 1983.

Peebles, Curtis, *Asteroids: A History, Smithsonian Institution Press,* Washigton, 2000.

Plummer, Charles C., e David McGeary, *Physical geology,* McGraw-Hill Education, 1997.

Pollack, Robert, *Signs of Life: The Language and Meanings of DNA,* Penguin Books, Londres, 1995.

Powell, James Lawrence, *Night Comes to the Cretaceous: Dinosaur Extinction and the Transformation of Modern Geology,* W. H. Freeman, Nova Iorque, 1998.

— *Mysteries of Terra Firma: The Age and Evolution of the Earth,* Free press/Simon & Schuster, Nova Iorque, 2001.

Psihoyos, Louie, com John Knoebber, *Hunting Dinosaurs,* Cassel Illustrated, Londres, 1995.

Quammen, David, *The song of the Dodo,* Hutchinson, Londres, 1996.

— *The Boilerplate Rhino: Nature in the Eye of the Beholder,* Touchstone, Londres, 2001.

— *Monster of God,* W. W. Norton, Nova Iorque, 2003.

Rees, Martin, *Just Six Numbers: The Deep Forces that Shape the Universe,* Phoenix/Orion, Londres, 2000.

Ridley, Matt, *The Red Queen: Sex and the Evolution of Human Nature,* penguin, Londres, 1994.

— *Genome: The Autobiography of a Species,* Fourth Estate, Londres, 1999.

Ritchie, David, *Superquake! Why Earthquakes Occur and When the Big One Will Hit Southern California,* Random House, Londres, 1989.

Rose, Steven, *Lifelines: Biology Freedom, Determinism,* Penguin, Londres, 1997.

Rudwick, Martin J. S., *The Great Devonian Controversy: The Shaping of Scientific Knowledge among Gentlemanly Specialists,* University of Chicago Press, Chicago, 1985.

Sacks, Oliver, *An Anthropologist on Mars: seven Paradoxical Tales,* Picador, Londres, 1996.

— *Oaxaca Journal,* National Geographic, Londres, 2002.

Sagan, Carl, *Cosmos,* Random house, Londres, 1980.

— e Ann Druyan, *Comet,* Random House, Londres, 1985.

Sagan, Dorion, e Lynn Margulis, *Garden of Microbial Delights: A Practical Guide to the Subvisible World,* J. Harcourt Brace Jovanovich, Boston, 1988.

Sayre, Anne, *Rosalind Franklin and DNA,* W. W. Norton, Londres, 2002.

Scneer, Cecil J. (org.), *Toward a History of Geology,* MIT Press, Londres, 1970.

Schopf, J. William, *Cradle of Life: The Discovery of Earth's Earliest Fossils,* Princeton University Press, Nova Jérsia, 1999.

Schultz, Gwen, Ice Age Lost, Anchor Press/ Doubleday, Garden City, 1974.

Schwartz, Jeffrey H., *Sudden Origins: Fossils, Genes and the Emergence of Species,* John Wiley & Sons, Nova Iorque, 1999.

Semion, Paul, *American Monster: How the Nation's First Prehistoric Creature Became a Symbol of National Identity,* New York University Press, Nova Iorque, 2000.

Shore, William H. (org.), *Mysteries of Life and the Universe,* Harvest/Harcourt Brace & Co., San Diego, 1992.

Silver, Brian, *The Ascent of Science,* Solomon/Oxford University Press, Nova Iorque, 1998.

Simpson, George Gaylord, *Fossils and the History of Life,* Scientific American, Nova Iorque, 1983.

Smith, Anthony, *The Weather: The Truth about the Health of Our Planet,* Hutchinson, Londres, 2000.
Smith, Robert B., e Lee J. Siegel, *Windows into the Earth: The Geologic Story of Yellowstone and Grand Teton National Parks,* Oxford University Press, Oxford, 2002.
Snow, C. P., *Variety of Men,* Macmillan, Londres, 1967.
— *The Physicists,* House of Stratus, Londres, 1979.
Snyder, Carl H., *The Extraordinary Chemistry of Ordinary Things,* John Wiley & Sons, 1995.
Stalcup, Brenda (org.), *Endangered Species: Opposing Viewpoints,* Greenhaven, San Diego, 1996.
Stanley, Steven M., *Extinction,* Scientific American, Nova Iorque, 1987.
Stark, Peter, *Last Breath: Cautionary Tales from the Limits of Human Endurance,* Ballantine Books, Nova Iorque, 2001.
Stephen, Sir Leslie, e Sir Sidney Lee (orgs.), *Dictionary of National Biography,* Oxford University Press, Oxford, 1973.
Stevens, William K., *The Change in the Weather: People, Weather and the Science of Climate,* Delacorte, Nova Iorque, 1999.
Stewart, Ian, *Nature's Numbers: Discovering Order and Pattern in the Universe,* Phoenix, Londres, 1995.
Strathern, Paul, *Mendeleyev's Dream: The Quest for the Elements,* Penguin, Londres, 2001.
Sullivan, Walter, *Landprints,* Time Books, Nova Iorque, 1984.
Sulston, John, e Georgina Ferry, *The Common Threat: A Story of Science, Politics, Ethics and the Human Genome,* Bantam Press, Londres, 2002.
Swisher III, Carl C., Garniss H. Curtis, e Roger Lewin, *Java Man: How Two Geologists' Dramatic Discoveries Changed our Understanding of the Evolutionary Path to Modern Humans,* Little Brown, Londres, 2001.
Sykes, Bryan, *The Seven Daughters of Eve,* Bantam Press, Londres, 2001.
Tattersall, Ian, *The Human Odyssey: Four Million Years of Human Evolution,* Prentice-Hall, Nova Iorque, 1993.
— *The Monkey in the Mirror: Essays on the Science of What Makes us Humans,* Oxford University Press, Oxford, 2002.
— e Jeffrey Shwartz, *Extinct Humans,* Westview/Perseus, Colorado, 2001.
Thackray, John, e Bob Press, *The Natural History Museum: Nature's Treasurehouse,* Natural History Museum, Londres, 2001.
Thomas, Gordon, e Max Morgan Witts, *The San Francisco Earthquake,* Souvenir, Londres, 1971.
Thomas, Keith, *Man and the Natural World: Changing Attitudes in England, 1500-1800,* Penguin Books, Londres, 1984.
Thompson, Dick, *Volcano Cowboys: The Rocky Evolution of a Dangerous Science,* St. Martin's Press, Nova Iorque, 2000.
Thorne, Kip S., *Black Holes and Time Wraps: Einstein's Outrageous Legacy,* Picador, Londres, 1994.
Tortora, Gerard J., e Sandra Reynolds Grabowski, *Principles of Anatomy and Physiology,* John Wiley & Sons, Londres, 1999.
Trefil, James, *The Unexpected Vista: A Physicist's View of Nature,* Charles Scribner's Sons, Nova Iorque, 1983.
— *Meditations at Sunset: A Scientist Look at the Sky,* Charles Scribner's Sons, Nova Iorque, 1987.
— *Meditations at 10.000 Feet: A Scientist in the Moutains,* Charles Scribner's Sons, Nova Iorque, 1987.

— *101 Things You Don't Know About Science and No One Else Does Either,* Cassel Illustrated, Londres, 1997.

Trinkaus, Erik, e Pat Shipman, *The Neandertals: Changing the Image of Mankind,* Pimlico, Londres, 1994.

Tudge, Colin, *The Time before History: Five Million Years of Human Impact,* Touchstone/Simon & Schuster, Nova Iorque, 1996.

— *The Variety of Life: A Survey and a Celebration of All the Creatures that Have Ever Lived,* Oxford University Press, Oxford, 2002.

Vernon, Ron, *Beneath our Feet: The Rocks of Planet Earth,* Cambridge University Press, Cambridge, 2000.

Vogel, Shawna, *Naked Earth: The New Geophysics,* Dutton, Nova Iorque, 1995.

Walker, Alan, e Pat Shipman, *The Wisdom of the Bones: In Search of Human Origins,* Weidenfeld & Nicholson, Londres, 1996.

Wallace, Robert A., Jack L. King, e Gerald P. Sanders, *Biology: The Science of Life,* Scott Foresman & Co., Glenview, 1986.

Ward, Peter D., e Donald Brownlee, *Rare Earth: Why Complex Life Is Uncommon in the Universe,* Copernicus, Nova Iorque, 1999.

Watson, James D., *The Double Helix: A Personal Account of the Discovery of the Structure of DNA,* Penguin, Londres, 1999.

Weinberg, Samantha, *A First Caught in Time: The Search for the Coelacanth,* Fourth Estate, Londres, 1999.

Weinberg, Steven, *The Discovery of Subatomic Particles,* W. H. Freeman, Londres, 1990.

— *Dreams of a Final Theory,* Vintage, Londres, 1993.

Whitaker, Richard (org.), *Weather,* Warner Books, Londres, 1996.

White, Michael, *Isaac Newton: The Last Sorcerer,* Fourth Dimension, Londres, 1997.

— *Rivals: Conflict as the Fuel of Science,* Vintage, Londres, 2001.

Wilford, John Noble, *The Mapmakers,* Random House, Londres, 1981.

— *The Riddle of the Dinosaur,* Faber, Londres, 1986.

Williams, E. T., e C. S. Nicholls (orgs.), *Dictionary of National Biography, 1961-1970,* Oxford University Press, Oxford, 1981.

Williams, Stanley, e Fen Montaigne, *Surviving Galeras,* Houghton Mifflin, Boston, 2001.

Wilson, David, *Rutherford: Simple Genius,* Hodder, Londres, 1984.

Wilson, Edward O., *The Diversity of Life,* Allen Lane/Penguin Press, Londres, 1993.

Winchester, Simon, *The Map That Changed the World: The Tale of William Smith and the Birth of a Science,* Viking, Londres, 2001.

Woolfson, Adrian, *Life without Genes: The History and Future of Genomes,* Flamingo, Londres, 2000.

ÍNDICE REMISSIVO

acheulenses, utensílios, 447, 450, 459
ácaros, 363
ácido cianídrico, 107
ADN mitocondrial, 455-458
ADN, 289, 304, 375, 378, 394-409, 455-459
Agassiz, Louis, 415-418
Ager, Derek V., 192
água, 241-242, 270-273
Aharanov, Yakir, 155
alabote, 284
Alfa de Centauro, 41, 49
algas, 268, 298, 306, 334-335
All Species Foundation, 362
alquimia, 58, 105, 117
altitude, 258-259
alumínio, 112, 252
Alvarez, Luis, 199-220
Alvarez, Walter, 190, 198-202
Alvin, submarino, 277-280
amebas, 306
aminoácidos, 287-288
amonites, 345
anapsídeos, 340
Andreson, Ray, 203-204, 205-206, 209
anfíbios, 337
Anning, Mary, 93-94
Antárctida, 273, 285, 425, 426
antepassados, 393
antibióticos, 314-315
aquecimento global, 425
Arambourg, Camille, 452
Arcaico, período, 84, 296, 297
Ardipithecus ramidus kadabba, 439
Armstrong, Richard, 219
ARN, 396, 409
arquebactérias, 309-310
arqueoptérix, 51, 98, 386n
arrastões, 284-285
arsénio, 253
árvores, 338
Asaro, Frank, 199-200, 201
Ashcroft, Frances, 237, 242, 244, 259, 210
Ashfall Fossil Beds State Park, 210
Asimov, Isaac, 149
asteróides, 196-198
atmosfera, 256-258
átomos, 15-16, 115-153, 289
ATP (adenosina trifosfato), 376
Attenborough, David, 281
Audubon, John James, 216
Austrália, 282-283, 448-449
australopitecos, 436-441
Australopithecus, 432, 434
Avery, Oswald, 398, 402
Avogadro, Lorenzo, 112-113
Avogadro, número de, 113n
Avogadro, princípio de, 112-113, 115
azoto, 33, 52, 247, 255, 290

Baade, Walter, 45-46
bacalhau, 284
bactérias, 236-237, 297, 300, 302-306, 363-364, 373
bacteriófagos, 315-316
Baldwin, Ralph B., 201
baleia azul, 281
Ball, Philip, 116, 273
Banks, Sir Joseph, 70, 349, 353, 357
Barchman, ave canora de, 469
Barringer, Daniel M., 195
Barton, Otis, 274-276
Bastin, Edson, 305
batiscafo, 276
batisfera, 275-276
Beagle, viagem do, 349, 380-382, 385
Becher, Johann, 106
Becker, George, 105
Becquerel, Henri, 117, 147
Beebe, Charles William, 274-276
belemnites, 100
Bell, Alexander Graham, 128
Bennett, Victoria, 294-298, 305
Bergstralh, Jay, 237
Berners-Lee, Tim, 170n
Berzelius, J. J., 113
Besso, Michele, 131
beta-globina, genes da, 456-457
Betelgeuse, 50
Bhor, Nils, 150-151, 154
Biddle, Wayne, 167
Big Bang, 25, 26-30, 33, 51, 141
Black, Davidson, 432
Blackett, Patrick, 185
Bodanis, David, 133, 135
Bogdanov, Igor e Grichka, 174
Boltzman, Ludwig, 145
bomba atómica, 151, 156
Bonnichsen, Bill, 212
Bose, S. N., 172
bosões, 172-173
Bouger, Pierre, 55-56, 63, 64
Boutellier, intervalo de, 451
Bowler, Jim, 448
Boyle, Robert, 106
Brace, C. Loring, 442
Brand, Hennig, 106
Briggs, Derek, 352, 330-331
briófitas, 351
British Museum, 100, 274
Broad, William J., 277
Broca, área de, 444
Brock, Thomas e Louise, 236, 237
Broglie, Príncipe Louis-Victor de, 152
Broom, Robert, 432
Brown, Guy, 374
Brown, Harrison, 163
Brown, Robert, 111, 353, 373
browniano, movimento, 111, 130, 145
Brunhes, Bernard, 185
Bryan, Alanson, 469
Bryce, David, 465
Buckland, William, 78, 79-81, 84, 95, 103-104
Buffon, Conde de, 85, 89-91, 356
Bullard, E. C., 221
Burgess Shale, fósseis de, 324-326, 329-333, 335
Byron, Lorde, 413

Cabot, John, 284
Cadbury, Deborah, 100
calcário, 268, 338
cálcio, 112, 290
cálculo, 58
câmbrica, explosão, 322, 324, 326-327, 329-333, 386, 423
Câmbrico, período, 82
cancro, 377
Cannon, Annie Jump, 139-140
Carbónico, período, 337, 339
carbono, 33, 252-253, 268-269, 290, 338
carbono, dióxido de, 52, 268-269
carbono-14, 149, 160-161
Carolina, periquito da, 466
Carr, Geoffrey, 177

Cassini, Giovanni e Jacques, 47
Caster, K. E., 179
catastrofismo, 80-81, 201-202
cavalos, 343, 366
Cavendish, Henry, 69-73, 74, 144, 147n
Cavendish, Laboratório de, 146, 147, 151, 168
cefeidas, 139, 140
Celsius, Anders, 264
células, 300, 369-371, 373-378
cérebro, tamanho do, 437, 440, 440n, 441-442, 452
CERN, 150, 170
CFC (clorofluorcarbonetos), 159-160, 166-167
Chadwick, James, 45, 146, 147, 151
Challenger, HMS, 274
Chambers, Robert, 383-390
Chapman, Clark, 35
Chappe, Jean, 65
Chargaff, Erwin, 398
Charpentier, Jean de, 415, 416
Chicxulub, cratera de, 204, 205-206
chimpanzés, 436, 444, 445
Christiansen, Bob, 226, 227, 233
Christy, James, 34, 35
chumbo, 157-158, 164-166, 254
cianobactérias, 297-299, 422
ciclotrão, 168
circulação termo-halina, 267
Clark, William, 92, 93
classificação das estrelas, 139
classificação taxonómica, 306-311, 358-359
clima, 413-414, 422-427, 451
cloro, 107, 254
cloroplastos, 300
cobalto, 253
cobras, 344
cobre, 253
Columbia, nave espacial, 258
cometas, 37, 57, 205, 206-209, 292
Conard, Henry S., 351
constante cósmica, 136
convecção, processo de, 220, 261
Conway Morris, Simon, 325, 330
Cook, James, 67, 353
Coon, Carleton, 453
Cope, Edward Drinker, 101-104
coral, recifes de, 282-283
Coriolis, efeito, 262-263, 273
Coriolis, Gustave-Gaspard de, 262-263
Corrente do Golfo, 266, 425
Cox, David, 405
Cox, Peter, 269
cracas, 382, 468
Crampton, Henry Howard, 367
Cratera do Meteoro do Arizona, 195
Cretácico, período, 83, 342, 348, 426
Crick, Francis, 147, 293, 399-402
Criogénico, idade do, 422, 423
crisântemos, 360
Crise de Salinidade Messiniana, 266
cristais, 290
cristalografia, 400
crocodilos, 344, 346
Croll, James, 417, 418
cro-magnons, 429, 451
cromossomas, 394, 454n
Cropper, William H., 126, 128, 137, 149
Crouch, Henry, 133
Crowther, J. G., 71
crustáceos, 337
Crystal Palace, 96
Cunning, Hugh, 468
Curie, Marie e Pierre, 117, 120-121, 252
Cuvier, Georges, 91, 92, 95, 99, 415

Dalton, John, 112, 144
Daly, Reginald, 52, 183
Dart, Raymond, 431, 432, 436
Darwin, Charles, 80-81, 86, 98, 105, 323, 379-392
Darwin, Erasmus, 381
datação por radiocarbono,160-161
Davies, Paul, 174, 253
Davy, Humphry, 107, 112, 144, 252
Dawkins, Richard, 290, 329

De Bort, Léon-Philipe Teisserenc, 257
De Duve, Christian, 290, 302, 370-371, 375
395
De Vries, Hugo, 392
Deane, Charles, 243
Deccan Traps, 202, 227
DeMoivre, Abraham, 58
Denver, altura de, 189-190
deriva continental, 180, 186
Descartes, René, 127
Devónico, período, 82-83, 337, 339, 341-342
diamantes, 218
Diamond, Jared, 312
diapsídeos, 340-341
diatomáceas, 345
Dicke, Robert, 27-28, 30
Dickinson, Matt, 258
Dickson, Tony, 188
Dimetrondon, 340
dinossauros, 89, 93-98, 101-105, 199-208,
251, 322, 335-336, 340, 344-348,
426-427
Dixon, Jeremiah, 66-68
dodó, 98, 462-463
doença do sono, 316
doença, 311-319
doenças, 311-319
Doppler, efeito de, 136
Doss, Paul, 230-235
Dôver, White Cliffs, 268-269
Drake, Frank, 41-42
Draper, John William, 390
Drury, Stephen, 300, 426
Dubois, Eugène, 428-431, 443
Dyson, Freeman, 240

Ébola, vírus de, 316, 319
Eddington, Sir Arthur, 133-134
Ediacaran Hills, fósseis de, 327-329, 332-333,
335
efeito de estufa, 52
Eisntein, Albert, 32, 117, 129-136, 141,
145-146, 154-156, 178, 179, 190
electrões, 30, 120, 148-149, 150-153
electromagnetismo, 30
elementos, 251-255
Elliott, Charles, 360
Ellis, Len, 351-353
Elwin, Whitwell, 379
Emerald Pool, 236
Endeavour, viagem do, 353
entropia, 125-126
enxofre, 52, 290
enzimas, 375
erosão, 76
erupções solares, 343
erva, 359
Erwin, Terry, 361
espaço, 32, 41
espaço-tempo, 135
espongas, 377-378
«espremidela», 243
estratosfera, 257
estrelas de neutrões, 45-46
estrelas, 45-48, 139-140
estromatólitos, 296, 298-299
estrôncio, 112
éter, 127
Ethyl Corporation, 158, 165-166
eucariotas, 300-301, 308
euriapsídeos, 340
Evans, Robert, 43-45, 47-50
evaporação, 266
evolução, 245, 381-382, 442-443
Exclusão, Princípio de, 153-154
extinção, 92, 341-348, 463-470

fala, 444
Falconer, Hugh, 98
Fallarone, ilhas, 280
Farenheit, Daniel Gabriel, 264
fascite necrosante, 314
Fermi, Enrico, 169
fermiões, 172
Ferris, Timothy, 65, 149, 198
ferro, 253, 290, 298

Feynman, Richard, 57, 142, 150, 153, 171, 212, 255
filo, 358-359
Fisher, Osmond, 220
fitoplâncton, 285
FitzRoy, Robert, 380-381, 391
Flannery, Tim, 160-161, 282-283, 344, 427, 464-466
floresta tropical, 364
focas, 285
Focke, Wilhelm Olbers, 389-390
fontes hidrotermais, 279-280, 423
foraminíferos, 268, 345
Forbes, Edward, 273
força nuclear forte e fraca, 30, 155
Fortey, Richard, 84, 96, 299, 321-322, 328-333, 342, 350-351, 365, 368
fósforo, 106-107, 290
Fossa das Marianas, 242, 277
fósseis, 75, 88, 89-96, 99-104, 180, 210-211, 320-321, 346-348, 448-449, 454
fotoeléctrico, efeito, 130
fotões, 30, 172
fotossíntese, 279, 297, 300, 307, 422
Fowler, W. A., 51
Franklin, Benjamim, 70
Franklin, Rosalind, 399, 402
Fraser, John, 354
frigoríficos, 159
Fuhlrott, Johann Karl, 429
fundo do oceano, 185
fungos mucosos, 307-308
fungos, 307, 334, 361, 365-366

gado, 253
Galápagos, ilhas, 274, 279, 382
galáxias, 138, 140
Galeras, erupção de, 224
Gamow, George, 27
Gehrels, Tom, 208
Geiger, Hans, 148
géisers, 232, 236
Gell-Mann, Murray, 172
gelo, 267-268, 272-273
gelo, idade do, 415-427
genes hox, 406
genes, 394, 397-398, 403-408, 456-457
genética, 245, 388-389, 403-405
genoma, 394, 404, 409
geologia, 81-85, 161-163
Geological Society, 77, 113, 162
Gibbs, J. Willard, 126, 130
gigantes vermelhas, 139
Gilbert, G. K., 195
glaciação, 414-419, 423-424
Glicken, Harry, 223-224
glóbulos brancos, 313
glóbulos vermelhos, 404
Glossopteris, 189
gluões, 172
Godfray, G. H., 362
Goethe, Johann Wolfgang von, 264
Goksøyr, Jostein, 364
Gold, Thomas, 305
Goldsmith, Donald, 177
Gonduana, 189
Gould, John, 382
Gould, Stephen Jay, 204-205, 291, 324-3310, 348
Grant, Robert, 99
Grant, Ulysses S., 128
gravidade, 30-32, 59-60, 64, 71-73, 133, 136
Great Rift Valley, 459-461
Greer, Frank, 305
Gregory, Bruce, 138
Gregory, J. W., 459
Gribbin, John, 440
gripe suína, epidemia de, 316-319
Gronelândia, glaciar da, 267, 273, 424
Groves, Colin, 361
Gutenberg, Beno, 213
Guth, Alan, 27, 29-30
Guyot, Arnold, 184

Habeler, Peter, 258
Hadley, células de, 262

Hadley, George, 262
hadrões, 172
Haeckel, Ernst, 306, 358
Haldane, J. B. S., 32, 243-247
Haldane, John Scott, 244
Hallam, Arthur, 414
Halley, cometa, 37, 57, 292
Halley, Edmond, 56-61, 65, 85, 105, 262, 462
Halloy, J. J. d'Omalius, 82
Hapgood, Charles, 179, 190
Harding, Rosalind, 456-459
Harrington, Robert, 34
Hartsoecker, Nicolaus, 373
Haughton, Samuel, 104-105
Havai, pássaros do, 468
Hawking, Stephen, 135, 140-141, 154
Hebgen Lake, tremor de terra de, 233
Heisenberg, Werner, 152-153
Helin, Eleanor, 196
hélio, 26, 31, 33, 116
Hell Creck, fósseis de, 93, 348
Helmholz, Hermann von, 86
henfiliana, extinção, 342
Herschel, William, 69, 196
Hess, Harry, 183-184, 190, 277
Hessler, Robert, 282
hidrogénio, 26, 31, 33, 71, 109, 116, 254, 271, 290
hidrosfera, 272-273
hidrotérmica, explosão, 234-235
Higgs, bosão de, 172, 173
Higgs, Peter, 172
Hildebrand, Alan, 204
hipertermófilos, 236-237
HIV, 312-313, 316, 405
Hogg, John, 308
Holmes, Arthur, 162, 182
Holmyard, E. J., 145
Holoceno, período, 425
hominídeos, 428-429, 432-442, 444, 452-453
Homo erectus, 421, 430-434, 443-445, 447-454, 460-461
Homo habilis, 433-436, 441-443, 452-453
Homo sapiens, 103, 435, 447-454, 461
Hooke, Robert, 57, 60, 371-372, 462
Hooker, Joseph, 385
Hopkins, William, 416
hormonas, 377
Howard, Luke, 264
Howell, F. Clark, 433
Hoyle, Fred, 50-51, 288, 290, 293
Hubble, Edwin, 137-141, 175
Hubble, telescópio espacial, 40, 141, 176
Humboldt, Alexander von, 346, 415
Hunt, George, 352
Hunter, John, 97
Hunterian Museum, 95, 100, 103, 429
Hutton, Charles, 68-69
Hutton, James, 74-77, 79, 181, 414-415
Huxley, Aldous, 244-245
Huxley, T. H., 81, 98-101, 382-384, 387, 390, 429
Hyde, Jack, 223

ictiossauro, 93
iguanodonte, 95-96, 104
Incerteza, Princípio da, 152
inflação, teoria da, 30-31
insectos, 338-339, 342, 361-363
inverso do quadrado, lei do, 59-60, 371
ionosfera, 256
irídio, 200
Isaacs, John, 282
isótopos, 149, 338
Izett, Glenn, 204

Jardine, Lisa, 400n
Jarvik, Erik, 339-340
Java, Homem de, 430, 433, 445, 447, 449, 457
Jefferson, Thomas, 90
Jeffreys, Harold, 187
Jenkin, Fleeming, 387-388

jet streams, 260-261
Johanson, Donald, 436-437
Johnston, David, 224
Joly, John, 105, 120
Joseph, Lawrence, 154

Kaku, Michio, 136, 173
Kelly, Kevin, 362
Kelvin, William Thomson, Lorde, 86-88, 104, 120, 292, 386
Kenyanthropos playtops, 439
Keynes, John Maynard, 58
kimberlito, veios de, 218
Kimeu, Kamoya, 444
Kinsey, Alfred C., 367
Koeningswald, Ralph von, 433
Kola, buraco de, 217
Kolbert, Elizabeth, 425-426
Koppen, Wladimir, 419-420
Krakatoa, erupção de, 228
Krebs, Robert E., 116
KT, 199, 208, 344-348
Kuiper, cintura de, 37, 197
Kuiper, Gerard, 197
Kunzig, Robert, 271, 279
Kurlansky, Mark, 284

La Condamine, Charles Marie de, 55, 56, 64
Laetoli, pegadas de, 437-439
lagartos, 346
lagostas, 285
Lakes, Arthur, 102
Lalande, Joseph, 67
Lamont Doherty Laboratory, 198
Lander, Eric, 408, 456
Lascaux, cavernas de, 160
Lassa, febre de, 319
Laubenfelds, M. W. de, 201
Lavoisier, Antoine-Laurent, 108-110, 144
Lavoisier, Madame, 108-111
Lawrence Berkeley Laboratory, 49, 199
Lawrence, Ernest, 168
Le Gentil, Guilaume, 65-66
Leakey, Louis, 459-460
Leakey, Mary, 437, 459-460
Leakey, Meave, 439
Leakey, Richard, 321, 443, 465
Leavitt, Henrietta Swan, 138-140
Lederman, Leon, 173
Lehmann, Inge, 213
Leibniz, Gottfried von, 59
Lemâitre, Georges, 26, 141
Leonard, F. C., 37
leptões, 172
Leuwenhoek, Antoni van, 372-373
leveduras, 369
Lever, Sir Ashton, 79
Levy, David, 196
Lewin, Roger, 321, 465
Lewis, John S., 208
Lewis, Meriwether, 92
Lewontin, Richard, 395
Libby, Willard, 160
libelinha, 339
Lightman, Alan, 153
Lincoln, Abraham, 379n, 393
Linde, Andrei, 29
Lineu, Carolus, 355-358
Linnaean Society, 264, 357, 385
líquens, 334-335, 351
Lisboa, tremor de terra, 214-215
lítio, 26, 33
litoautotrófico, ecossistema bacteriano, 305
litosfera, 219
Lorentz, transformações de, 134
Lowell, Observatório de, 35-36, 136-137
Lowell, Percival, 35
Lua, 40, 52, 183, 195, 250-251, 277, 278
Lucy, australopiteco, 436-441
lula gigante, 281
Lyell, Charles, 77-85, 199, 201, 352, 385, 387, 416
Lyon, John, 354
Lystrosaurus, 189

M, Teoria, 174
Mach, Ernst, 145
machado manual, 446-447
MACHOSs, 177
MacPhee, Ross, 464
Maddox, Brenda, 402
Maes, Koen, 362, 364
magnésio, 112
magnetosfera, 49-50
mal da descompressão, 243-244
Malthus, Thomas, 381
mamíferos, 346
mamos negro, 469
mamutes, 464
Manning, Aubrey, 268
Manson, cratera de, 193-194, 203, 206, 209 336, 344
Mantell, Gideon Algernon, 94-97, 99, 104
Marat, Jean-Paul, 109-110
Marcy, Geoffrey, 24
Maric, Mileva, 130
Marsh, Bryan, 313
Marsh, Othniel Charles, 101, 104
Marshall, Barry, 315
Marte, 36, 40, 250
Maskelyne, Nevil, 64, 67, 68
Mason, Charles, 64-65, 66-68
Mason, John, 327
massa, 173
mastodonte, 91
matrizes matemáticas, 152
Matthew, Patrick, 385
Matthews, Drummond, 186
Maunder, John, 363
Maxwell, James Clerk, 71
Mayer, August, 429
Mayr, Ernst, 310, 433
McDonald Observatory, 197
McGrayne, Sharon Bertsch, 158, 164
McGuire, Bill, 215, 227
McLaren, Dewey J., 201
McPhee, John, 83, 187, 189, 336, 420, 422
Medawar, Peter, 245, 316
megadinastias, 340-341
megalossauro, 95
megatherium, 366, 381
Meinertzhagen, Richard, 350
Mendel, Gregor, 245, 388-390, 392
Mendeleyev, Dimitri Ivanovich, 114-117, 120
Mendes, J. C., 179
meningite, 314
mesosfera, 256
metano, 52
meteoritos, 163, 195, 205-206, 336
metereologia, 263-269
Michel, Helen, 200
Michell, John, 69, 71
Michelson, Albert, 127-129, 137-138, 141
micróbios, 236-237, 303
microscópios, 372-373
Midgley, Thomas Junior, 157-163, 166
Miescher, Johann Friedrich, 395
Milankovitch, Milutin, 418-420, 425
milípedes, 338, 364
Miller, Stanley, 287, 290
minhocas, 361
Mioceno, 83, 210
Mirsky, Alfred, 398
mitocôndria, 300-301, 376
mixomicetes, 307-308
Modelo Standard, 173
Moho, descontinuidade de, 213, 217
Mohole, 217-218
Mohorovicic, Andrija, 213
moléculas, 142, 151, 289, 375-376
Monod, Jacques, 409
Monte St. Helens, erupção do, 222-225
Monte Unzen, erupção do, 224
Moody, Plinus, 93
Morgan, Thomas Hunt, 397-398
Morley, Edward, 127-129
Morley, Lawrence, 186
mosca-da-fruta, 397, 406
Mount Wilson, Observatório de, 138, 140-141, 176

mousterianos, utensílios, 450
movimento, leis do, 60
Movius, Hallum, 447
Movius, linha de, 447
Mullis, Kary B., 236
multirregionalismo, 453-456
Mungo, povo de, 448, 456
Murchison, meteoro de, 292
Murchison, Roderick, 78, 82, 416
Murray, John, 386
Museu de História Natural, 51, 94, 100-101, 321, 347, 349-361, 368
musgos, 351-352
mutação, 304, 397, 453
Myers, Norman, 470

Nagaoka, Hantaro, 149
Nageli, Karl-Wilhelm von, 389
NASA, 208, 323
nautilóides, 345
naves espaciais, 258
neardertalenses, 391, 395, 429, 449-455
Nebulosa Caranguejo, 50
nebulosas, 140
Negrín, Juan, 247
neptunistas, 75, 80
Neptuno, 37-39
neutrinos, 169
neutrões, 30, 45, 147-150, 151, 172
New Horizons, nave espacial, 38
Newlands, John, 115
Newton, Isaac, 54, 57-64, 72, 105, 127-128, 144, 371, 392, 462
Ngalli, Jillani, 460
nível do mar, 273
Norton, Trevor, 245, 246
Norwood, Richard, 61-63
Nova Zelândia, 281, 283
núcleo da célula, 373-374
Nuland, Sherwin B., 374, 375, 405-406
números elevados, 29n, 113n
Nuttal, Thomas, 93, 354
nuvens, 264-265, 273
nuvens, floresta de, 364

ocapi, 366
oceanografia, 274, 278-279
oceanos, 183-184, 188-189, 273-274, 276-282, 423, 425
Officer, Charles, 202
Oldham, R. D., 213
olduvaienses, utensílios, 447
olho-de-vidro-laranja, 283
Olorgesailie, machados de, 460-461
ondas de rádio, 147
Oort, nuvem de, 37, 40
Öpik, Ernst, 40n, 201
Oppenheimer, Robert, 46
Ordovícico, período, 82, 341-342, 343-344
organelos, 300
Orgel, Leslie, 293
Orrorin tugenensis, 439
Ostro, Steven, 197-198
ovelhas, 253
Overbye, Dennis, 28, 135-136, 153
Owen, Richard, 97-101, 390
óxido nítrico, 370
óxido nitroso, 110, 112
oxigénio, 33, 107, 109, 252-255, 258-259, 271, 290-291, 297-298, 303, 337-339, 376
Oyster Club, 75
ozono, 159, 257

Paley, William, 387
Palmer, Harry, 468
Palomar, Observatório, 196
Pangeia, 180, 189, 337
panspermia, 293
Papua-Nova Guiné, 449
Parkinson, James, 78-79, 95
partículas, 148-149, 168-175, 260
partículas, detector de, 168
pássaros, 97-98, 343-347, 466-469
Pasteur, Louis, 302, 374

Patterson, Clair, 157, 163-167
Pauli, Wolfgang, 146, 153-154
Pauling, Linus, 398-399, 400-401
Pauw, Corneille de, 90
Peabody, George, 102
Peabody, Museu, 93
Peale, Charles Wilson, 467
Pearce, Chaning, 100
pechblenda, 119
Peebles, Curtis, 205
peixes, 283-286, 336-337
Pelizzari, Umberto, 242
Pelletier, P. J., 145
penicilina, 314-315
Penzias, Arno, 26-28, 141
Pequim, Homem de, 432, 433, 447, 449
peridotite, 218, 221
Perlmutter, Saul, 49
Pérmico, período, 82, 322, 342, 344
Perutz, Max, 288
pesca, 283-286
Petralona, crânio de, 454
Piazzi, Giuseppe, 196
Picard, Jean, 63
Piccard, Auguste e Jacques, 276
Pickering, William H., 140
Pillmore, C. L., 204
pinguins, 285
Planck, Max, 125-127, 129, 130
plâncton, 337-338, 345
plantas, 337, 359-360
Playfair, John, 74
plesiossauro, 94
Plutão, 34-40, 42
Plutinos, 37
plutonistas, 75, 80
Polaris, 139
polimorfismo de nucleótido simples (SNP), 404
pontes continentais, 181
Pope, Alexander, 54
Popper, Karl, 175
potássio, 112, 253
Powell, James Lawrence, 344
Pré-câmbrico, período, 83, 336, 386
pressão atmosférica, 259-260, 262
Priestley, Joseph, 107
Prince William Sound, tremor de terra, 424
Projecto do Genoma Humano, 403, 407
proteínas, 287-289, 375, 396, 408
proteoma, 408
protistas, 301
protões, 25, 30, 116, 148-149, 172
protozoários, 301, 308, 373
Próxima de Centauro, 39, 41
pterodáctilos, 94
puma, 469

quântica, teoria, 129, 152, 154
quarks, 172
química, fórmula, 113, 114
quimiossíntese, 279

raças humanas, 453-454
radiação cósmica de fundo, 27-28, 141
radiação, 27-28, 120, 132, 141, 304
radioactividade, 117-121, 147-148
radioactivo, lixo, 280
raios cósmicos, 46, 178
Raup, David, 341, 465
Ray, John, 356
Reader, John, 436
Rees, Martin, 31, 33, 143, 177
relâmpagos, 260
relatividade, teoria da, 32, 129-136, 141, 155, 178
répteis, 344
retrovírus, 405
Richter, Charles, 213
Richter, escala de, 213-215
Rickover, Hyman G., 277
Ridley, Matt, 293, 441
Roentgen, Wilhelm, 147
rotíferos bdelóides, 365
Rotschild, Lionel Walter, Barão de, 467-469
Royal Institution, 112, 119

Royal Society, 61, 64, 77, 95, 99, 100, 145, 186, 274, 372, 373
Rozier, Pilatre de, 70
Rudwick, Martin, 82, 85
Rumford, Benjamin Thompson, 111-112, 119, 220, 267
Runcorn, S. K., 185
Russel, Bertrand, 134
Rutherford, Ernest, 105, 117-119, 146-152, 162, 181

Sacks, Oliver, 44
Sagan, Carl, 34, 42, 171, 301
Sahelanthropos tchadensis, 439-440
sais, 272, 280
saltacionistas, 387
salto quântico, 151
Sandage, Allan, 176
Sandler, Howard, 282
Santo André, falha de, 215
São Francisco, tremor de terra, 215
Scheele, Karl, 107
Schiehallion, montanha de, 68
Schimper, Karl, 415, 416
Schlapkohl, Anna, 194
Schouten, Peter, 465-466
Schrödinger, Erwin, 107, 152, 154
Schultz, Gwen, 420
Schwalbe, Gustav, 431
Schwann, Theodor, 373-374
Schwartz, Jeffrey, 387, 435-436, 439, 450
Sedgwick, Adam, 82, 387
selénio, 253
semivida, 119
Shark Bay, estromatólitos de, 298-299
Sheehan, Peter, 348
Shelley, Mary, 108
Shipman, Pat, 435
Shoemaker, Eugene, 195-196, 198, 202, 205
Shoemaker-Levy, cometa, 205, 208
SHRIMP, 294
sida, 312, 313, 316, 319
Siegel, Lee J., 234
sífilis, 103, 161
Silúrico, período, 82
Simpson, George Gaylord, 189
Sinanthropos pekinensis, 432
sinapsídeos, 340
singularidade, 25, 28
Síntese Moderna, 245, 392
sistema lineano, 355-356
sistema solar, 38-39, 51
Slipher, Vesto, 136, 140
Smith, A. J. E., 351
Smith, Anthony, 260
Smith, Robert B., 233, 234
Smith, William, 92
Snow, C. P., 129-130, 131, 133, 147, 156
Soddy, Frederic, 117, 181
sódio, 112, 254
Sol, 39, 51, 68-69, 116, 343
Sollas, William, 429
Solo, povo de, 433
Somervell, Howard, 258
Spencer, Herbert, 382
spin, 153-154
Sprigg, Reginald, 327-328, 333, 335
Stanley, Steven, 346
Steller, Georg, 466
Strickland, código de, 358
Strickland, H. E., 463
Suess, Eduard, 180-181
Sullivan, John, 90
Sulston, John, 394
supercordas, teoria das, 173-174
supernovas, 43-50
superplumas, 227-228
Surowiecki, Lames, 315
Swift, Jonathan, 354
Sykes, Bryan, 457

tabela periódica, 115-117, 118
takahe, 366
Tambora, erupção de, 413
taquiões, 171

Tattersall, Ian, 341, 434-436, 438-439, 442, 446, 450-451, 454, 459
Taung, criança, 431-432, 436
taxonomia, 357, 359-362
Taylor, Frank Bursley, 179-180
tectónica de placas, 76, 163, 186-189
tempestades, 260
tentilhões, 382, 468
terapsídeos, 340
termodinâmica, 87, 125-126
Termodinâmica, Segunda Lei da, 87n
termómetro, 264
termosfera, 257
Terra Bola de Neve, 422
Terra, 52, 61-64, 66-67, 185, 197-198, 212-214, 219-222, 248-251, 256-257, 262-263, 273, 291-294, 335-336, 413-414, 422-427
Terra, idade, 72, 84-88, 104-105, 119, 157, 162-164
Teton, cordilheira, 234
tetrápodes, 339
Thomson, J. J., 127, 147, 151
Thomson, William (ver Kelvin)
Thomson, Wyville, 259-260
Thorne, Alan, 447, 448-449, 452-453
Thorne, Kip S., 46, 128
Thorstensen, John, 49-50
tigre-da-Tasmânia, 469
Tiranossaurus rex, 103n, 426
Toba, erupção de, 229
Tombaugh, Clyde, 36
Tóquio, tremor de terra, 215
Torsvik, Vigdis, 364
Trefil, James, 153, 170, 188, 220, 265, 374
tremores de terra, 213-216, 233-234, 424
triangulação, 55n, 63
Triássico, período, 83, 342
Trieste, batiscafo, 276-277
trilobites, 182, 321-322, 342
Trinil, calota craniana de, 430
Trinkaus, Erik, 454
troposfera, 256-257
Tryon, Edward P., 31
Tsurutani, Bruce, 343
tubarões, 283
turbulência, 261
Turkana, esqueletos de, 439, 444
Turner, J. M. W., 256

uniformitarismo, 80
Universidade de Princeton, 27
universo, 1-33, 140-141, 176-178
universos, número de, 31
urânio, 117, 132, 294
Urey, Harold, 201, 287, 290
Ussher, James, 84
utensílios, 446-447, 450-451, 460-461

vaca-marinha, 466
Valéry, Paul, 132
Van Allen, cinturas de, 222
Vaucouleurs, Gérard de, 176
velocidade da luz, 38, 128, 131n, 141
velocidade do vento, 261-262
Vénus, 65, 249-250
Via Láctea, 41, 138, 140
Vine, Allyn, 277
Vine, Fred, 186
vírus, 315-319
Vogel, Shawna, 220, 222
Voorhies, Mike, 210-212, 228
voos de balão, 257, 259
Voyager, expedições da, 38-39
vulcões, 222-225, 226-235, 413

Walcott, Charles Doolittle, 323-325, 331
Walker, Alan, 435, 437, 443
Wallace, Alfred Russel, 384-386
Walsh, Don, 277
Watson, James, 147, 399-402
Wegener, Alfred, 180-182, 419
Weinberg, Samantha, 274
Weinberg, Steven, 32, 146, 172, 175
Weitz, Charles, 404
Whewell, William, 83

White, Nathaniel, 62
Whittaker, R. H., 308
Whittington, Harry, 325
Wickramasighe, Chandra, 293
Wilberforce, Samuel, 390
Wilkins, Maurice, 399, 400-402
Wilkinson Microwave Anistropy Probe, 176
Williams, Stanley, 224
Wilson, C. T. R., 147, 168
Wilson, Edward O., 331, 359-360, 364, 470
Wilson, Robert, 26-28, 141
WIMPs, 177
Winchester, Simon, 92
Wistar, Caspar, 89, 93, 103, 354
Witzke, Brian, 203-206
Woese, Carl, 308-311
Woit, Peter, 174-175
Wren, Sir Christopher, 57, 462

Yellowstone, Parque Nacional de, 212, 225, 226-234
Yellowstone Volcanic Observatory, 232
Younger Dryas, 424-425

zinco, 253
zircão, 294-295
Zwicky, Fritz, 45-46, 50, 177

BERTRAND EDITORA

Rua Professor Jorge da Silva Horta, n.º 1
1500-499 Lisboa

Telefone: 217 626 000
Fax: 217 626 150

e-mail: editora@bertrand.pt